메이지가
알았던

What Maisie Knew

것

이 번역서는 2018년 대한민국 교육부와 한국연구재단의 지원을 받아 수행된 결과물입니다.
(NRF-2018S1A6A3A04042721)

헨리 제임스 장편소설

메이지가
알았던
*What Maisie Knew*
것

● 나희경 옮김

도서출판 **동인**

# 옮긴이의 말

　헨리 제임스(1843-1916)는 영미소설가들 중에서 주제나 문체에 있어서, 그리고 소설 장르에 대한 그의 입장에 있어서도 독특한 위상을 차지하는 작가이다. 『메이지가 알았던 것』은 그의 수많은 작품 중에서 소위 그의 후기 대작들이 출판되기 1년 전인 1897년에 출판되었다. 이 소설은 이미 완숙기에 접어든 작가 고유의 심리적 사실주의의 주제와 문체가 충분히 실현된 작품이다. 따라서 이 소설을 번역하는 과정에서 어떻게 그의 독특한 문체의 효과를 가장 덜 손상시키고 최대한 살려서 옮길 것인가, 어떻게 그만의 독창적인 비유적 언어와 고유한 이미지를 깨뜨리지 않고 고스란히 옮길 것인가 하는 것도 큰 어려움으로 느껴졌다. 극도로 미세한 마음의 움직임을 감각적이면서도 우아하고 품위 있는 언어 표현으로 묘사하기 위해 그가 고안한 구문을 어떻게 이해할 수 있는지와 그것을 어떻게 한글의 구조로 효과적으로 옮길 수 있는지도 어려움이었다.

　헨리 제임스의 소설을 읽어나가는 동안 우리는 집중력과 속도가 일정하게 유지될 수 없다는 것을 누구나 경험하게 된다. 독서의 진행 속도가 특히

더뎌지는 부분은 제임스가 인물의 내면 의식 상태를 묘사하는 대목이며, 그 상태가 미세하고 미묘하며 복잡할수록 독서 진행 속도는 그만큼 더 느려진다. 그와 똑같은 상황이 이 소설을 번역하는 과정에서도 발생했다. 독서와 번역의 진행에 수반되는 그와 같은 걸음걸이의 팍팍함은 어떤 문학적·언어적 가치를 가지는가? 나는 그것이 문학과 언어의 발달 정도와 밀접하게 관련되어 있다고 믿는다. 또한 그것이 문학적 독서에서 맛보는 즐거움의 강도와도 연결되는 것이기를 희망한다.

이 소설을 번역하는 과정에서, 모든 어려움과 성취감을 함께하며 꼼꼼히 읽고 표현과 구문, 맞춤법을 고치고 다듬어주신 박정모 님께 마음 깊이 감사드린다. 그리고 이 번역본이 출판될 수 있도록 흔쾌히 허락해 주신 도서출판 동인의 이성모 대표님과 박하얀 편집장님께도 머리 숙여 감사드린다. 특히 박하얀 편집장님이 이 번역본의 사실상 모든 문장을 원작 소설과 대조해 가면서 고치고 다듬어내는 과정에서 보여주신 독해력과 언어감각, 편집의 전문성에 대해 경의를 표하고 싶다. 또한 이 번역본의 출판을 재정적으로 지원해 주신 전남대학교 인문학연구원 원장 정미라 교수님께도 진심으로 감사드린다.

# ◖ 차 례

메이지가
알았던
것

*What Maisie Knew*

그 소송은 끝이 없을 것 같았고 실제로 복잡했다. 그러나 항소심 결정으로 아이의 양육권에 관한 이혼 법정의 판결이 확정되었다. 비록 아이의 아버지는 머리끝부터 발끝까지 구정물을 뒤집어쓴 격이었지만 그럼에도 자신이 벌인 소송의 목적은 달성했는데, 그처럼 승소한 결과 그 애를 데리고 살 수 있는 권리를 얻게 되었다. 그런 판결이 내려진 것은 아이 엄마의 인격이 절대적으로 더 손상을 입어서라기보다는, 한 여성의 얼굴에 나타나는 빛나는 광채로 인해 그 오점들이 더 잘 드러나 보였기 때문이었을 것이다. 실제로 법정에서 부인의 용모에 대한 수많은 언급이 있었다. 그런데 두 번째 판결문에는 비일 패런지에게 승소의 기쁨을 손상시키는 하나의 조건이 첨부되었다. 그것은 그가 아이에 대한 양육권을 갖게 되는 대가로, 그리고 소송을 더 이상 진행하지 않겠다는 것을 확실히 이해했다는 점을 명백하게 하려고, 그의 전 부인에게 약 3년쯤 전에 그녀가 서류에 기입하여 요구했던 2천 6백 파운드를 보상해야 한다는 명령이었다. 그것은 그가 지급해야만 하는 금액이었으며, 거기에 대해 최소한의 의견 개진도 할 수 없는 액수였다. 그녀의 적에게 그처럼 부과된 의무는 아이다의 분노에 상당한 치유제가 되었다. 그것은 그녀에게 패배의 쓰라림을 일정 부분 없애주었고, 패런지 씨가 눈에 띄게 기가 꺾이게 만들었다. 그는 어떻게 해도 그 돈을 지불할 능력도, 모금할 능력도 없었다. 그래서 본래 재판의 충격 못지않게 세상을 떠들썩하게 했고, 또한 못지않게 지저분한 다툼을 거친 후에 그가 그 궁지에서 벗어나게 된 유일한 방법은, 그의 법적 조력자들이 제안하고 그녀의 변호인들이 마침내 받아들인 타협안에 따른 것이었다.

그 조정안으로 그의 채무는 면제되었고, 그 어린 소녀는 솔로몬의 판결만큼이나 가치 있는 방식으로 처분되었다. 그 애는 두 조각으로 나뉘어 각각 양측에 공평하게 내던져지듯 보내졌다. 두 사람은 그 애를 한 번에 6개월씩 교대로 맡게 되었다. 그래서 그 애는 각각의 부모와 반년씩 함께 살아야 했다. 그것은 법정으로부터 비친 맹렬한 빛에 여전히 눈부셔하는 사람들에게는 기이한 정의였다. 그 빛 속에서는 부모 양측 누구도 젊고 순수한 사람들에게 전혀 행복한 본보기로 비치지 않았다. 그처럼 드러난 증거를 보고 사람들이 기대했던 것은 부모를 대신할 누군가 적절한 제3의 인물이나, 혹은 적어도 교양 있는 어떤 친구가 양육자로 지정되었으면 하는 것이었다. 그러나 패런지 가문 사람 중에서 그럴만한 훌륭한 인물을 물색해 보았지만 허사로 돌아간 것이 분명해 보였다. 그래서 메이지를 고아원에 보내는 것 말고 그 모든 문제를 해결해 줄 유일한 방책은, 위에 언급한 방식으로 양육의 직무를 분할하는 것뿐이었다. 부모 두 사람에게는 그들이 이전에 그 어떤 일에 대해 동의했던 것보다도 바로 그 문제에 대해 동의하게 되었던 더 많은 이유가 있었다. 그들은, 이미 충분히 입증되었듯이, 각자 자신이 가진 타의 추종을 불허하는 야비함을 이제 그 애의 도움을 받아 가며 즐길 준비가 되어 있었다. 그들 사이에 불화의 소리가 다시 울려 퍼졌고, 함께였을 때는 완벽하게 무가치한 존재였던 그들이 헤어지고 나서는 단연코 눈길을 끄는 존재가 되었다. 그 결과 그들 자신이 그 어린아이의 구제를 위해 신문으로 여론에 호소하고 있던 사람들의 입장을 정당화해 주는 인상을 초래하지는 않았을까? 즉 그들의 태도 때문에, 대중의 요란스러운 목소리 가운데서, 그 애를 구제하려는 운동이 시작되었거나 혹은 어떤 자애로운 사람이 나타나주어야 한다는 생각에 대한 반향이 생겨났던 것은 아니었을까? 어떤 마음씨 착한 한 부인이 실제로 나선 적이 있었다. 패런지 부인과 먼 친척뻘 되는 여자였는데 자기 아이들은 다 키워서 내보냈으니 최소한의 비용만 받고 그 불화의 씨앗을 자신이 맡아서 기르고, 그렇게 해서 적어도 그 부모 중 한쪽의 고통은 덜어줄 수 있겠노라고 제안했었다. 그렇게 되었다면 어쩔 수 없이 6개월 동안은 아빠인 비일의 집에 머물더라도 나머지 6개월은 메이지에게 한결 나은 기분전환이 될 수도 있었을 것이다.

"한결 나은 기분전환이 될 수 있다고요?" 아이다가 목소리를 높여 말했다. "짐승처럼 비열한 그자에게서 세상에서 그를 가장 증오하는 사람에게로 옮겨오는 것 자체가 그 애에게는 충분히 기분전환이 되는 것 아닌가요?"

"그렇지 않아요, 당신이 비일을 그토록 혐오하니 당신은 메이지에게 항상 그에 관해 나쁜 말을 하게 될 거예요. 당신은 그 애 앞에서 그에게 영원히 욕을 퍼부어 댈 거라고요."

패런지 부인1이 응시하며 말했다. "아서요. 그렇다면 제가 그자가 나에게 한 악행을 아무것도 되돌려 주어서는 안 된단 말씀이세요?"

그 착한 부인은 잠시 아무 대꾸도 하지 않았다. 그녀의 침묵은 전체적인 상황에 대한 냉혹한 판단을 의미했다. "아, 가엾은 어린 것", 그녀는 마침내 입을 열었다. 그리고 그 말은 메이지의 어린 시절 묘지 앞에 세워진 묘비명이 되었다. 이제 그 애는 자신의 운명에 내맡겨졌다. 어떤 구경꾼에게도 분명했던 것은, 그 애를 양쪽 부모에게 연결해 주는 유일한 끈이 그 애가 부모의 원한을 담기 위한 준비된 그릇이라는 통탄할 만한 사실이라는 점이었다. 그 애는 독한 산성 물질들이 담겨 뒤섞이는 깊고도 조그만 도자기가 되었다. 그 애의 부모는 자신이 베풀어줄 수 있는 어떤 선함을 위해 그 애를 원했던 것이 아니라, 그 애의 의도치 않은 도움을 받아 서로 상대방에게 가할 수 있는 해악을 위해서 그 애를 원했다. 그 애는 부모의 분노에 봉사해야 했으며, 그들의 복수심을 최종 봉인해야 했다. 왜냐하면 그 부부는 법적 판결로 큰 충격을 입어서 불구의 신세가 되었기 때문이었다. 말하자면 그들은 스스로 말했듯이 재판에서 완승을 거두겠다는 심사로 분노에 찬 요구를 했었지만 최종 판결은 그 어느 쪽 주장도 손들어 주지 않았기 때문이었다. 만약 각자가 반씩 챙기게 되었다면 그것은 그 어느 쪽도 상대방이 주장하는 것만큼 그렇게 비열하지는 않다는 것을 인정하는 것처럼 보였을 것이다. 바꾸어 말하면 그들이 딱 상대방만큼만 선량하기 때문에 양측 모두 그처럼 나쁘지는 않았다는 것을 인정하는 것처럼 보였을 것이다. 어머니 쪽은 아버지가 그 애를 '바라만 보는 것'조차도 못 하게 하기를 바랐고, 아버지 쪽에서는 어머니가 그 애를 살짝이라도 만지는 것조차 그것이 '곧바로 그 애를 오염시키는 것'이라고 주장했다. 그래서 메이지는 그처럼 상반된 원칙에 따라서 양육될 운명이었고, 그처럼 상반된 원칙들을 가능한 한 조화시켜야 할 운명이었다. 처음에는 그 애가 자신의 순수한 작은 영혼을 기다리고 있는 시련을 전혀 눈치채지 못한다는 것보다 더 감동적인 것은 아무것도 없었다. 한편 사람들은 메이지의 영혼을 책임지고 있는 부모가 그것을 어떤 것으로 만들려고 연합했는지 상상해 보고 끔찍해했다. 그러나 그 누구도 그 부모가 아이의 영혼을 결코 오염시킬 수 없을 것이라고는 미리 생각하지 못했다.

그들의 사회는 사람들이 대부분 사소한 수다거리에 몰두해 있었던 그런 사회였다. 그렇지만 그 결별한 부부는 마침내 고강도의 활동을 전개할 만한 시기를 예상할 수 있는 지반을 갖게 되었다. 그들은 공격할 채비를 갖추었고, 이제 막 싸움이 시작된 것처럼 느꼈다. 결혼생활이라는 것이 그들에게 주로 서로 계속해서 싸움을 할 수 있는 기회라고 생각하는 한, 두 사람은 그 어느 때보다 지금이 더 진정으로 결혼한 상태에 있었다. 이전에도 양쪽 중 어느 한쪽을 '편드는 사람들'이 있었다. 그러나 지금은 전보다 더욱 심하게 편이 갈라져 있는 상태였다. 어느 한쪽을 편드는 사람은 시답잖은 이야깃거리가 넘쳐나게 될 것이라는 신바람에 들떠서 역시 대단한 전망이 펼쳐질 것을 기대하고 있었다. 패런지 가문의 사람들은 모여서 비일과 아이다에 관해 각기 다른 견해를 주장했다. 차를 마시거나 담배를 피우며 새로운 반박거리들을 내세웠다. 모든 사람이 매우 충격적인 어떤 주장을 하면서 모든 사람을 납득시키려 하고 있었고, 터무니없는 주장을 하는 사람이 아무도 없다면 누구도 유쾌해하지 않았을 것이다. 그 부부는 각자 상대방에 대해서만은 갖지 못했던 사회적 매력을 갖고 있는 것 같았다. 아이다 측에서 보면 비일 말고는 정말 아무도 그녀에게서 피를 보기를 원하지 않았다고 말할 수 있게 된 것이 대단한 일이 되었고, 비일에게는 자기의 눈알이 후벼 뽑히게 된다면 그건 오직 아이다에 의해서일 뿐이라고 말할 수 있게 된 것이 대단한 일이 되었다. 우선 사람들은 그 두 사람이 매우 출중한 외모를 가졌다고들 생각했다. 그들의 외모가 세세한 부분까지 비교 분석되지는 않았다. 그들의 신장을 합치면 12피트 3인치쯤 되었는데, 그 두 사람이 각각 그 숫자의 얼마씩을 차지하는지에 대해서는 관심을 갖지 않았다. 아이다의 미모에 있어서 유일한 단점은 팔 길이였는데, 그 긴 팔 덕분에 그녀는 당구 게임에서 전남편을 너무도 자주 이기곤 했다. 당구 게임에서 아이다는 남편보다 우월했는데 그 우월함이, 그녀가 주장하듯이, 남편이 육체적 폭력으로 표현 방법을 찾는 분노의 원인임을 설명해 주었다. 당구는 아이다가 자신의 우월성을 보여줄 수 있는 최대의 성취였고 그녀는 그 분야에서 명성이 자자했다. 길쭉한 몸의 곡선들에도 불구하고 커 보였을 수 있겠고 또한 많은 여자들에게는 특권적으로 이득이 되었을 수도 있는 그녀에 관한 모든 것이, 딱한 가지만 예외로 하는 사이즈가 작다는 것으로 칭송받고 이야깃거리가되었다. 그 예외란 다름 아닌 그녀의 눈이었는데 그것은, 실상 보통 크기였을 수도 있었겠지만, 얌전해 보이는 정도의 한계를 벗어났다. 반면에 입은 가까스로 눈에 띌 정도의 크기였다. 그리고 그녀의 허리 사이즈에 관해서는 사람들이 제멋대로 짐작했다. 그녀가 밖에 나가 있을 때면—사실상 그녀는 항상 밖에 나가 있었는데—어디에서나 자주 눈에 띈다는 인상을 주었다. 그 말은, 어떤 의미에서는, 눈에 띈다는 것이 남용되고 있다는 뜻이었다. 그래서 그녀를 보고 감탄하는 것이 보통의 장소에서는 저속한 행동이었을 수도 있었다. 단지 그녀를 알지 못하는 낯선 사람들만이 그런 방식으로 행동했다. 그리고 그들 낯선 사람들은, 익숙한 사람들이 보기에는, 흥미롭게도 지나치게 그런 방식으로 행동했다. 그것은 사람들이 이국적인 습관을 드러내 보여주는 어쩔 수 없는 방식이었다. 그녀의 남편이 그랬던 것처럼 그녀도 마치 기차가 승객들을 태우고 다니듯 자신의 옷가지들을 챙겨서 들고 다녔다. 알려진 바에 따르면, 사람들은 그 두 사람이 싸 들고 다니는 옷가지들에 대해서 각기 다른 취향이나 의견을 비교해서 나타냈다. 대체로는 가방 안이 장신구나 꽃으로 넘치지 않게 채워졌다는 점에서 아이다의 짐가방을 칭찬하는 경향이 있었다. 비일 패런지는 천연 장신구를 가졌다고 볼 수 있었는데, 그것은 그의 풍성한 금발 턱수염으로 마치 일종의 의상처럼 보였다. 그것은 마치 황금 턱받이처럼 빛이 났다. 그의 잘 손질된 콧수염 사이로 드러나는 영구히 반짝거리는 치아가 인생의 어떤 상황에서도 즐거움을 느끼는 표정을 나타내주고 있었다. 그는 젊은 시절에 외교직 자리에서 일한 적이 있었는데, 짧은 기간 동안 봉급도 받지 않고 공사관 직원으로 일했었다. 그러한 자신의 전력을 빙자해서 그는 "동양에서의 나의 시절"이라는 말을 하곤 했다. 하지만 근년의 그의 인생은 그에게 도움이 되는 어떤 경력도 가져다주지 않은 채 덧없이 지나가 버렸고, 그는 영구히 피커딜리 근처에서 어슬렁거리는 신세로 전락하고 말았다. 모든 사람이 그의 전 재산이 2천 5백 파운드뿐이라는 것을 알고 있었다. 가엾은 아이다는 삶의 질곡을 다 거쳐서, 이제 가진 것이라고는 짐가방 하나와 반신불수가 된 삼촌뿐이었다. 그 늙은 짐승 같은 삼촌—사람들이 그렇게 불렀다—은 가진 땅이 조금 있었던 것으로 알려졌었다. 그런데 그 땅에 대한 권리가 메이지에게 돌아가 버렸다. 그렇게 된 데는 비일의 작고한 교활한 고모가 손을 써서 그 애의 부모는 그 재산에서 나오는 어떤 수입만을 차지할 수 있도록 조치해 버렸기 때문이었다.

## I

그 아이가 보살핌을 받게는 되었지만, 그 새로운 조정안 내용이라는 것은 어린 그 애가 이해하기에 불가피하게 혼란스러울 수밖에 없었다. 단지 그 애는 엄중한 어떤 일이 벌어졌다는 것을 절실히 알 수 있었을 따름이었고, 그처럼 엄청난 원인에 대한 결과를 불안하게 전망하고 있었다. 참을성 있는 그 어린 소녀는 처음에 이해했던 내용보다도 훨씬 더 많은 것을 나중에 보게 될 운명이었다. 그러나 심지어 처음에도 이전에 다른 어떤 어린 소녀가, 제아무리 참을성이 있다 할지라도, 이해할 수 있었던 것보다도 더 많은 것을 이해했다. 전설이나 민담에 나오는 싸움터에서 북을 치는 소년 정도는 되어야 그처럼 치열하게 싸움이 벌어지고 있는 와중에 그 정도로 많은 것을 이해할 수 있었을 것 같다. 격앙된 감정의 소용돌이 한가운데로 인도된 상태에서 그 애는 눈길을 그 소용돌이에 고정하고 있었다. 그 애는 환등기의 슬라이드로부터 비쳐서 벽면을 가로질러 나타나는 이미지들을 바라보고 있었다. 그 애에게는 마치 진행되는 모든 일이 자신을 위해서 의도된 것처럼 보였고, 자신이 커다란 극장 안에서 반쯤 겁에 질려 있는 어린아이 같았다. 간단히 말해서 그 애는 이기심에 찬 다른 사람들이 자신의 이기심을 마음껏 즐길 수 있을 만큼 모든 조건이 갖추어진 상태에서 인생을 소개받게 되었다. 그 상황의 희생 제물이 되는 것을 피할 방법이라고는, 그 애가 어리기 때문에 얌전해야 한다는 사실 말고는 없었다.

그 애는 첫 6개월을 아버지 집에서 보냈는데, 그는 어머니가 그 애 앞으로 보낸 편지들을 읽지 않게 해준다는 점에 있어서만 그 애를 소중히 다루었다. 그는 그 편지들을 손에 쥐고 흔들어 보이는 정도로 자신의 행동을 제약했다. 그렇게 하면서 그는 자신의 앞니를 씨익 드러내 보였다. 그런 방식으로 그 애를 놀려준 다음에 그는 방 안을 가로질러 편지를 휙 던져서 난롯불 속에 처넣어 버렸다. 심지어 그런 일이 벌어지는 동안에도 그 애는 피로로 겁에 질리게 될 것이라는 예감, 난국에 잘 대처하지 못하고 있다는 죄책감을 가지면서, 동시에 뜯어보지 않은 빳빳한 그 편지 봉투들—거기에는 아이다가 늘 사용하는, 큼직하게 도안된 글자들이 쓰여 있었고 메이지는 그것을 보고 싶었지만—이 마치 위험한 미사일처럼 휙 소리를 내며 공중으로 날아가는 난폭함에 매력을 느꼈다. 그런 대단한 원인으로 생긴 최대의 결과는 그 애 자신의 중요성이 더 커졌다는 것이었는데, 그 증가한 중요성은 주로 그 애가 더 자유롭게 다루어지는—이리저리 이끌려 키스를 받는—데서 드러나게 되었다. 그 결과는 또한 그 애가 그만큼 커진 자유에 비례해서 의당 보여주어야만 했던 더욱더 상냥해야만 하는 태도에서도 나타났다. 어떻든 그 애의 용모는 두드러지게 예뻤다. 그 애의 예쁨은 아버지를 만나러 찾아와서 아이의 얼굴에 담배 연기를 뿜어댔던 신사들에 의해서 어린 싹이 잘라내지듯 영구히 따지고 말았다. 그 신사들 중 일부는 그 애더러 성냥불을 켜서 담뱃불을 붙이라고 요구했다. 다른 사람들은 난폭하게 흔들리는 자신의 무릎 위에 그 애를 앉혀놓고 아프다고 비명을 지를 때까지 그 애의 종아리를 꼬집었다. 아이가 지르는 비명도 그 신사들에게는 웃음거리였다. 그러고는 그들은 그 애의 종아리가 이쑤시개처럼 가늘다고 말하여 수치심을 주었다. 이쑤시개라는 표현은 그 애의 마음속에 각인되었다. 그때부터 그 표현은 그 애가 자신이 사람들의 일반적인 욕구를 만족시키는 데 무언가가 부족하다는 느낌이 들게 하는 원인이 되었다. 그 애는 그 부족한 것이 무엇인지 알아냈다. 그것은 어떤 체내 생성 물질과 관련된 타고난 성향이었으며, 유모인 모들이 그 물질에 짧고도 추한 이름을 붙여주었는데 그것은 저녁 식사에서 그 애가 싫어하는 관절의 어떤 부분과 고통스럽게 관련된 것이었다. 그 애는 모들의 욕구를 제외하고, 자신이 충족해야 할 다른 어떤 욕구도 갖지 않았던 시절을 잊고 지냈다. 과거 그때는 그 애가 켄싱턴 가든즈에서 놀다가 혹시 너무 먼 데까지 와버린 건 아닌가 하고 돌아와 보면, 모들이 언제나 그 벤치에 앉아 있었다. 모들의 바람은 단지 메이지가 너무 멀리 가버리면 안 된다는 것뿐이었다. 그 애는 모들의 그러한 바람을 너무도 쉽게 만족시켰으므로, 그 긴 낮 시간의 유일한 오점은 메이지가 서둘러 돌아왔을 때 만약 모들이 벤치에 없다면 어떻게 하지 하는 의아심이 들었던 순간뿐이었다. 그들은 여전히 켄싱턴 가든즈에 갔다. 그러나 그곳에서도 한 가지 달라진 점이 있었다. 그 애가 다른 아이들의 다리를 습관적으로 자꾸만 바라보고 유모에게 그 다리들이 이쑤시개냐고 물어보게 된 것이었다. 모들은 지독하게 정직해서 항상 "오오 애야, 네 다리처럼 가느다란 다리는 다른 아이들에게서 찾아볼 수 없을 거야."라고 대답했다. 그 대답은 모들이 종종 말했던 뭔가 다른 어떤 것과 관련이 있는 것 같았다. 모들은 "너는 긴장감을 느끼는 거야. 그것 때문이야. 너는 더욱 심하게 느끼게 될 거야, 알겠니?"라고 말했다.

　메이지는 애초부터 긴장감을 느꼈을 뿐만 아니라 자기가 그것을 느낀다는 것을 알고 있기도 했다. 그렇게 느끼게 된 이유 중 하나는, 아빠가 자신도 긴장감을 느낀다고 그 애에게 말한 사실 때문이었다. 아빠는 그 애의 면전에서 모들에게 그녀가 아이에게 그 점을 명심하도록 주지시켜야 한다고 말했다. 여섯 살의 나이에 그 애는 모든 일이 자기 때문에 변하게 되었다는 사실에 익숙해져 버렸다. 아빠가 자기 때문에 모든 것을 스스로 포기할 수밖에 없었다는 사실에 익숙해진 것이다. 그 애는 아빠가 자기 때문에 자신의 인생을 포기했다는 인상을 심어주는 모들의 말을 항상 기억해야만 했다. 모들은 "네 아빠는 자신이 너 때문에 끔찍한 괴로움을 당했다는 사실을 네가 결코 잊어서는 안 된다고 생각하신단다."라고 말했다. 만약 모들의 얼굴이 과도하게, 거의 고통스러운 듯이, 일그러진 표정을 지을 때면, 메이지에게 그것은, 늘 그렇듯이, 그녀가 틀림없이 위에 한 말을 내뱉으면서 일어나는 현상이었다. 그 애는 그 표현들 때문에 모들이 평소보다 더 고통스럽게 되었는지 의문이 들었다. 그러나 상당한 시간이 흐른 후에야 비로소 그 애는 자기 아빠가 당하는 고난을 머릿속에 그려보는 데 대해, 더 구체적으로 말하면 그런 고난에 관해 유모가 보이는 태도에 대해, 그런 모습들에 내포되었었던 의미를 찾아낼 수 있게 되었다. 아이의 종아리에 대해 혹평을 하곤 했던 신사들이 표현했듯이, 그 애가 자라면서 더 예뻐졌을 때쯤 아이는 자신의 마음속에서 그런 의미가 부여될 만한 이미지와 반향의 묶음을 발견할 수 있게 되었다. 그 이미지와 반향들은 그 애의 순수하고 어렴풋한 마음속, 침침한 벽장 속 같은 곳, 높다란 서랍 속 같은 곳에 보관되어 있던 것이어서, 그 애가 할 수 있을 만큼 아직 충분히 성장하지 않은 그런 게임과 같은 것이었다. 한편 그 애에게는 아빠가 엄마에 관해서 한 말을 엄마에게 가감 없이 전달하는 것이 엄청나게 부담스러운 일이었다. 모들은 대부분 그런 말들을 슬쩍 듣기만 하고서도 마치 그것이 복잡한 장난감이나 어려운 책이라도 되는 듯이 그 애의 손에서 받아들자마자 벽장 속에 처넣어 버렸다. 그 애는 엄마가 아빠에게 사용한 같은 종류의 표현들의 경이로운 조합이, 그 동일한 저장고 속에 이런저런 물건들과 뒤섞여 들어있다는 것을 나중에 알게 될 처지였다.

그 애는 매일 더 가까이 다가오고 있는 어떤 날이 오면 엄마가 자기를 데려가려고 문간에 와 있게 되리라는 것을 알게 되었다. 만약 창의력이 풍부한 모들이 종이에 크고 쉬운 단어로 메이지가 저쪽 집에서 즐기게 될 많은 즐거움을 적어주지 않았더라면 그러한 인식—엄마가 데리러 오는 것을 알게 되는 것—이 그 모든 날을 어둡게 했을 것이다. 모들이 적어놓은 약속에는 "엄마의 애정 어린 사랑"에서부터 "너의 차에 반쯤 익힌 달걀을 넣는 것"까지 그 범주에 포함되었으며, 그 약속들은 엄마가 외출하기 위해서 비단이나 벨벳, 다이아몬드와 진주로 장식된 옷을 차려입는 것을 보느라 밤늦게까지 앉아 있게 될 거라는 예상의 형태를 띠기도 했다. 그래서 바로 그 절정의 날이 왔을 때, 메이지가 모들의 지시대로 그 쪽지가 어떻게 자신의 주머니 속에 집어넣어져서 꼭 움켜쥐어졌는지를 느끼는 것은, 그 애에게 진정한 위안이 되었다. 그 절정의 시간은 그 애에게 후에 생생한 기억거리를 안겨주었는데, 그것은 모들이 응접실에서 아빠의 말에 대꾸하면서 그에게 이상한 말을 큰 소리로 갑자기 내뱉었던 경우였다. "당신은 정말이지 부끄러운 줄 아셔야 해요. 당신은 자신의 언행에 대해서 제발이지 창피해하셔야 한다고요." 엄마가 타고 있는 마차가 문간에 와 있었다. 한 신사가 거기에 함께 타고 있었는데—사실 그는 항상 함께 타고 있었는데—그는 큰 소리로 웃음을 터뜨렸다. 아이를 팔에 안고 있었던 아빠가 모들에게 말했다. "사랑스러운 아가씨야, 내가 '너를' 머잖아 안정되게 생활할 수 있도록 해주겠어!" 메이지를 안고 있는 동안 아빠는 이전 어느 때보다도 더 치아를 많이 드러내 보이면서 모들이 그에게 무례하게 행동하게 만들었던 말을 되풀이 했다. 메이지는 그 순간 모들이 아빠에게 한 무례한 언행과 그녀의 상기된 얼굴은 충분히 의식했지만, 아빠가 무슨 말을 했는지는 미처 충분히 의식하지 못했다. 그렇지만 마차 안에서 5분쯤 지나서 엄마가 리본과 눈과 팔, 그리고 이상한 소리와 향긋한 냄새로 다가와서 자기에게 온통 키스를 퍼부었을 때 모들이 한 말을 되새겨 볼 수 있었다. 엄마는 그 애에게 "천사처럼 귀여운 내 딸아, 너의 짐승 같은 아빠가 너의 사랑스러운 엄마에게 무슨 말을 전하라고 했니?"라고 물었다. 바로 그 순간 그 애는 짐승 같은 아빠가 당황해하는 자기의 조그만 귀에다 대고 해준 말을 되찾아 내게 되었으며, 그 말은 그 애의 귀에서 또렷하고 날카로운 목소리로, 그리고 작고 순수한 입술로 곧장 전달되었다. "아빠는 나더러 엄마한테 엄마가 더럽고 끔찍한 돼지 같다고 말하라고 했어요."라고 그 애는 충실하게 보고했다.

## II

아이의 마음 상태가 나타내는 생생한 즉흥성이라는 의미에서, 각각의 경우에 과거는 그 애에게 미래만큼이나 불분명했다. 그 애는 각각의 부모에게 감동을 주었을 수도 있었을 순수한 믿음으로 실질적인 것에 자신을 내맡겼다. 그 결과 그들은, 자신들이 추정했듯이 조야하게, 처음에는 자신들의 정당성을 확인했다. 그 애는 두 부모 사이를 계속해서 맹렬하게 날아다닐 수 있는 깃털이 달린 조그만 셔틀콕이었다. 그 부모는 사악함을 생각해 내는 자신들의 재능—혹은 각각 상대방에 대해서 사악함을 생각해 내는 체하는 재능—을, 진지하게 응시하는 그 애의 조그만 영혼 속에, 마치 용량이 무한한 그릇 속에 부어 넣기라도 하듯이 주입했다. 그리고 그들은 상대방이 야기하는 위험으로부터 그 애를 보호해 줄 수 있는 안전장치가 될만한 엄격한 진실을 아이에게 가르쳐야 한다는 의무감에 대해서는 세상 최고의 양심을 가졌었다. 그때 그 애는 모든 이야기가 다 진실이 되고 모든 개념이 다 이야기가 되는 그런 나이였다. 그 애에게는 실질적인 것이 절대적인 것이었으며 오직 현재만이 생생했다. 예를 들면 아이가 아빠의 분부를 곧이곧대로 실행에 옮긴 후에 마차 속에서 엄마가 퍼부은 비난은, 우체통 속에 떨어뜨려지는 한 장의 편지가 내는 건조한 덜거덕 소리와 함께 그 애의 기억 속에 일종의 공문서처럼 집어넣어졌다. 마치 그 편지처럼 엄마가 아이의 기억 속에 넣어준 공문서는 잔뜩 채워진 우편 가방의 내용물 중 일부로서 정확한 주소로 적절한 시기에 배달되었다. 이처럼 과도한 상태가 2년 동안 지속된 후에, 양쪽 부모 각각의 편에 서 있는 동조자들은 자신들이 그 애를 위해 "진정한 선이 될 일, 알잖아."라고 때때로 말했던 어떤 것을 위해 무언가 조치를 취해야 한다고 느끼게 되었다. 그러나 일반적으로 행해진 유일한 조치란, 그 애가 그 어색한 순간에 우연히 있게 되었던 곳에 다행히도 일 년 내내 있지는 않았다는 말이 한숨 소리와 더불어 내뱉어졌을 때뿐이었다. 게다가 너무 영악해서인지 아니면 너무 멍청해서인지는 몰라도, 아이는 그 상황의 의미를 이해하지 못하는 것처럼 보였다.

아이가 멍청하다는 이론은, 결국 그 애의 부모에 의해서 받아들여졌으며, 그 애의 작고도 정지된 일생에서의 어느 한 위대한 날에 일어났던 상황에 부합했다. 그것은 아이가 갖게 되었고, 이행했던 그 이상한 직무에 대한 사적이지만 최종적이고 완결된 비전이었다. 그것은 문자 그대로 도덕 혁명이었고 그 애의 본성 깊은 곳에서 성취되었다. 어두컴컴한 선반 위에 놓여 있던 뻣뻣한 인형들이 팔다리를 움직이기 시작했다. 오래된 형식과 국면들이 그 애에게 놀라운 의미를 띠기 시작했다. 아이는 새로운 느낌을 얻게 되었는데 그것은 위험에 대한 지각이었고, 거기에서 그 문제를 해결하려는 새로운 대책이 생겨났으며, 그것은 내면의 자아라는, 달리 말하면 숨김이라는 개념이 생겨난 것이었다. 그 애는 그 불완전한 신호들을 이용해서, 그러나 자신의 비범한 기운을 통해서, 자신이 증오의 중심이었으며 모욕의 전령이었다는 것을, 그리고 자신이 그 임무를 수행했기 때문에 모든 것이 잘못되었다는 것을 수수께끼를 풀듯 이해하게 되었다. 더 이상 이용당하지 않겠다는 다짐으로, 아이의 벌어졌던 입이 자물쇠를 채우듯 잠가졌다. 그 애는 모든 것을 잊어버리려 했으며 그 어떤 말도 옮기지 않을 참이었다. 아이의 그러한 인식 체계가 성공적으로 적용되었다는 하나의 증거로, 메이지는 조그만 바보라고 불리기 시작했다. 그때 그 애는 새롭고도 선명한 즐거움을 맛보았다. 아이가 점점 나이를 먹어가면서 그 애의 부모는 아이에게 형편없이 미련해졌다고 번갈아 가며 대놓고 말했다. 그러한 판단은 그 애 삶의 작은 흐름에 어떤 실제적인 위축이 일어난 것을 보고 내려진 것이 아니었다. 그 애는 부모의 재미는 망쳐놓았지만 자신의 재미는 실제로 늘려갔다. 그 애는 점점 더 많은 것을 보았다. 너무 많은 것을 보았다고 할 수 있다. 결정적인 순간 비밀의 씨앗을 뿌려주었던 사람은 그녀의 첫 가정교사였던 오버모어 양이었다. 오버모어 양은 자신이 말한 어떤 것 때문이 아니라, 단지 메이지가 이미 감탄해 마지않았던 그녀의 아름다운 눈망울을 굴림으로써 그 애의 마음속에 그 씨앗을 심어주었다. 아이가 선명한 기억을 가질 수 없었던 양쪽 거처를 왔다 갔다 옮겨 다닌 후, 모들은 그 무렵 그 애의 기억 속에서 회미하게 미라화되어 가는 하나의 이미지가 되어 있었다. 모들은 배가 고프다고 말하며 아이의 방에서 자리를 뜨는 모습으로 그 애에게 기억되었고, 특히 그 애가 그녀에게 뭔가 좀 알아봐 달라고 요청했을 때 그녀가 "중요한 글자 헤이치(H)"라고 표현했던, 알파벳에서 어떤 괴로운 착오를 범해서 슬픈 당혹감에 빠진 모습으로 기억되었다. 반면에 오버모어 양은 아무리 배가 고파도 그처럼 자리를 뜨는 법이 없었다. 그러한 태도를 보고 메이지는 오버모어 양이 더 높은 신분이라고 생각하게 되었으며, 그 믿음으로 오버모어 양이 비범한 아름다움을 가졌다는 생각을 더욱 굳히게 되었다. 패런지 부인은 오버모어 양이 과할 정도로 예쁘다고 말했는데, 거기에 대해 누군가는 비일이 그 집에 없는데 오버모어 양이 너무 예쁘다는 사실이 무슨 상관이 있느냐고 물었다. "비일이 있든 없든, 나는 그녀가 숙녀인 데다가 지독하게 가난하기 때문에 데려왔어요. 꽤 괜찮은 집안이지만 자매가 일곱이나 되죠. 사람들이 뭐라 하든 무슨 상관이죠?"라고 자기 엄마가 대답하는 것을 메이지는 들었다.

메이지는 사람들이 어떻게 생각하는지는 알지 못했다. 그러나 그 애는 금세 오버모어 양의 일곱 자매의 이름을 모두 알게 되었다. 그 모든 자매의 이름을 구구단 외는 것보다 더 수월하게 말할 수 있었다. 그 애는 지독한 가난이라는 게 뭘까 남몰래 궁금해하기도 했지만 그것을 누구에게도 물어보지 않았고 오버모어 양도 그런 것을 결코 입 밖에 내지 않았다. 여하튼 음식과 관련된 일이 신비로운 법칙에 의해서 어떤 의미를 띠고 떠올랐다. 모들과 달리 오버모어 양은 결코 앞치마를 입지 않았다. 그리고 오버모어 양은 식사할 때 새끼손가락을 바깥쪽으로 둥글게 말아서 포크를 쥐었다. 메이지는 그녀의 여러 가지 모습을 눈여겨보았지만 특히 그 새끼손가락 모양을 유난히 주의 깊게 보았다. 그 애는 오버모어 양에게 "선생님은 아름다우신 것 같아요."라고 종종 말했다. 엄마도 아름답기는 하지만 포크를 그처럼 예쁘게 손에 쥐지는 않았다. 메이지는 이 현란한 존재를 자신도 이제 '다 컸다'는 생각과 연결 지었다. 그 애는 유모 겸 가정교사를 갖는 것은 어린 소녀들—메이지의 표현에 따르면 그러나 '정말로' 어리지는 않은—에게 해당된다는 것을 물론 알고 있었다. 더 나아가서 그 애는 어떻든 자신의 미래가 지금의 자기보다 훨씬 더 커다랄 것이며, 미래를 그처럼 커 보이게 만드는 원인 중 하나는, 거기에 숨어 있다가 언제라도 튀어나오도록 준비된 가정교사들의 숫자라는 것도 어렴풋이 알고 있었다. 그 애가 정말로 어렸을 때 일어난 모든 일은 아이의 잠재의식 속에 잠들어 있었다. 그러나 단 한 가지 확실한 사실만은 예외였다. 그것은 아득히 먼 옛날에 모들이 해준 말이었는데, 그녀는 한 아이가 자기 부모를 갖는 자연스러운 방식은 따로따로 서로 교대로 이어가며 어느 한쪽과 함께 지내는 것이라고 말했다. 그것은 마치 식사할 때 양고기가 나오고 나서 푸딩이 나오는 것이나, 목욕을 하고 나서 낮잠을 자는 것과 마찬가지 이치라는 것이었다.

"아빠는 자신이 거짓말한다는 걸 아시나요?"라는 질문은 그 애의 삶에서 그처럼 갑작스러운 변화를 초래하게 했던 바로 그 경우에, 메이지가 오버모어 양에게 쾌활하게 물었던 것이었다.

"그분이 아시냐고…" 오버모어 양이 메이지를 응시했다. 오버모어 양은 손에 스타킹을 덮어씌워 놓았고, 동작으로는 바늘의 균형을 잡으면서 그 손을 향해 바늘을 찔러 넣고 있었다. 그녀가 하는 그 일은 가정적인 것이었지만, 그녀의 움직임은 다른 모든 그녀의 움직임과 마찬가지로 우아했다.

"아빠 있잖아요."

"그분이 '거짓말을 하신다'는 것을?"

"엄마가 아빠에게 그렇게 말해야 한다고 했어요. 아빠가 거짓말을 하고 있고 그걸 아빠도 안다고요." 오버모어 양은 얼굴을 몹시 붉히더니 고개가 뒤로 한껏 젖혀지도록 크게 웃었다. 그런 다음 그녀는 스타킹으로 덮인 자신의 손을 향해 바늘을 매우 강하게 다시 찔러 넣었다. 메이지는 오버모어 양이 그것을 어떻게 견디는지 궁금했다. "제가 아빠에게 그 말을 해야 할까요?" 그 애가 물었다.

바로 그때 상대방은 그 애에게 깊고 짙은 회색 눈동자라는 틀림없는 언어로 말했다. 그 눈동자는 "나는 노우라고 대답할 수 없어."라고 가능한 한 명확하게 대답하는 듯했다. "나는 네 엄마를 두려워하기 때문에 노우라고 대답할 수 없어, 알겠니? 그렇다고 내가 어떻게 예스라고 대답할 수 있겠니? 네 아빠가 나에게 그처럼 친절하게 대해주셨는데 말이야. 요전 날 우리가 공원에서 그분을 만났을 때, 그분은 매력 있는 앞니를 드러내며 미소 지으며 나에게 그렇게 긴 시간 동안 이야기해 주셨는데 말이야. 그때 그분은 우리를 보고 기뻐하며 함께 있던 신사분들을 떠나서 우리에게 다가와 함께 걸으며 우리와 함께 반시간 동안이나 보내주셨잖아." 아무튼 그때 있었던 일이 오버모어 양의 아름다운 눈빛 속에서, 당시에는 느낄 수 없었던 매력을 띠고 메이지에게 되새겨졌다. 게다가 그 일이 끝난 후로 그 가정교사가 딱 한 번 말고는 그 일에 관해 결코 언급한 적이 없는 데도 그랬다. 아빠가 그들을 떠난 다음 집으로 오는 도중에 오버모어 양은 메이지에게 그 일을 엄마에게 말하지 않았으면 좋겠다고 말했다. 메이지는 오버모어 양을 좋아했고 또한 그녀에게 귀여움을 받는다는 황홀한 느낌이 들었으므로 그 말이 문제를 종결짓는 것으로 받아들였고, 이상하게도 그 말에 순응했다. 아빠가 오버모어 양에게 무슨 말을 했던가 회상하다가 다시 그 경이로움이 되살아났다. 아빠는 "나는 당신을 바라보기만 해도, 당신이 내가 내 딸을 구하려는 데 도움을 청할 수 있는 사람이라는 것을 알 수 있어요."라고 말했었다.

메이지는 자신이 무엇으로부터 구조된다는 것인지 알 수 없었지만, 그 때문에 오버모어 양이 자신을 구원해 준다는 생각이 가져다주는 즐거움이 감소하지는 않았다. 왜냐하면 그것은 마치 어떤 난폭한 손수건 돌리기 놀이에서처럼 자신과 오버모어 양을 꼭 붙어 있게 해줄 것처럼 보였기 때문이었다.

## III

그래서 그 애는 엄마가 다음 이동 전에 뭔가 해야 할 일과 관련해서 다음처럼 말했을 때 너무도 놀랐다. 엄마는 "너는 그녀가 너랑 함께 가지 않을 거라는 것을 당연히 알고 있지."라고 말했다.

메이지는 기절할 듯 당황해서 "아, 저는 같이 갈 거라고 생각했는데요."라고 말했다.

"네가 어떻게 생각하는지는 아무 상관 없어, 너도 알다시피." 패런지 부인이 목소리를 높여 대꾸했다. 이어서 엄마는 "이 아가씨야, 너는 정말이지 앞으로 너의 생각을 말하지 않는 법을 배우는 게 좋을 거야."라고 덧붙였다. 그것은 정확하게 메이지가 이미 터득한 것이었다. 그 애가 그처럼 마음을 드러내지 않는 태도를 갖게 된 게, 바로 그 애 엄마가 안달이 나게 하는 이유였다. 아이다는, 자기 자신의 입장에서, 어린아이란 단순해서 남을 쉽게 믿어야 한다고 생각하는 경향이 있었으므로, 그 애가 침묵 속에서 어른을 판단하는 성향, 즉 하나의 작고도 끔찍한 비판 시스템을 갖게 된 것은 아닐까 의심하고 있었다. 그녀는 또한 패런지 씨의 인격, 마음의 평화를 가장하는 그의 태도에 자신이 가한 일격에 관한 보고를 듣고 싶어 했다. 그리고 그것으로부터 아무런 반향도 듣지 못하게 되자 그것을 다루는 데서 오는 만족이 줄어들었다. 아이다가 메이지를 낚아채 오는 데서보다도 그 애를 패런지 씨에게 내던져 버리는 데서 더 큰 즐거움을 느끼게 되는 그런 날이 다가왔고, 그녀는 그것을 인식하고 있었다. 그 점을 너무도 강하게 의식하고 있었기 때문에 아이다는 어떤 솔직한 친구가 그 부모가 줄다리기하듯 다투고 있는 모든 행위의 진짜 목적이 그 어린 소녀를 상대방에게 서로 짐으로 만들어버리려는 것이라고 말했을 때 약간 양심의 가책을 느꼈다. 그것은 애정을 가진 엄마라면 이로울 리가 없는 게임이었다. 이득을 보지 못하게 될 거라는 전망이—아이다는 이득을 얻는 일에 자신이 실패한 적이 없다고 스스로 주장할 만큼 그것이 그녀의 주특기였던 셈인데—그녀를 기분 상하게 했고, 그 결과가 몇몇 사람들에게 느껴지게 되었다. 그녀는 어떻게든 비일이 그것을 느껴야만 한다고 벼르고 있었다. 그녀는 그에게 혐오감이 들게 하는 방법을 찾아내는 일을 결코 포기해서는 안 된다고 마음을 다잡아 결심했다. 메이지에게 확실히 마음이 쏠린 훌륭한 여성 수행인—오버모어 양과 같은 가정교사—을 두는 데서 오는 이득을 얻지 못하게 하는 것보다 그를 더 괴롭게 하는 것은 있을 수 없었다. 아이다가 그 수행원에게 말했던 여러 가지 사항 중 하나, 비일의 집이라는 곳은 그 어떤 품위 있는 여성도 발을 디디도록 허락되어서는 안 되는 그런 곳이라는 것이었다. 메이지에게 그 애 아빠 집에 자기가 함께 가도록 허락받길 바란다고 설명해 주었던 것은 오버모어 양 자신이었다. 그리고 그러한 희망은 그 애 엄마가 그에 대해 보인 반응으로 박살났다고도 설명해 주었다. 오버모어 양은 "네 엄마는 만약 내가 비일을 위해 봉사하는 그런 짓을 한다면, 내가 이 집에 다시는 얼굴을 내밀 생각조차도 해서는 안 된다고 말했어. 그래서 나는 너와 함께 가려고 하지 않겠다고 약속했어. 네가 이 집으로 다시 돌아올 때까지 내가 참을성 있게 기다린다면 우리는 틀림없이 다시 함께 지내게 될 거야.''라고 말했다.

참을성 있게 기다린다는 것, 그리고 무엇보다도 자기가 다시 엄마 집으로 돌아올 때까지 기다린다는 것이 메이지에게는 머나먼 귀로처럼 보였다. 그 기다림은 아이가 들었던 모든 말을 상기시켜 주었다. 그 애가 들었던 말은 대체로 자신이 착한 아이가 된다면 얻게 될 것과 착한데도 불구하고 결코 얻지 못하게 될 것에 관한 것이었다. "그렇다면 아빠 집에서는 누가 나를 돌봐주죠?"

"그걸 누가 알겠니, 사랑스러운 내 아이야!''라고 오버모어 양이 대답하며 아이를 따뜻하게 안아주었다. 그 애가 아름다운 오버모어 양에게 소중한 존재라는 것은 의심의 여지가 없었다. 그것은 그 두 사람이 비통한 이별을 했고, 아이 엄마로부터 금지 사항이 있어 오버모어 양이 내키지 않아 하면서 약속을 했는데도 불구하고, 그 아름다운 친구가 일주일도 채 못 되어 아이 아빠 집에 나타났다는 사실로 입증되었다. 비일의 집에는 몸집이 작은 한 여인이 이미 고용되어 시간제로 일하고 있었는데, 그녀는 뚱뚱하고 피부색이 검은 사람이었고 외국 이름을 가졌으며 온종일 보닛을 쓰고 있었다. 그 보닛 때문에 그녀는 어쩐지 믿을 수 없는 구석이 있는 사람 같은 분위기를 띠었으며, 장기간 고용되지 않았다는 이유로, 또 그 애에게 학습과 관련 없는 쓸데없는 질문을 했다는 이유로 너무도 일찍 해고당했다. 그녀가 비일에게 그런 종류의 질문을 두세 가지 반복했을 때 그는 그것이 몹시 천박한 질문이라고 생각했다. 그 유령 같았던 가정교사는, 메이지를 위해서 모든 것을 무릅썼던 눈부신 존재가 나타났을 때 스르르 사라져버렸다. 그 눈부신 존재는 자기가 맡은 어린 학생에게 무슨 일이 있었는지 솔직하게 말해주었다. 그녀는 그것을 말하지 않고 억눌러 둘 수 없었다고 말했다. 그녀는 패런지 부인과 했던 약속을 어겼다. 그녀는 3일 동안 괴로워하다가 메이지의 아빠에게 곧장 와서 한 가지 단순한 사실을 털어놓았다. 그녀가 그의 딸을 너무도 좋아한다는 것이었으며, 그 애를 단념할 수 없다는 것이었다. 그 애를 위해서라면 어떤 희생도 감내하겠다는 것이었다. 그런 전제하에서 그녀는 아빠 집에 머물게 된 것이다. 그녀의 용기가 보답받았던 것이다. 그녀는 자기가 얼마나 큰 용기를 내야 했는지를 메이지에게 확신시켜 주었다. 그녀가 말해준 것 중에서 몇 가지는 그 애에게 특별한 인상을 심어주었다. 예를 들면 자기와 같은 젊은 숙녀가 자신이 한 것과 같은 일을 하기 위해서는 얼마나 '지독할 정도로 대담해야만 했는지'를 나중에 그 애가 더 나이 들게 되면 더 잘 이해하게 될 거라는 말이 그랬다.

"다행히도 네 아빠가 그걸 고마워하셨어. 그분이 그걸 엄청 감사해하셨단다." 바로 그것이 오버모어 양이 말한 것 중 하나였는데, 그녀는 '엄청'이라는 부사를 특히 힘주어 말했다. 메이지는 그 순교자가 겪었던 고난에 그만큼 감동받았는데, 특히 패런지 부인에게서 온 끔찍한 편지에 관해 듣고 나서 더욱 감동을 받았다. 오버모어 양의 말에 따르면 엄마는 너무나 화가 나서 그녀에게 욕설을 마구 퍼부었다고 했다. 그리고 그것이 오버모어 양이 다시는 엄마 집에 발도 붙이지 못하게 할 충분한 근거가 된다고도 말했다는 것이다. 그 애가 엄마 집에 가서 지내야 할 차례가 올 것이었지만, 그것이 이번에는 단지 아득한 가능성처럼 보여서 그녀가 비밀이라고 그 애에게 근엄하게 털어놓았던 것을 재확인할 필요성이 별로 없었다. 그 비밀이란 그녀가 엄마 집에 다시는 돌아가게 될 것 같지 않다는 가능성이었다. 메이지가 자신을 정말 눈에 띄게 좋아한다면 그녀가 비일과 함께 지내는 것을 '여론'이 지지해 줄 것이라는 데 대해 그녀는 남몰래 확신하고 있기도 했고, 또 메이지에게 그런 말을 하기도 했다. 가엾은 메이지는 오버모어 양의 그러한 동기를 거의 이해할 수 없었지만, 엄마 집으로 가는 날까지는 어떤 감정에 빠져 지낼 수 있었다. 메이지는 생애 첫 열정을 품게 되었는데, 그 열정의 대상이 오버모어 양이었다. 그 애는 아빠보다도 오버모어 양을 더 좋아했지만, 그런 사실을 공공연하게 말할 수 없었고, 또한 스스로 자신에게 말할 수도 없었으며, 어쨌든 그렇게 말하지도 않았다. 그러나 아빠 역시 자기 못지않게 오버모어 양을 좋아한다고 대답할 수 있다는 느낌이 그와 같은 마음의 거리낌에도 그 애를 지탱해 주었을 것이다. 게다가 그 애는 너무도 쉽게 그것을 알 수 있었다.

## IV

그 모든 것이 그 애가 잘못된 믿음을 갖게 했지만, 한편으로 그것은 그 애의 엄마가 마차—그런 마차는 지금 이런 경우가 아니라면 그 애가 결코 타볼 수 없는 종류의 마차였다—를 타고 문간에 왔던 날에 그 애에게 운명적인 일을 초래하기도 했다. 지금으로서는 오버모어 양이 그 애와 함께 엄마 집으로 돌아간다는 것은 있을 수 없는 일이었다. 그녀가 패런지 부인과 아주 심한 싸움을 벌였다는 것이 일반적으로 알려진 바였다. 그 애는 애초부터 그렇게 느꼈다. 부인이 아이를 마차에 태워 떠날 때 포옹도, 감정을 표현하는 말도 없었다. 무서운 느낌이 들게 하는 침묵만 있었을 뿐인데, 그 침묵은 예년에 있었던 불쾌한 질문으로도 누그러뜨려지지 않았다. 그처럼 험악한 분위기에 어울리는 그 침묵은 문간 계단에서 그 애를 기다리고 있던 인물인, 분위기를 한층 더 싸늘하게 만드는 한 늙은 여자와 대면하는 순간 정점에 달했다. 아이의 엄마는 "넌 이분의 돌봄을 받게 된단다."라고 말했다. 그녀는 그 여자에게 "이 아이를 받아요."라고 성마르게 말을 건네면서 동시에 그 애를 그녀에게 밀쳐 보냈다. 그 밀쳐내는 힘을 느끼며 메이지는 엄마가 윅스 선생님에게 힘의 본보기를 보여주길 원한다고 생각했다. 윅스 선생님은 그 애를 받았고, 메이지는 바로 다음 날에 그녀가 자기를 절대로 놓아주지 않을 거라고 느끼게 되었다. 오버모어 양과 헤어진 직후라서 그 애는 처음에 윅스 선생님을 끔찍하다고 느꼈었다. 그러나 그 어린 소녀는 한 시간쯤 지나자 그 부인의 목소리에 담긴 무언가가 지금까지 결코 와닿은 적이 없는 자신의 내면 어떤 부분에 와닿는 것을 느꼈다. 메이지는 나중에 그것이 무엇인지 알게 되었지만, 그것을 말로 표현할 수는 없었다. 그것은 윅스 선생님과 단지 며칠간 이야기를 나누는 과정에서 확실해졌다. 그중 가장 중요한 한 가지는 윅스 선생님이 항상 곧바로 언급했던 사항이었다. 그것은 그녀에게 딸아이가 하나 있었는데, 그 애가 교통사고로 현장에서 죽었다는 것이었다. 부인은 그 아이 말고는 세상에 아무것도 가진 것이 없었으며 그 고통 때문에 크게 상심했었다. 윅스 선생님이 크게 상심했다는 것이 그녀와 메이지 사이에 자연스럽게 공감되었다. 메이지가 느꼈던 것은 그 부인이 열정과 고뇌를 가진 엄마였다는 것이었다. 그리고 오버모어 양은 바로 그 점을 갖고 있지 않았고, 이상하고 혼란스럽게도 엄마에게서는 그런 점을 더욱 찾아볼 수 없었다.

그래서 메이지는 마치 일곱 중 하나[2] 힌트에 의해서인 듯 생생하게 기억되어 버린 윅스 선생님의 가족에 자신이 속하게 된 것처럼 느껴지는 만큼이나, 이례적으로 짧은 기간에 자신이 죽은 어린 클라라 마틸다의 이미지에 깊이 몰두해 있다는 것을 알게 되었다. 클라라는 해로우 로드에서 길을 건너다가 극악무도한 마차에 치여 부서져버렸다. 그녀는 "죽은 내 어린 딸은 너와 자매지간이 된 거야."라고 결론지으며 말을 마쳤고, 메이지는 호기심과 동정심으로 가득 차서 전율하면서 그 순간 자신이 어린 동생으로 받아들인 그 애에게 특별한 연민을 보냈다. 어쨌든 클라라가 자신의 진짜 동생은 아니었지만 그 애로 하여금 단지 그만큼 더 낭만적인 기분이 들게 했다. 다른 누구에게도 자기가 그 애의 언니라는 관계로 말해지지 않으리라는 점 때문에, 메이지는 그 애를 더욱 낭만적으로 그려볼 수 있게 되었다. 패런지 부인에게는 더더욱 자기와 클라라가 자매간이라고 소개될 수 없었다. 패런지 부인이 그런 관계를 좋아할 리 없고, 인정해 줄 리도 없었다. 그것은 단지 자신과 웍스 선생님 사이의, 입 밖에 내서는 안 되며 언제까지나 간직해야 할, 하나의 비밀이었다. 메이지는 클라라에 관해 가능한 한 모든 것을 알게 되었는데, 클라라가 비극으로 끝마친 짧은 일생 동안 했던 모든 말과 행동에 대해 알게 되었고, 그 애가 얼마나 사랑스러웠는지 정확히 알게 되었고, 그 애가 어떤 곱슬머리였으며 그 애 드레스 자락이 어떤 모양이었는지까지 샅샅이 알게 되었다. 그 애의 머리카락은 허리 아래로 길게 드리워졌었으며 너무나 경이로운 밝은 금발이었고, 그것은 오래전 어린 시절 웍스 선생님의 머릿결을 닮았었다. 웍스 선생님의 머릿결은 정말이지 아직도 몹시 눈에 띄어 보여서 메이지는 처음에 자신이 그 머릿결을 좋아하게 될 것 같지 않다고 생각했었다. 그 머릿결은 웍스 선생님이 슬프고도 낯선 모습으로 보이게 하는 데 큰 역할을 했다. 그녀가 메이지에게 처음 모습을 나타냈을 때 그녀의 머리카락은 기름때가 낀 흰머리로 보였다. 그것은 본래 노란색이었으나 시간의 흐름 속에서 우아함을 잃은 잿빛이나 탁하고 창백한 볼품없는 흰색으로 변해 있었다. 아직 지나칠 정도로 풍성한 머리숱은 그 가엾은 부인이 그것이 이미 변질되었다는 것을 인식하지 못하는 방식으로 매만져져 있었다. 그것은 큼직한 왕관 모양으로 머리 꼭대기 위에 그럴싸하게 땋아 올려진 머리채로 그 뒤쪽으로는 목덜미 부근에 커다란 단추 모양의 거무스름한 꽃 모양 장식이 달려 있었다. 그녀는 안경을 끼고 있었는데, 똑바르지 않고 옆으로 비스듬해진 자신의 시각을 겸손하게 언급하면서, 그녀는 그것을 교정 안경이라고 불렀다. 그리고 어딘지 추해 보이는 코담배 색깔의 드레스를 입고 있었는데, 거기에는 부채꼴의 연속무늬 모양으로 묶인, 낡아서 생기를 잃은 공단으로 된 허리띠가 달려 있었다. 그녀가 메이지에게 말한 바에 따르면 그녀는 그 교정 안경을 다른 사람들을 배려하기 위해서 착용했다. 그녀는 그 교정 안경이 다른 사람들이 그녀의 시각의 방위각이 어느 쪽을 향하고 있는지 알아차리는 데 도움을 준다고 믿고 있었다. 그 안경을 끼지 않으면 그녀가 무엇에 주목하고 있는지 사람들이 의심스러워한다는 것이다. 나머지 우울한 옷차림은 그녀 자신을 위해서 갖춰 입은 것일 수밖에 없었다. 그녀의 교정 안경이 가져다주는 별도의 분위기와 더불어 그녀의 옷차림은 메이지에게 마모된 조개껍질이나 끔찍한 딱정벌레의 흉부를 연상시켰다. 처음에 그녀는 찌무룩해 보이거나 좀 잔인해 보이기도 했다. 그러나 그녀에 대한 메이지의 인식이 그녀가 세상 사람들 눈에 주로 비웃음거리가 된다는 방향으로 커지면서, 그러한 인상은 사라져버렸다. 그녀는 셔레이드 게임3 동작만큼이나, 혹은 자연사의 종말쯤에 나타나는 한 가지 동물만큼이나 우스꽝스러운 모습이었다. 그녀는 사람들이 재미 삼아 씹어대면서 서로 묘사하고 흉내 내는 그런 대상이었다. 모든 사람이 그녀의 교정 안경에 대해 알고 있었으며 왕관 모양 머리띠나 장식 버튼에 대해서 알고 있었고, 가리비 모양의 옷 장식이나 공단 허리띠에 대해서도 알고 있었다. 메이지가 결코 내색하지는 않았지만 모든 사람이, 심지어 클라라 마틸다에 관해서도 알고 있었다.

엄마가 그처럼 낮은 임금으로 웍스 선생님을 고용하게 된 데는 다 그런 이유가 있어서였다. 실질적으로 무임금인 셈이었다. 그 정도라는 것을 알게 된 것은 어느 날 윅스 선생님이 응접실로 아이를 따라 들어왔다 나갔을 때 그 애가 거기에 있던 부인 중 한 사람이 다른 부인에게 말하는 것을 들었기 때문이다. 그 말을 했던 부인은 줄넘기 줄이나 짙고 검은 바느질 자국처럼 보이는 아치 모양의 눈썹을 가졌는데, 그게 마치 흰 장갑 위에 악보를 그리려고 그어진 줄처럼 보였다. 그 애도 가정교사들이 가난하다는 것은 알고 있었다. 오버모어 양은 말할 것도 없이 가난했고 윅스 선생님은 공공연하게 가난했다. 그러나 그녀가 가난하다는 사실도, 낡은 갈색 드레스도, 왕관 모양의 머리띠와 장식 버튼도, 메이지에게는 모든 것을 통해서 발산되는 그녀의 매력에 아무런 차이를 가져다주지 않았다. 윅스 선생님의 매력은, 촌스럽고 가난한 모습에도 불구하고, 그녀가 특이하면서도 마음을 편안하게 해주는 안전감을 주는 사람이라는 것이었다. 그녀는 세상 그 누구보다도 더 안전했으며, 아빠보다도, 엄마보다도, 아치 모양의 눈썹을 가진 그 부인보다도 더 안전했다. 비록 윅스 선생님은 외모에 있어서 오버모어 양보다 훨씬 덜 아름다웠지만, 훨씬 더 안전한 느낌을 주었다. 그 애는 오버모어 양의 아름다움이 윅스 선생님이 해주는 것과 같은 포근함, 잠자리에서 이불을 덮어주며 다독여주고 굿나잇 키스를 해주는 것과 같은 따뜻한 느낌을, 가져다줄 수 없다는 것을 어렴풋하게 의식하고 있었다. 윅스 선생님은 클라라 마틸다만큼이나 안전하다는 느낌을 주었다. 클라라는 하늘나라에 있지만 당황스럽게도 켄설 그린4에도 있었는데, 메이지는 윅스 선생님과 함께 그곳에 가서 아무렇게나 만들어진 조그만 클라라의 무덤을 본 적이 있었다. 메이지는 엄마 집에서 지내는 기간이 끝나기 전에 형언할 수 없고 흉내 낼 수도 없는 윅스 선생님의 우스꽝스러운 모습에도 불구하고 그녀의 어조에서 무언가 돌봄을 받는다는 느낌을 받았다. 그 느낌은 '추락 위험'이 있는 곳에 설치된, 결코 무너질 것 같지 않은 가슴 높이의 난간과 같은 느낌이었다. 그 애는 자기 선생님이 가난하고 기이한 분이라는 것뿐만 아니라 오버모어 양에 비해서 자격이 크게 부족하다는 것도 알았다. 오버모어 양은 그 애더러 책을 들고 있게 하고서도 수많은 연대와 날짜를 즉석에서 댈 수 있었으며, 말라바5의 위치를 말할 수 있었고, 악보를 보지 않고도 6개의 곡을 연주할 수 있었으며, 나무나 집뿐만 아니라 그에 따르는 그리기 어려운 부분들까지 스케치해서 그려 넣을 수 있었다. 메이지 자신도 윅스 선생님보다 더 많은 곡을 연주할 수 있었다. 게다가 윅스 선생님은 자기가 그린 집이나 나무를 눈에 띄게 창피해했으며 단지 더럽혀진 집게손가락을 이용해서—그렇게 하는 건 미술 분야에서 정당성을 의심받는 것인데—굴뚝에서 연기가 피어오르는 모습을 그릴 수 있었을 뿐이었다.

그들 가정교사와 어린 학생이 '교과목'을 다루기는 했다. 그러나 그 가정교사가 일주일 또 일주일 미뤄두는 과목이 여럿 있었고, 결국 그들은 그 과목들을 손도 대지 않아버렸다. 그녀는 단지 "우린 적절한 순서에 따라서 그 과목들을 다룰 거야."라고 말하곤 했다. 그녀가 말하는 순서란 미지의 천체만큼이나 광대한 것이었다. 그녀는 탐험 정신이 없었으며, 그 애는 그녀가 얼마나 많은 과목을 두려워하는지 충분히 알 수 있었다. 그녀는 소설이라는 단단한 터전 위에 피난처를 잡았는데, 거기에는 진실의 푸른 강이 굽이쳐 흐르고 있었다. 그녀는 수많은 이야기를 알고 있었고, 그것은 대부분 자신이 읽은 소설 이야기였다. 그리고 그 이야기들을 결코 머뭇거림 없는 기억력으로 메이지에게 들려줄 수 있었는데, 그 풍부한 디테일이 메이지를 즐겁게 해주었다. 그 이야기들은 모두 사랑과 미인과 백작부인과 악의 무리에 관한 것이었다. 그녀의 대화는 실제로 끊임없이 이어지는 이야기였고, 멋진 로맨스의 정원이었으며, 그곳의 가로수길 경치는 갑작스럽게 자신의 인생으로 연결되었고, 거기에는 솟구치는 소박한 분수도 있었다. 그런 곳들이 그들이 가장 오래 머무르는 곳이었다. 그녀는 그 애가 자신과 더불어 자신의 길고도 어설픈 행로의 모든 발걸음을 다시금 밟아나가게 했으며, 그것을 마술과 괴물의 차원을 넘어서서 생각하도록 했다. 그 애는, 그 애 자신의 표현으로, 자신에게 와서 부딪히는 모든 사람에 대한 생생한 비전을 갖게 되었는데, 그 사람들 중 일부는 너무도 견고할 정도로 구체적이었다. 단 한 사람 예외가 있다면 그녀의 남편이었던 윅스 씨였는데, 그가 죽은 지 너무 오래되었다는 사실 말고는 아무것도 언급된 것이 없었다. 그 사람은 놀랄 만큼 아내의 인생길에 부재하는 인물이었다. 그녀는 메이지를 그의 무덤에 데리고 가서 인사시키지도 않았다.

## V

오버모어 양과의 두 번째 이별은 너무나 힘들었다. 그러나 윅스 선생님과의 이번 첫 번째 헤어짐은 그보다 훨씬 더 괴로웠다. 그 애는 최근 치과에 다녀왔기에 윅스 선생님과 이별하는 상황에서 조여드는 듯한 긴장감의 강도를 비교할 수 있는 조건을 갖게 되었다. 이별의 순간은 치아가 뽑힐 때만큼이나 무서울 정도로 고요했다. 그때 윅스 선생님은 그 애의 손을 움켜쥐고 있었고, 그 두 사람은 소리를 지르지 않으려고 필사적으로 다짐하며 서로 꼭 붙들고 있었다. 메이지는 치과에서 늠름하게 침묵했다. 그러나 그 애가 최고의 통증을 느꼈던 바로 그 순간에 상대방으로부터 터져 나오는 가느다란 비명을 듣게 되었다. 그것은 억눌린 동정심이 복받쳐 나오는 소리였다. 그 비명은 한 달 뒤 그 애의 정기적인 뿌리 뽑히기를 뜻하는 이른바 '조정'이라는 것이 무시무시한 니퍼 역할을 했을 때, 그 두 사람의 격렬한 포옹을 깨뜨리는 유일한 소리로 재생되었다. 윅스 선생님의 치아가 그녀의 잇몸 속에 박혀 있듯이, 메이지를 떼어내는 수술은 윅스 선생님의 본성 속에 끼워 넣어져 있어서 정말로 마취제가 있어야 했다. 그들의 포옹은 다행히도 말이 필요하지 않은 것이어서 가엾은 그 부인이 그 시간에 말이 없었던 것은 모든 것이 결핍된 그녀의 상황과 부합했다. 교대하는 부모인 메이지의 아빠가 현관 가장 먼 쪽에서—그는 전 부인 집의 문지방을 넘어가는 것만큼이나 무례함을 저지르는 행위를 즐겼다—뚜껑이 열린 시계를 들고 서서 치아를 씩 드러내며 웃고 있었다. 그러는 동안 그 애는 출입문에서 한쪽 눈으로 곁눈질하여—그 눈은 윅스 선생님의 눈동자와 마주치지 않았는데6—유개마차7 한 대를 보았는데 그 안에는 역시 오버모어 양도 기다리고 있었다. 그 애는 6개월 전 더 기운 넘치는 보호자의 가슴으로부터 떼어내졌던 때를 기억했다. 지난번 이별에서 오버모어 양은—그때도 역시 현관에 있었는데 그건 물론 아빠 집 현관이었고—화려한 말솜씨로 모든 감정을 표현했었다. 불만을 말하는 그녀의 목소리가 낭랑하게 울려 퍼졌으며, 그녀는 무언가가 —그 아이는 그것이 정확하게 무엇인지 알 수 없었는데—규칙적이고 사악한 수치스러운 일이라고 말했다. 그때의 헤어짐은 먼 과거에 모들이 일으켰던 대단한 소란을 메이지에게 떠올렸다. 메이지의 철새 생활은 이런저런 측면에서 어떤 '수치스러운 일들'과 관련 있는 것 같았다. 지금은 윅스 선생님의 팔이 꽉 조여오고 그녀의 머리 냄새가 강하게 풍겨오는 동안, 그 애는 더 나아가 아빠가 오버모어 양을 달래면서 어떻게 "이 사랑스러운 늙은 오라"라는 말을 사용했는지 기억했다. 그 표현은 그것이 주는 이상한 느낌 때문에 메이지의 어린 마음속에 단단히 들러붙어 있었다. 게다가 그 애는 늘 마음속으로 그 가정교사를 예쁜 사람이라고 생각하고 있었기에, 아빠의 그 표현을 자신의 마음속에 받아들일 공간이 잘 준비되어 있었다. 메이지는 그 가정교사에 대한 아빠의 애정이 지금도 예전만큼 대단한지 궁금했다. 어떻든 그 표현은 유개마차의 창문을 통해서 화려하게 드러나 보이는 얼굴에서 메이지가 발견할 수 있는 아름다움에 대해서는 있을 수 있는 표현이었다.

유개마차는 화합의 상징이자, 이 시기에 아빠가 제공해 준 훌륭한 조건들의 표식이었다. 아빠는 보통 핸섬8을 몰고 그 애를 데리러 왔었고, 그 유개마차는 뒤쪽에 승객칸이 실린 네 바퀴 달린 본체를 끌고 있었다. 위에 승객칸이 실려 있는 네 바퀴 달린 본체가 실제로 거기에 와 있었다. 과거에는 모들이 늘 개인 소유 사륜마차라고 말했던 그런 종류의 탈것 안에 그 애가 함께 앉아 있던 사람은 엄마뿐이었다. 아빠는 사륜마차 한 대를 가지고 있었는데, 그것은 어쨌든 엄마의 마차보다도 더 사적인 목적의 마차였다. 그 애는 마침내 마차에 올라타서 함께 탄 사람들의 무릎 위에 앉혀졌다는 것을 알게 되었을 때, 그리고 우아하게 마차가 굴러가기 시작했을 때, 오버모어 양의 또 한 차례 떠들썩한 포옹이 있고 난 뒤에, 아빠의 그 어떤 감정이 지속되고 있는지 알고 싶어서 오버모어 양을 향해 한 가지 질문을 던졌다. 그 애는 "내가 떠나 있었던 동안에도 아빠가 똑같이 선생님을 좋아해 주셨나요?"라고 물었다. 그 질문에는 그 애가 함께 있었을 때 오버모어 양에 대한 아빠의 총애가 어떻게 생겨났는지에 대한 의식이 가득 실려 있었다. 메이지는 아빠가 오버모어 양을 좋아하는 것도 자신이 아빠 집에 머무는 동안만 간헐적으로 나타났다가 사라지는 건 아닌가 하는 생각이 들었었다. 아빠가—그의 무릎 위에 메이지가 앉아 있었는데—흔히 하듯 요란한 웃음을 터뜨렸는데, 그 웃음은 그 애가 아무리 미리 대비되어 있었다고 할지라도 무서운 놀이의 속임수처럼 갑작스럽게 터져 나와서 그 애를 놀라게 하는 듯했다. 오버모어 양이 말을 꺼내기 전에 그가 먼저 대답했다. "요 어린 당나귀 녀석아, 네가 떠나 있는 동안 내가 그녀를 사랑하는 것 말고 달리 무슨 할 일이 있었겠니?"라고 그는 말했다. 그러나 오버모어 양이 그로부터 바로 그 애를 넘겨받아 안았고, 그들 사이에는 유쾌한 작은 다툼이 일어났다. 그때 메이지는 지나가는 사륜마차 안에서 어떤 늙은 부인이 그 모습을 눈을 흘기며 바라보았다는 것을 알아차렸다. 그러자 그 애의 아름다운 친구가 그 애에게 사뭇 진지하게 말했다. 그녀는 "저분이 너에게 또다시 그런 끔찍한 말을 하면, 나는 그 즉시 너를 데리고 내려서 어디론가 가서 함께 살면서 우리가 너무나도 착한 소녀들이 되리라는 걸 깨닫게 해줄 거야."라고 말했다. 그 애는 자기 아빠가 한 그 말은 단지 과거에 오버모어 양이 '엄청나게'라고 묘사했던 감사함을 표현하는 것뿐인데, 무엇 때문에 아빠가 한 말이 그처럼 끔찍한 건지 이해할 수 없었다. 그 문제에 관한 진실 속으로 더 깊이 들어가려고, 그 애는 오버모어 양이 이전에 그랬고 또 앞으로도 그럴 것처럼, 지난 6개월 동안 줄곧 그와 함께 있었는지 아빠에게 직접 간곡히 물어보았다. "물론 그랬지, 이 귀여운 것아. 그 가엾은 분이 그 밖에 달리 어느 곳에 있을 수 있었겠니?"라고 비일 패런지는 목소리를 높여 말했다. 그들의 상대방은 그 말에 훨씬 더 창피해하며 만약 그가 당장 그 추한 거짓말을 철회하지 않으면 이번에는 그이뿐만 아니라 그의 딸과 집, 그리고 골치 아픈 그의 문젯거리도 다 팽개치고 떠나버리겠다고 항의했다. 그 장난기 어린 공갈에 비일은 아무런 대꾸도 하지 않았다. 그는 사실 그의 지나친 장난을 반복하려는 참이었지만, 오버모어 양은 자기의 어린 학생에게 그의 짓궂은 농담에 아예 귀를 닫아버려야 한다고 일러주었다. 그녀는 메이지에게 한 숙녀가 어떤 지독할 정도의 적절한 이유 없이는 그런 식으로 한 신사와 함께 있을 수 없다는 걸 이해하게 될 거라고 가르쳐 주었다.

메이지는 그 두 사람을 번갈아 가며 바라보았다. 그것은 그 애가 경험했던 것 중에 가장 산뜻하고도 유쾌한 출발이었다. 그러나 그 애는 그 두 사람의 말을 곧이곧대로 믿을 수 없다는 은근한 걱정이 들었다. "그럼, 어떤 게 적절한 이유죠?"라고 그 애는 진지하게 물었다.

"막대기처럼 긴 다리를 가진 말괄량이보다 더 좋은 이유는 없단다."라고 말하며 아빠는 아이와 자신의 익살을 함께 즐기며 그 애를 다시 건네받아 안으려고 했다. 그러나 상대는 그의 시도를 좌절시켰고 분위기는 다시 공공연한 다툼 같은 것으로 이어지고 있었다. 오버모어 양이 자기는 그동안 내내 좋은 친구들과 함께 지냈다고 그 애에게 선언하듯 말했지만, 그에 대해 비일은 "네 선생님이 말하는 친구들은 나의 멋진 친구들이지. 너도 알고 있듯이 나의 멋들어진 친구들 말이야. 내가 네 선생님께 그 친구들에 관해 한없이 말해드릴 수 있지."라고 말했다. 메이지는 혼란스러운 느낌을 받았고 후에 한 가지 막연한 생각이 들었는데, 그것은 그처럼 대단히 즐거운 화젯거리에 대해, 그리고 자기 선생님이 정말로 어디에 계셨는지에 대해 조금은 당황스러운 느낌이었다. 아이는 그 두 사람이 자기에게 진지하게 말했다는 느낌이 전혀 들지 않았다. 그리고 그 후에 일어난 어떤 일로부터도 그런 느낌은 들지 않았다. 조숙한 본능이 가져다준 그런 종류의 당혹감은 그 일도, 엄마가 늘 말하곤 했던, 자기가 개입해서는 안 되는 많은 일 중에 한 가지려니 하는 생각으로 이어졌다. 그래서 이어지는 아빠 집에서의 시간 동안 가정부들에게 알랑대면서 자기가 느낀 애매함을 말끔하게 해소하려 들지 않았다. 그 모호함 자체가, 오버모어 양과 다시 시작된 동거가 약속해 주는 신선한 즐거움으로부터 아무것도 빼앗아가지 않았다는 사실은 이상한 듯하지만 진실이었다. 메이지의 신뢰는 순수한 종류여서 설명을 덧붙인다고 해서 더 잘 이해될 수 있는 것이 아니었다. 아무튼 그 애는 어떤 혼란에도 영향을 받지 않았다. 게다가 메이지에게는 숨김이 반드시 기만인 것처럼 보이지도 않았다. 그 애는 많은 일을 목격하면서 자랐는데, 그 애가 그 일들에 대해서 맨 먼저 알게 된 사실은 그것에 관해서 절대로 질문해서는 안 된다는 것이었다. 사소한 것들에 대한 질문이 대단히 중요한 것들에 대한 관심을 딴 데로 돌리려는 특이한 방법이라는 사실은 메이지에게 전혀 새롭지 않았다. 엄마 집에서는 자기 인형인 리세트9에 관한 문제 말고는 진지한 표정으로 설명할 수 있는 문제가 아무것도 없었다. 그 애에게는 엄마 집에 모인 숙녀들이 소리를 지르며 떠나도록 배웅하는 것만큼 쉬운 일이 없었다. 그 애가 더 계산적인 성향이었다면 그 숙녀들의 약점을 충분히 이용했을 수도 있었을 것이다. 모든 일은 이면에 무언가를 숨기고 있었다. 인생은 마치 닫힌 문이 양쪽으로 줄지어 있는 길고 긴 복도처럼 느껴졌다. 그 애는 그 문들을 노크하지 않는 것이 현명한 처사라는 것을 알게 되었다. 그런 깨달음이 마음속으로부터 조롱하는 소리를 만들어내는 것 같았다. 그 애는 점차더 많은 것을 이해하게 되었다. 왜냐하면 그 애는 리세트가 던진 질문으로어떤 깨달음을 얻게 되었기 때문이다. 그 애는 리세트가 처한 깜깜한 상태에 자기 자신이 앉아 있게 됨으로써 그 의문들에 대한 자신만의 결과를 재현할 수 있었다. 자신도 그 인형처럼 순수한 상태에서 몸서리치게 된 것은아니었을까? 인형을 앞에 두고 그 애는 종종 소리 지르는 그 숙녀들을 흉내냈다. 어쨌든 아이에게는 그 프랑스 인형에게조차도 진정으로 말할 수 없는일들이 있었다. 그 애는 수업 시간을 그저 건성으로 흘려 보내버릴 수 있었다. 그러고는 자신의 인생에 불가사의한 일들이 있다는 인상을 리세트에게심어주기 위해서 골똘히 생각해 볼 수 있었다. 그러는 동안 그 애는 자신도엄마가 하는 것처럼 얼굴색을 바꾸어 속마음을 전혀 알아볼 수 없게 하는데 성공했는지 궁금했다. 윅스 선생님의 보살핌을 받는 기간이 지나서 오버모어 양의 돌봄을 받는 기간이 되었을 때 그 애는 하나의 참신한 단서를 갖게 되었고, 자기 가정교사를 따라 하면서 신뢰라는 단순한 기대를 가지고 그 시간 간격을 연결하게 되었다. 그래, 누구에게나 자기 학생과 공유할 수 없는 문제들이 있는 거야. 예를 들면 서로 오랫동안 떨어져 지낸 다음에 그 애가 옷을 벗는 모습을 바라보면서 리세트가 그 애가 어디에 갔다 왔는지를 알아내려고 무진 애를 썼던 날들이 있었다. 그럼, 그 인형은 뭔가 조금은 알아낼 수 있었을지 몰라도 결코 모든 것을 알아낼 수는 없었을 거야. 한번은 그 애가 유난히 무분별하게 그 인형에게 대답했던 적이 있었다. 정확하게 무슨 일 때문에 어디 갔다 왔는지 인형이 물었을 때, 메이지는 패런지 부인이 자기에게 대답했던 것과 똑같은 방식으로 인형에게 대답했다. "너 스스로 알아내 보렴!"이라고 엄마의 날카로운 목소리를 흉내 내어 대답했다. 그런데 자기가 흉내 낸 쌀쌀맞은 어조에 대해서인지 혹은 흉내 낸 사실에 대해서인지 불분명했지만, 그 애는 그 일이 있고 난 후 스스로 창피하다는 생각이 들었다.

## VI

그 애는 이러한 상황이 수업을 받는다고 해서 개선되지 않으리라는 것을 이내 알게 되었다. 그 애가 받는 교육적 돌봄은 오버모어 양에게 부가된 많은 의무 중 단지 하나에 불과했기 때문이었다. 그녀와 아빠 사이에는 다양한 경로로 일어난, 그 애가 개입된 의무나 권리의 이전이 있었다. 그 경로들은 양쪽 모두에게 중요했기에, 그 두 사람은 의견 갈등을 일으키거나 심지어 불쾌해하기도 했다. 그 애는 그러한 경우 자기 엄마라면 그 상황에서 그것에 대해 극심하게 반대했을 무언가가 있을 거라고 짐작했다. 비록 실제로는 항상 아빠 쪽에서 넌지시 암시한 그런 언급이 상대방의 직접적인 반대에 부딪혔지만 말이다. 그런 상황은 오버모어 양이 다른 어떤 문제를 대할 때보다 더 신랄한 태도를 취하면서, 패런지 부인과 같은 사람이 도대체 어떤 위치에서 스스로 영락한 상태로 떨어져 내리려고 하겠냐고 따져 물으면서 보통 그 절정에 도달했다. 몇 달의 시간이 흐르면서 그 어린 소녀의 해석은 점점 복잡해졌다. 그리고 그 해석은, 그 기간의 연속이 그 애가 알았던 것 중에서 가장 길게 간단없이 지속된 기간이었기 때문에, 그만큼 더 효과적이게 되었다. 아이는 엄마가 무슨 이유에서인지 자기를 다시 데리러 오는 데 별로 서두르지 않는다는 생각에 익숙해졌다. 그 생각은 그 애를 학교에 보내는 것이 시급한 문제—아빠가 항상 그 문제를 끄집어냈다—라는 데 대해 오버모어 양이 그와 의견을 달리하며 단호한 태도로 그를 비난할 때, 언제나 아빠에 의해서 어쩔 수 없이 말로 표현되었다. 가정교사로서 오버모어 양은 놀랍게 달랐다. 예컨대 웍스 선생님의 수그러진 머릿속으로 들어갔음 직한 것보다 훨씬 더 많은 것이 그녀의 머릿속에 들어 있었다. 그녀는 자기가 메이지를 정당하게 대하지 못하고 있다는 것을 아주 잘 의식하고 있다고 그 애에게 여러 번 말했다. 그리고 패런지 씨도 그러한 문제점을 마찬가지로 의식하고 있으며 유감스러워한다는 것이었다. 그렇게 된 이유는 그녀가 서로 상충하는 불가사의한 책임을 갖게 되었기 때문이었다. 오버모어 양이 암시한 바에 따르면 그것은 패런지 씨 본인에 대한 책임과 편안하면서도 시끌벅적한 작은 그 집안일에 대한 책임, 그리고 그 집에 찾아오는 사람들에 대한 책임들을 뜻했다. 그 모든 불편함에 대한 패런지 씨의 처방은 그 애를 학교에 보내야 한다는 것이었다. 모두들 알고 있었듯 브라이튼10과 그 주변에는 훌륭한 학교들이 많았다. 그러나 메이지는 그렇게 하는 것이 곧 엄마에게 큰 상처를 입히는 것이라는 것을 알게 되었다. 자신이 맡은 짐인 어린 메이지의 주거 문제를 다른 사람에게 위임하는 순간부터 그는 법 앞에 당당하게 서 있을 근거가 없었다. 패런지 부인이 그 다른 사람 중 하나라는 이유로 그가 그 애를 엄마에게서 떨어져 지내게 하지 않았던가?

낮 동안에 와서 메이지의 교육을 담당해 줄 가정교사를 따로 채용해서 문제를 해결해 보자는 제안도 있었다. 그러나 오버모어 양은 그 제안을 단한 순간도 귀 기울여 들으려 하지 않았다. 그녀는 그 제안에 대해 몹시 공공연한 기색을 보이면서 반대 주장을 폈으며, 모든 방문객에게 의견을 구하고 싶어 했다. 그녀는 심지어 메이지에게도 그 문제에 관해 말을 했다. 사람들은 그 제안이 얼마나 끔찍하게 오버모어 양을 배신하게 될 것인지 이해하지 못했을지 모른다. "당신도 알다시피, 내가 그 애를 돌보기 위해서 여기와 있는 게 아니라면 대체 어떤 존재란 말이에요?"라고 그녀는 말했다. 그녀는 난처한 입장에 처했었고, 그것이 스캔들거리가 될 것 같다는 사실을 거리낌 없이 목소리를 높여 사람들에게 환기시켰다. 물론 그런 난처한 상황에서 벗어나는 길은, 단지 자신의 본래 임무를 하는 것뿐이었다. 그러나 불행하게도 바로 그것이 패런지 씨가 실질적으로, 그리고 이기적으로 금지해버린 일이었다. 그는 그녀에게 과도하고 터무니없는 요구를 했으며, 그 점에 대해서는 모든 사람이 실제로 잘 알고 있는 것처럼 보였다. 오버모어 양은 이제 비일 패런지를 단지 '그이'라고만 부르게 되었으며, 그 집은 늘 그렇듯이 활기 넘치는 신사들로 가득했고, 그녀는 그에 대해서 바로 그 대명사를 사용해서 놀려대듯이 말하게 되었다. 그러는 동안 메이지는 자기에게 어떤 조치가 취해져야 하는지에 관한 화제가 익숙한 가십거리가 되어버린 상황에서, 주로 홀로 남겨져 윅스 선생님의 느슨한 교육 방식에 관하여 혼자 곰곰이 생각하며 시간을 보냈다. 그럼에도 불구하고 그 애는 아빠를 찾아오는 사람들 중에 여자가 단 한 사람도 없다는 사실을 아빠 집에서의 한 가지 다행스러운 점으로 여겼다. 그 특이한 안심거리에 또 한 가지 사실이 추가되었는데, 그것은 그 애가 한번은 어떤 신사분이 아빠에게 분명히 오버모어 양을 가리키면서 대단한 농담이라도 하는 듯이 말하는 걸 들었던 것이었다. 그는 "만약 그녀가 당신 가까이에 다른 여자가 얼씬거리도록 한다면 내 손에 장을 지지겠어. 그렇게 한다면 내가 손에 장을 지진다니까. 그녀는 사람들이 낯선 고양이에게 막대기를 휘두르듯이 그 여자에게 막대기를 휘두를 거야."라고 말했다. 메이지는 신사들이 짓궂게 굴며 큰 소리로 너털웃음을 웃거나 자기를 놀려대는데도 불구하고, 그들과 함께 집에서 지내는 것을 매우 좋아했다. 그들은 그 애를 잡아당기고 꼬집고 괴롭히고 간지럽혔다. 그들 중 몇몇은, 자기들의 표현을 빌리면, 그 애에게 장난삼아 무엇을 내던지기도 했다. 그들 모두는 그 애의 모습과 전혀 닮지도 않은 별명으로 그 애를 부르는 것이 재미있다고 생각했다. 반면에 부인들은 그 애를 "저런 가엾은 녀석"이라고 불렀으며, 좀처럼 그 애를 만지는 법이 없었고 키스하는 경우는 더욱 없었다. 그런데도 그 애가 가장 두려워하는 사람은 부인들이었다.

그 애는 이제 아빠와 함께 지낸 기간이 얼마나 초과됐는지 이해할 만큼 충분히 나이가 들었다. 그리고 그 초과분의 모호함에 대해 다소 공감하게 되었다. 기간이 초과됐다는 생각 때문에 그 애는 가정교사와 이야기할 때 그 문제가 언급되면 특히나 압박을 느꼈다. 그 애가 자기가 여기서 너무 오래 지체하고 있어 엄마가 화를 낼지 모른다고 두려워하는 데 대해서, 오버모어 양은 종종 "아, 넌 걱정할 필요 없어. 네 엄마는 신경 쓰지 않을 거야."라고 말했다. "그녀에게는 가엾은 너 말고도 생각해야 할 다른 사람들이 있단다. 그 사람들과 외국에 가 있거든. 그러니까 너는 이번에 네 엄마가 자기 권리를 주장하며 종알댈 걸 조금도 염려할 필요가 없단다." 메이지도 패런지 부인이 해외에 나갔다는 사실은 알고 있었다. 왜냐하면 여러 주 전에 "나의 사랑스러운 아이야"라고 시작되며 정해지지 않은 기간 동안 그 애를 떠나 있겠다는 내용의 편지를 엄마로부터 받았기 때문이었다. 그러나 아이는 그 편지에서 미워하기를 포기했다는 기미를 찾아볼 수 없었으며, 그 편지 작성자가 자기주장을 내세우는 방책을 단념했다는 기미도 찾아볼 수 없었다. 왜냐하면 그 애가 받은 인상 중 가장 선명한 것이 엄마가 패런지 씨에게 고통을 주는 것만큼 신경을 쓰는 다른 일은 결코 찾아볼 수 없다는 점이었기 때문이다. 그러나 마침내 그와 관련해서 그 애를 당황스럽고 다소겁이 들게까지 한 것은 패런지 씨의 정기적인 짐을 그로부터 빼앗아 가는 것 말고 그에게 고통을 줄, 더 좋은 다른 방법을 찾은 것은 아닌가 하는 어렴풋한 의심이었다. 그것은 우리의 어린 숙녀에게 걱정을 안겨주는 의문이었으며, 또한 오버모어 양의 속내와 그녀 고용주의 빈번한 관측을 더욱 불가해하게 만드는 그런 종류의 의문이었다. 만약 아이다가 본래 그처럼 극성스럽게 주장했던 권리를 지금 포기하려는 생각을 품고 있다면, 그녀의 지체하는 남편 역시 처음에는 쟁취하기 위해서 그처럼 맹렬히 싸웠던 독점권을 차지하려고 달려들어서는 안 된다는 것이 일종의 모순이었다. 그러나 메이지가 아이답지 않은 통찰력으로 그런 새로운 상황을 파악해 보았을 때, 그애가 거둔 성취는 자기 엄마가 전례 없이 모욕을 당하는 소리를 듣게 되었다는 데 있었다. 오버모어 양은 그때까지 품위를 지키며 자제하는 데서 벗어나는 법이 거의 없었다. 그러나 그녀가 그 부인—자기 일을 요리조리 피해서 유럽으로 탈출해 버린—의 문제에 대해 비일의 신랄한 표현에 못지않은 생생한 표현으로 그녀의 의견을 표현하는 날이 도래했다. 메이지는 만약 그 계약서11가 몸은 부쩍 커지고 옷은 제대로 갖춰 입지 않은 딸의 모습으로 곧장 그 부인에게 보내져서 수치스럽고 무절제한 생활을 하는 그녀의 발부리에 내던져진다 해도, 그것은 그 부인에게 당연한 처사라고 생각했다.

그 애가 아빠가 자기를 위해서 너무 많은 수고를 들이고 있다고 느끼는 건 아닌지 확인해 보려고 조심스럽게 시도했을 때, 오버모어 양은 그런 그림—메이지를 아이다에게 보내버리는 상상—을 그려보는 데서 위안을 찾았다. 그녀는 요점을 피하며 아이다가 매정하고 어리석다는 말을 잔뜩 늘어놓을 따름이었다. 아이다의 그런 불량한 행실을 입증해 주는 가장 확실한 증거는, 아이다가 어떤 신사와 함께 해외여행을 하고 있다는 사실인 것 같았다. 그리고 그 문제에 있어서 고통스럽지만 자명한 사실은, 뭐랄까, 그녀가 그 신사를 '픽업했다'는 것이었다. 결혼한 사이가 아닌 신사와 숙녀가, 오버모어 양이 표현하듯이, 바람을 피운다고 볼 수 있는 유일한 관계는, 그녀와 패런지 씨 두 사람이 오해를 받을 가능성이 있는 그런 관계뿐이었다. 실제 그녀는, 이미 알려졌듯이, 그 점에 대해서 이전부터 메이지에게 종종 설명하고 말했었다. "애야, 만약 네가 없다면 네 아빠와 내가 어떻게 될지 생각할 수도 없단다. 왜냐하면, 내가 너에게 말했듯이, 바로 네가 우리 관계가 완벽하게 적절한 관계가 될 수 있도록 만들어주고 있거든."이라고 그녀는 말했다. 그 아이는 자기가 맡은 그 직책을 너무도 소중하게 받아들였으므로, 엄마가 자신을 포기하는 경우라도 자신이 안전감을 갖는 데 도움을 주는 어떤 위안을 얻었다. 그 애는 적절한 것에는 훌륭한 대안이 있다는 사실에 익숙해져 있어서 자기 가정교사와 아빠가 그러한 분리—엄마가 자기를 버리려는 행위—를 따라 하지 않으리라는 충분한 이유를 감지했다. 동시에 그 애는 어쩌다 어린 여자아이들에 관한 이야기를 듣게 되었는데, 사실 그것은 지체 높은 집안 아이들에 관한 이야기로, 그들이 남자 교사에게 교육받는다는 것이었다. 그래서 그 애는 만일 자기가 브라이튼에 있는 학교에 다니게 된다면, 그것은 자신도 남자 선생님에게 교육받게 되는 이점이 될 거라는 생각이 조금 들었다. 그 애는 그런 일들을 곰곰이 생각해 보았고, 만약 자기가 엄마에게 가게 된다면 아마도 그 신사분이 자기 가정교사가 될 것이라고 오버모어 양에게 말했다.[12]

"그 신사분이라고?" 그 제안은 오버모어 양이 빤히 쳐다보게 할 정도로 복잡했다.

"엄마랑 함께 있다는 분 말이에요. 그게 옳지 않나요, 선생님이 내 가정교사이기 때문에 선생님과 아빠가 함께 지내는 게 정당해지는 것처럼 말이에요."

오버모어 양은 잠시 생각에 잠기더니 얼굴이 약간 붉어졌고 자기의 총명한 친구를 끌어안았다. "귀여운 애야! 내가 너의 진짜 가정교사야."

"그럼 그분은 나의 진짜 남자 가정교사가 될 수 있나요?"

"당연히 그건 안 되지. 그 사람은 무식하고 나쁜 사람이야."

"나쁘다고요?" 메이지가 의아해하며 물었다.

상대는 그 애의 말투에 잠시 야릇한 웃음을 짓더니 "그 사람은 훨씬 더 젊어…"라고만 말했다.

"선생님보다 더 젊어요?"

오버모어 양은 다시 웃었다. 그 애는 그녀가 거의 킥킥거리듯이 웃는 것을 그때 처음 보았다. "그 누구보다도 더 젊어. 나는 그 사람에 대해서 아는게 없어. 그리고 알고 싶지도 않아."라고 그녀는 관심 없다는 듯 말했고, "그 사람은 내가 좋아하는 타입이 아니야. 그리고, 내 귀여운 애야, 그는 네가 좋아하는 타입도 아닐 거야. 난 그걸 확신해."라고 덧붙였다. 오버모어 양은 또다시 그 애를 따뜻하게 쓰다듬어 주었는데, 그녀는 메이지와의 대화를 늘 그처럼 쓰다듬으면서 끝내곤 했다. 그 애는 그 쓰다듬으로 오버모어 양의 애정이 적어도 안전의 척도가 된다고 느꼈다. 그 애에게 부모는 어렴풋하게 느껴지는 존재였지만, 가정교사는 분명히 신뢰할 만한 존재였다. 예를 들면, 윅스 선생님에 대한 메이지의 신뢰는 그녀와의 소통이 일시적으로 끊긴 것으로는 조금도 줄어들지 않았다. 그들이 헤어진 처음 몇 주 동안 클라라 마틸다의 엄마는 그 애에게 쓸쓸한 기분을 담은 편지를 반복적으로 보냈다. 메이지는 바른 철자법에 대한 의심으로만 통제되는 열정으로 답장을 썼다. 그러나 그 편지는 당연히 오버모어 양에게 제출되었고, 그것이 아이에게 부적절하다는 결론에 이르렀다. 오버모어 양은 패런지 씨가 그것을 결코 달가워하지 않을 것이라고 피력했으며, 학생이 다그쳐 물었을 때 그녀 자신도 그것이 마음에 들지 않는다고 털어놓았다. 오버모어 양은 자신이 지독하게 질투심이 많다고 말했다. 그리고 그녀의 그러한 약점은 자신이 그 애에게 사심 없는 애정을 가졌다는 사실에 대한 새로운 증거일 뿐이라는 것이었다. 게다가 그녀는 윅스 선생님의 감정 표현이 교양이라고는 없는 무익한 것이라고 단정했다. 그녀는 어떤 여자라도 자기처럼 지각 있는 사람이라면, 자기 딸의 마음을 가꾸어주는 일을 그처럼 어리석은 손길에 맡긴다는 것은 끔찍한 일이라고 주저 없이 말했다. 메이지는 헌 갈색 드레스와 낡고 볼품없는 모자 차림을 한, 엄마 집에 있는 그 가정교사가 '외모'에 있어서는 오버모어 양에 한참 못 미친다는 것을 잘 알고 있었다. 그러나 이제 윅스 선생님이 교육적으로도 아무런 가능성이 없다는 사실이 그 애에게 고통스럽고 절실하게 다가왔다. 윅스 선생님은 그녀를 비판하는 오버모어 양의 결론적인 평가에 그동안 묻혀버렸었다. "그 여자는 웃고 넘어갈 사람이 아니구나!" 그 말은 매력적인 여성인 오버모어 양이 윅스 선생님으로부터 메이지가 받게 되어 있었던 마지막 편지를 손에 들고 한 언급이었다. 그것은 상식을 벗어난 유대 관계를 금하는 칙령으로 강화되었다. "그렇다면 제가 편지를 써서 그분에게 그걸 말해줘야 하나요?" 아이는 당혹스러워하며 물었다. 그 애는 자기가 말을 하도록 관여된 것처럼 보이는 두려운 일들을 생각하고 얼굴이 창백해졌다. "그렇게 하려고는 꿈도 꾸지 마라, 얘야. 내가 편지를 보낼게. 너는 나를 믿으면 돼." 오버모어 양이 목소리를 높여 말했다. 그녀는 핀이 떨어지는 소리도 들리게 할 정도로 윅스 선생님을 침묵하게 하려는 목적으로 편지를 써서 보냈다. 윅스 선생님은 이후 몇 주간 살아 있다는 기미조차 보이지 않았다. 해로우 로드에서 끔찍한 마차로 마틸다가 제거되었던 것처럼, 오버모어 양의 편지로 윅스 선생님이 완전히 제거되어 버린 것처럼 보였다. 그 후로 윅스 선생님의 침묵 자체는 메이지의 의식을 지배하는 가장 커다란 요소들 중 하나가 되었다. 그 침묵은 온화하고도 안주할 만한 분위기로 판명되었다. 그 애는 주변 사람들에게 감히 말할 수 있는 것보다도 더 깊숙이 그러한 분위기 속으로 파고들어 갔다. 그 침묵의 깊은 곳 어디쯤에서 윅스 선생님의 흐릿한 교정 안경이 메이지를 단단히 지켜보고 있었다. 메이지 인생의 작은 고난의 흐름 바깥 어딘가에서 윅스 선생님이 온 마음을 다해 기다리고 있었다.


## VII


이처럼 강력한 침묵이 지속되던 어느 날, 메이지는 가정부와 함께 산책을 나갔다가 돌아왔을 때 윅스 선생님이 응접실 간이 의자에 앉아 있는 것을 발견하게 되었다. 그 의자는 주로 전보 심부름을 하는 소년들이 앉아 있곤 하는 의자였는데, 그 소년들은 비일이 으르렁거리는 소리와 함께 담배 연기를 뿜어대며 그들이 전달한 서신에 답장을 쓰는 동안 거기에 앉아서 하릴없이 기다리고 있었다. 윅스 선생님과 헤어졌을 때 그 애에게 그 선생님은 곤경의 마지막 한계에 이른 것처럼 보였다. 그러나 이제 그 한계가 초월되어야 한다고 느꼈으며 그 방문자가 한참 동안 자신을 끌어안고 있던 것이 오버모어 양이 내린 금지에 대한 직접적인 응답이라고 느꼈다. 그 애는 그 방문이 어떻게 가능했는지 순간적으로 이해하게 되었다. 그 애는 자기를 학교에 보내는 문제로 논쟁이 있었음에도 불구하고 그 문제로 항상 고통당하고 있었던 아빠가 브라이튼에 3일 동안 여행을 가게 되었고, 그 여행에 오버모어 양이 동행해야 한다고 한사코 주장했는데, 기회를 노리고 있던 윅스 선생님이 바로 그 상황을 이용해서 치고 들어온 게 틀림없다는 것을 즉시 알아차렸다. 메이지가 그들이 집에 없다는 사실과 그들의 중요한 동기에 관해 설명했을 때 윅스 선생님은 너무도 특이한 표정을 지었는데, 사실 그 표정은 놀라지 않고서는 나타날 수 없는 종류의 것이었다. 그러한 모순이 표정에 나타나는가 싶더니 순식간에 사라져버렸다. 왜냐하면 그런 기분으로 그녀가 그 어린 친구를 새삼 끌어안았던 바로 그 순간에, 잘 꾸려진 짐을 위에 얹어 실은 2인승 마차 한 대가 덜거덕거리며 문간에 도착했고 오버모어 양이 거기에서 뛰어내렸기 때문이었다. 윅스 선생님과 마주치면서 그녀가 받은 충격은, 메이지가 그녀의 모습을 보고 두려워했던 것만큼 격렬하지는 않았다. 그리고 오버모어 양이 경쟁자의 면전에서 자기가 책임지고 있는 아이에게 특별한 사정이 생겨서 원래 의도했던 것보다 하루 일찍 돌아오게 되었다고 설명하는 상냥한 어조는, 그 놀람의 충격으로 조금도 훼손되지 않았다. 그녀는 브라이튼의 멋진 여관에 아빠를 남겨두고 왔으며, 아빠는 다음 날 자기의 아늑하고 포근한 가정으로 돌아올 거라는 것이었다. 윅스 선생님에 대해서, 아빠의 동반자는 이어지는 대화에서 메이지에게 그 인물의 태도에 걸맞은 적절한 표현을 부여했다. 윅스 선생님은, 그 애가 그때 느끼기에, 소스라치게 놀랄만한 태도로 그녀에게 '대들었다.' 그러한 상황은 사실상 오버모어 양이 식당으로 이동하도록 자신의 금지 명령을 발동한 후에 발생했는데, 그곳에서는 앉으라는 제안도 없었고, 윅스 선생님조차도 서 있어야 하는 것이 거의 자연스러워 보이는 분위기였다. 메이지는 이번에는 브라이튼에서 학교에 가게 될 어떤 가능성을 발견했는지 곧바로 물어보았다. 그때까지 오버모어 양은 그 문제에 대한 질문에 대답하기를 단호하게 거부해 왔었지만, 놀랍게도, 잠시 뜸을 들인 후에 마치 윅스 선생님이 거기에 계시지 않다는 듯이 대답했다.

"얘야, 뭔가 결과가 있을 것 같구나. 너한테 일러두는데, 그 문제에 대해 반대해 왔던 이유가 완전히 제거되었어."

이러한 상황에서 윅스 선생님이 매우 단호한 태도로 거리낌 없이 말하는 것을 듣는 건 매우 놀라운 일이었다. "내가 이런 말을 하는 게 외람되게 들릴지 모르겠지만 그 반대가 '제거될' 수 있는 조건이 발생할 것 같지 않은데요. 오늘 내가 이곳에 온 까닭은 친애하는 패런지 부인으로부터 메이지를 위한 메시지를 받았기 때문입니다."

그 애는 심장이 쿵 하고 내려앉는 것 같았다. "아, 엄마가 돌아오셨나요?"

"아직 오신 건 아니야, 얘야. 그렇지만 곧 돌아오실 거야. 그리고 너도 알잖니, 네 엄마가 너무나 사려 깊게도 너를 준비시키도록 나를 보내셨다."

"맙소사, 뭘 위해서 그 애를 준비시킨다는 거죠?" 그 말을 듣고 애초에 그녀가 보였던 상냥한 태도에 파문이 일게 된 오버모어 양이 물었다.

윅스 선생님은 홍조를 띤 오버모어 양의 아름다운 얼굴을 향해 자신의 교정 안경을 조용히 조절했다. "있잖아요, 아가씨. 매우 중요한 한 가지 소통을 준비하기 위해서죠"

"당신이 그처럼 기이하게 부르는 친애하는 패런지 부인이 직접 의사소통할 수는 없나요? 그녀는 자기 외동딸에게 편지를 쓰는 수고조차도 할 수 없나요?" 그 젊은 숙녀가 물었다. "메이지가 자기 엄마로부터 단 한마디 소식이라도 들은 지 여러 달이 되었다는 걸 당신에게 말해줄 거예요."

"오, 나는 엄마에게 편지를 써 보낸 걸요." 그 애는 마치 그게 매우 당연하다는 듯이 목소리를 높여 말했다.

"그것이 너에 대한 네 엄마의 행실을 더 대단한 스캔들로 만들겠구나." 그 애를 점유하고 있는 가정교사가 곧바로 선언했다.

"패런지 부인은 자기가 쓴 편지가 이 집에서 어떻게 다루어지는지 너무도 잘 알고 있죠" 윅스 선생님이 기운을 내서 말했다.

이에 메이지가 공정하게 하려는 의도로 자기 방문자를 위해 끼어들었다. "오버모어 선생님, 선생님도 아빠가 엄마에 관한 것이라면 뭐든지 싫어하시는 걸 아시잖아요."

"네 엄마의 편지에 담긴 그런 언어의 주체가 되는 것을 좋아할 사람은 아무도 없단다, 애야. 그 편지들은 순진한 어린이가 보면 안 좋은 것들이야." 오버모어 양이 윅스 선생님을 향해서 말했다.

"그렇다면 당신이 무엇을 불평하는지 알지 못하겠군요. 그리고 아이에게는 그 편지들이 없는 게 더 낫겠죠. 내가 패런지 부인의 신임을 받고 있다는 것이 모든 목적에 부합하는 거죠"

"그렇다면 당신이 모종의 특이한 조처에 개입되어 있음이 틀림없군요." 오버모어 양이 조소를 보냈다.

"가엾은 딸의 면전에서 엄마에 대해 끔찍한 말을 할 만큼 그렇게 특이한 일은 없죠" 윅스 선생님이 얼굴이 창백해져서 소리쳤다.

"부인, 아이 아빠에 관해서 말하려고 댁이 여기 온 것처럼 보이는 일보다 더 끔찍한 일은 없을 텐데요" 오버모어 양이 대꾸했다.

웍스 선생님은 잠시 메이지를 뚫어져라 응시하더니 다시 그 입회인을 향해 떨리는 목소리로 말했다. "나는 그분에 관해 아무런 말도 하지 않으려고 왔습니다. 그리고 당신은 우리가 그분의 여행에 동행한 사람만큼 심한 비난거리가 되지 않는다면 패런지 부인과 나에게 사과해야만 합니다."

그처럼 묘사된 젊은 여성은 그 묘사에 내포된 명백한 의도를 숙고해 보았다. 그것을 이해하는 데 잠시 시간이 필요했다. 그러나 메이지는 다툼을 벌이는 그 두 사람을 번갈아 가며 심각하게 쳐다보고는 오버모어 양의 대답이 미소를 띠고 있는 그녀의 입술에서 빠져나오려는 것을 알아차렸다. "패런지 부인과 동행한 사람이 어떤 자격을 가진 사람인지에 관해 당신이 상응하는 판단을 한다면, 그것도 역시 꽤나 괜찮은 일일 겁니다."

웍스 선생님이 기이한 웃음을 터뜨렸는데, 그 소리가 메이지에게는 말울음소리를 어설프게 흉내 내는 소리처럼 들렸다. "바로 그 이유를 알려주려고 내가 여기 온 겁니다. 그 가엾은 부인이 얼마나 완벽하게 그 조건을 충족시켰는지 알려주려고요." 그녀는 그 애를 향해서 고개를 들더니 "메이지야, 네 엄마가 전하는 메시지를 받으렴. 내가 너에게 와서 이 소식을 전해주기를 엄마가 원하시는 게, 그녀가 너에게 얼마나 큰 관심과 깊은 애정을 가졌는지 보여주는 훌륭한 증거란다. 네 엄마는 너한테 각별한 사랑을 표하셨고, 그래서 너한테 자기가 클로드 경과 약혼했다고 알리시는 거야."라고 말했다.

"클로드 경이요?" 메이지가 놀라며 말했다. 그러나 웍스 선생님이 그 신사가 패런지 부인의 다정한 친구라는 것과 요전에 그녀가 플로렌스로 여행하고 거기에서 겨울 동안 편안하게 지내는 데 큰 도움을 주었다는 것을 메이지에게 설명하는 동안, 그 애는 그 소식이 오버모어 양에게 미치는 영향을 윅스 선생님이 즐기고 있다는 것을 알아채지 못할 정도로 심하게 동요되지는 않았다. 그 젊은 여자의 눈이 휘둥그레졌다. 그러고는 즉시 패런지 부인이 결혼하게 되면 그녀가 자기 딸을 돌려받겠다는 가식적인 행동을 더 이상 하지 못할 것이라고 말했다. 윅스 선생님은 크게 놀라며 그게 왜 그런 식으로 연결되느냐고 물었다. 오버모어 양은 그것이 명백히 의무를 회피하려는 복잡한 계산 속에 들어 있는 하나의 회피 행위일 따름이라고 즉석에서 이유를 댔다. 그녀가 그런 거래 조건에서 벗어나고 싶어 한다는 것이었다. 그렇지 않다면 무엇 때문에 그녀가 그처럼 소란을 피웠던 정해진 기간을 넘기면서 지금까지 메이지를 자기 아빠 집에 남겨두었겠는가? 아이다가 돌아오자마자 그 시간은 다 보충될 것이라고 윅스 선생님이 패런지 부인을 대변해서 변명하는 것―그녀는 허울 좋게 그 역할을 진행하고 있었는데―이 허사로 돌아갔다. 이런 참, 오버모어 양은 윅스 선생님의 동맹자에 관해서는 아무것도 알지 못했다. 하지만 그녀는 그가 플로렌스에 있는 여자와 그런 관계를 맺을 사람이라면, 체면상 당연히 무시해야만 하는 결합의 산물인 메이지를 자기 집에 들이는 것에 반대하는 데 쉽게 동의할 것이라고 확신해 마지않았다. 다른 경우처럼 그 일도 일종의 게임이었다. 그리고 윅스 선생님이 움직인 것은 분명히 그 게임의 첫 조치였다. 메이지는 그들이 서로 신랄한 말을 주고받는 데서 아직 형성되지 않은 숙명론에 대한 새로운 자극을 발견했는데, 그 숙명론 속에서 자신의 생애에 대한 의식이 오래도록 위안을 구해왔었다. 오버모어 양의 눈부신 아름다움과 윅스 선생님의 열정에도 불구하고, 메이지는 마치 자신이 만들어내려고 세상에 온 것처럼 보이는 투쟁의 속성에 어떤 변화를 보면서 살아가게 될 것 같다는 예감이 들었다. 그것은 본질적으로 여전히 다툼이겠지만, 그 다툼의 목적이 이제는 그 애를 받아들이지 않기 위한 것일 것 같았다.

오버모어 양의 마지막 유세가 끝나자, 윅스 선생님은 온통 그 어린 소녀에게만 말을 해대면서 자신의 낡고 우중충한 외투 주머니에서 조그맣고 납작한 꾸러미 하나를 꺼내더니, 봉투를 제거하고 '그분'이 모든 사람에게 친절할 것 같은—그가 더없이 상냥할 거라고 너무도 확신해 마지않는 어떤 한 사람에게는 물론이고—신사처럼 보이지 않는지 알고 싶어 했다. 패런지 부인이, 새로 찾게 된 행복을 솔직하게 드러내며, 진열장에 놓아두었던 클로드 경의 사진을 동봉했다. 메이지는 앞으로 의붓아빠가 될 그분의 잘생기고 부드러운 얼굴과 균형 잡힌 용모, 친절한 눈매, 온후한 분위기, 그리고 멋지고 세련된 모습에 넋을 잃었다. 그 애는 단지 이제 한 번에 두 아빠를 갖게 될 거라는 생각에 막연한 당혹감이 들었다. 그 애가 이제까지 알고 있었던 바에 따르면 같은 성sex을 가진 두 번째 부모를 가지려면 보통 첫 번째 부모를 잃어야만 했다. 윅스 선생님은 "그분이 '마음에' 들지 않니?"라고 물었다.13 이미 그녀는, 그의 매력적인 사진의 힘에 기대어, 클로드 경이 분명히 자기에게 미래를 약속해 줄 것이라고 믿게 되었다. 그녀는 표현을 한층 더해서 "있잖니, 나는 '그분'이 완벽한 신사이길 희망하고 있어!"라고 덧붙여서 말했다. 메이지는 누군가의 얼굴에 "동정심 있는"이라는 단어14가 적용되는 것을 들어본 적이 없었다. 그 애는 그 표현을 기쁜 마음으로 들었으며 그 순간부터 그 단어는 그 애에게 우호적인 단어로 기억되었다. 게다가 그 애는 그분의 상냥한 눈동자에 응답하듯이 작고 부드러운 한숨을 내쉬며 자신의 인식의 힘을 증명해 보였다. 그 두 눈은 그 애에게 친밀해지기를 갈구하는 것처럼 보였고, 그 애에게 직접 말을 건네는 것 같았다. 그 애는 "그분은 정말 멋지시군요!"라고 윅스 선생님에게 말했다. 열렬하게, 억누를 수 없다는 듯 그 애는 여전히 그 사진을 든 채 클로드 경이 계속해서 친분을 요청하고 있다는 듯이, "이거 제가 간직하면 안 되나요?"라고 불쑥 말했다. 그 말을 하자마자 그 애는 사진에서 눈을 들어 오버모어 양을 바라보았다. 그 행동은 오래전에 물건을 달라고 요구해서는 안 된다는 인상을 그 애에게 심어주었던 권위자에게 호소하려는 본능이 갑자기 튀어나온 것이었다. 그 애는 오버모어 양이 쌀쌀하고 몹시 낯설어 보이는 것에 놀랐다. 그녀는 망설이면서 메이지에게 다시 윅스 선생님에게 돌려주도록 시간을 주고 있었다. 그래서 메이지는 윅스 선생님의 긴 얼굴이 침울해진 것을 알아챘다. 그것은 고통에 시달리거나 거의 공포에 찬 모습이었다. 그 표정은 마치 그 어린 친구가 그녀가 줄 수 있는 것 이상을 실제로 기대하고 있다는 듯한 모습이었다. 그 사진은 극단적으로 표현하자면 윅스 선생님이 꼭 껴안고 있는 소유물이었으며, 그녀는 한순간 그 사진을 꼭 붙들고 싶은 마음과 자기의 종잡을 수 없는 어린 학생을 위해 자신이 희생할 수 있는 역량 사이의 갈등에서 몸부림치고 있었다. 그러나 그 애는 살아오면서 얻은 영민함으로 자신의 갈망이 승리하리라는 것을 알았다. 그리고 그 애는 자기 엄마가 무척이나 자랑스럽다는 듯이 그 사진을 오버모어 양에게 내밀었다. 그 애가 "이분은 정말 멋지지 않으신가요?"라고 오버모어 양에게 묻는 동안 가엾은 윅스 선생님의 마음은 갈망으로 흔들리고 있었는데, 그녀는 자신의 교정 안경으로 그 동요의 빛을 감추고 있었고, 외투의 낡은 이음매가 팽팽히 당겨질 정도로 외투 자락을 바짝 끌어당겼다.

"애야, 네 엄마가, 그처럼 감사하게도, 특별히 나한테 그 사진을 보내주셨단다. 그렇지만 그 사진이 너에게 특별한 즐거움을 안겨준다면 물론…"이라고 말을 더듬더니 숨을 헐떡이면서 물론 자기가 그 사진을 양보하겠다는 뜻을 표현했다.

오버모어 양은 계속해서 아무 상관없다는 듯한 태도를 취했다. "애야,

만일 그 사진이 네 것이 된다면 언젠가 너에게 그것을 좀 보자고 기꺼이 말할게. 그러나 윅스 선생님의 물건에 손끝도 대지 않으려는 내 심정을 이해해 주렴."

이번에는 그 부인이 얼굴을 몹시 붉혔다. "아가씨, 내가 믿기엔 당신이 다른 방식으로 그 사진을 결코 보지 못하게 되는 것보다는 이런 방식으로라도 그것을 보는 게 더 낫겠지요. 애야, 그렇고말고, 그 멋진 사진을 네가 간직하려무나."라고 대꾸했다. 이어서 그녀는 "내가 감히 말하건대 클로드 경께서 또다시 사진 한 장을 친절하게 서명까지 해서 기꺼이 나에게 보내주실 거야."라고 말했다. 이 대담한 허풍을 표현하는 애처롭게 떨리는 목소리가 메이지에게 감지되었고, 그 애는 너무나 고마워하며 그렇게 말하는 사람의 목을 껴안았다. 그래서 그들이 포옹—그 애가 자기가 강요한 희생에 보상했다고 느낀 공공연한 다정함—을 마무리했을 때, 상대방은 클로드 경에게 재빨리 손을 댈 수 있는 시간을 벌었고 그를 흘끗 바라보았는지 아닌지 모르겠지만 그를 시야에서 사라지도록 효과적으로 홱 치워버렸다. 아이가 껴안고 있던 팔에서 벗어난 윅스 선생님이 그 사진을 이리저리 찾았다. 그러고는 오버모어 양을 매서운 눈길로 말없이 쏘아보았다. 이어서 다시 어린 소녀에게 눈길을 돌려 희미한 미소를 지었다. "좋아, 메이지야, 아무 염려할 것 없다. 왜냐하면 네 엄마가 편지에 쓰신 또 다른 내용이 있으니까 말이다. 네 엄마가 나에게 확신시켜 주셨다." 메이지가 충성스러운 포옹을 끝내고서 오버모어 양에게 그 상황을 이해해 달라고 허락을 구하며 그녀를 슬쩍 바라보았을 때, 약간은 떳떳하지 못하다는 느낌을 받았다. 그러나 윅스 선생님은 그 또 다른 내용이 무엇인지에 관해서 그들의 의혹을 일소해 주었다. "그분이 자기가 돌아올 경우, 그리고 네가 돌아올 경우에 대비해서 분명히 나를 고용하셨단다. 네가 직접 그걸 확인할 수 있게 될 거야." 메이지는 자기가 그것을 확인하게 되리라는 것을 그 자리에서 완전히 믿었다. 그러나 그 예상은 오버모어 양의 뜻밖의 선언으로 갑자기 혼동 속에 빠졌다.

그 젊은 여자가 "웍스 선생님이 네 엄마가 결혼한다는 사실로 너를 붙잡아 두려는 이유가 확실해지는 것처럼 주장하는 데는 어떤 드러낼 수 없는 이유가 있단다. 그런 식이라면 우리의 방문객이 네 아빠의 결혼에 대해서는 뭐라 말할지 궁금하구나."라고 말했다.

오버모어 양의 말은 그녀의 어린 학생한테 건네졌다. 그녀의 얼굴은 그 어느 때보다 예뻐 보이게 하는 아이러니로 밝게 빛나며, 떠나려는 참에 경직되어 누추한 모습을 하고 있는 인물을 향하고 있었다. 아이가 받았던 훈육이 그 애를 당황스럽게 했다. 그것은 누군가 말을 걸면 대답해야 한다는 규정과 그 규정을 준수할 때 따라오는 생생한 처벌의 경험 사이에서 제약 없이 펼쳐져 있었다. 그럼에도 불구하고 이번에 그 애는 위험을 무릅쓰려는 용기가 생겼다. 무엇보다도 관계에 대한 정황에 얽힌 불길한 어떤 것이 자신의 지각 속으로 휙 들어온 것 같았다. 그 애는 '어른들의 농담'으로 자신을 대한 사람들을 바라보는 방식을 다분히 가지고 있다는 듯이 오버모어 양을 바라보았다. "선생님께서는 아빠가 나를 붙잡아 두신다는 말씀이세요? 그분이 결혼하실 참이란 말씀이세요?"

"아빠가 결혼하시려 한다는 말이 아니고 아빠는 결혼하셨단다, 애야. 아빠는 브라이튼에서 그저께 결혼하셨어." 오버모어 양은 더욱 유쾌한 표정을 지었다. 그 말을 들으며, 메이지는 정말 아찔한 느낌이 들면서, 자기의 '맵시 있는' 가정교사가 신부라는 생각이 들었다. "너에게 기쁜 소식이겠지, 그분이 내 남편이 되셨어. 그리고 나는 그분의 귀여운 아내가 된 거야. 그러니 이제 우리는 누가 너의 예쁜 엄마인지 알겠지!" 그녀는 자기 전임자의 밀사가 능가할 수 없는 방식으로 자기 어린 학생을 가슴에 끌어안았다. 그리고 잠시 후 상황이 급히 한쪽으로 기울어져 자리잡히게 되었을 때, 그 가엾은 부인은 그 마지막 말에 완전히 참패하여 말없이 자리를 떴다.

## VIII

윅스 선생님의 퇴각 후에 오버모어 양은 자신이 아이다 패런지의 두 번째 결합을 딱히 비난할 입장이 아니라는 것을 인식한 것처럼 보였다. 그러나 그녀는 서랍장에서 클로드 경의 사진을 꺼내더니 메이지 앞에서 제자리에 서서 그것을 한참 동안 찬찬히 살펴보았다.

"그분이 멋있지 않나요?" 그 애는 천진하게 물었다.

상대방은 머뭇거렸다. 메이지가 놀랍게도 그녀는 "아니야, 끔찍하게 생겼어."라고 날카로운 목소리로 대답했다. 그러나 그녀는 잠시 숙고하더니 그 사진을 돌려주었다. 그 사진은 메이지에게 새로운 매력으로 비치는 것 같았고, 그 애는 이제까지 자기의 아름다운 친구와 의견 차이가 있었던 적이 없었으므로 난처해졌다. 그래서 그 애는 이런 경우에 어떻게 해야 하는지 물어볼 수밖에 없었다. 그 사진을 아주 치워버려야 한다면 어느 곳에 치워두어야 기분 나빠 하지 않을 것인가? 그 물음에 오버모어 양은 다시금 대답을 모색했다. 그런 다음 그녀는 뜻밖에도 "공부방 벽난로 위에 올려놓으렴."이라고 말했다.

메이지는 두려운 느낌이 들었다. "그걸 보고 아빠가 불쾌해하지 않으실까요?"

"굉장히 불쾌해하시겠지. 그러나 지금은 상관없잖아." 오버모어 양이 특이한 취지를 실어서 말했고 그 애는 어리둥절했다.

"결혼 때문에요?" 메이지가 당돌하게 물었다.

오버모어 양은 웃었고, 메이지는 그녀가 윅스 선생님 때문에 기분이 상했음에도 불구하고 들뜬 상태라는 것을 알 수 있었다. "넌 어떤 결혼을 말하는 거니?"

그 질문을 받고 나자 그 애는 갑자기 자기가 어떤 결혼을 의미했는지 알 수 없다는 생각이 들었고, 자신이 어리석게 느껴졌다. 그래서 그 애는 "선생님께서는 달라지실 건가요…?"라고 말하며 난처함을 회피했다. 그 말은 클로드 경의 신부가 달라질 거라는 깊은 의미를 담고 있었다.

"네 아빠와 결혼한 아내로서? 완전히 달라지겠지!" 오버모어 양이 대답했다. 물론 그 차이는 심지어 메이지가 그녀를 부르는 호칭에서도 나타났다. 바로 그날부터 그녀가 메이지에게 비일 부인이라고 불러달라고 특별히 요청했기 때문이다.15 그 문제는 원칙적으로 그 자리에서 끝이 났었다. 왜냐하면 그 애가 곧 모두 네 명의 부모를 갖게 된다는 사실을 생각해 볼 수 있었던 것 말고는, 석 달이 지나자 난간에 기대고 있는 어린 소녀는, 더욱 섬세하게 애정 행각을 벌이는 데서 들려오는 긴 파장의 바스락거리는 소리가 계단 아래로부터 들려오는 것 말고는, 모든 것이 전과 다름없다는 인상을 받았기 때문이다. 비일 부인은 매우 예쁜 드레스를 입게 되었다. 그러나 오버모어 양도 못지않게 예쁜 드레스를 입었었다. 아빠가 자신의 첫 번째 아내보다 두 번째 아내를 더 좋아했다면, 메이지는 그러한 선호를 예견했었는데, 더 직접적으로 관련된 그 사람만큼, 거의 같은 정도로 가깝게 그 진전이 뒤따랐다. 그 애의 상대방들이 주고받는 정신적 교섭에 대해 메이지의 조숙한 경험이 설명할 수 없는 문제는 거의 없었다. 메이지에게 그들의 신혼생활 분위기—신혼생활에 관해 그 애는 종종 윅스 선생님에게 아주 자세하게 들은 바가 있었는데-가 상당히 부족한 것으로 생각되었다면, 결혼생활의 결속이 가져다준 통치권에 이의를 제기하는 아빠의 입증된 성향에 비추어 상황을 판단하건대, 그것은 당연했다. 그가 브라이튼에서 돌아온 뒤에 시작된 그의 신혼생활은-그는 윅스 선생님이 떠난 다음 날 돌아온 게 아니고 이상하게도 그 후 며칠이 지나도록 돌아오지 않았는데-눈에 띌 정도로 결혼생활의 후반부에 나타나기 시작하는 기미를 보였다. 그 애가 잘 알고 있었듯이 그들의 신혼생활에는 서로 반감을 갖게 하는 일들이 있었지만, 당시 비일 부인에게는 그 반감이 문제가 되지 않았다. 그런데 그러한 일이 늘면서 클로드 경의 사진에 대한 그의 적대감 같은 하찮은 일은 완전히 관심에서 벗어나 버렸다. 그 호감 가는 물건은 공부방에서 눈에 잘 띄는 곳에 놓여 있었다. 패런지 씨가 그 방에 들어오는 일은 좀처럼 없었다. 그 방에서는, 내가 말하는 그 기간 동안,16 말 없는 감탄이 비일 부인의 어린 학생이 했던 거의 유일한 학문적 연습이었다.

메이지가 의붓엄마의 새로운 성품이 보여주는 차이가 무엇을 의미하는지 알게 된 것은 그다지 오랜 시간이 지나지 않아서였다. 그녀가 아빠의 아내라면 자신의 가정교사는 아니었다. 그녀의 존재가 이전에는 겸손한 함수 이론으로 등식이 되어야만 했다면, 지금 그녀는 모든 이론으로부터 면제된 발판 위에 있게 되었고 그 어떤 예속 상태와도 관련되지 않았다. 바로 그 점이 그녀가 메이지를 학교에 보내는 문제에 대한 반대를 접었다는 것이 무슨 의미인지 말해주었다. 그 애의 예쁜 동료는 더 이상 귀여운 입주 가정교사-비일 부인 자신의 재미있는 표현에 따르면-로서 그 집에서 요구되지 않았다. 오버모어 양의 후임자를 들이는 문제에 반대하는 논쟁은 아직 남아 있었다. 그 논쟁은 솔직히 그녀가 너무나도 끔찍이 자기 의붓딸을 좋아해서 돈이나 밝히는 저속한 손길에 그 애를 맡기는 것을 두고 볼 수 없다는 사실로 이루어져 있었다. 그리고 그녀는 그 일이 완전히 부조리하다는 것을 인정했다. 그 특별한 위험에 대한 정보가 메이지가 윅스 선생님을 추천하는 좋은 말을 하게 하는 용기를 갖게 했다. 그것은 윅스 선생님의 갈망을 처음부터 가장 온건하게 평가한 것이었다. 하지만 아이다에게 유리하도록 끔찍하고 음흉하게 행동할 것이 틀림없으며 인품도 물고기만큼이나 역겹고 무식한 그 후보자를, 비일 부인은 또다시 효과적으로 처리해 버렸다. 그녀는 좋은 학교는 학비가 엄청나게 비쌀 거라는 불편한 진실을 더 이상 숨기지 않았다. 그리고 그녀는 그 이상의 상황—그것이 모든 일을 끝내버리는 것처럼 보이기도 했다—에 대해서도 비밀로 하지 않았다. 그 상황의 요지는 아빠가 이전에 요란스럽게 주장했음에도 불구하고 학비 문제를 거의 견딜 수 없어 한다는 것이었다. 비일 부인은 "그분이 나 때문에 전보다 더 심각한 비용이 들어간다고 하면서, 딸 한 명과 아내 한 명을 함께 건사하는 건 자기가 감당할 수 있는 수준을 넘어서는 거라고 말했다는 걸 넌 믿을 수 있겠니?"라고 자기의 어린 짐덩이에게 속사정을 털어놓듯이 물었다. 그렇게 해서 브라이튼에 있는 멋진 학교에 관한 문제는 더 큰 문제들의 미명 속에 묻혀 사라져버렸다. 비록 학교 문제가 아이다를 도발해서 그 불화 속으로 뛰어들게 할지도 모른다는 두려움이, 수치심이라고는 찾아볼 수 없는 오래 계속된 그녀의 잠적과 함께 가라앉아 버렸을지라도 말이다. 그렇게 해서 아이다의 딸과 그녀의 후계자는, 결합되었지만 무기력한 공백 속에서, 메이지가 학습하지 못하는 모든 것을 그저 바라만 보고 있는 상태에 놓이게 되었다.

그 학습 공백이 너무도 커서 그 애의 나날들은 휴식 기간이라는 느낌으로 채워졌으며, 그 기간에 대해서는 프랑스 인형인 리세트조차 입도 뻥긋하지 않았다. 게임은 끝나버렸고 질문은 대답되지 않았으며 시험에 대한 두려움은 남아 있었다. 무엇보다 그 애는 어떤 변화가 일어날 것인지 주목하는 가운데, 초인종이 울릴 때면 난간에 기대어 내다보는 습관에 젖어 있었다. 그것이 그 애가 초조함을 벗어날 수 있는 효과적인 피난처였다. 그러나 그때 그 애가 들을 수 있는 소리는 아래층에서 들려오는 유쾌하게 수다 떠는 목소리들이었다. 그 애는, 아주 어린 시절부터 들어왔던 그처럼 유쾌한 목소리들로부터, 어른들의 시간이란 정말로 즐거움으로 가득 찬 시간이며 무엇보다도 정말로 친밀한 시간이라는 믿음을 갖게 되었다. 그 애는 리세트 인형이나 심지어 웍스 선생님과도—그녀가 자기와 포옹하며 눈물을 흘렸음에도 불구하고—지금 비일 부인이 그렇게 많은 사람과 친밀한 것만큼이나, 또 예전에 패런지 부인이 그렇게 많은 사람과 친밀했던 것만큼이나, 자신과 친밀한 적이 없었다고 느꼈다. 유쾌한 어조는 우울한 어조보다 사람들을 훨씬 더 잘 뭉치게 했다. 우울한 음성은, 예를 들면 오로지 가엾은 웍스 선생님한테만 들을 수 있는 목소리였다. 그럼에도 불구하고 그 시절 메이지는 집안에서 일어나는 환락의 소리가 거리를 두고 들려오는 것을 더 좋아했다. 그 애는 응접실에서 무슨 일이 벌어지는지를 물어볼 수 있는 사람이 없다는 슬픈 느낌이 들었다. 그렇기 때문에 그 애는 그만큼 더 수잔 애시를 최대한 활용했는데, 그녀는 신분이 낮은 가정부로 매우 다른 일로 왔다 갔다 했지만, 그런데도 주로 응접실 바깥에서 하는 일에 제한되었다. 그녀는 메이지를 산책시키는 안내인 역할을 했지만 그녀와의 나들이는 절제된 마음을 가진 모들과 함께했던, 그 애에게 생생한 기억으로 남아 있는, 몹시 확실했던 산책과는 공통점이 거의 없었다. 모들의 체제에서는 가게 진열창 앞에서 빈둥거리는 일이 없었고, 옥스퍼드가에서 "여기 보라고 하잖아!"라고 말하며 옆구리를 찌르는 일도 없었다. 그녀와 길을 건널 때는 엄격한 통제가 있었고, 특히 아직도 그 애가 마음에 들어 하는 길모퉁이에서 그녀는 자신의 마음을 괴롭혔던 두려움—그녀가 불길하게 말한, 누군가 '말을 걸어올지도'

모른다는—으로부터 말없이 빠져나왔었다. 시내의 오락거리들과 더불어 그곳에 존재하는 위험요소들에 대한 의식이, 자신이 가정교사에게 교육받는 일도 없고 이것저것 요구받는 일도 없다는 메이지의 생각에 더해졌었다.[17]

그러나 그러한 상황은 그 애가 밖에 나가 수잔 옆에서 운동 삼아 여기저기 돌아다니다가 몹시 피곤해서 집에 돌아오곤 했던 날들 중 어느 날에, 또 다른 감정 상태에 처하면서 뜻밖의 방향 전환을 맞게 되었다. 그때 그 애는 문간에서 자신이 즉시 응접실에 가봐야 한다는 것을 알게 되었다. 문지방을 건너면서 부끄러움으로 흐릿해진 시선을 통해서, 비일 부인이 어떤 신사와 함께 거기에 앉아 있다는 것을 알아차렸다. 그 신사는 클로드 경의 사진에서 본 바로 그분이었으며, 그 애 앞에 일어섬으로써 그 애가 처한 곤경에서 즉시 그 고통을 제거해 주었다. 그분을 보자마자 그 애는 그분이 지금껏 자신을 감탄하게 했던 그 어떤 존재보다도 더 눈부신 존재라고 느꼈다. 그리고 그분을 보는 기쁨, 자기를 안아서 키스해 주었다는 것을 알면서 오는 기쁨이 그분에 대한 낯설고도 수줍은 만족감 속으로 빠르게 고동쳐 들어왔다. 그것은 자기의 비참한 기분을 그분이 보충해 주었다는 자각이었다. 그 애는 마음을 몹시 상하게 하는 수잔의 공공연한 간섭으로, 그리고 활기를 잃은 공부방—때때로 그 애는 거기에 홀로 있는 것이 두렵기도 했는데—에서 아무런 수업도 받지 못하는 따분함으로 비참한 기분에 빠져 있었다. 마치 그가 즉석에서 자기가 그 애와 같은 심정이라고 말해주는 것 같았고, 그래서 그 애는 이미 그분을 자랑할 수 있을 것 같았으며, 그분이 만들어준 효과를 알 수 있을 것도 같았다. 아니, 자기에게 속했던 가장 아름다운 그 어떤 것도 그처럼 특별한 기쁨을 불러일으킬 수 없었다. 바로 그 순간에 비일 부인도, 기분이 좋았을 때 아빠도, 외출 채비를 했을 때 엄마도, 심지어 막 사 왔을 때 리세트 인형도 그런 즐거움을 주지는 못했다. 그분이 아이에게 손을 얹어 자기 쪽으로 끌어당겼을 때, 그 애는 거의 기쁨의 눈물이 쏟아질 지경이었다. 그러면서 그분은 크리스마스트리 불빛만큼이나 찬란한 약속을 머금은 미소를 지으며 엄마를 통해 들어 그 애를 너무도 잘 알고 있었지만, 직접 그 애를 알고 싶어서 지금 이렇게 왔노라고 말했다. 그 애는 이런 종류의 친분에 대한 그의 견해가 자신을 그와 함께 떠나게 할 수도 있다는 것을 알 수 있었고, 더 나아가 바로 그 때문에 그분이 거기에 왔다는 것과 언젠가 이미 왔었던 적이 있다는 것, 비일 부인과 그 일정을 조정했다는 것, 그의 사진이 거기 도착했을 때 그녀가 그를 몹시 나쁘게 생각했던 것과는 분명히 조금도 상관없이 그 부인과 사이가 좋아졌다는 것도 알 수 있었다. 그 두 사람은 대화를 나누는 동안에 거의 친밀한 사이가 되어 있었거나, 혹은 그런 분위기를 느꼈다. 그리고 메이지는 그 이상을 짐작하게 되었다. 그 애는 비일 부인이 자기를 떠나보내는 데 드는 모든 대가에 비밀이 없었으며, 그러려고 하지도 않았다는 것을 짐작했다. 그녀는 "네가 엄청나게 들떠 있는 것 같구나. 그래서 나는 네가 클로드 경과의 관계를 적어도 분명히 했으면 좋겠구나. 그에게는 자신이 네 의붓아빠라는 사실에 대해 네게 필요한 확신을 줘야겠다는 생각이 없는 것 같아."라고 말했다.

메이지는 다소 어리둥절해져서 자신의 새로운 친구를 향해 몸을 돌렸다. "물론 아저씨가 엄마랑 '결혼하셨기' 때문이죠, 그렇죠?"

그 애가 그렇게 부르도록 배운 대로, 걱정스럽게 강조한 그 애의 표현이 그들로 하여금 말을 시작하게 했다. 그것은 그 애가 아주 확실하게 그리고 지금 체념한 듯 이끌어낸 반향이었다. 더욱이 클로드 경의 웃음소리는 그가 거기에 있다는 달콤한 느낌의 분간할 수 없는 한 부분이었다. "얘야, 우리는 석 달 전에 결혼했단다. 그리고 너에 대한 내 관심은 네 엄마에 대한 나의 대단한 애정의 결과야, 알겠니? 내가 여기 온 것도 물론 네 엄마를 대신해서야."

"아, 알아요." 메이지가 자기가 보여줄 수 있는 가장 솔직한 태도로 말했다. "엄마가 직접 오실 수는 없겠지요. 그냥 문간까지만 오신다면 모르겠지만요." 이어서 마치 새로운 생각이 들었다는 듯이 "이제 엄마는 문간까지도 오실 수 없는가요?"라고 물었다.

"네가 정곡을 찌르는구나!" 비일 부인이 클로드 경을 향해 큰 목소리로 말했다. 그녀는 그가 처한 곤경이 우스꽝스럽다는 듯 말했다.

그의 다정한 얼굴이 다소 머뭇거리더니 그것을 알아차리는 듯했다. 하지만 그는 솔직한 미소를 지으며 그 애에게 대답했다. "안 되지, 그러지 않는 게 좋겠지."

"엄마가 당신과 결혼하셨으니까요?"

그는 바로 그 이유를 인정했다. "뭐, 그게 대단히 관계가 있겠지."

그는 함께 대화를 나누기에 너무도 유쾌한 사람이어서 메이지는 그 주제를 더 이어나갔다. "하지만 아빠는, 그분은 오버모어 선생님과 결혼하셨잖아요."

"네 아빠도 네 엄마 집에 너를 보러 가시지 않을 거라는 것을 명심하렴." 그 부인이 끼어들었다.

"그렇죠. 하지만 오래도록 그러지는 않으실 거잖아요." 메이지가 재빨리 대답했다.

"우린 지금 그 문제를 이야기하지 않아도 돼. 그건 네가 여러 달을 보내고 난 다음의 일이니까." 클로드 경이 그 애를 더 가까이 끌어당겼다.

"오, 그것 때문에 그 애를 포기하는 게 그처럼 어려운 거군요!" 비일 부인이 자기 의붓딸을 향해 양팔을 벌리며 그렇게 주장했다. 메이지는 클로드 경을 떠나 비일 부인의 팔로 다가가서 한층 더 부드럽게 그녀를 껴안으며 행복의 들판이 황홀하게 확장되는 것을 느꼈다. "만일 클로드 경이 너를 너무 오랫동안 붙잡아 두고 있게 되면 내가 너를 데리러 가마. 그분이 그걸 분명히 이해하시도록 하자꾸나." 이어서 그녀는 "여사님에 관한 말은 나한테 하지 마세요."18라고 말했다. 그녀가 그들의 방문객에게 너무도 친근하게 말을 이어가서, 그들은 마치 전에 서로 만났던 것처럼 보였다. "나는 여사님을 마치 내가 그녀를 만든 것처럼 잘 알고 있어요. 그들은 아름다운 한 쌍의 부모죠." 비일 부인이 목소리를 높여 말했다.

메이지는 그 두 사람의 험담을 너무도 자주 들었기에, 엄마를 그처럼 거창한 표현으로 언급하는 데 대해 기분 좋은 궁금증이 들어 잠시 주의력을 잃었다. 이윽고 자신에 관해서는, 엄마와 아빠 사이보다 비일 부인과 클로드 경 사이의 관계에 속하는 것이 훨씬 더 행복하겠다는 즐거운 가능성을 자유롭게 생각해 보았다. 그리고 이어서 그런 관계에 대한 관심으로 한 가지 새로운 질문을 하게 되었다. "아빠를 만난 적 있으세요?" 그 애는 클로드 경에게 물었다.

그 애의 조그마한 냉철함으로는 클로드 경이 아빠를 만났을 것이 당연했으므로, 그 질문은 두 사람이 다시 떨어지게 하는 신호가 되었다. 그럼에도 비일 부인이 덧붙여야만 했던 말은 모호한 듯하지만 분명한 비꼼이었다. "오, 아빠라고!"

"그분이 집에 계시지 않는 건 확실한 것 같구나. 만약 그분이 집에 계셨다면 그분을 만나 뵙는 즐거움을 희망했어야 하겠지."라고 클로드 경이 그 애에게 말했다.

"아빠가 아저씨가 여기 오신 걸 기분 나빠 하지 않으실까요?" 메이지가 알고 싶다는 듯이 물었다.

"오, 이런 짓궂은 녀석!" 비일 부인이 익살스럽게 이의를 제기했다.

그 애는 클로드 경이 그 말을 듣고 여전히 유쾌해하면서도 얼굴이 약간 붉어지는 것을 알 수 있었다. 그러나 그는 그 애에게 매우 친절하게 말했다. "있잖니, 바로 그 때문에 내가 여기에 온 거야. 네 아빠가 내키지 않으신지 어떤지 말이야. 하지만 비일 부인은 분명히 그분이 괘념치 않으실 거라고 생각하는 것 같구나."

그 부인은 자기 의붓딸에게 그 견해를 바로 정당화해 주었다. "애야, 있잖니, 네 아빠가 오늘 무엇으로 기분 나빠 하실지 알게 된다면 참 재미있겠구나. 그런데 나는 결코 그걸 알 수 없어!" 그녀는 눈에 띄게 단념하는 듯하면서도 조금 전 자신이 했던 탄식을 되풀이하는 것처럼 보였다. 그녀는 "애야, 네 아빠는 정말이지 특이한 분이셔."라고 말하고는 미소를 지으며 클로드 경 쪽으로 몸을 돌렸다. "하지만 그분이 내가 당신을 이 집에 들이는 데 반대하지 않을 것이라는 점에서 그분을 특이하다고 말한다면, 그건 별로 예의 바른 처사는 아닐 겁니다. 만약 당신이 그분이 집에 들이는 사람 중 몇이라도 아신다면 말이에요."

메이지는 그들 모두를 알고 있었다. 그리고 그들 중 누구도 클로드 경과 비교될 수 없었다. 그는 비일 부인을 향해 웃었다. 그 순간 그는 윅스 선생님이 자기 어린 학생에게 들려주었던 이야기 속에서 늘 묘사했던, 고뇌에 지친 아름다운 아가씨들의 연인과 매우 닮아 보였다. 윅스 선생님은 "완벽한 신사이면서 황홀할 정도로 잘생긴 분"이라고 묘사했었다. 아이에게 너무 아쉽게도 그는 떠나려는 듯 일어섰다. "오, 우리 일이 잘될 거라고 생각해!"

비일 부인은 다시 한번 아이를 끌어당겨 꼭 안고서 그 애의 머리 위로 그들의 방문객을 생각에 잠겨 바라보았다. "당신 같은 남자가 그녀를 그처럼 원했다니 참으로 아름다운 일이군요."

"내가 어떤 사람인지 당신이 어떻게 아시죠?" 클로드 경이 웃으며 말했다. "당신이 어떻게 생각하든지 간에 그건 사실과 다를 거라고 나는 감히 말할 수 있습니다. 나에 대한 진실은 그저 내가 가장 인정받지 못하는 사람이라는 겁니다. 그런 친구들을 뭐라고 부르던가요? '가정적인 남자들'이라고 하나요. 맞습니다. 저는 가정적인 사람이에요. 맹세코 전 가정적입니다."

"그렇다면 도대체 왜 당신은 가정적인 여성과 결혼하지 않으셨나요?" 비일 부인이 목소리를 높여 물었다.

클로드 경은 그녀를 뚫어져라 바라보았다. "한 사람이 어떤 사람과 결혼하게 되는지는 당신이 잘 아실 거라고 보는데요. 게다가 세상에 가정적인 여성은 없습니다. 혹시 그런 여자가 있다고 해도 그들은 아무도 아이 갖기를 원하지 않죠. 그런 경우는 정말이지 없습니다."

그 문제에 대한 그의 설명은 너무도 흥미로웠다. 그리고 메이지는 그게 마치 자기에게 불길한 징조라도 되는 듯이, 우울한 기분으로 그 사진을 응시했다. 동시에 그 애는, 감싸 안은 팔을 통해서, 자기의 보호자인 비일 부인이 머뭇거리는 것을 느낄 수 있었다. "당신은 아이 갖기를 원한다고 밝히시는군요. 그러나 여사님은 원치 않는다는 말씀이죠. 그렇죠?"

"단지 아이들에 관한 말을 들으려 하지 않을 뿐이에요. 그러나 그녀는 자신이 이미 '가진' 아이에 대해서는 견딜 수 없어 하죠." 그 말을 하면서 클로드 경은 마치 아이 엄마의 태도를 그의 의식으로 숨기려는 듯이 그 어린 소녀에게 눈길을 던졌다. "그녀는 그 애에 관한 어려움을 최대한 참아내야만 해요. 아시겠어요? 단지 세상의 이목에 대처하려는 차원에서라도 말입니다, 그렇지 않나요? 어떤 남자건 자기 아내가 자신의 아이에 대해 적절하게 처신하기를 바라죠."

"오, 나는 남편들이 뭘 원하는지 알고 있어요." 비일 부인이 대화 상대에게 분명한 인상을 심어주려는 듯 권위를 드러내며 목소리를 높여 말했다.

"좋아요, 만일 당신이 그를 무너지지 않도록 지탱해 준다면—당신이 충분히 많은 걱정거리를 가졌다고 감히 짐작합니다만—내가 아이다를 지켜내지 않을 이유가 없잖습니까? 누이 좋고 매부 좋은 거니까요.19 뭐 매부 좋고 누이 좋은 거라 할 수도 있죠. 아시겠어요? 제 말은 일을 끝까지 지켜보겠다는 거예요."

비일 부인은 그가 벽난로에 기대어 서 있는 동안 여전히 그에게 눈길을 주면서, 잠시 그가 한 말에 대해 생각해 보는 것 같았다. "당신은 놀라울 만큼 친절한 분이군요. 그게 당신의 모습이에요."라고 그녀는 마침내 말했다. "여성이라면 아이를 돌보려는 자연스러운 감정을 가졌으리라 여겨지죠. 하지만 당신들 지독한 남성들은, 남성이란 참 지독한 성이 아닌가요? 사랑을 거의 갖지 않았어요." 그녀는 자기 뺨을 의붓딸의 뺨에 댄 채 주장했다.

"아, 저는 신사분들을 최고로 좋아하는 걸요." 메이지가 천진하게 대답했다.

그 말은 유쾌하게 받아들여졌다. "이 말이 '당신에게는' 듣기 좋은 말이겠군요!"라고 클로드 경이 비일 부인에게 말했다.

"아니에요. 저는 그 애가 자기 엄마 집에서 만나는 여자들을 기억하기만 하면 됩니다."라고 그 부인이 말했다.

"아, 지금 그분들은 매우 훌륭한 분들이에요." 클로드 경이 대답했다.

"훌륭하다니 무슨 말씀이시죠?"

"뭐, 괜찮은 분들이라는 말이죠."

"이해되지 않네요. 당신은 그 여자들까지 돌보시는 모양이군요. 거기에다 이 애를 돌보는 일도 원하신다니 당신은 정말 천사 같군요."라고 말하며 그녀는 자기의 조그만 상대를 장난치듯 살짝 때렸다.

"저는 천사가 아니에요. 그저 늙은 할머니 같은 사람입니다." 클로드 경이 단언했다. "저는 어린아이들을 좋아합니다. 만약 우리가 파국에 이르게 된다 해도, 저는 책임감 있는 보모로서 역할을 다하려 할 것입니다."

매혹된 기분에 빠져 있었으므로, 메이지는 다른 때라면 씁쓸했을 자기가 보낸 세월에 대한 비방을 황홀하게 받아들였다. 그러나 그 매혹은, 비일 부인이 그 애를 돌려세워 아이의 눈을 애정 어린 시선으로 바라보면서, 눈에 띄게 방해받았다. "넌 나를 떠날 셈이지, 이 녀석아?"

그 어린 소녀는 곰곰이 생각해 보았다. 소중하게 여겨진 그 결속조차도 그 애가 갑자기 움켜잡아야만 하는 밧줄이 되어버린 듯했다. 하지만 아이는 그것을 매우 부드럽게 움켜쥐었다. "엄마 집에 갈 차례가 아닌가요?"

"너는 고약한 어린 위선 덩어리야! 내 생각엔 이제 '차례'에 관해서는 될수록 말하지 않는 게 그만큼 더 좋을 것 같구나." 비일 부인이 답했다. "누구 차례인지 나도 알아. 넌 네 엄마를 그다지 좋아하지 않잖아."

"자, 자, 말조심하세요!" 클로드 경이 상냥한 어조로 가로막았다.

"그 애는 들을 말 다 들었어요. 그러나 아무 상관 없어요. 그게 그 애를 망쳐놓지 않았으니까요. 너와 헤어지는 게 나를 얼마나 힘들게 하는지 네가 알아준다면!" 그녀가 메이지를 추궁했다.

클로드 경은 그녀가 그 애에게 매혹적으로 매달리는 것을 바라보았다. "당신이 그 애를 그처럼 좋아하니 참 다행이군요. 정말 다행이에요."

비일 부인은 여전히 메이지에게 손을 얹은 채 부드럽게 한숨을 내쉬며 천천히 일어섰다. "뭐, 당신이 기쁘시다면 우리에게도 좋은 일이죠. 왜냐하면 나는 나의 희생으로 얻었다고 생각하는, 그 애에 대한 어떤 권리도 포기하지 않을 것이라는 점을 확실히 하고 싶거든요. 그 애에 대한 내 권리를 철저히 추구할 것입니다. 일이 전개된 모양을 보니 그 애가 당신과 나를 맺어준 것처럼 보이는군요."

"그 애가 당신과 나를 맺어주었군요." 클로드 경이 말했다.

그가 한 말의 유쾌한 메아리가 행복한 진실이라는 긴 여운을 남겼다. 그리고 메이지가 열렬하다시피 한 감정으로 말문을 열었다. "제가 두 분을 맺어드렸어요!"

그들은 물론 새롭게 웃음을 터뜨렸고, 비일 부인은 그 애를 애정 어린 손길로 흔들었다. "너, 요 조그만 악당아, 말조심해!"라고 말하더니 이어서 "하지만 그게 그 애가 한 일인 건 맞죠. 그리고 그 애는 나와 비일을 맺어주기도 했어요."라고 클로드 경을 향해서 말했다.

"자 그렇다면, 네가 우리 집에 와서도 그 마술을 좀 해다오." 그는 손을 그 애에게 내밀었다. "너, 이제 나와 함께 가줄 거지?"

"지금요? 이대로요?" 그 애는 간절히 호소하는 듯한 모습으로 의붓엄마에게 돌아서며 산처럼 많은 '준비'를 위해 달려들었다. 짐 싸기의 혼돈이 자기 앞에 어렴풋이 떠올라서 모습을 드러내는 듯했다. "그래도 되죠?"

비일 부인이 동의하며 클로드 경에게 말했다. "어떻게 해도 난 좋아요, 내가 그 애의 짐을 내일 보내드리겠어요." 그러고 나서 그녀는 약간 슬픈 듯이 그 애를 위아래로 살펴보면서 옷깃을 여며주었다. "그 애는 내가 바라는 대로 되지는 않군요. 애 엄마가 그 애를 망가뜨려 놓을 거예요. 하지만 내가 어찌할 수 없는 마당이니 무슨 수가 있겠어요? 그리고 그 애는 여기 왔을 때보다 훨씬 더 좋아졌어요. 그 애 엄마도 그 점에 동의하겠죠. 당신에게 그렇게 말해서 미안하지만, 그 가엾은 아이는 정말 보기에 안타까웠어요."

"오, 내가 나서서 그녀를 내쫓아 버리겠습니다!" 그 방문자는 다정하게 말했다.

"어떻게 하실지 보고 싶군요!" 비일 부인은 엄청 흥미로워하는 것 같았다. "당신은 그 애를 내게 보여주기 위해 데리고 와야 해요. 우리는 그렇게 할 수 있을 거예요. 잘 가거라. 요 도깨비 같은 녀석아!" 클로드 경에게 그녀가 마지막으로 한 말은 그의 좋은 기분을 유지해 주기 위한 것이었다.

## IX

그 애가 학습을 보충해야 한다는 생각과 그 분량이 엄청나다는 것이 엄마 집에서 메이지를 기다리며 잘 간직되어 있었다. 그런 것들이 윅스 선생님의 지속적인 일거리였다. 그녀는 그 애가 도착한 다음 날, 기쁨의 눈물을 흘리며 뒤쪽 계단을 통해서 그 집에 왔다. 그 보충학습 과정은—그 착한 부인은 그에 관해서 할 말이 무척 많았는데—연속적인 단계를 통해 매우 긴 시간이 걸리는지라, 적어도 거의 그 애가 아빠 집에서 보낸 지난번의 연장된 기간 정도는 걸릴 것으로 예고되었다. 하지만 이번 기간은 더 충만하고도 비옥한 시간이었다. 그것은 그 두 사람이 쏟아부어야 하는 에너지에 관해 윅스 선생님이 끊임없이 주장하는 어조를 따라서 그 경계가 정해졌다. 그 애는 비일 부인과 수잔 애시의 지도하에서는 배운 것이 아무것도 없다는 데 대해 미세하지만 강렬한 방식으로 그녀에게 동의했다. 구조된 조난자가 처한 황폐한 상태는 금후 정복의 과정으로 나아가게 하는 에너지 중 하나였다. 그래서 그 해는 뒤처진 지식을 담는 그릇으로 자전하고 있었고, 적어도 이제는 그 애가 학습하고 있다는 느낌으로 넘쳐흐르는 컵이었다. 윅스 선생님은 자신의 수많은 대화 창고에서 이야깃거리를 꺼내면서, 쏜살같이 지나가는 시간을 따 모아야만 한다고 무척 요란스럽게 상기시키면서, 그러한 느낌을 충족시켜 주었다. 그들은 돌격해서 붙잡아야만 하는 과목들에 포위되어 있었고, 그래서 부단히 의기양양한 공격적인 태도를 취하고 있었다. 그들은 결단코 나태하게 보낼 시간이 없었다. 그 애는 매일 밤, 마치 온종일 뛰어논 것 같은 피로감에 빠져 잠자리에 들었다. 그 일은 그들이 재회하는 순간부터 시작되었고, 윅스 선생님이 바로 그 첫 단계에서부터 자기의 어린 친구에게 여사님의 유별난 행실의 이유에 대해 말해야만 했던 모든 것들과 더불어 시작되었다.

여사님의 유별난 행동은 3일 동안 자기의 어린 딸을 만나는 것을 거부하는 형태로 나타났다. 그 3일 동안 클로드 경은 그 이상한 상황을 누그러뜨리려 공부방으로 다급하고도 유쾌하게 들어와서는 "그녀가 훌쩍 올라오실 거야, 알잖아. 그녀가 훌쩍 오실 거라고 장담하마."라고 말했고, 심지어 어느 정도는 자신이 그 애에게 무례하게 군 것을 보상해 주기 위해서도 공부방으로 급히 들어왔다. 그 애의 일생에서 그처럼 유쾌한 보상은 그 어떤 경우에도 없었다. 그의 사교적인 방문은 여사님이 그가 그녀 전남편의 집에 찾아갔다는 사실을 알지 못한다는 것과, 그리고 그 집에 들어앉혀진 그 가증스러운 인간과 사귀기 위해서 그 사람의 딸을 구실로 삼았다는 사실을 알지 못한다는 것을 말해주었다. 그녀가 자기 딸을 데려오고 싶어 했는지, 그녀가 그 애를 다시 데려오려고 그 모든 계획을 세웠는지는 아무도 알 수 없었다. 적어도 지금 그녀가 메이지를 다시 데려온 일과 관련된 어떤 사람도 용서할 수 없는 것은, 그 일이 그처럼 주제넘게 음험한 방식으로 이루어졌기 때문이었다. 메이지는 심지어 윅스 선생님의 은밀한 재주가 완화시켜 줄 수 있는 것보다 더 큰 분노의 무게를 감당했다. 특히 클로드 경 자신이 전혀 재간이 없는 사람—한편, 사실 그는 전혀 기가 꺾이지 않았지만—이었기 때문에 그랬다. 그는 명랑했고, 간간이 나타났으며, 때때로 몹시 놀라게 하기도 했다. 그는 자신이 짐작하고 있는 것처럼 보이는 것보다 훨씬 더 그 애를 동요시키는 솔직함으로, 그 애가 엄마를 보게 되더라도 비일 부인이 그에게 말했던 것에 관해 엄마가 그 어떤 것도 그 애로부터 얻어내게 해서는 안 된다는 조건에 의지하고 있다는 인상을, 자기의 어린 상대방에게 심어주었다. 그는 공부방에 들락거렸고, 농담인 척하면서 엄청나게 조심해야 한다고 주장했으며, 활발하게 장난치는 자신감 있는 태도를 보여주었다. 그는 윅스 선생님을 놀려대서 그녀가 즐거워하며 얼굴이 몹시 붉어지게 했으며, 메이지에게 자기가 기대하고 있는 과묵함을 상기시켜 그 애가 인디언 포로처럼 이를 악물게 만들었다. 처음 며칠간, 사실 그 후로도 오랫동안 그 애의 수업은 온통 클로드 경에 관한 것이었다. 그러나 그 애는 자신을 가슴 뛰게 하는 그의 지령하에서라면 아무런 득 없이도 고문당할 준비가 되어 있다는 것을, 윅스 선생님에게 결코 실제로 말하지는 않았다. 그 부인은 자신이 지도받을 필요가 거의 없다는 것을 보여주는 영민함으로 일의 진행을 체계화했다. 그다지 유쾌한 것 같지 않은 모든 일에 관한 그녀의 설명—만약 그녀의 입장이 위험하다면 그 위험도 감수했을 것이다—은 여사님이 열정적으로 사랑에 빠졌다는 것이었다. 메이지는 무한한 경외심으로 그 암시를 받아들였다. 그리고 마침내 엄마 면전에 소환되었을 때, 그 애는 그 두려움을 온 힘을 다해 억눌렀다.

엄마 앞에서 그 애는 자기에게 도움이 되는 실마리를 가져다주는 데 정말로 도움이 될 것 같은 일들에 직면했다. 엄마와의 대면은 거의 무시무시할 정도로 낯선 느낌이었다. 그럼에도 그 이상한 느낌은 잠시 후, 아이다의 오래된, 사납고도 노골적으로 자기 소유물을 회수하는 반향들로 가득했다. 그들은 그 집에서 한동안 함께 있었고, 그런 상황이 연출된 것은 나중 일이었다. 그러나 메이지는 클로드 경이 불어넣어 준 감정에 대한 생각에 몰두해 있었고, 더욱이 윅스 선생님이 들려준 이야기들로 일반적으로 그런 감정이 가져다주는 황폐한 상태에 익숙해 있었으므로, 여사님의 눈에 띄는 외모나 격렬한 화려함, 놀라운 입술 색, 심지어 딱딱한 응시마저도 그러려니 하고 받아들일 수 있게 되었다. 그 응시는 이야기책 속에 묘사된 어떤 눈부신 우상의 응시였고, 그건 얼굴에 이미 충분히 화장한 데다가 눈 화장을 짙게 한 결과였다. 그녀의 고백과 설명은 열띤 감정 표현과 갑작스러운 침울함이 함께 뒤섞여 있었는데, 그러는 가운데 메이지는 지난 세월의 기억으로 그녀의 장신구가 내는 달가닥 소리와 애정을 표현하는 그녀의 긁는 듯한 목소리, 그녀의 옷에서 나는 냄새, 갑작스럽게 시작되는 대화를 인식했다. 그녀는 면전에 대고 문을 쾅 닫듯이 대화의 주제를 바꿔버리는, 오랜 세월 몸에 밴 숙련된 방식을 갖고 있었는데, 윅스 선생님은 그것이 '귀족적'이라고 말했다. 그녀에게서 발견되는 주된 변화는 금발 머리 염색이 적갈색으로 바뀌었다는 것이었다. 그것이 풍성하게 머리를 덮고 있어서 그 애의 눈에는 그녀의 머리가 더 높이 공중에 떠 있는 것처럼 보였다. 이 그림 같은 모친은 글자 그대로 키가 더 장대해 보였고, 모습이 더 고귀해 보였다. 그런 모습이 다른 이들에게는 당황스러울 수도 있었겠지만, 그 애에게는 그녀의 낭만적인 애정으로 당당하게 설명되었다. 메이지는 저쪽 집에서 그 끔찍한 부인과 클로드 경 사이에 무슨 일이 있었는지 질문이 쏟아졌던 게 아이다의 애정 때문이라는 것을 쉽게 알 수 있었다. 그러나 바로 그 순간, 소녀는 이전에 우둔함이라는 평화의 기술을 연습했던 효과를 불러낼 수 있었다. 그 기술이 다시 그 애를 돕기 위해 나타났다. 그 애의 엄마는, 그 애가 어린 나이답지 않게 공허함을 경험했던 면담을 행한 이후에 아이를 내보내면서, 그 애가 조금도 더 흥미로워지지 않았다는 사실을 그 애 스스로 충분히 이해하게 해주었다.

그 애는 그것을 견뎌낼 수 있었다. 그 애는 클로드 경을 위해서 자신이 무언가를 했다고 느끼는 데 도움이 된다면 어떤 것이라도 견딜 수 있었다. 만일 그 애가 비일 부인이 그분을 얼마나 좋아하는 것 같은지 윅스 선생님에게 말하지 않았다면, 그 애는 확실히 그것을 여사님에게도 말하지 않을 수 있었다. 그 애에게 과거가 되살아나는 방법에는 기이한 혼동이 있었다. 엄마가 아빠에 관한 나쁜 일을 알고 싶어 했던 것은 엄마가 아빠를 미워했기 때문이었다. 그러나 지금 엄마가 클로드 경에 관한 나쁜 일을 알고 싶어 한다면 그것은 완전히 반대되는 이유에서였다. 그 애는 한 여자가 윅스 선생님이 들려주었던 열정으로 영향을 받는 방식에 대해 두려움에 사로잡혔다. 그 애는 인생의 무시무시한 일들 가운데 발 디딜 데를 조심조심 골라 딛는 심정으로 숨을 죽였다. 그러나 엄마와의 면담 후에 그 애가 윅스 선생님에게 실제로 알려주었던 것은, 엄마가 말한 그녀 자신의 '좋은' 영향에도 불구하고—그녀가 탐구해 낸 영향은 아무런 해가 되지 않는 빈자리라는 것이었는데—여사님의 마지막 말은 자신의 의무를 철저히 이행하리라는 것이었다. 이러한 공표에 가정교사와 학생은 심오한 침묵 속에서 서로를 말끄러미 바라보았다. 하지만 한주 한주 시간이 지나도, 그 사실이 보충학습의 질풍 같은 진도를 심각하게 방해하는 결과를 초래하지는 않았다. 여사님의 의무란 때로 며칠씩 계속해서 자기 딸을 보지 않는 식이었다. 메이지는 윅스 선생님과 친절한 클로드 경 사이에서 매우 활기차게 자신의 생활을 영위했다. 윅스 선생님은 새로운 드레스를 갖게 되었으며, 자신이 나서서 먼저 선언하였듯이, 더 나은 지위도 얻게 되었다. 그 모든 것들이 메이지에게는 북적대는 눈부신 생활로 비쳤다. 그러는 동안 일시적으로 비일 부인과 수잔 애시는 크리스마스 파티에 초대받지 못한 아이들처럼 단순히 '제외되어' 있었다. 윅스 선생님은 비밀스러운 공포심이 있었는데—그녀의 대부분의 비밀스러운 느낌이 그렇듯이—그녀는 그것을 자기의 어린 상대방과 시간 단위로 대단히 엄숙하게 논의했다. 그 공포심이란, 여사님이 갑자기 우아한 모습으로 공부방에 급습할 수도 있다는 것이었다. 하지만 그녀는 그 두려움에 대한 치유제도 갖고 있었는데, 그것은 클로드 경에게 그 상황을 통제할 힘이 있다는 확신이었다. 그는 메이지에 대한 무관심이라는 아이다의 희생으로 널리 퍼진 좋은 인상—그가 끊임없이 그렇게 말하지 않았던가?—을 너무나 흡족해했다. 그리고 그는 자신이 느끼기에 모든 일이 얼마나 아름답게 진행되었는지, 또한 모든 일이 앞으로 어떻게 진행될 것인지 그들에게 알려주기 위해 공부방에 수시로 드나들었다.

클로드 경은 때때로 며칠씩 공부방에 나타나지 않기도 했다. 그럴 때면 그의 참을성 있는 친구들은 당연히 여사님이 그를 붙들고 있을 거라고 이해했다. 그러나 그는 항상 그가 어디에 다녀왔는지에 관한 매우 익살스러운 이야기들과 사회가 돌아가는 모습에 대한 멋진 묘사, 그리고 심지어 떠나 있던 동안 자신이 얼마나 자기 가정을 생각했는지 보여주는 깜찍한 선물을 들고 되돌아왔다. 그의 대화로 웍스 선생님에게 거의 그들 자신이 '여행했다'는 느낌을 주는 것 말고도, 그는 5파운드짜리 지폐와 프랑스 역사책, 그리고 공작석 손잡이가 달린 우산을 선물했고, 메이지에게는 초콜릿 크림과 이야기책에 더해서 예쁜 방한 외투—그는 그것을 사주려고 그 애만 데리고 외출했는데—와 인쇄된 사용설명서가 들어 있는 상자에 든 수많은 게임 도구들, 그리고 자신의 유명한 사진을 보호해 줄 선명한 붉은색 액자를 선물했다. 그 게임들은 그가 말했듯이 저녁 시간을 느긋하게 보내기 위한 것들이었다. 그리고 저녁 시간은 사실 웍스 선생님이 신문에 '실린' 내용을 숙지하려는 부질없는 시도 속에 종종 흘려 보내졌었다. 그가 두 사람에게 그 게임이 마음에 드는지 물어보면 그들은 항상 "아, 엄청요!"라고 대답했지만,

사실 그들은 그 게임 방법을 자기들이 이해할 수 있게 알려달라고 그에게 솔직히 도움을 청하는 것이 더 낫지 않을까에 대해서 열띤 토론을 했었다. 그런 과정을 거치면서 그들에게 게임의 재미는 점점 줄어들어 버렸다. 그들은 그 이유가 무엇인지 정확하게 말할 수 없었다. 그러나 그가 그들이 어려움을 겪고 있다고 생각하지 않게 했던 것은, 그에 대한 그들의 애정 어린 배려의 일환이었다. 무엇보다도 훌륭했던 점은 그가 윅스 선생님에게 보인 친절함이었다. 5파운드짜리 지폐와 그녀를 '잊지 않았어요'라는 쪽지 말고도 그의 완벽한 배려심 역시 그의 친절함을 돋보이게 했다. 그녀는 그것을 완벽한 배려심이라고 불렀는데, 메이지가 보기에는 그녀가 그 단어를 발음하는 태도가 유일하게 그녀의 위엄을 보여주는 태도였다. 이후에 묘사될 어떤 경우−그 가엾은 부인이 주변 모든 사람을 다 합한 것보다도 더 위대했던−에서 그 예외를 찾을 수 없다면 말이다. 그는 그녀와 악수했으며, 그녀가 말했듯이 그녀를 인정해 주었고, 무엇보다 자기의 의붓딸과 함께 무언극을 보러 가는 데 한 번 이상 그녀를 데려갔고, 극이 끝나고 나올 때 군중 속에서 공개적으로 그녀에게 자기의 팔을 내어주며 팔짱을 끼게 해주었다. 그는 햇볕이 내리쬐는 피커딜리에서 그 두 사람을 만났을 때 즐거워하며 돌아서서 그들과 함께 걸었고, 그의 동행들의 발 구르는 소리를 의식하는 것을 영웅적으로 억눌렀다. 그것은 윅스 선생님이 완벽한 배려심이라는 단어를 굳이 말할 필요도 없이 영웅적인 태도였다.[20] 그리고 여사님은, 메이지와 혈연 관계임에도 불구하고, 그러한 영웅적인 태도를 감당하기에 충분하지 못한 여인이었다. 어린아이의 냉정한 마음에도 윅스 선생님이 그와 같은 자선 행위에 그처럼 우쭐거리는 것은 어딘지 비극적인 모습이었다. 그 모습은 메이지에게 자기의 볼품없는 동료가 뒤뚱거리는 오리걸음으로 인생을 걸어가는 듯한 우스꽝스러운 모습으로 생생하게 떠올랐다. 그러나 그것은 클로드 경이 얼마나 신사다운 사람인지에 대한 물음에 답을 주었다. 그는 세상 그 어떤 사람보다도 여러 가지 역할을 감당했다. 윅스 선생님은 "당신이 고상한 사회에서 누구와 만나든지, 심지어 누구와 결혼 관계로 묶여 있든지 간에 나는 상관없습니다."라고 거듭해서 말했다. 메이지가 결코 물어보지 않은 질문들이 있었다. 그래서 그 애의 가정교사는 그가 아빠보다 더 신사인지를 대답하느라 곤혹스러워하지 않아도 되었다. 더욱이 기회가 없어서 그런 질문을 하지 않았던 것은 아니었다. 왜냐하면 두 사람 사이에는 그 주제가 부적절하게 여겨지는 순간이 없었기 때문이었다. 그들 사이에는 탐구할 어떤 주제도 없었고, 심지어 책장을 넘기는 것보다도 더 흔한 주제였던 주요 연대와 날짜나 보조동사에 관한 공부도 하지 않았기 때문이었다. 겨울밤에 숫자 카드놀이의 수수께끼나 뭐가 뭔지 알 수 없는 팸플릿에 대한 답을 찾는 것은, 단지 난롯가에 다가가서 그분에 대해 이야기하기 위한 것이었다. 그리고 사실대로 말하자면 그런 식의 교훈이 되는 상호교환이 당시 그 어린 소녀에게 행해진 주된 교육이었다.

그가 메이지의 단순한 여교사의 케케묵은 양심이나 때 탄 품위로 항상 정당화되는 것보다 어쩌면 더 심한 정도까지 그 두 사람을 데려갔다는 것은 인정되어야 한다. 윅스 선생님이 자신이 극복한 양심의 가책에 대해 한숨지으며 표명했던 많은 시간이 있었다. 말하자면 그녀는 그처럼 특이한 경험을 한 젊은 사람에게 달리 어떤 방법을 취할 수 있는지 물어보았던 것 같았다. "네가 이미 모든 것을 다 알고 있는 듯하구나, 그렇지, 얘야?" 이어서 "얘야, 내가 너를 지금보다 더 세상 물정에 물들게 할 수는 없어, 그렇지?"라고 말하는 것이, 그 착한 부인이 자신이 평정심을 가지고 대화하고 있다는 것을 자신과 어린 학생에게 정당화하는 표현이었다. 그 어린 학생이 이미 무엇을 알고 있는지에 대해서는, 말로 표현되기보다 그저 당연시되었다. 메이지가 이미 알고 있는 것은 모든 교과서를 초월하고 모든 공부를 대신해 버리는 유용한 기능을 했다. 만약 그 애가 이보다 더 나빠질 수 없다면, 그 애가 나쁜 상태에 있다는 것이 심지어 자신에게조차도 하나의 위안이 되었다. 그 위안은 현재 직면한 위기의 근본적인 사실을 광범위하고도 확고하게 지지해 주는 것이었다. 엄마가 지독하게 질투심이 강하다는 사실에 대해서 말이다. 그것은 엄마의 열정과 관련된 상황의 또 다른 측면이었다. 깊은 관계를 맺고 있는 공부방의 그 두 사람의 생각이 거기까지 이르는 데는 그다지 오랜 시간이 걸리지 않았다. 그들은, 어떤 여성이 클로드 경이 발산하는 매력 같은 효과를 다른 여자들에게 줄 수 있는 어떤 신사와 결혼했을 때, 그녀가 겪을 정신적인 불편을 생각하며, 서로 얼굴을 마주보았다. 그런 여성들이 그와 사랑에 빠지지 않을 수 없으리라는 것이 그의 아내를 초조하게 만드는 생각이었다. 어느 날 어떤 사건이 일어났을 때—쾅 하고 닫히는 문소리나 겁에 질린 하녀의 다급한 발걸음 소리가 그 사실을 특히나 생생하게 만들어주었을 때—예민하고도 심오한 성격의 메이지는 상대방에게 갑자기 물었다. "있잖아요, 선생님, 선생님도 그분을 사랑하세요?"

그 애가 보여주는 진지함에는 가벼운 웃음을 위한 여유마저 깃들어 있었다. 그래서 그 애는 윅스 선생님이 근엄하고도 신속하게 느닷없이 내뱉는 대답에 다소 놀랐다. "네가 물어보니 하는 말이지만, 나는 맹세코 그 정도까지 가지는 않았다."

하지만 며칠 뒤, 그 애의 가정교사가 상황을 반전시켰을 때—그 사태는 클로드 경이 공부방을 찾아오지 않는 상태가 며칠 동안 지속되었기 때문에 생겨났다—그러한 대담성이 그녀를 단념시키는 효과를 초래하지는 못했다. "애야, 네가 클로드 경을 사랑하는지 내가 물어봐도 되겠니?" 그 애는 윅스 선생님이 망설이며, 그러나 분명히 농담 삼아 그 얘기를 꺼냈다는 것을 알았다. "물론이죠!" 그 애는 그 문제에 대해 자신이 오래전에 충분히 입장을 분명하게 밝히지 않은 데 대해 스스로 놀랐다는 듯이 대답했다. 그에 대해 그 애의 친구는 만족한 듯 한숨을 내쉬었다. 그것은 사실 긍정적인 안도의 표현이었을지도 모른다. 모든 일이 올바로 돌아가고 있었다.

그러나 여사님이 격노한 것이 그 두 사람 때문이 아니라는 것을 그들도 분명히 알고 있었다. 6개월에 걸쳐 클로드 경이 며칠 동안 계속해서 그 두 사람 가까이에 좀처럼 다가오지 않았던 기간이 있었는데, 그런 상황이 벌어진 것은 그녀가 그것을 금지했기 때문이 아니었다. 그는 '떠나' 있었고, 아이다도 '떠나' 있었다. 그들은 때로는 함께 떠나 있기도 했고, 때로는 따로 떠나 있기도 했다. 어떤 계절에는 그 단순한 학생들[21]이 그 집을 고스란히 차지하기도 했는데, 그때는 하인들마저 역시 '떠나' 있는 것 같았으므로 끼니를 해결하는 것은 식품 저장실과 찬장을 마구잡이로 침입하는 행위가 되었다. 윅스 선생님은 그런 경우에―그건 종종 배가 고픈 순간들이었고, 그때는 그처럼 상기시켜 주는 그녀의 모든 지원이 필요했는데―그들의 상대 아이다와 클로드 경의 '진짜 생활', 그들이 그 안에서 움직이고 있었을 눈부신 사회와 거기에서의 복잡한 쾌락들―마음속에서 그것들을 따르는 것이 주제넘은 일이 되는―이, 글자 그대로 보지 않고서는 상상할 수도 없는 특징을 가진 게 틀림없다는 사실을 제자에게 상기시켜 주었다. 그 시기의 어느 한때에 메이지는 이제 지배자가 된 사람이, 비록 많은 어려움이 있었지만, 비일 부인이라는 사실이 뚜렷해지는 것을 깨달았다. 아무튼 그때 그 애는 의붓엄마가 자기를 만나려 했다는 것과 엄마가 그 때문에 몹시 분개했다는 것, 의붓아빠가 의붓엄마를 지지했다는 것, 의붓엄마가 아빠의 대리인인 것처럼 행동했다는 것, 그리고 엄마가, 쉽게 말하자면, 그 모든 상황을 매우 불쾌하게 받아들였다는 사실을 충분히 알게 되었다. 그 상황은, 윅스 선생님이 선언하듯 말했듯이, 확실히 매우 뒤죽박죽된 상태였다. 그녀의 설명을 듣고 메이지는 클로드 경과 비일 부인이 친분을 맺게 되었던 상황의 행복한 광경을 다시 떠올려 보았다. 그 광경은 의붓아빠와 함께하면서―그 일에 관해서는 윅스 선생님에게 말해줄 것이 별로 없었지만―그 애가 엄마 집에 머물렀던 첫 몇 주 동안, 한 번 이상 회상해 볼 수 있었던 사건이었다. 클로드 경이 그 애를 데리러 온 날 무슨 일이 있었는지 윅스 선생님이 자기에게 추궁하여 묻지 않은 것―엄마는 그것을 추궁하여 물었지만―을 그녀에게 어렴풋이 감사했다. 그것이 바로 클로드 경이 그 애에게 그 문제에 관해 경고했을 때, 그리고 다시 그 후에 그 일을 함구한 것을 두고 그 애에게 너무 '착한' 녀석이라고 말했던 때, 그가 그 일을 처리했던 과정이었다. 그 애는 비일 부인이 사실 자기를 조금도 포기하지 않았다는 것을 잘 알게 되었기에, 그에게 비일 부인과 계속 연락하고 지내는지, 그리고 당분간 의붓엄마와 자신 사이의 모든 일이 진짜로 다 끝난 상태로 유지되어야만 하는지 물어보았다. 이 대화는 그가 어느 날 공부방에 불쑥 나타나서 메이지가 혼자 있다는 것을 발견하고 일어난 일이었다.

X

그는 담배를 피우며 난롯불 앞에 서서 그 방의 변변찮은 비품들을 그 애를 꽤 창피하게 만드는 방식으로 바라보았다. 그런 다음 (비일 부인에 관한 주제로) 그 애가 그를 '이끌도록' 만들기 전에―'이끌다'라는 단어는 그가 사용하는 표현 중 하나인데, 그 표현 중에 얼마나 많은 것을 그 애가 주워들었는지는 놀랄만한 일이다─그는 엄마가 그 비품들을 장식품 차원에서 상당히 수준 낮은 것으로 여긴다고 말해주었다. 웍스 선생님은 일본 부채 하나와 꽤 지루한 두 권의 학습 교재를 장식품으로 두었었다. 그 애는 좀 더 재미있는 책이었으면 하고 바랐으나, 웍스 선생님이 우연히 갖게 된 것은 오직 그 두 권뿐이었다. 클로드 경의 사진이 거기에 없었다면, 그의 말대로 그곳은 마치 식어버린 저녁밥만큼이나 따분했을 것이다. 그는 또한 그들이 마련해야 하는 많은 종류의 것들이 있다고 말했다. 그러나 인정하지 않을 수 없는 사실은, 그 가정교사와 어린 학생이 어떤 종류의 물건이 들어오게 된다면 그것을 어디에 들여놓으면 가장 멋져 보일지에 관한 토론과 물건을 쌓아두기에 자연히 불리한 그 애 삶의 가변성을 인정하는지를 두고 의견이 갈려 있다는 것이었다. 그 애는 어떤 물건이 없다고 아쉬워할 만큼은 오래 머물렀지만, 그 물건을 누리기에는 채 반도 충분히 머물지 못했다. 클로드 경이 공부방을 둘러보는 시선은 그 애를 창피하게 만들었다. 그 느낌은 그 애가 수잔 애시를 방문했을 때 누추한 다락방을 보고 느꼈던 것과 크게 다르지 않았다. 그런 다음 그는 갑자기 비일 부인을 언급했다. "넌 그녀가 너를 진심으로 좋아한다고 생각하니?"

"오, 엄청 좋아하시죠!"라고 메이지가 대답했다.

"근데 내 말은, 그녀가 너를, 흔히 말하듯이 너 자체로 좋아하냐는 거야. 알겠니? 그녀가 너를 웍스 선생님이 너를 좋아하는 것처럼 좋아한다고 생각하니?"

그 아이는 그 말을 곰곰이 생각해 보았다. "오, 저는 어디까지나 비일 부인의 소유물이 아니에요!"

클로드 경은 그 말을 듣고 무척 흥미로워했다. "맞아, 너는 어디까지나 비일 부인의 소유물이 아니야!"

그는 잠시 동안 웃음을 지었는데, 그건 메이지에게 흔한 일이어서 그 애는 "하지만 그녀는 결코 저를 포기하지 않을 거예요."라고 말하지 못할 정도로 당황스러워하지는 않았다.

"좋아. 나도 너를 결코 포기하지 않을 거야, 이 녀석아. 그러니 그게 그다지 대단한 건 아니구나. 그녀가 유일하지도 않고 말이야. 그런데 그녀가 너를 그렇게 좋아한다면 왜 너에게 편지를 쓰지 않으시지?"

"아, 엄마 때문이죠." 그건 너무나 당연한 말이어서 그 애는 클로드 경의 질문이 단순한 것에 놀랄 뻔했다.

"그렇구나. 네 말이 옳아. 그녀가 너에게 연락을 해올 거야. 여러 가지 방법이 있거든. 그런데 물론 윅스 선생님이 계시는구나."

"그렇죠, 윅스 선생님이 계시죠." 메이지는 선선히 동의했다. "윅스 선생님은 그녀를 참을 수 없어 하시죠."

클로드 경은 흥미를 느끼는 것 같았다. "오, 윅스 선생님이 그녀를 끔찍이 싫어한다고? 그렇다면 윅스 선생님이 비일 부인에 대해 뭐라고 말씀하셨니?"

"아무 말도 하지 않으셨어요. 왜냐하면 선생님은 내가 그분이 비일 부인에 관해 나쁜 말을 하는 걸 좋아하지 않는다는 것을 아시니까요. 윅스 선생님은 정말 좋은 분이 아니신가요?"라고 아이가 물었다.

"그렇고말고, 정말 좋은 분이시지. 비일 부인은 그런 일에 말을 자제할 분이 아니고 그렇지?"

메이지는 비일 부인이 얼마나 많은 말을 했었는지 기억하고 있었다. 그러나 그 애는 비일 부인 역시 보호하고 싶었다. 하지만 그 애가 생각할 수 있는, 그녀를 보호할 수 있는 유일한 방법은 "오, 아빠 집에서는 거리낌 없이 모든 말을 할 수 있다는 걸 잘 아시잖아요!"라고 핑계를 대는 것뿐이었다.

그 말을 듣고 클로드 경은 단지 미소를 지었을 뿐이었다. 그는 "그렇구나, 거기에서는 신경 쓰지 않아도 되는가 보네. 그런데 여기에서는 우리가 신경을 써야 해, 그렇지? 우리는 말조심을 해야 하는 거야. 그 문제가 내가 너에게 편견을 심어줘야 할 그런 문제는 아니라고 생각해."라고 말하더니, 이어서 "그렇지만 나는 네 아빠 집에서보다 이곳에서 우리가 대체로 더 다정하게 지내야만 한다고 생각해. 그래도 네게 그걸 강요하지는 않을게. 왜냐하면 그건 네가 말하기 굉장히 곤란한 문제니까. 아무튼 걱정하지 마. 내가 분명코 너를 지지해 줄 테니까."라고 덧붙였다. 그리고 잠시 후에 담배를 피우면서 그는 비일 부인에 관한 화제로 돌아갔다. 그것은 아이가 먼저 물었던 질문이기도 했다. "지금으로서는 우리가 그녀를 위해 할 수 있는 일이 별로 없는 것 같아 염려스럽구나. 나는 그날 이후로 그녀를 만나보지 못했단다. 맹세코 그녀를 만나지 못했어." 다음 순간 매우 희미하고도 어색하게 웃더니, 그 젊은 남자의 얼굴이 살짝 붉어졌다. 자신의 결백에 대해 이처럼 메이지에게 고백한 것이 지나치다고 생각한 게 분명했다. 그러나 그 애의 엄마가 다른 집에 있는 부인을 혐오한다는 것을 그 애에게 말하지 않을 수는 없는 노릇이었다. 그는 아내의 동의를 얻어 그 집에 다시 갈 수 없었다. 그리고 그는 그런 동의 없이 그 집에 갈, 그런 사람은 아니었다. 그는 자신이 그곳에 가지 않았다는 것을 아이에게 확인시켜 주려는 데서 생겨나는 망설임에 자신도 모르게 빠져들면서, 그 애에게 그것을 믿어달라고 부탁했다. 그는 아이와 이야기하면서 그 애가 많은 세상 경험을 가진 사람이라도 되는 듯한 말투를 취하는 것 같았다. 그는 메이지를 데리러 비일 부인의 집에 갔었는데, 그것은 완전히 다른 문제였다. 이제는 그 애가 엄마 집에 와 있으니, 아이 아빠의 아내를 방문하는 데 그가 아이 엄마에게 어떤 핑계를 대야 할까? 물론 비일 부인도 아이다의 집에 올 수 없었다. 아이다가 그녀의 사지를 찢어버릴 것이기 때문이었다. 메이지는 이런 핑곗거리가 되는 대화를 하면서, 비일 부인이 자신에게 착한 아이가 되어야 한다는 것을 얼마나 강조했는지 기억했다. 그리고 그렇게 되기 위해서 자신이 얼마나 많이 다른 사람에게 부담이 되거나, 그리움의 대상이 될 수밖에 없는 운명인지도 기억했다. 게다가 클로드 경은 이 경우에 아마도 나중에 상황이 전환될 거라고 생각하고 이렇게 말했다. "나는 그녀가 너를 진심으로 좋아한다고 확신한단다. 어떻게 그렇지 않을 수 있겠니? 그녀는 매우 젊고 매우 아름다우며 매우 영리해. 나는 그녀가 매력적이라고 생각한단다. 하지만 우리는 매우 바르게 행동해야 해. 만약 네가 나를 도와준다면 나도 너를 도와줄게. 무슨 말인지 알겠지?" 그는 유쾌하면서도 친근감을 주고 동등하게 대해주는, 그러나 결코 보호자 같지는 않은 태도로 결론지어 말했다. 그러한 그의 태도는 아이가 그를 위해서 어떤 일이라도 감당할 마음의 준비를 하게 했다. 그의 태도가 가진 매력은, 메이지가 느끼기에, 그가 자신의 어린 나이에 짐짓 눈높이를 내려 맞추는 것이 아니라, 그 애의 나이에 진정 무관심하다는 데 있었다.

그 말은 그 애에게 잠시 동안 비밀스러운 황홀감을 안겨주었다. 정말로 그를 도울 수 있을 것 같은 믿음이 드는 순간이었다. 그 애가 그 상황에서 느끼는 유일한 당혹스러움은 어른들이 젊다고 말하는 어쩔 수 없는 인생의 한 시기에 관해서였다. 클로드 경에게는 비일 부인이 '젊다'는 것이고, 마찬가지로 윅스 선생님에게는 클로드 경이 젊었다. 그가 젊다는 것이 윅스 선생님이 칭찬하는 그의 장점 중 하나였다. 그렇다면 메이지 자신은 어떻다는 말인가? 그리고 그 문제를 각도를 달리해서 말하면 엄마는 또 어떻다는 말인가? 그 애가 한두 번의 실험을 통해서 엄마의 젊음에 관해서는 말하면 안 된다는 것을 깨닫는 데는 상당한 시간이 걸렸다. 그 애는 어느 날, 짙게 색조 화장을 하고 눈썹을 그린 엄마 앞에서, 그처럼 짙게 화장하는 게 엄마 말고 다른 사람에게도 있는 일인지 궁금한 생각이 들기도 했다. 그럼 엄마가 젊지 않다면 늙었다는 것이었다. 그래서 엄마에게 세대 차이가 나는 어린 남편이 있다는 게 이상하게 느껴졌다. 패런지 씨가 엄마보다 한참 더 나이 들었다는 것을 메이지는 너무 잘 알고 있었다. 그래서 그런 식의 추리 과정을 거쳐서 그 애는 비일 부인이 클로드 경보다 더 젊기에, 그렇다면 아빠는 비일 부인보다 틀림없이 한참 더 나이가 많다는 인식에 이르게 되었다. 그런 것을 알게 되니 그 애는 당황스럽고 다소 혼란스럽기까지 했다. 그 사람들은 자기들에게 당연시되는 그런 나이가 아닌 것처럼 보였다. 어떻든 엄마의 경우에는 특히 더 그랬다. 그 사실을 깨닫자 그 애는 클로드 경과 그의 아내의 결합 문제에 관해 윅스 선생님에게 질문하지 않았던 것에 대해 다소 안도했다. 그 애는 그들이, 아마도 특히 윅스 선생님이, 여사님의 애정 상태에 대해 관심을 갖게 되는 데 매우 민감해지거나 심지어 당혹스러워지는 바람에 조심하고 있었다는 것을 의식하게 되었다. 그 애는 공부방에서 의붓아빠와 한 대화를 다음과 같은 말로 끝맺었다. "그래서 우리가 비일 부인을 결코 만나서는 안 된다면, 그건 아저씨가 나를 데리러 왔을 때 그녀가 생각했던 상황과 어울리지 않네요."

그는 약간 멍해 보였다. "그녀가 무슨 생각을 하는 것처럼 보였는데?"

"그야 제가 두 분을 결합시켜 드렸다는 것을 생각하고 계셨겠지요."

"그녀가 그렇게 생각했어?"라고 클로드 경이 물었다.

메이지는 그가 그것을 벌써 잊어버린 게 뜻밖이라고 느껴졌다. "제가 아빠와 그녀를 연결해 주었던 것처럼 말이에요. 그녀가 그렇게 말한 게 기억나지 않으세요?"

클로드 경은 그 말에 한바탕 웃음으로 응대했다. "오, 그래. 그녀가 그렇게 말했지."

"그리고 아저씨도 그렇게 말씀하셨어요." 메이지가 또렷하게 말을 되받았다.

그는 더 유쾌해져서 그 일을 모두 되새겼다. "그리고 너도 그렇게 말했어." 그는 마치 둘이서 게임이라도 하는 듯이 대꾸했다.

"그렇다면 우리 둘 다 잘못 생각한 건가요?"

그는 잠시 생각에 잠기더니 말했다. "아니야, 전체적으로는 그렇지 않아. 내가 보기에는 네가 말한 대로 된 것 같거든. 우리는 함께하게 된 거야. 이건 참 특이한 일이지. 우리가 함께 만나지는 않지만 비일 부인은 우리를 ―너와 나를― 생각하고 있어. 그리고 나는 네가 다시 그 집으로 돌아가게 될 때 아무 문제 없으리라는 걸 알게 될 거라고 확신한단다."

"제가 다시 비일 부인에게 돌아가게 되나요?" 메이지는 행복한 선물이라도 갑자기 껴안은 듯 작게 숨을 헐떡이며 말했다.

그 말은 클로드 경을 잠깐 근심스럽게 하는 것 같았다. 그 애의 질문이 그가 행동으로 보여준 약속의 무게를 그 자신에게 느끼게 했을지도 모른다. "아, 언젠가는 그렇게 될 거라고 생각해. 우리에겐 아직 시간이 많이 있단다."

"저는 보충해야 할 공부가 어마어마하게 많은걸요." 메이지가 매우 대담하게 말했다.

"물론이지. 너는 놓친 모든 수업 시간을 다 보충해야 하니까. 아, 네가 그렇게 하도록 내가 지켜볼 거야."

그 말이 기운을 북돋아 주었다. 그래서 그 애는 자기가 안심했다는 것을 보여주려고 유쾌하게 대답했다. "그건 웍스 선생님께서도 확실히 해주실 거예요.”

“오, 그럼. 윅스 선생님과 나는 긴밀하게 협력하고 있으니까.” 클로드 경이 말했다.

메이지는 그 강렬한 이미지를 잠시 동안 머릿속으로 그려보았다. 그런 다음 그 애는 “그렇다면 제가 아저씨와 윅스 선생님도 결합시켜 드린 거네요. 제가 두 분도 연결해 드렸어요!”라고 소리쳤다.

“네가 그러지 않았다면 낭패였을 거야!” 클로드 경이 웃으며 말했다. “맹세코 네가 그 운명에 그 어떤 것보다도 더 많은 일을 했어. 오, 넌 우리를 위해서 그렇게 했어! 이제 네가 할 수만 있다면—요전 날 내가 제안했듯이, 너도 알잖니—나와 네 엄마를 잘되게 도와주기만 하면 돼!”

그 애는 의아해했다. “아저씨와 엄마를 결합시켜 달라고요?”

“너도 알다시피 우리는 전혀 함께하지 못하고 있어. 하지만 내가 너에게 그런 말을 할 처지는 아니지. 더구나 네가 정말로 그럴 입장도 아니고 그래서는 안 되지. 안 되고말고 이 녀석아.” 젊은 남자는 그렇게 말하고는 이어서, “그렇게 되는 건 네가 무너져 내리는 형국일 테니까. 하지만 그건 문제가 아냐. 우리는 그럭저럭 해나가고 있으니까. 정말 멋진 건 너와 내가 잘 지내고 있다는 거야.”라고 말했다.

“우리는 잘 지내고 있지요!” 메이지가 진지하게 말했다. 그러나 다음 순간 그가 방금 말한 것을 떠올리며 그 애가 말했다. “제가 어떻게 아저씨를 떠나겠어요?” 어쩐지 그 애가 그를 돌봐야 하는 것 같은 분위기였다.

그의 미소가 그 애의 걱정을 정당하게 평가해 주었다. “오, 저런, 네가 그렇게 할 필요까지는 없어. 일이 그렇게까지 되지는 않을 거니까.”

“제가 아빠 집에 가게 될 때 아저씨도 함께 가실 거라는 말씀이세요?”

클로드 경은 잠시 생각했다. “반드시 너랑 ‘함께’ 간다는 말은 아니야.

하지만 결코 네게서 멀리 있지는 않을 거야."

"하지만 엄마가 아저씨를 어디로 데리고 가실지 아저씨가 어떻게 아시죠?"

그는 다시 웃었다. "그건 나도 모른다고 해야겠구나!" 그러고 나서 그에게 한 가지 생각이 떠올랐다. 비록 우스꽝스러운 생각이었지만 말이다. "너도 알게 될 거야. 그녀가 나를 너무 먼 곳으로 데리고 가지는 않으리라는 걸 말이야."

"제가 뭘 할 수 있겠어요?" 메이지는 놀라서 물었다. "엄마는 저를 좋아하지 않으세요."라고 그 애는 매우 짤막하게 말했다. "정말이지 저는 아무것도 할 수 없어요." 비록 어린아이였지만, 그 애의 짧고도 긴 인생사가 그 말 속에 담겨 있었다. 그래서 마치 그 애가 덕망 있는 사람이기라도 한 것처럼 그 애의 말에 반박하는 것이 불가능했다.

클로드 경의 침묵은 그 사실을 인정하는 것이었다. 그리고 이내 대답하는 그의 어조는 더욱더 그랬다. "그렇다고 해서 그녀가 내가 너와 함께 지내는 걸 막지는 않을 거야."

"그렇다면 우리는 함께 살게 되나요?" 그 애가 애원하듯 요구했다.

"그건 실질적으로 비일 부인이 결정할 문제라는 생각이 드는구나." 클로드 경이 웃으며 말했다.

그 말에 아이의 간절했던 마음은 약간 맥이 빠졌다. 그 애는 윅스 선생님이 그 상황을 특이하게 뒤죽박죽 얽힌 일이라고 말했던 게 기억났다. "저를 다시 데리러 오는 것 말씀이세요? 그렇다면 그곳으로 저를 만나러 오실 수 없는 건가요?"

"오, 내가 그러겠다고 말하마!"

비록 메이지가 어린 시절의 일부는 잃어버렸어도, 특별한 약속에 대해서는 온전히 어린애다운 선호를 지니고 있었다. "그럼 아저씨께서 오실 거죠? 자주 오실 거죠? 그렇죠?" 아이가 다그쳐 물었다. 그 애가 그 말을 하는 동안, 문이 열리더니 윅스 선생님이 돌아왔다. 그러자 클로드 경은 대답 대신 아이를 침묵하게 하고 당황스럽게 만드는 표정을 그 애에게 지어 보였다.

그러나 그가 다시 그 애와 단둘이 있게 되었을 때─그건 우연히 오랜 시간이 지난 후였지만─지난번에 대화가 끊겼던 바로 그 지점에서 그들의 대화를 다시 끄집어냈다. "애야, 있잖니. 만약에 내가 너를 만나러 네 아빠 집에 갈 수 있게 된다 해도, 비일 부인이 너를 만나러 여기에 오는 것과는 전혀 똑같은 상황이 아닐 거야." 메이지는 그 주장에 신중하게 동의했다. 하지만 그 애는 좀처럼 그 차이가 정확하게 어디에 있는 것인지 말할 수 없었다. 그 애는 의붓아빠가 자신에게 얼마나 대단한 구원을 베풀어주었는지 느끼고 있었다. 그는 그게 얼마나 어려운 일인지 재미 삼아 습관적으로 말했다. "아마도 내가 네 엄마 몰래 비일 부인의 집에 갈 수 있을지도 모르겠구나."

메이지는 그 상황에 깃든 극적인 요소에 모종의 전율을 느끼며 응시했다. "그리고 그녀는 엄마 몰래 여기에 올 수 없는 거죠" 그 애는 엄마가 무슨 일을 할지 분명하게 표현할 수는 없었다.

"애야, 윅스 선생님이 네 엄마에게 그걸 알릴 거야."

"그렇지만 윅스 선생님과 아저씨는…" 메이지가 이의를 제기했다.

"그녀와 내가 전우 관계란 말이지?" 클로드 경이 그 애의 말을 받았다. 그리고 이어서 "오, 그렇고말고, 비일 부인 문제를 제외한 다른 모든 일에서는 그렇지. 만약 네가 그녀가 여길 잠깐 들여다본 걸 이런저런 방식으로 윅스 선생님에게 비밀로 하자고 제안한다면…"이라고 말했다.

"아, 저는 그런 제안은 하지 않을 거예요!" 메이지가 단호하게 그의 말을 가로막았다.

클로드 경은 그 이유를 아주 잘 이해할 수 있다는 듯이 바라보았다. "안 되지. 그건 정말 불가능한 일이니까." 메이지는 자신과 클로드 경이 숨기려 하는 것을 이처럼 흘끗 들여다보면서, 자신이 예상하지 못한 무언가를 그가 마음속에 숨기고 있다는 것을 처음으로 얼핏 감지했다. 그 애 자신도 다른 사람에게 속임수를 쓴다는 인상을 최대한 활용해야만 했던 때가 종종 있었다. 그러나 그 애는 한 가지 단순한 생각을 숨기는 것 말고, 그보다 더한 어떤 것을 숨긴 적은 결코 없었다. 물론 그 애는 이제 그가 뭔가를 숨기는 것을 아는 게 얼마나 이상한 일인지와 같은 생각을 숨기게 되었다. 그 애가 이런 생각에 골똘히 잠겨 있는 동안, 그가 말을 이었다. "게다가, 있잖니, 나는 네 아빠가 두렵지 않아."

"그럼 엄마를 두려워하시나요?"

"이런 늙다리 녀석!" 클로드 경이 대꾸했다.

## XI

여사님이 집을 떠나 있었던 것이 그녀가 또 다른 차원으로 모습을 드러낸 것 때문에 그 영향력이 약화되었을 거라고 상상해서는 안 된다. 그녀는 마치 개선장군처럼 방 안에 들어와서는 숨 막히는 모습으로 정지한 듯 서서, 그 방에 있는 모든 사물을, 천장부터 자기 딸의 구두 앞굽 상태까지, 의도를 가득 담아서 훑어보았다. 그녀는 때로는 의자에 앉기도 했고, 때로는 이리저리 휘젓고 다녔다. 그러나 그 어떤 경우든 그녀의 태도는 실기 시험이라도 실시하는 듯한 당당한 분위기를 띠었다. 그녀는 개탄할 거리를 너무도 많이 찾아내서 메이지와 웍스 선생님으로 하여금 많은 것을 기대하도록 만들었고, 너무도 의도적으로 화를 낸 나머지 그들에게 해결책이나 약속을 마구 흩뿌리는 것처럼 보였다. 그녀의 방문은 한 벌의 의상이나 마찬가지였고, 그녀의 매너는, 언젠가 웍스 선생님이 표현했듯이, 한 벌의 커튼과 마찬가지였다. 그녀는 극단에 중독된 사람이었다. 어떤 때는 자기 아이에게 말한마디 건네지 않았고, 어떤 때는 매우 깊게 옷이 파여 드러난—웍스 선생님도 그렇게 말했듯이—자기 가슴에 그 부드러운 새싹을 끌어당겨 꽉 눌러댔다. 그녀는 늘 무시무시하게 바빴다. 그리고 그녀의 옷이 가슴 아래로 더 깊게 파일수록, 그건 그만큼 어딘가 그녀를 찾는 곳이 더 많다는 표시가 되었다. 그녀는 보통 혼자서 불쑥 들어왔지만 가끔은 클로드 경과 함께 들어오기도 했다. 그리고 메이지가 머무르는 기간 초반 내내, 그와 같은 출현은 여사님이 마법에 걸린 것만큼이나, 웍스 선생님이 그렇게 표현했듯이, 그 모양새가 유쾌한 것은 없었다. 클로드 경이 자연스럽게 웃으며 엄마를 데리고 휩쓸 듯 방을 떠난 뒤 메이지는 신중하고도 익숙한 어조로 "엄마가 마법에 걸려 있지는 않나요?"라고 소리치곤 했다. 요란스러운 부인들과 함께 어울렸던 지난 시절에도 메이지는 엄마가 혼인상의 이유로 고분고분 따르는 이 순간처럼 자유롭고 유쾌하게 웃는 소리를 들어본 적이 없었다. 비록 어린 소녀였지만 메이지는 엄마가 이 유쾌한 웃음에 대한 권리를 마침내 갖게 되었다는 것을 알 수 있었다. 이 사려 깊은 어린 소녀는 좋은 일에 대한 예감과 미래의 재미로 온통 행복한 이기적인 생각에 빠져들었다.

이후에는 클로드 경이 아이다와 함께 들어오지 않았고, 변하는 상황에 대처하려는 변화된 기분의 영향 때문인지, 그녀는 다른 사람들을 당혹스럽게 하는 뜬금없는 어조를 건성으로 취했다. 그것은 막대한 대가를 치르고 모든 일을 클로드 경에게 양도했다는 듯한 어조였다. 그 어조는 만약 모든 일이 제대로 되지 않는다면, 그건 클로드 경이 지독하게 흐리멍덩하기 때문이라는 것을 다른 사람들이 알아주기를 바라는 투였다. "그는 처음부터 너를 두고 너무나 법석을 떨었단다. 그래서 나는 너를 위해 스스로 뭐든 하라고 그에게 말했고, 자신이 그것을 얼마나 좋아하는지 판단해 보라고 했어. 알겠니? 나는 네 문제에서 손을 뗐단다. 나는 너를 그에게 넘겨줬어. 그러니 네가 무슨 불만이 있다면 그건 그 사람 책임이야. 부탁하건대 네가 그 조건에 맞추어 지내렴, 나를 끌어들이지 말고. 나는 나 자신의 걱정거리만으로도 차고 넘친다는 것을 명심하렴."이라고 아이다는 어느 날 메이지에게 말했다. 그런 걱정거리 중 하나는, 확실히 공부방 난롯가에서 누렸던 마법이 이미 깨질 위험에 처했다는 사실이었다. 또 다른 걱정거리는 그녀의 남편이 현실적인 문제를 책임지기에 부적절한 사람이라는 사실이 마침내 드러날 수밖에 없게 되었다는 것이었다. 그녀의 숨죽인 청자들이 그녀가 그를 괴롭힌 게, 맙소사, 단순히 그가 진지하지 않기 때문이라는 사실을 당혹스럽게도 그녀에게 듣고 알게 된 날이 오고야 말았다. 메이지는 클로드 경이 변덕쟁이라는 말을 듣고는 윅스 선생님의 가슴에 안겨 울었다. 게다가 그 애의 가정교사가 그 후 며칠 동안 이런저런 순간에 그가 무분별하고 자유분방한 건 그의 '신분'에 걸맞은 일이라는 의견을 내놓으며 그 상황을 엉성하게 수습하려 했다는 사실을 생각하고 그 애는 더욱 슬퍼졌다. 그처럼 자유분방하다는 것은, 사실 가엾은 윅스 선생님 자신의 신분만 제외하고는, 그 애가 여태까지 만났던 모든 사람들의 신분에 나타나는 특성이었다. 그리고 클로드 경의 특별한 장점은, 정확하게 그가 다른 모든 사람과 다르다는 점인 것 같았다. 그러나 그 애는 시간이 지나면서 엄마에 관해 그와 매우 자유롭게 이야기하게 되었다. 그 애는 아빠 앞에 있을 때 자신을 침묵하게 했던 두려움—말이 옮겨지게 되어 그것이 상황을 더 악화시킬 거라는—이 전혀 없이, 그 문제를 그와 함께했다. 그는 자기가 그 애를 떠맡게 되었으며 그 애를, 그가 표현했듯이, 자신의 특별한 종달새로 만들었다는 생각을 받아들인 것 같았다. 그는 또한 자신이 끔찍한 사기꾼이며 게으른 짐승이고, 한심한 저능아라는 점에도 완전히 동의했다. 그는 그 애에게 그 애 엄마에 관해 나쁜 말을 단 한마디도 하지 않았다. 그는 여사님의 엄청난 진지함 앞에 그저 말문이 막히고 낙담했을 뿐이었다. 심지어 어떤 때 그는 자신이 맡게 된 어린아이를, 그 애를 얻으려고 악착같이 싸웠던 엄마의 품으로부터 억지로 잡아떼어 버린 것 같다고 말하기도 했다.

클로드 경이 아이다에게서 메이지를 빼앗은 것처럼 말한 사실은, 어느 날 생생하게 빛이 비춰진 어떤 한 장면의 도덕적 핵심이었다. 그때 그 네 사람은 우연히 다른 동석자 없이 응접실에서 만나게 되었다. 메이지는 자신이 엄마 가슴에 꼭 안겨서 격정적으로 흐느끼며 목소리를 높여 뭔가 말하고 있다는 것을 알아챘다. 그 애는 자신이 조금 전에 있었던 날카로운 언쟁으로 인해 생겨난, 어떤 한 감정 표현의 주제가 되어 있다는 것을 분명히 깨달았다. 그러한 맥락에서 볼 때 아이다는, 아이를 거의 품에 안고 있는 모습을 하고 있는 동안 그 애에 대해 치명적으로 쌀쌀맞다고 할 만큼 끔찍하게 말해야 했으며, 클로드 경이 그처럼 무도한 행위를 한 잔인한 사람이라고 악담을 늘어놓아야만 했다. 그녀는 그 애에게 "그가 나에게서 너를 빼앗아 갔어. 그 사람은 네가 나를 싫어하게 만들었고, 너는 그에게 마음을 빼앗겨 버렸고, 너의 조그만 마음은 더럽혀졌어! 너는 그에게 넘어가 버렸고, 그 사람 편에서 나를 싫어하고 미워하지. 너는 나한테 말 한마디 하지 않잖아. 한마디 말도 하지 않아. 그러면서 그에게는 까치 떼처럼 조잘대지. 거짓말하지 마. 나는 네 이야기를 사방에서 듣고 있어. 너는 불순하다 싶을 정도로 그에게 들러붙어 있어. 그래서 그가 너를 자기 마음대로 할 수 있지. 좋아, 그럼 그 사람이 마음껏 즐기게 해주렴. 그가 그렇게도 서둘러 너를 데려갔으니, 우리는 그가 너를 데리고 있는 게 옳은 일인지 지켜볼 거야. 그 일로 마음이 아파도 나는 괜찮아. 네가 나에게는 선뜩한 물고기만큼도 감정이 없으니 말이야."라며 소리 질렀다. 그러면서 그녀는 갑자기 그 아이를 밀쳐냈다. 그러고는 자신의 실패를 혐오감에 차 인정하면서, 그 애를 맞은편에 있는 윅스 선생님의 품으로 내던지듯 보내버렸다. 메이지는 바로 그 순간, 심지어 휙 내던져지는 순간에도, 윅스 선생님이 붉게 상기된 얼굴로 클로드 경과 기이한 표정을 재빨리 교환하는 것을 보았다.

그 표정에 대한 인상이 그 애에게 남아서, 그 애가 엄마의 감정 폭발에 작지만 비판적인 견해로 맞서게 했는데, 그래서 그 애는 자신이 내팽개쳐지면서 들었던 비난을 초래했다는 데 대해 스스로 덜 부끄럽게 느껴졌다. 그 애의 아빠는 한때 아이를 매정한 어린 고집쟁이라고 불렀다. 그리고 지금 그 애는 확실히 겁은 먹었지만, 그래도 마치 그 표현이 적절하다는 듯이 완고하고 냉정했다. 그 애는 울음을 터뜨릴 정도로 무서워하지도 않았는데, 그건 잘못이 아이 엄마에게 있다는 증거가 될 수 있었다. 그 애는 다른 무엇보다 윅스 선생님과 클로드 경 사이에 말 없는 표정으로 교환된 의견이 궁금할 뿐이었다. 그 문제에 대해 윅스 선생님에게 물어볼 가능한 한 빠른 기회를 포착해서 그 애는 놀랄만한 대답을 끌어냈다. "얘야, 여사님에게 그건 게임이란다. 우리는 단지 죽을힘을 다해서 버텨내야만 하는 거야." 메이지는 한가한 시간에 그 불길한 말을 해석할 수 있었다. 그 순간 그 애의 생각들이 때맞추어 복잡해졌다. 그 생각 중 하나로 그 애는 자신의 가정교사가 자기의 매도당한 의붓아빠와 은밀하고도 진지한 대화를 종종 가져왔다는 확신이 들었다. 그 애는 두 번째 에피소드에 비추어 그 집에서 자신이 모르는 어떤 일이 일어났다는 것을 알아챘다. 그 애가 알 수 없는 일은 사실 너무나 많았지만, 그 애가 믿기에, 그것들이 이제까지 자신과 가장 밀접하게 관련된 일은 아니었다. 과거에 그 애는 그 가정사의 미로 속에서 자신이 늘 해결을 위한 실마리를 쥐고 있다는 작은 확신이 있었다. 그러나 이번에도 그 애는, 털어놓을 수밖에 없겠는데, 웍스 선생님의 신중한 도움으로 마침내 실마리를 찾아내었다. 클로드 경이 그 애를 돕는 일이 돌연 중단되었다. 왜냐하면 여사님의 게임에 대한 그의 언급이, 그가 당장 혼자 파리로 떠나는 이유가 되었기 때문이었다. 악행에 대한 비난에 직면해서 그가 기백을 가진 사람이라는 것을 보여주고 싶었던 게 분명했다. 메이지가 느끼기에, 그는 그런 방식으로 의붓딸이 자기에게 떠맡겨지는 것을 원하지 않으면서도 그 애를 좋아했을지 모른다. 그러므로 그의 부재는 틀림없이 그 애를 자기에게 내던져 버린 데 대한 항의였다. 그 부재가 지속되는 동안 우리의 어린 숙녀는 그 집에서 일어났던 일이, 엄마가 더 이상 사랑에 빠져 있지 않다는 의미라는 것을 마침내 알게 되었다.

여사님이 페리엄 씨를 소개하기 위해서 갑자기 공부방에 들이닥쳤던 날보다 한참 전에, 그 애는 클로드 경에 대한 엄마의 열정이 확실히 한계에 이르렀다고 판단했다. 페리엄 씨는, 아이다가 문간에서 메이지를 불렀을 때, 누군가 저렇게 대단한 말괄량이 딸을 가지고 있다는 사실을 믿지 못했을 것이다. 페리엄 씨는 키가 작고 몸집은 육중한 사람이었는데, 웍스 선생님은 나중에 그가 "걸음걸이가 이상해 보일 정도로 너무 뚱뚱하다"라고 말했다. 그리고 그에 관해서는 그의 머리가 더 대머리인지 그의 검은 콧수염이 더 무성한지 판단한다는 것이 어려운 모습이었다. 또, 그는 눈 위에도 콧수염이 달린 것처럼 보였다. 하지만 그것이 그의 반짝이는 작은 눈알들이, 마치 아이다의 유명한 큐대질로 쳐진 당구공이라도 되는 듯, 방을 둘러보느라 구르는 것을 방해하지는 않았다. 페리엄 씨는 콧수염을 쓰다듬는 손에 눈부시게 반짝이는 다이아몬드 반지를 끼고 있었는데, 거기에 그의 대략적인 몸무게와 신비로움이 더해진 결과, 우리의 어린 숙녀는 그가 떠날 때 그가 터번만 둘렀다면 이교도인 오스만제국 사람으로 딱 어울릴 것 같다는 생각이 들었다.

"그는 내가 생각하는 이교도 유대인 모습에 딱 들어맞는구나"라고 웍스 선생님이 대답했다.

"저, 제 말은 동양에서 온 사람 같다는 거예요." 메이지가 말했다.

"그쪽에서 온 게 분명해. 그는 런던 시내에서 온 사람이란다."22 아이의 가정교사가 의견을 말했다. 순식간에 그녀는 마치 그의 모든 것을 알고 있다는 듯 덧붙였다. "그는 최근에 급부상한 사람들 중 한 사람이야. 어마어마한 부자일 거야."

"자기 아버지가 죽고 유산을 물려받아 부자가 되었나요?" 아이가 흥미롭게 물었다.

"애야, 그건 아니야. 유산 같은 건 없어. 내 말은 그가 큰돈을 벌었다는 거야."

"얼마나 많이 벌었다고 생각하세요?" 메이지가 캐물었다.

웍스 선생님이 곰곰이 생각하며 상상해 보더니 "오, 수백만 파운드는 될 거야"라고 말했다.

"천만 파운드요?"

웍스 선생님은 그 숫자에 대해서 확신은 없었다. 그러나 그 숫자는, 페리엄 씨가 비추고 간 뜨겁고 묵직한 빛의 잔광으로 거기 남아, 잠시나마 공부방의 가난을 데워주기에 충분했다. 그건 또한 의심의 여지 없이, 그의 입장에서, 삶을 그처럼 향유하는 데서 오는 하나의 효과였다. 메이지는 아주 어렸을 때부터 어른들 사이에서 그 사실을 접했다. 그것은 어른들의 행복을 나타내는 징표였고 넘쳐흐르는 신명의 표시였다. 그는 "처음 뵙겠습니다, 부인! 반거워요, 꼬마 아가씨!"라고 인사를 건네며 어안이 벙벙해진 두 사람에게 웃으며 고개를 끄덕였다. 그는 "그녀가 나더러 함께 올라가서 한번 들여다보자고 했어요. 내가 당신을 무조건 믿지 않는 건 사실이에요. 그녀는 늘 당신 얘기를 하면서도 결코 당신을 소개해 주지는 않았답니다. 그래서 내친김에 내가 오늘 그녀에게 도전했어요. 뭐 보아하니, 황당무계한 사람은 아닌 것 같군요, 부인. 그렇게 알고 나는 돌아갑니다."라고 말했다. 이어서 그는 메이지를 향해서도 "확실히 아가씨도 마찬가지군, 모를 일이기는 하지만!"이라고 말했다.

아이다는 "내가 너랑 있으면서 그분을 지루하게 해드렸구나, 애야. 나는 모두를 지루하게 하지."라고 말하고는, "네가 지독한 애늙은이여도 상냥한 애이기도 하다는 걸 증명하려고 그분더러 스스로 판단하라고 말씀드렸단다. 그래서 그분은 이제 네가 지긋지긋하고도 거대한 일감이라는 것과 너의 가엾은 늙은 엄마가 적어도 60살은 되었다는 걸 아셨을 거다."라고 이어서 말했다. 그러면서 여사님은 그녀의 딸이 아빠 집에서 유쾌한 신사들이 엄마 고유의 매력이라고 말하는 것을 들었던, 그 매력으로 페리엄 씨를 향해 미소를 지었다. 그 신사들은 너무도 자주 아빠를 '뿔나게' 하고 싶어 했다. 그 순간 그 애는 엄마의 태도에서, 아빠가 그녀가 발휘할 수 있다는 것을 탁월한 언어 표현으로 항상 부인했던 매력을, 이전 그 어느 때보다 더 생생하게, 얼핏 볼 수 있었다.

그러나 페리엄 씨는 엄마를 만났을 때의 기분으로 그녀의 그 매력을 분명히 알아보았다. "당신이 멋지지 않다고 내가 말한 적은 결코 없어요. 이

봐요, 내가 그런 적이 있나요?" 그가 유쾌한 믿음으로 공부방 사람들에게 증언해 줄 것을 호소했다. 그는 또한 그들이 분명 자신에게도 뭔가를 기대할 거라고 느꼈다. "오호라, 그래서 이 방이 저들의 작은 아지트란 말이죠. 멋져, 멋져, 멋져요!"라고 반복하며 그는 건성으로 그 방을 둘러보았다. 방해받은 두 학생은 마치 자신들의 뭔가가 드러난 듯이 서로 껴안고 있었다. 그러나 아이다가 그녀의 높다란 어깨를 구부려 두 사람의 당혹스러움을 누그러뜨려 주었다. 이번에 그녀가 페리엄 씨에게 지어 보이는 미소는 갑작스럽고 슬픈 듯하면서도 아름다운 기색을 띠었다. "가엾은 한 여자가 도대체 뭘 할 수 있겠어요?"

계속 바라보는 동안 그 방문자의 찡그림은 더욱 두드러져 보였다. 그리고 긴장된 분위기의 조그만 공부방은 더욱더 동물원의 우리처럼 느껴졌다. "멋져, 멋져, 멋져!"라고 페리엄 씨가 소리쳤다. 그러나 급하게 문고리를 돌리는 소리와 함께 그 막간극은 막이 내렸다. "또 시작이시군요!"라고 여사님이 말했다. "안녕, 안녕!" 그녀가 날카로운 목소리로 덧붙였다. 다음 순간 그들은 계단에 서 있었다. 그리고 윅스 선생님과 그녀의 동료는 열린 방문 앞에서 서로를 말없이 응시하다가 저 멀리에서 들려오는 시끌벅적한 사교적 흐름의 소리를 듣고는 다시 자신들의 생활로 되돌아왔다.

그 일이 있고 난 뒤 메이지가 페리엄 씨에 관해 단 하나의 질문도 하지 않았다는 것은 아마도 좀 이례적이었다. 그리고 일주일이 채 지나지 않아, 그 애가 묻지 않은 모든 것을 알게 되었다는 건 더욱 이례적이었다. 그 애가 알게 된 가장 특별한 사실은—원하지 않았는데도 그 정보는 윅스 선생님으로부터 직접 전해 듣게 되었지만—어떤 백만장자가 방문하여 이층에 있는 방들을 휩쓸고 지나갔다는 사실을 클로드 경이 결코 좋아하지 않으리라는 것이었다. 그가 그 사실을 얼마나 기분 나빠 할 것이냐는 생각은, 윅스 선생님의 신중함이 와르르 무너져 내렸다는 사실로 입증되었다. 그녀는 마음을 바꾸어 충성할 수 있었고, 예법이라는 제단에서 여사님에게 필사적인 제물이 되는 것도 불사할 것이었다. 그녀 스스로 몇 차례 넌지시 내비쳤듯이, 그녀는 비일 부인에 반대해서 자기가 여사님을 위해 할 수 있는 모든 것을 기꺼이 할 각오가 되어 있었다. 그러나 클로드 경에 해가 되는 일은 그녀를 위해 아무것도 할 수 없었다. 그 애가 의붓아빠가 파리에서 돌아올 때쯤 해서, 여전히 아무런 질문을 하지 않고도, 얼마나 많은 사실을 알게 되었는지는 놀라운 일이었다. 파리에서 돌아오면서 그는 그 애에게 줄 수채화 그리는 데 필요한 멋진 도구 한 벌을 사 왔고 윅스 선생님에게는, 그다지 당황스럽진 않더라도 우스꽝스럽게 보였을 기억력 결핍 때문에, 두 번째로 좀 더 고상한 우산을 사 왔다. 그는 자기가 지난번에 사다 준 첫 우산을 까맣게 잊어버렸다. 그 우산은 파라오 미라만큼이나 여러 겹의 포장지에 싸여 있어서, 그녀는 그 우산을 사용하는 불경스러운 일은 결코 하지 않을 참이었다. 한마디로 그 첫 우산 선물을 꼭꼭 싸두고 사용하지 않았다. 무엇보다도 메이지는 자기 스스로 비공식적인 이해라고 인식하는 것을 통해서 지금 자신이 클로드 경의 '편'이라는 것을 알게 되었지만, 페리엄 씨에 관해서는 클로드 경에게 아직 단 한마디도 말하지 않았다. 그래서 그 신사 양반에 관한 일은 일종의 공공연하게 퍼진 비밀이 되었다. 가정교사와 어린 학생은 그들의 친구를 다시 맞이하게 된 때부터 그 비밀을 마음속 깊이 간직한 채 불길한 심정으로 서로를 바라보았다. 그는 대단한 환대와 함께 다시 맞아들여졌다. 눈에 띄는 건 그가 자신이 다른 사람의 자식을 책임지는 너무나 심한 짐을 지게 된 위험에 맞서야 할 필요성을 느낀 것처럼 보이면서도, 이 시기에 그는 그 어느 때보다 자신이 많은 기대감을 불러일으켰다는 상상에 빠져 있었다는 점이다.

그 문제에 관해, 이제 그것이 편가르기의 문제라면, 그들 모두가 어느 편에 속하는지는 어느 정도의 증거가 있었다. 메이지는 그처럼 민감한 입장에서 물론 그 누구의 편도 아니었다. 클로드 경은 모든 면에서 그 애 편이었다. 그러므로 만약 웍스 선생님이 클로드 경의 편이라면, 여사님은 페리엄 씨 편이고 페리엄 씨는 아마도 여사님 편일 것이다. 그렇게 되면 고려할 대상은 비일 부인과 패런지 씨만 남는 셈이다. 비일 부인은 클로드 경과 마찬가지로 분명히 메이지의 편이었고, 아빠는 아마도 비일 부인의 편일 것이다. 여기에서 사실 약간 애매한 점은, 아빠가 비일 부인의 편이라는 것이 어쩐지 그가 온전히 자기 딸 편은 아닌 것으로 보인다는 점이었다. 이 어린 숙녀가 그 점을 곰곰이 생각해 볼수록, 그건 마치 집뺏기 놀이와 너무도 닮아 보였다. 그래서 그 애는 편가르기라는 것이 이리저리 몰려다니며 장소를 바꾸는 건지 궁금증이 들었다. 그 애는 자신의 위치가 끊임없이 변하는 상태에 있다는 느낌이 들었다. 자기 엄마와 의붓아빠가 벌써 다른 편으로 갈라져 버렸다는 것은 정말 충분히 불안정한 일이 아닌가? 그건 집안에서 일어난 엄청난 일이었다. 게다가 웍스 선생님은 또 다른 면모를 보여주었다. 그녀는 결코 쾌활하다고는 할 수 없는 사람이었지만, 이제 그녀의 침울함은 게시된 플래카드만큼이나 공공연해졌다. 그녀는 새 드레스를 입고 앉아서 잃어버린 우아한 옷을 속상해 하는 것처럼 보였다. 맘에 들었던 그 옷은 가엾은 클라라 마틸다만큼이나 슬픈 기억이 되었다. 그녀는 "그분이 곤란한 상황에 처했어"라고 종종 그 애에게 말했다. 메이지가 의식적으로 그녀의 의견에 동의하는 데 얼마나 능숙한지는 놀라운 일이었다. 그러나 그것이 어려운 일인데도 불구하고, 클로드 경은 관대하며 사교적인 방법으로 그 일을 해내며 그 어느 때보다 더 훌륭해 보였다. 그것이 그가 그 일 때문에 비참해지지 않았다는 데 대해 웍스 선생님으로부터 수없이 많은 안도의 표정을 이끌어낸 방법이었다. 그것 때문에 그는 점점 더 공부방에 처박혀 있게 되었다. 그곳에서 그는 자신이 그 순진한 아이를 타락시킬 영광을 얻을 운명이라면, 적어도 그 즐거움 역시 누릴 수 있으리라는 사실을 분명하게 깨닫기 시작했다. 그는 그곳에 들어올 때마다 그 방의 거주자들에게 그들이 그 집에서 가장 마음씨 고운 사람들이라고 말하곤 했다. 그 말을 들을 때면 언제나 그 두 사람은 서로 입을 꾹 다문 채 동그랗게 뜬 눈으로 표현할 수 있는 한 가장 분명하고 커다란 소리로 '페리엄 씨'라고 말했다. 그는 자신이 훌륭한 유모의 기질을 가졌다고 비일 부인에게 말했던 것을 메이지로 하여금 기억나게 했다. 그리고 그 애로 하여금, 웍스 선생님 앞에서 그 애가 의도했던 것보다도 훨씬 더 강하게, 한번은 자신의 착한 유모 중 그 누구도 아이 방에서 그렇게 담배를 많이 피우지는 않았다고 그에게 말함으로써, 그 모든 상황을 들춰내게 만들었다. 그 말은 그의 흡연을 막을 만큼 큰 효과를 끌어내지는 못했다. 그는 언제나 담배를 피우고 있었지만, 가정적인 삶을 살지 않는 것은 그에게 죽음이나 다름없다고 늘 말하기도 했다.

그는 결국 공부방에서 가정적인 생활을 해나갔다. 그리고 늦은 밤 그 애가 잠자리에 들면, 그가 거기에 앉아서 자신의 어려움에 어떻게 대처할지 웍스 선생님과 대화를 나눈다는 것을 메이지는 알고 있었다. 그런 중에도 이 불행한 여인에 대한 그의 배려는 그를 계속해서 완벽한 신사로 보이게 했으며, 그의 정중함에 지배받는 사람을 지복의 상층권까지 치켜올렸는데, 그 드높은 행복 속에서 그녀의 바로 그 자존심이 불안한 마음을 침묵하게 했다. "그가 나에게 기대고 있어. 그가 나에게 의지하고 있다고!" 그녀는 때때로 그렇게 공표했을 뿐이었다. 그녀는 나중에 자기가 어린 학생에게 사실상 그녀가 관리하는 사람이 그 애를 양육한다는 인상을 주었다는 것을 우연히 알게 되고는, 즐거워하기보다 놀랐다. 그러한 잘못된 생각을 어렴풋이 떠올려 본 그녀는 기탄없이 행동하게 되었다. 그녀는 아이 앞에서, 평범한 사람들에게 자신을 그처럼 낮추는 데 대해 진정 슬퍼하는 태도를 취하며, 그 소소한 시간에 두 사람이 대화를 나눈 것은, 그들 표현으로, 그가 인생을 똑바로 지탱해 내느냐의 문제에 관해서였다고 말했다. 그녀가 그에게 똑바로 지탱해 주기를 바라는 것은 공적인 생활이었다. 그 말은 '그녀'가, 서둘러 덧붙이자면, 그러한 맥락에서, 그의 운명의 내연녀가 아닌 단지 윅스 선생님 자신으로 존재하는 것을 의미했다. 그녀는 그에 대해서 이해하기 쉬운 표현으로 가득하면서도, 한편 도덕성으로 충만한 구절을 가지고 있었다. "그는 천성이 훌륭한 사람이지만 그렇다고 백합처럼 살 수는 없는 거야.23 그는 괜찮은 사람이야, 너도 알잖니. 하지만 그는 고귀한 관심을 가져야만 해." 그녀는 그의 인생사가 애석하게 엮여 있지만, 그들―명백히 메이지와 그녀가―이 그를 의회로 진출시켜 줘야 한다고 여러 차례 말했다. 그 애는 그가 당연히 소속되어야 할 영역이 바로 의회라는 그녀의 말을 두근거려 하며 진지하게 받아들였다. 그리고 그 애는, 그게 무엇이든 관련되지 않은 어떤 일에 대해서도 들어본 적이 없었기 때문에, 그가 의회에 진출하는 데 방해가 되는 장애물에 대해서는 알아볼 준비가 덜 되어 있었다. 예전 언젠가 비일 부인에게서 그 애 자신의 일이 관련되어 있다고 들었었는데, 자신이 그런 일을 가졌다는 데 기분이 좋아져서, 그 사실이 그 애를 조금도 당황스럽게 하지는 않았다. 그 이후로 그 애가 그 문제에 대해 아무것도 들은 바가 없다는 것이 사실이었고, 그것이 아무래도 그 애에게 약간의 불안을 안겨주었다. 어쨌든 언젠가 클로드 경을 당선시킬 것을 전망해 보는 것은 너무나 멋진 일이었다. 더 많은 한밤중 대화의 결실로, 한번은 윅스 선생님이 그를 구원해 주는 것이 그녀가 바라는 전부라는 걸 진심으로 믿는다고 하는 것을 보기까지 하면서 그 후론 특히 더 그랬다. 평론가 격인 윅스 선생님은 그런 말을 하면서, 엄마가 말할 때 엄마가 취하던 태도와 같은 방식으로, 그녀의 제자에게 전혀 새로운 장소에서 모습을 드러내는 것 같은 인상을 주었다. 아이는 캥거루가 점프하는 것을 바라보듯 그녀를 응시했다. "무엇으로부터 그분을 구해낸다는 말씀이세요?"

윅스 선생님은 잠시 생각하더니 한층 더 엉뚱한 말로 대꾸했다. "당연히 단지 지독한 불행으로부터지."


## XII


그녀는 자신의 불길한 발언을 그 당시에 설명하지 않았지만, 그녀의 상대방은 주목할 만한 사건들의 양상을 보고 그것을 읽어낼 수 있게 되었다. 말하자면 사실상 그 시기에 메이지의 직접적인 인식은 매우 활기를 띠었고, 스스로 상황을 이해하려는 자유에 대한 생각도 더 활발해졌다. 그것은 본질적으로 결코 유쾌하지 않은 감정이었고, 그 애의 생각 속에 가장 빈번히 떠오르는 경고음이 증가하는 데 따른 것이었다. 클로드 경이 위험에 처했다는 사실을 윅스 선생님에게 전해 들었던 직후와 마찬가지로, 도대체 왜 아빠가 자기를 데리러 사람을 보내지 않는지 엄마가 더욱더 알고 싶어 한다는 사실에 대해서도 굳이 다른 사람으로부터 전해 들을 필요가 없었다. 그 애는 엄마의 궁금증을 너무 오래 예상해 와서 그 자체를 선명하게 표현할 수 없었다. 메이지는 상황을 마주한다는 것이, 자기 아빠가 자기라는 짐덩이를 다시 떠안길 죽기보다 싫어할 거라고, 직접 떠오르는 표현으로 말하자면, 대답해야 한다는 한에서는 그런 압박에 대처할 수 있었다. 그러므로 그 애는 자신이 걱정스러운 시선으로 오랫동안 예상해 온 시간이 다가왔음을 알아차렸다. 그 시간이란—그것을 표현해 주는 구절은 비일 부인으로부터 그 애에게 되돌아 온 것인데—두 명의 아빠와 두 명의 엄마 그리고 두 개의 가정, 합해서 모두 여섯 곳의 보호처가 있는데도 그 애가 '도대체 어디로' 가야 하는지 알 수 없다고 느끼는 그런 시간이었다. 이 문제로 그 애가 느끼는 불안은 윅스 선생님이 갑자기 겁에 질려 하얗게 되었다는 사실로 누그러지지 않았다. 그 상황에서 메이지는 그 부인이 자기 어린 학생의 안위보다 자신의 안위에 대해 훨씬 더 겁에 질려 있다는 것도 알게 되었다. 단 한 벌의 원피스만을 가진 가정교사에게 두 명의 아빠나 두 명의 엄마가 있을 것 같지는 않았다. 그러니 메이지가 그처럼 의지할 곳이 있는 데도 불구하고 길거리로 쫓겨나는 신세가 된다면, 그 어떤 두려움을 무릅쓰고라도 가엾은 윅스 선생님이 갈 곳은 어디란 말인가? 그녀는 아이다와 지독한 충돌을 빚고 있는 것 같았다. 그 충돌은 그녀가 당장 짐을 싸서 물러나고 싶다는 간청으로 시작하고 끝났다. 그녀가 두려워하고 있던 일의 조짐은 갑자기, 그러나 전면적으로 나타났다. 두 동료는 각자 최악의 상태에 대한 두려움은 숨기고 있다고 서로에게 고백했지만, 윅스 선생님이 메이지보다 방어 계획을 세우는 데 더 나았다. 그녀는 사실 그 계획이 충분히 무르익을 때까지 그것에 관해 말하려 하지 않았다. 그러나 그러는 동안 그녀는 공부방에서 자신의 입지가 단단하다고 서둘러 분명히 말했다. 발이 강제로 떼어내지지 않는 한 그녀는 그 지위를 포기하지 않을 셈이었다. 그녀는 경찰에 신고하러 가기 위해 공부방을 떠날 수 있을지는 몰라도, 단지 격분해서 관두지는 않을 태세였다. 그것은 여사님이 당구 경기를 하는 것과 같은 상황이었고, 자신의 황무지를 자신에게 유리한 자리로 만들려면 상황에 또 한 차례 압박을 가해야 했다. 여사님은 극도로 난폭해져 있었다. 그런 난폭함은 누구도 가늠할 수 없는 긴장 상태까지 내몰린 상황에서 나타나는 여러 징후 중 하나였다. 윅스 선생님은 그들 모두가 갈등에 빠져 있지만 특히 그 두 사람, 클로드 경과 아이다 사이가 심각한 상태라고 말했다.

위기 상황에 대한 그녀의 묘사를 듣고 아이는 하얗게 겁에 질렸다. "어떤 두 사람 사이요? 엄마와 아빠?"

"애야, 그게 아니야. 네 엄마와 그분 사이를 말하는 거야."

그 말을 듣고 메이지는 정말로 깊은 질문을 할 기회라고 생각했다. "그분이요? 페리엄 씨 말씀이세요?"

그녀의 겁먹은 얼굴이 상당히 붉어졌다. "이런, 애야. 네가 모르는 걸 내가 말할 필요는 없겠구나. 페리엄 씨와는 그리 오래가지 않을 관계란다. 네가 물어보니 대답한다마는, 알아듣겠니? 내 말은 클로드 경이었어."

메이지는 겸연쩍다기보다는 오해가 풀렸다는 느낌이 들었다. "알겠어요. 그러나 클로드 경이 화가 난 건 페리엄 씨 때문이죠?"

"그분은 자기가 화가 난 건 아니라고 하시더라." 윅스 선생님이 뜸을 들이더니 말했다.

"화가 나지 않으셨다고요? 그분이 선생님께 그렇게 말씀하셨어요?"

윅스 선생님은 그 애를 뚫어져라 응시하더니 "그 사람 때문에 화가 난 건 아니란 말이지."라고 대답했다.

"그럼 다른 사람 때문이에요?"

윅스 선생님은 그 애를 더 빤히 바라보더니 "그래, 다른 사람 때문이란다."라고 말했다.

"에릭 경인가요?" 그 애가 재빨리 말을 이었다.

그 말에 아이의 가정교사는 갑자기 더욱 동요했다. "오, 이 어린 녀석아, 왜 우리가 그 사람들의 불쾌한 이름을 언급해야만 하니?"라고 말하며, 그녀는 몸에 밴 습관으로 그 애의 목을 와락 끌어안았다. 그 순간 그녀의 어린 학생은 그녀가 불안한 마음에 떨고 있다는 것을 느꼈고, 서로 접촉하며 두려움이 더욱 커져 다음 순간 그 두 사람은 상대방의 품에서 흐느끼고 있었다. 그러고 나서 윅스 선생님은 전례 없이 완전히 긴장이 풀리고 정신마저 까마득해져서, 상처에서 피가 흐르고 분노가 터져 나오는 괴로움을 겪었다. 그녀를 엄청나게 괴롭게 하는 것은, 아이다가 그녀를 부당하게 대하며 위선자이자 표리부동하다고 비난했고, 스파이짓을 하고 비밀을 누설했다고 심한 말을 했으며, 클로드 경에게 비굴하게 굴면서 거짓말을 했다고 욕설을 퍼부었다는 사실이었다. 그 가엾은 여자는 흐느껴 울며 말했다. "나를? 내가 본 걸 봤을 뿐이고, 그녀를 감싸주고 진정시켜 주고 그녀의 마음을 달래주려고 온갖 고초를 다 겪은 나를? 내가 '위슨자''ipocrite라면24, 그건 오히려 거꾸로 된 경우에 대해서 그런 건데. 나는 그에게, 그녀에게, 나 자신에게, 너에게, 모두에게 아무것도 못 본 것처럼 행동했는데. 그런 끔찍한 일 앞에서 내가 입을 꽉 다문 건 당연한 처사였어." 그녀의 동료는 너무도 굳게 참고 견뎌내느라 그게 어떤 두려움인지 물어볼 수 없었고, 그 공포를 당연하게 받아들일 수 있는 능력을 상당히 보이기도 했다. 그런 상황이 두 사람을 그 고난의 바다 위에서 그 어느 때보다 더 한배를 탄 공동운명체로 만들었다. 그래서 메이지는 동료 선원의 입장에서 방안을 생각하며 바로 곁에 앉아서 기다릴 수 있었다. 클로드 경이 다음 날 차를 마시러 왔고, 그런 다음에 서로 생각을 꺼내어 말했다. 그 아이의 존재가 그들의 힘을 한껏 이끌어내는 모습이 놀라웠다. 메이지는 주된 의견에 깜짝 놀랐지만, 가정교사가 그 의견을 다루는 용기를 감사히 여겼다. 그 제안은 단순히 언제든, 어디가 되었건 그들이 도피처를 구해야 하는 상황이 되면, 클로드 경이 그들의 도피처를 공유하는 데 동의해야 한다는 것이었다. 분리 독립을 언급한 데 대해 그가 자신의 천성인 온유한 태도로 이의를 제기하자, 윅스 선생님은 여사님이 지원을 중단하게 된다면 도대체 다른 어떤 방안이 그들에게 남아 있겠냐고 물었다.

"친애하는 부인, 제기랄, 지원이라니요! 지원 문제는 나에게 맡겨주십시오. 내가 지원을 책임지겠습니다." 그들의 유쾌한 친구가 말했다.

윅스 선생님이 그 말에 반색했다. "좋아요. 당신이 기꺼이 그렇게 해주실 걸 알고 제가 당신에게 그렇게 물어본 거예요. 다른 어떤 것보다도 우리를 더 잘 보살필 수 있는 방법이 있어요. 그건 바로 우리와 함께 가는 거죠."

윅스 선생님의 제안은 메이지에게 한 폭의 찬란한 그림처럼 비쳤다. 그 애는 황홀함에 자신의 두 손을 꼭 맞잡아 깍지를 끼었다. "함께 가요, 함께 가요, 정말 함께 가요!"

클로드 경은 자신의 의붓딸을 바라보다가 다시 그 애의 가정교사에게 시선을 돌렸다. "당신 말은 내가 이 집을 떠나서 당신과 함께 거처를 마련해야 한다는 건가요?"

"그게 옳은 일일 거예요. 당신이 내게 당신 생각을 말해준, 그 느낌대로라면 말입니다." 윅스 선생님은 기운이 북돋워지고 기분이 고조되어 종소리처럼 또렷하게 말했다.

클로드 경은 그가 그녀에게 했던 말을 기억해 내려고 애쓰는 듯 보였다. 그런 다음 자신의 얼굴을 더 유쾌하게 만들기 위해서 늘 떠올리곤 하는 표정을 지었다. "내가 당신을 위해서 집을 마련해야 한다는 게 당신 생각인가요?"

"저 가엾은 집 없는 아이를 위해서 우리의 머리를 가려줄 어떤 지붕이라도 우리에겐 족할 거예요. 물론 당신을 위해서라면 정말 멋진 집이어야겠지요."

클로드 경은 눈길을 메이지에게 돌려, 그 애가 느끼기에, 뚫어져라 바라보았다. 그리고 자신의 특유의 미소를 지어 보였는데 거기에는 그늘이 드리워져 있었고, 그 애는 그 미소를 보고 그녀가 제안한 거처가 분명히 꽤나 큰 모습으로 그의 머릿속에 떠올랐다는 것을 알아차렸지만, 윅스 선생님은 그것을 알아차리지 못했을 것이라고 생각했다. 그러나 다음 순간 그는 아주 유쾌한 웃음을 터뜨렸다. "친애하는 부인, 당신이 나의 보잘것없는 욕구를 엄청나게 과장하셨군요." 언젠가 윅스 선생님은 자신의 어린 친구에게 클로드 경이 자기를 친애하는 부인이라고 부를 때, 그건 그가 어떤 일이라도 그녀와 함께할 수 있다는 뜻이라고 말한 적이 있었다. 그래서 메이지는 그가 지금 무엇을 하려는지 알고 싶어서 다소 초조했다. 그런데 그는 단지 그 애 자신이 힘을 느꼈던 한마디 말을 윅스 선생님에게 했을 뿐이었다. "당신의 계획은 굉장히 매력적으로 느껴져요. 하지만 당신도 아시겠지만, 나는 내가 아내를 떠나면서 처하게 될 입장에 대해서도 깊이 생각해야만 합니다."

"조심하지 않으면 당신 아내가 당신에게 생각하고말고 할 시간도 주지 않을 거예요. 여사님이 당신을 버리고 떠날 겁니다."라고 윅스 선생님이 대답했다.

"아, 나의 선량한 친구여, 나는 조심하고 있답니다!"라고 그 젊은 남자가 대답하는 동안 메이지는 버터 바른 빵을 마음껏 먹고 있었다. 이어서 그는 "물론 그런 일이 벌어진다면 나는 어떻게든 생각을 바꿀 거야. 그러나 나는 그런 일이 벌어지지 않기를 진심으로 바란단다. 너의 작고 예쁜 코 앞에서 그런 가능성을 논의하는 것처럼 보여서 미안하다. 그런데 사실 나는 아이다가 너의 성스러운 어머니라는 걸 대부분 잊고 지낸단다."라고 의붓딸에게 말했다.

"저도 그래요!" 메이지가 입 안 가득 빵을 물고, 그의 생각이 옳다는 듯 말했다.

그 말에 아이의 여보호자가 다시 그 애에게 다가왔다. "요 귀엽고 소중한, 버림받은 녀석!" 이후 대화가 이어지는 동안 그 애는 윅스 선생님의 팔에 안겨 있었다. 그리고 그들이 서로 껴안은 채 앉아 있자, 클로드 경은 그들 앞에서 찻잔을 들고, 깊은 생각에 잠겨 그들을 바라봤다. 자신과 윅스 선생님이 껴안고 움츠러들어 있는 모습은, 메이지가 느끼기에, 윅스 선생님이 그의 빈약한 섬세함에 요구했던 하나의 매우 커다란 덩어리의 이미지가 되지 않을 수 없었다. 더군다나 그 애는 그 부인이 잠시 후에 다음과 같이 말을 덧붙여서 상황이 더 나아지지 않았다는 것을 알았다. "물론 우리가 집 한 채 전부를 꿈꾸어서는 안 되죠. 어떤 작은 거처라도, 제아무리 누추하다 해도, 우리에겐 과한 축복이에요."

"그래도 그 거처라는 게 우리 모두를 수용할 수 있는 거여야겠죠"라고 클로드 경이 말했다.

"아, 그럼요." 윅스 선생님은 동의했다. "가장 중요한 건 우리가 함께한다는 거예요. 당신이 행동을 취하기 전에, 당신이 여사님으로부터 어떤 조치가 취해지기를 기다리고 있는 동안, 여기에서 말한 우리의 입장은 실현 불가능할 겁니다. 당신은 어제 내가 당신을 위해, 그리고 우리의 불쌍한 귀염둥이를 위해 어떤 일을 겪었는지 모를 거예요. 그렇지만 약속하건대 그 일은 자주 있을 일은 아니에요. 그녀가 나에게 끔찍한 말을 퍼부었답니다. 하인들에게 내 시중을 들지 말라고 지시했어요."

"아, 하인들은 신경 쓸 것 없어요." 클로드 경이 열띤 어조로 말했다.

"그들은 확실히 그들의 안주인보다 나아요. 클로드 경, 내가 여기 앉아서 당신 아내이자 메이지의 엄마에 대해서, 그녀가 하녀보다도 못하다고 말하는 건 참으로 괴롭군요. 하지만 내가 그런 험한 말을 듣게 된 게 우리가 떠나야 할 한 가지 더 큰 이유가 됐어요. 나는 어깨가 잡혀 끌려나갈 때까지 이 집에 머무를 각오입니다만, 그런 일은 언제라도 생길 수 있어요. 또한 일어날 가능성이 다분한 상황은, 감히 이런 말씀을 당신께 드리자면, 그녀가 돌연 사라져버리는 거예요. 우리를 제거하기 위해서요."

"오, 그녀가 그렇게만 해준다면, 그건 우리에게 성공이겠지요."라고 클로드 경이 웃으며 말했다.

"제발 그렇게 말하지 마세요! 그런 비관적인 말은 하지 마시라고요. 내가 무슨 말을 하는지 아시잖아요. 우리는 끝까지 옳은 방법을 사용해야 해요. 당신이 잘못을 범해서는 안 된다구요."라고 윅스 선생님이 애원하듯 말했다.

클로드 경은 찻잔을 내려놓았다. 그는 더욱 근심에 잠겼고, 생각에 잠겨 콧수염을 쓸어내렸다. "그녀가 달아나기 전에 내가 이 집을 떠나버린다면 세상 사람들이 나를 아주 나쁜 놈이라고 말하지 않을까요? 사람들은 내가 그렇게 해서 그녀가 집을 떠났다고 말하겠죠."

메이지는 그런 추론이 일리 있다고 생각했다. 윅스 선생님도 그 말에 이의를 제기하지는 않았다. "당신이 그처럼 고귀한 동기에서 그런 일을 했다면, 세상의 비난을 신경 쓸 필요가 있겠어요? 좋은 쪽으로 생각해요." 그 착한 부인이 강조했다.

"당신과 함께 도망치는 것 말인가요?" 클로드 경이 내뱉듯 말했다.

그녀는 엷은 미소를 지었고 약간 상기되기도 했다. "그건 당신에게 해가 아니라, 최고의 선이 될 거예요. 클로드 경, 당신이 내 말을 들으면 그게 당신 자신을 구원하는 일입니다."

"무엇으로부터 나를 구원한다는 말이죠?"

그 질문에 메이지는 그들 상대방이 이전에 내놓은 것보다 좀 더 훌륭한 요지의 대답을 내놓기를 다시금 긴장에 차서 기다렸다. 그러나 그와 반대로 윅스 선생님의 대답은 단지 더욱 당혹스럽게 하는 것이었다. "아, 무엇으로부터의 구원인지는 당신도 아시잖아요!"

"어떤 다른 여성으로부터라는 말씀이세요?"

"그렇죠. 정말로 사악한 여성으로부터의 구원이죠."

적어도 그 아이가 보기에, 클로드 경은 별로 당혹스러워하지 않았다. 그랬기 때문에 지적인 미소가 그의 눈에 새롭게 떠올랐다. 그는 메이지에게 약간 불안한 듯한 눈길을 보냈다. 아이가 그 시선을 마주하는 어떤 모습에, 그는 그 애의 턱 아래를 장난스럽게 쓰다듬었다. 그런 다음에야 그는 온화한 태도로 윅스 선생님을 향해 말했다. "당신은 나를 실제보다 훨씬 더 나쁘게 생각하시는군요."

그녀는 "그게 사실이라고 해도, 나는 당신에게 항의하지 않겠어요."라고 대답한 다음, 이어서 "나는 당신이 가진 모든 선한 것들의 이름으로 당신에게 호소합니다, 클로드 경. 나는 정말 진지해요! 우리는 서로에게 도움을 줄 수 있어요. 당신이 여기 있는 어린 친구를 위해 무슨 일을 할 수 있는지는 내가 말할 필요도 없습니다. 그건 지금 내가 말하고 싶은 것도 아니에요. 내가 말하고 싶은 건 당신이 그런 기회를 붙잡음으로써 무엇을 얻을 수 있는지예요. 아시겠어요? 우리를 붙잡으세요. 그 애를 붙잡으세요. 그 애를 당신의 책임으로 삼으세요. 그 애를 당신의 인생으로 만드세요. 그 애는 당신에게 수천 배로 보답해 줄 겁니다!"라고 말했다.

윅스 선생님이 그처럼 호소하는 동안 메이지의 생각은 윅스 선생님에게 옮겨져 있었다. 그 애가 그렇게 한 것은, 비록 가슴속으로는 감격에 겨워 전율하고 있었지만, 한편 자신의 민감한 성격 때문에 그 질문을 다그치는 것처럼 보이지 않게 하려 했고, 다른 한편으로는 윅스 선생님이 이전에 결코 보인 적 없는 모습을 나타내는 것을 보고 어찌할 수 없었기 때문이기도 했다. 윅스 선생님은 심지어 엄마의 결혼 소식을 가지고 비일 부인의 집을 방문했을 때도 그런 모습을 보이지는 않았다. 그날은 비일 부인의 기품이 윅스 선생님을 압도했지만, 지금은 그 누구도 그녀를 능가할 수 없었다. 바로 그 순간, 그녀가 지금처럼 놀라게 한 것 이상의 무언가를 이면에 가지고 있다는 느낌에 그녀의 어린 학생은 매혹되었다. 구경꾼의 시선을 취할 때 예민해지는 감각이 그 아이를 지탱해 주는 주된 힘이었다. 그것은 그 애가 논란의 대상이 된 자신을 관찰하거나, 자신이 그런 분노 속에 휘말려 있다는 것을 발견하는 오랜 습관이었고―그 애는 축구 경기를 한번 잠깐 구경한 적이 있었다―수동적인 태도를 취할 수밖에 없는 그 애의 특이한 운명으로부터 얻은 일종의 보상이었다. 그러한 상황은 그 애에게 종종 가로막힌 유리창에 코를 갖다 대서 그 코가 납작하게 된 상태에서만 경험할 수 있는 것처럼, 마치 자신이 자신의 인생에서 분리된 방식으로 존재하는 듯한 이상한 기분이 들게 했다. 윅스 선생님의 웅변이 초래한 효과를 기다리는 동안, 그 애는 자신의 코가 그처럼 눌려 있는 듯한 느낌이 들었다. 그러나 클로드 경은 메이지가 그렇게 보기 흉한 상태로 오래 있도록 내버려 두지 않았다. 그는 아이 아빠 집으로 그 애를 데리러 왔을 때처럼, 자신의 몸을 낮춰서 그 애에게 양팔을 벌렸다. 그는 아이를 품에 안고 자상하게 바라보면서, 마치 윅스 선생님이 자신의 얼굴에 피를 끓어오르게 하기라도 한 것처럼 말했다.

"친애하는 윅스 선생님은 참으로 훌륭한 분이셔. 그런데 그녀는 그 문제를 너무 거창하게 생각하고 계시는구나. 내 말은 상황이 그처럼 절망적이지는 않고, 또 그렇게 단순하지도 않다는 거야. 하지만 그녀 앞에서 너에게 약속하고, 네 앞에서 그녀에게 약속하마. 무슨 일이 있어도 너를 절대로 버리지 않겠다고 내 오랜 벗, 내 말을 알아듣겠나? 그리고 내 뜻을 받아주겠나? 무슨 일이 있어도 네게 꼭 붙어 있으마."

메이지는 자신의 조그만 존재 전체의 긴 떨림으로 그 말을 받아들였다. 그리고 자신의 의도를 강조하기 위해 그가 아이를 더 바짝 끌어안자, 그 애는 그의 어깨에 얼굴을 묻고 소리 없이, 고통도 느끼지 않은 채 울었다. 그 애는 그렇게 안겨 있는 동안 그의 가슴도 들썩이고 있다는 것을 알았다. 그리고 그런 사실로부터, 황홀한 기분 속에서, 그 애는 그의 눈물이 조용히 흘러내리고 있을 것이라고 짐작했다. 이윽고 그 애는 윅스 선생님이 크게 소리 내어 흐느끼는 것을 들었다. 윅스 선생님만이 소리를 내고 있었다.

그녀는 한참 동안 그러고 있을 작정인 듯 보였다. 그러나 며칠 지나자 그녀는 어린 학생과의 대화에서 자신과 아이다 사이에 있었던 사태에 관해, 호되게 당했던 상태보다 약간 더 좋게 묘사했다. 그런데도 아직까지 그녀를 강제로 내쫓으려는 시도는 없었다. 그녀는 클로드 경이 전에 없던 입장을 취하며 열정적으로, 그리고 성공적으로, 그 문제에 개입했다는 것을 깨달았다. 메이지는 그가 여사님이 두렵다고 그 애에게 말했던 것을, 그 일로 조금도 무시하는 마음 없이, 기억하고 있었다. 그렇기 때문에 그 어린 소녀는 그의 결단력 있는 행동을, 세 사람이 눈물로 약속한 정신에 비추어, 그가 진심으로 어떤 일을 할 준비가 되어 있다는 것을 보여주는 하나의 증거로 받아들였다. 윅스 선생님은 그 애에게 금전적 투매로 인한 손실에 관해서 말했는데, 그것을 가지고 그녀는 즐거운 마음으로 자신이 직접 소액의 유가증권을 구입했다는 것이었다. 난폭한 손아귀에 대비한 방어책이었지만, 그것 때문에 자신이 여전히 믿기 어려울 정도의 모욕에 노출되어 있다고도 했다. 여사님이 하루 종일 매 순간 그녀에게 굴욕감을 주고 그녀를 짓밟아 뭉갤 어떤 교묘한 수단을 찾지 못했겠는가? 윅스 선생님은 사분기마다 봉급을 받기로 되어 있었는데, 그 봉급이라는 것은, 메이지가 보기에도 극히 보잘 것없는 액수에 대한 그럴듯한 명분이 아닌가 싶게 의심스러웠다. 그녀는 살아있는 동안 그 봉급을 받아볼 수 없을 테지만, 그 문제에 대해 침묵하는 것은, 맙소사, 여사님이 조금은 누군가에게 통제받는 입장에 있게 했다. 클로드 경은 너무나 많은 다른 일을 하고 있었기에, 그녀는 그 문제를 그에게 문의할 만큼 막돼먹게 행동할 수 없었다. 그는 공부방 사람들이 먹도록 잼이 지질 단층처럼 쌓인, 놀랄 만큼 맛있게 생긴 산 모양의 설탕 입힌 커다란 케이크를 집으로 보냈다. 그들이 아껴가며 포위 공격을 통해서 먹어 들어갔으므로 그 산의 모습은 여러 날 동안 유지되었을 것이다. 그럼에도 불구하고 윅스 선생님은 그의 일이 점점 더 복잡하게 돌아간다는 사실을 알게 되었고, 그녀의 동료 관계자는 그처럼 복잡한 상황에 비추어서, 그가 또 다른 살림을 차려야 한다고 제안받았을 때 그의 얼굴에 비쳤던 표정을 미묘한 심정으로 회상해 보고 있었다. 메이지는 만약 그들의 생계가 풍전등화의 상황이라면, 그들이 품위를 생각하지 말고 돈을 매우 세심하게 아껴 써야 한다고 느꼈다. 그가 하고 있는 일은 그저, 그의 악화된 재정 상황이 허락하는 한, 그의 손위 친구의 영감에 따라서 지체 없이 행동하는 것이었다. 그 계절에는 5월이라는 놀라운 달이 있었다. 그달은 우리를 깨어 있게 했던 폭풍전야처럼 평화로웠다. 그때 그는 상쾌하고 쾌활하게 자기 의붓딸을 데리고 외출하여 더없이 멋진 시내 이곳저곳을 함께 돌아다녔는데, 윅스 선생님의 말을 빌리면, 그들은 그 산책에서 재미와 교훈을 함께 추구했다.

그들은 버스 꼭대기에 올라타고, 멀리 떨어진 공원을 찾아갔다. 그리곤 크리켓 경기를 구경하러 갔는데, 거기에서 메이지는 잠이 들었다. 그들은 차 마시기에 제일 좋은 찻집을 찾아서 수많은 곳을 돌아다녔다. 그것이 윅스 선생님의 커다란 교훈에 부응하는 그의 직접적인 방식이었고, 그가 떠맡게 된 아이를 자신의 의무이자 삶으로 만드는 방식이었다. 제어할 수 없는 충동에 사로잡혀 그들은 자신들이 너무나 작다고 동의한 물건을 둘러보기 위해서, 너무나 크다고 동의한 가게에 들렀다. 그러는 동안 윅스 선생님은 집에 혼자 남겨졌고, 두 사람이 다과를 들기 위해 장갑을 벗으면서 유감을 표하는 대상이 되었을 뿐이었다. 이후에 그녀는 자신이 여사님의 타격에 거의 무방비로 노출되었었고, 그 시간 동안 그녀는 상황을 다루는 그처럼 특별한 재간을 성취했다며 자신의 처지를 묘사했다. 그녀는 자신의 인품과 말투가 저급하다고 낙인찍히지만 않는다면, 자기가 '성취한 재간'이 조롱의 대상이 되고 모든 과목에 대한 자신의 지식이 인정받지 못한다 할지라도 조금도 개의치 않겠다고 몇 번이나 되풀이해서 말했다. 그때쯤에는 여사님이 습관적으로 매주 토요일마다 런던을 떠나서 그 주 후반에 돌아오는 경향이 점점 더 심해졌다는 게 다행이라는 것을, 그 누구의 입장에서도 부정할 만한 핑곗거리가 없었다. 그녀가 더없이 정교한 규정을 만들면서까지 차지한 그 아이를 돌보기 위해 뒤에 남아 있는 남편의 태도를, 그녀는 상식을 벗어난 '자세'로 여겼고, 그것을 실제로 그녀에 대한 직접적인 모욕으로 여겼다는 것이 마찬가지로 거의 공공연한 사실이었다. 클로드 경은, 만약 아이다가 경멸하는 유형의 사람이 있다면 그것은 일요일에 시내에서 빈둥거리는 사람일 거라고, 메이지에게 말해주었다. 그리고 그녀가, 그가 조금이라도 올바른 정신을 가진 사람이라면 패런지 씨의 딸과 관련된 천한 직책을 맡는 것을 수치스러워해야 한다고 자기에게 얼마나 자주 말했는지도 메이지에게 언급했다. 여사님의 주장에 따르면 그는 비겁하게도 그의 전임자인 패런지 씨를 두려워하고 있다는 것이었다. 그렇지 않다면 그가 자기 아내에게 사기치려는 그자의 무도하고도 철면피한 시도로부터 아내를 보호하는 게 명백하고 고상한 의무라는 사실을 알아야 한다는 것이었다. 그 사기란 패런지 씨가 그녀에게 감당할 수 없는 모든 짐을 전가한 것을 말했다. 클로드 경은 그의 어린 친구에게 "내가 스스로 네 생활비를 주는데도, 그녀는 나를 알랑거리며 비위나 맞추는 사람이라고 더욱더 비난하는구나."라고 단언했다. 그 두 사람 모두, 윅스 선생님이 아이다가 매주 여행을 떠나는 것은 더 중대한 부재를 타진하기 위한 조처라고, 독자적으로 확신에 이르렀다는 것을 알고 있었다. 만약 그녀가 매주 더 늦게 돌아온다면, 그녀가 아주 돌아오지 않게 되는 주가 틀림없이 오게 된다는 것이었다. 그러한 상황은 물론 윅스 선생님의 실질적인 용기와 밀접하게 관련되었다. 그들이 충분히 오래 버틸 수만 있다면, 클로드 경과 함께하는 아늑하고 조그만 가정은 비공식적으로 저절로 이루어지는 것이었다.

XIII

비가 내리는 어느 날, 거리는 온통 물로 첨벙거렸고 서로 거리를 둔 우산 두 개와 방랑자들은 피신처를 찾아 국립 미술관으로 들어갔다. 메이지가 방안 가득 전시된 그림들—그가 그 그림들을 "어리석은 미신"이라고 따분한 듯 한숨지으며 말해 그 애를 무척이나 미혹시켰던 그림들—을 멍한 눈으로 바라보며 그의 곁에 앉아 있었을 때, 그의 그 말은 의붓아빠가 그림에 대해 말한 비평으로 여겨졌을지도 모른다.25 그 그림들은 금빛 조각들과 자줏빛 폭포들, 완고한 성자들과 앙상한 천사들, 추한 모습의 성모 마리아와 더 추한 모습의 아기들, 그리고 이상한 자세로 기도하는 모습과 엎드린 모습을 보여주고 있었다. 그래서 그 애는 처음에 그의 언급이 헌신적인 우상

숭배에 대해 항의의 뜻을 나타내는 표현이라고 생각했다. 그런 생각을 더욱 굳혀준 건 그가 최근 들어 윅스 선생님이 직접 선택한 예배 장소인 교회의 아침 예배에 그 애와 윅스 선생님과 함께 참석하곤 했기 때문이었다. 그 교회에 그런 종류의 그림 같은 건 전혀 없었다. 머리에 비치는 후광도 없었고, 긴 설교가 행해지는 동안 눈을 현혹시키는 여성용 모자의 뒷모습만 있었을 뿐이다. 그런데 그 애의 가정교사가 예배가 끝난 뒤에 항상 말했듯이, 그는 그곳에서 가장 진지하게 주의를 집중하고 있었다. 그러나 곧 그의 언급은 단지 그처럼 어처구니없는 작품들에 감탄하는 척하는 것에 지나지 않는 것으로 보였다.26 그 말은 그 애가 모든 것을 수동적으로 받아들이듯이, 그처럼 수동적으로 그로부터 받아들인 하나의 충고였다. 그 말이 그들의 대화에 어떤 변화를 가져왔는지는 여기서 언급할 필요가 없다. 우중충한 공부방과 외로운 윅스 선생님으로 화제가 전환된 것은 의심의 여지 없이 그들 앞에 펼쳐진 것들에 대한 느긋한 관심의 결과였다. 메이지는 요즘 공부방이라는 신전에 들어가면서, 그곳이 텅 비고 가엾은 여사제는 추방된 것을 발견하게 되는 상상을 하지 않고서는 그 방에 들어가는 법이 없다고, 자신의 방식대로 마음속 진실을 표현했다. 그것은 그 애가 느끼는 위험을 충분히 전달했다. 그리고 클로드 경이 그 위험의 원천을 인정하고 했던 대답 속에서 나는27 얼핏 그런 상황에 대해 다시 확신하게 되었다. "두려워하지 마, 애야. 나랑 네 엄마는 이야기가 잘됐단다." 그는 그 애가 순간 어리둥절해하는 것을 보고 그 말을 보충할 필요가 있다고 생각했다. "내 말은 내가 네 엄마 하고 싶은 대로 하게 해주면, 자기도 내가 하고 싶은 대로 놔두겠다는 거야."

"그래서 아저씨는 하고 싶은 것을 하고 계세요?" 메이지가 물었다.

"그렇고말고, 패런지 양!"

패런지 양은 잠시 생각했다. "그리고 그녀도 마찬가지예요?"

"철저하게!"

그 애는 다시 생각했다. "그렇다면 그게 뭐죠?"

"나는 절대로 네게 그걸 말해주지 않을 거야."

그 애는 수척한 성모 마리아 그림을 바라보더니, 활기 없는 미소를 지었다. "좋아요. 아저씨가 엄마가 그렇게 하도록 허락하신다면, 전 상관없어요."

"오, 이런 앙큼한 녀석!" 클로드 경이 쾌활한 열정을 드러내며 벌떡 일어섰다.

또 다른 날, 베이커가에 있는 어떤 다른 곳에서 시장기 드는 시간에 그 애는 차와 롤빵을 먹으며 그와 함께 앉아 있었다. 그가 요전 날 대화 도중에 끊겼었던 질문을 다시 꺼냈다. "있잖니, 내 말은, 너의 아빠가 어떻게 하실 것 같니?"

메이지는 궁리하거나 그의 눈빛을 살피느라 뜸들이지 않았다. "아저씨가 정말로 우리와 함께 간다면요? 아빠는 몹시 불평하시겠죠."

그는 그 애가 사용한 단어를 흥미로워했다. "아, 나는 불평을 들어도 상관없어."

"아빠가 모든 사람에게 이야기할 텐데요." 메이지가 말했다.

"글쎄, 나는 그것도 신경 쓰지 않을 거야."

"물론 그러시겠죠. 아저씨는 아빠가 두렵지 않다고 말씀하셨으니까요." 그 아이는 곧바로 대답했다.

"문제는, 너는 아빠를 두려워하니?" 클로드 경이 말했다.

메이지는 솔직하게 생각해 보고 단호하게 대답했다. "아뇨, 아빠는 아니에요."

"하지만 누군가 다른 사람이 두렵단 말이지?"

"물론이죠. 많은 사람을 두려워해요."

"당연히 네 엄마를 누구보다도 가장 두려워하겠지."

"맞아요, 아저씨. 엄마가 그 누구보다… 더…"

"누구보다 더란 말이니?" 그 애가 비교 대상을 찾느라 망설이자 클로드 경이 물었다.

그 애는 두려움의 대상이 되는 모든 것을 생각해 보았다. "야생 코끼리보다 더요." 그 애가 마침내 선언하듯 말했다. "아저씨도 그렇잖아요." 그가 웃자 아이가 그에게 상기시켜 주었다.

"오 맞아, 나도 그래."

그 애는 다시 생각에 잠기더니 "그럼 왜 엄마와 결혼하셨나요?"라고 물었다.

"단지 두려웠기 때문이야."

"엄마가 아저씨를 사랑했을 때도요?"

"그것 때문에 네 엄마가 더 무서워졌어."

아이의 상대방은 그 말이 우습다고 느끼는 것 같았지만, 메이지에게 그 말은 너무도 진지하게 받아들여졌다. "지금 엄마보다 더 무서웠단 말씀이세요?"

"글쎄, 다른 방식으로 두려웠던 거지. 불행히도 두려움은 대단한 녀석이라, 매우 여러 가지 종류가 있단다."

그 애는 그 말을 완벽하게 이해하며 받아들였다. "그럼 저는 그걸 다 가지고 있는 것 같은데요."

"네가?" 그 애의 친구가 목소리를 높여 말했다. "말도 안 돼. 넌 완전히 '게임'이야."28

"저는 비일 부인이 너무나 두려워요." 메이지가 반박했다.

그는 부드러운 눈썹을 치켜올리며 "그 매력적인 여자분을 말이니?"라고 물었다.

"글쎄요, 아저씨는 제 입장이 아니라 이해할 수 없어요."라고 그 애가 대답했다.

그 애는 "하지만"이라고 또렷하게 말하며 말을 이어가려 했다. 그때 그가 테이블을 가로질러 아이의 팔에 자기 손을 얹었다. "이해할 수 있어. 나도 같은 입장이니까." 그가 고백하듯 말했다.

"오, 하지만 그녀는 아저씨를 그렇게 좋아하는데요." 메이지가 즉시 대답했다.

클로드 경은 정말로 얼굴이 붉어졌다. "그 점이 그것과 관련이 있단다."

메이지는 다시 궁금해졌다. "좋아하는 대상이 되는 게 두렵다는 말씀이세요?"

"그래. 그게 동경하는 정도가 되면 그렇단다."

"그럼 아저씨는 왜 저를 두려워하지 않으세요?"

"그게 너에게도 마찬가지이기 때문이란 말이니!" 그가 그 애의 팔에 손을 얹은 채 말했다. "글쎄, 그렇지 않은 건 단지 네가 세상에서 가장 상냥한 아이여서지. 게다가…"라고 그는 말하더니 멈추었다.

"게다가? 뭔데요?"

"그래, 네가 더 나이가 들었다면 난 두려웠을 거야! 알겠니? 너는 벌써 나를 횡설수설하게 만드는구나." 그 젊은 남자는 덧붙여 말했다. "문제는 네 아빠에 관한 거야. 그분도 마찬가지로 비일 부인을 두려워할까?"

"제 생각엔 아닌 것 같아요. 아빠는 아직 그녀를 사랑하시거든요." 메이지가 생각에 잠겨 말했다.

"오, 그렇지 않아. 그분은 그녀를 조금도 사랑하지 않으셔!" 그런 다음 그 애가 말끄러미 바라보자, 클로드 경은 이 뜬금없는 표현을 그 애가 회상한 것과 일치하도록 만들어야 한다고 느낀 게 분명했다.

그러나 메이지는 더욱 빤히 바라볼 뿐이었다. "그분들의 마음이 변했나요?"

"네 엄마와 나처럼."

그 애는 그가 어떻게 그걸 아는지 궁금했다. "그럼 아저씨는 비일 부인을 다시 만나셨어요?"

그는 아니라고 말했다. "오 아니야. 그녀가 나에게 편지를 보냈어." 그러고는 곧 덧붙여 말했다. "그녀도 네 아빠를 두려워하지 않는단다. 사실 아무도 그분을 두려워하지 않아." 그가 그렇게 말하는 동안, 메이지의 어린 마음은 오래전부터 효심의 스프링이 너무 느슨해져서 아빠가 부모로서 위엄이 부족한 걸로는 상심하지 않게 된 상태였기에, 비일 부인의 용기와 클로드 경과 함께, 윅스 선생님과 자신을 위한 깔끔한 보금자리를 꾸리는 문제 사이의 어렴풋한 관계에 대해 이리저리 생각해 보고 있었다. 그는 이어서 "패런지 씨가 소란을 피워도 그녀는 조금도 신경 쓰지 않을 거다."라고 말했다.

"아저씨와 저, 그리고 윅스 선생님에 관해서요? 무엇 때문에 그녀가 신경을 쓰겠어요? 그녀에게 아무런 해가 되지 않는데요."

클로드 경은 다리를 쭉 펴고 바지주머니에 손을 찔러 넣은 채 고개를 뒤로 젖혀가며 웃음을 터뜨렸지만, 그 애가 생각하기에 그 웃음은 알아챌 수 있을 정도의 한숨으로 진정되었다. "내 사랑스러운 의붓아이야, 넌 정말 유쾌한 녀석이야! 이거 봐, 이제 계산해야겠다. 너 롤빵을 다섯 개나 먹었니?"

"아저씨, 무슨 말씀이세요?" 메이지가 그들의 테이블로 다가온 젊은 여자의 눈길에 얼굴을 붉히며 따지듯 대꾸했다. "전 세 개만 먹었어요."

그 일이 있고 얼마 지나지 않아 윅스 선생님이 너무도 아파 보여서, 여사님이 전례 없는 어떤 방식으로 그녀를 괴롭힌 것은 아닌지 하는 두려움이 들었다. 메이지가 평소보다 더 심한 일은 없었는지 물었다. 그러자 그 가엾은 부인은 한없이 침울한 표정을 지어 보였다. "그가 비일 부인을 만나고 있었어."

"클로드 경이요?" 아이는 그가 했던 말이 기억났다. "오 아니에요. 그녀를 만나는 게 아니에요!"

"무슨 소리니. 내가 확실히 알고 있는데." 윅스 선생님이 침울한 만큼이나 확실하게 말했다.

그런데도 메이지는 그녀에게 대담하게 이의를 제기했다. "그런데 선생님은 그걸 어떻게 아시는데요?"

그녀는 잠시 망설이더니 "그녀에게 직접 들었어. 내가 그녀를 만나러 갔거든."이라고 말했다.

메이지가 눈에 띄게 놀라자, 그녀는 "어제 네가 그분과 외출했을 때 거기 갔단다. 그가 계속해서 그녀를 만나왔어."라고 말했다.

윅스 선생님이 그 사실을 알고서 무엇 때문에 상심해야 하는지 메이지는 충분히 이해되지 않았다. 그러나 그 애는 어떤 일이 저질러지고 원망을 들을 수 있는 것에 대해 일반적인 의식을 가지고 있었고, 그것은 항상 그 애가 특별히 불가사의한 문제에 대한 부담에서 더 편안한 마음을 가질 수 있게 해주었다. "뭔가 착각했을 거예요. 그분은 거기 간 적이 없다고 했어요."

윅스 선생님은 아이의 말이 마치 더한 경고를 위한 더 심원한 근거라도 되는 것처럼 안색이 더욱 창백해졌다. "그가 그렇게 말했다고? 그가 그녀를 만났다는 걸 부인한다고?"

"그분이 3일 전에 저한테 그렇게 말씀하셨어요. 아마 그녀가 착각했을 거예요." 메이지가 넌지시 말했다.

"그녀가 아마도 거짓말을 하고 있을 거라는 거니? 그녀는 필요할 때는 언제라도 거짓말을 하지, 그렇고말고. 그런데 나는 사람들이 거짓말을 할 때 알거든. 그게 내가 너를 좋아하는 점이고. 너는 절대 거짓말을 하지 않으니까. 어쨌든 비일 부인은 어제 거짓말을 하지 않았단다. 그가 그녀를 만났어."

메이지는 잠시 침묵하더니 "그분이 아니라고 했어요."라는 말을 되풀이했다. "아마도, 어쩌면…" 다시 한번 그 애는 말을 멈췄다.

"그가 거짓말을 하고 있다는 거니?"

"아이 참, 아니에요!" 메이지가 소리쳤다.

그러나 웍스 선생님의 쓰라린 심정은 다시 쏟아져 나왔다. "그가 거짓말을 하고 있어. 거짓말을 하고 있다고. 그게 상황을 최악으로 만들고 있어! 그들이 너를 빼앗아 갈 거야. 그들이 너를 데려가면, 그러면 나는 도대체 어떻게 되는 거니?" 그녀가 소리 높여 말했다. 그녀는 새삼스럽게 그 어린 학생을 끌어안고 그 애 머리 위에서 울음을 터뜨렸다. 그녀의 눈물이 아이에게도 눈물이 쏟아지게 했다. 그러나 메이지는 자신이 우는 것이 그들의 헤어짐이 머릿속에 그려졌기 때문인지, 아니면 클로드 경의 거짓말이 머릿속에 그려졌기 때문인지 스스로도 알 수 없었다. 두 사람은 그 일탈에 관해 자신들이 그에게 그것을 뼈저리게 느끼게 할 처지가 아니라는 데 동의했다. 웍스 선생님, 그녀의 표현에 따르면, 그를 '더 나쁘게' 만드는 어떤 일을 하는 것을 두려워했다. 그리고 메이지는 클로드 경이 자기에게 그렇게 말한 건, 단지 그가 비일 부인에게 친절하고자 했을 뿐이라고 생각할 수 있을 만큼 충분히 설득되었다. 그를 상냥한 사람으로 생각하는 것이 그 애의 성향에 전적으로 부합하였다. 그래서 그 애는 비일 부인과 윅스 선생님이, 자신은 절대 그러지 않겠지만, 그를 배신했다는 사실을 말하지 않을 작정이었다.

그 애는 그 비밀을 오래 유지하지는 못했다. 왜냐하면 다음 날 그 애가 그와 함께 외출했을 때, 그가 갑자기 처음 제안했던 심부름에 대해 이렇게 말했기 때문이다. "아니, 우리는 그렇게 하지 않을 거야. 다른 걸 할 거야." 그렇게 말하며 그는 출입문에서 몇 걸음 떨어져서 마차를 불러 세우고, 그 애가 타는 것을 도와주었다. 그런 다음 그 애를 따라 마차에 오르며 덮개 지붕 너머로 마부에게 그 애가 잃어버린 주소 하나를 건넸다. 그가 아이 옆에 자리를 잡고 앉았을 때, 그 애는 어디로 가는 건지 그에게 물었다. 그가 "나의 사랑스러운 아이야, 곧 알게 될 거야."라고 말했다. 그 애는 밖을 보며 궁금해하다가, 그들이 레전트 파크 방향으로 향하고 있다는 것을 알았다. 하지만 그 애는 그가 왜 그 사실을 비밀로 해야 하는지 알 수 없었다. 예쁜 아치 밑을 지나 연립주택 단지에 있는 어떤 하얀 집 앞에 멈춰 섰을 때야—그애 생각에 그곳의 경치는 틀림없이 아름다웠을 것이다—비로소 그 애는 그의 팔을 붙잡으며 말문을 열었다. "제가 아빠를 만나나요?"

그는 상냥한 미소를 지으며 그 애를 내려다보았다. "아니야, 그렇지는 않을 거야. 그런 이유로 너를 데려온 게 아니야."

"그럼 누구 집이에요?"

"네 아빠 집이다. 그들이 여기로 이사했단다."

아이는 주위를 둘러보았다. 그 애는 패런지 씨가 네댓 번 집을 바꾸는 동안 함께 살았고, 이 집이 지금까지 제일 좋은 집이라는 것 말고는 놀랄 만한 건 아무것도 없었다. "그러면 제가 비일 부인을 만나게 되나요?"

"그녀를 만나라고 내가 너를 이곳에 데려왔단다."

그 애는 하얗게 질린 얼굴로 바라봤고, 자기 손을 그의 팔에 얹은 채 마차가 이미 멈춰 섰는데도 그를 계속해서 마차 안에 앉아 있게 했다. "저를 여기 남겨두시려는 거예요?"

그는 그 말에 분명하게 대답하지 못했다. "네가 여기 머물 수 있는지는 내가 대답할 입장이 아니야. 그건 우리가 알아봐야 한단다."

"하지만 제가 여기 머물면 아빠를 만나게 되나요?"

"오, 언젠가는 반드시 그러겠지." 클로드 경이 말을 이었다. "너 그게 벌써 그렇게 두렵니?"

메이지는 마차칸의 무릎덮개 너머를 훑어보았다. 그러고는 레전트 파크의 푸르른 광장을 바라보는 순간 얼굴이 몹시 붉어졌고, 이제까지 경험한 그 어떤 것보다 더 성숙한 감정이 뜨겁고도 격심하게 끓어오르는 것을 느꼈다. 그 감정은, 패런지 씨만큼이나 아주 가까운 친척이라 할 수 있는, 완벽한 신사이며 그처럼 매력적인 클로드 경에게 조악한 빛을 덧씌웠다는, 예상하지 못한 이상한 수치심으로 이루어진 감정이었다. 하지만 그 애는 자기 친구가 그 누구도 진심으로 자신의 아빠를 두려워하지는 않는다고 말했던 것을 기억했고, 머리를 약간 뒤로 홱 젖히면서 몸을 돌렸다 "오, 저는 아빠를 감당할 수 있다고 말씀드릴 수 있어요!"

클로드 경은 미소를 지었지만, 그 애는 방금 전에 자기가 갑작스럽게 얼굴을 붉힌 것 때문에 그의 얼굴에도 양심의 가책을 느끼며 당황해하는 듯한 옅은 홍조가 떠오르는 것을 알아차렸다. 그것은 마치 그가 그 애의 책임감을 처음으로 얼핏 들여다보기라도 한 듯한 상황이었다. 두 사람 모두 마차 밖으로 나가려 하지 않았고, 잠시 후 그는 그 애에게 말했다. "잘 들어봐, 네가 원치 않으면 우리는 결국 저 집에 들어가지 않을 거야."

"아, 하지만 저는 비일 부인을 만나고 싶어요!" 아이가 낮고 구슬픈 어조로 말했다.

"하지만 만약에 그녀가 너를 맡겠다고 하면? 그럼, 알잖아, 넌 여기 남아야 할 거야."

메이지는 그 말을 잠시 생각해 보았다. "당장에요? 그리고 아저씨를 포기하는 거예요?"

"글쎄다, 나를 포기하는 문제는 나도 잘 모르겠구나."

"제 말은 지난번에 제가 엄마 집에 갔을 때 비일 부인을 포기했던 것과 마찬가지냐는 거예요. 여기에서 아저씨 없이 그처럼 오랜 시간 동안 저는 아무것도 할 수 없을 거예요." 그 애는 비일 부인을 만난지 마치 100년은 된 것 같았다. 그녀는 그들이 매우 가까이 있던 문 반대편에 와 있었지만, 그 애는 아직 그녀의 팔에 안기려고 팔짝 뛰어가지 않았다.

"오, 나는 네가 비일 부인을 만났던 것보다 더 많이 나를 만나게 될 거라고 말해주고 싶구나. 나는 그렇게 아름다울 정도로까지 신중하려고 생각하고 있진 않아." 클로드 경이 말했다. 이어서 그는 "이제 우리는 여기에 왔고, 나는 모든 걸 전적으로 너한테 맡길 거야. 네가 결정해야 해. 네가 원하면 들어가고, 원치 않으면 우리는 바로 돌아서서 마차를 타고 떠날 거야."

"그렇게 되면 비일 부인이 나를 맡지 않는 건가요?"

"글쎄다, 우리 행동만으로 그렇게 되는 건 아닐 거야."

"그럼 저는 계속 엄마랑 지내게 되나요?" 메이지가 물었다.

"아, 그런 뜻으로 말한 건 아니야."

그 애는 잠시 생각에 잠겼다. "하지만 아저씨가 엄마랑 이야기가 잘됐다고 말씀하셨잖아요?"

클로드 경이 지팡이로 마차의 흙받기를 찔렀다. "애야, 그녀가 지금 요구하는 정도까지 해결을 본 건 아니야."

"그럼 만약에 엄마가 절 쫓아내 버리고, 제가 이곳으로도 오지 못하게 되면…"

클로드 경은 재빨리 그 애의 말에 답했다. "내가 너한테 뭘 해줄 수 있는지 묻는 거니? 가엾은 우리 딸, 그게 바로 내가 스스로에게 묻고 있는 거야. 솔직히 나는 윅스 선생님만큼 그렇게 명료하게 알지는 못해."

그 애는 윅스 선생님이 내다본 것을 잠시 생각해 보았다. "아저씨 말씀은 우리가 작은 가족을 이룰 수 없다는 거예요?"

"너는 틀림없이 내가 매우 비열하다고 생각하겠지만, 나는 네 엄마를 완전히 포기할 수는 없단다."

그 말에 메이지는 낮고 긴 한숨을 내쉬었다. 그 한숨은, 분명히 듣는 이에게는 흥미로웠을, 마지못해 동의하는 가느다란 소리였다. "그럼 다른 건 없나요?"

"맹세코 나는 무엇이 있는지 잘 모르겠구나."

메이지는 잠자코 있었다. 그 애의 침묵은 그 애 역시 제안할 만한 대안이 없다는 걸 의미하는 것 같았다. 하지만 그 애는 다시 물었다. "제가 여기 있으면 절 보러 오실 거예요?"

"난 너를 내 시야에서 벗어나게 두지 않을 거야."

"하지만 얼마나 자주 오실 건데요?" 그가 꾸물거리자 그 애가 다그쳤다. "자주 자주 오실 거죠?"

그는 여전히 뜸을 들이고 있었다. "사랑스러운 나의 애늙은이 여인아…" 그가 말을 시작하려다 다시 멈췄다. 그러고는 다음 순간 어조를 바꿔 말을 이었다. "넌 정말 재미있어! 그래, 그럴게. 자주 자주 오마."

"좋아요!"라고 말하며 메이지가 마차에서 팔짝 뛰어내렸다. 비일 부인은 집에 있었지만, 응접실에 있지는 않았다. 집사가 그녀를 데리러 갔을 때 아이는 갑자기 말했다. "그런데 제가 여기서 지내는 동안 웍스 선생님은 무얼 하시죠?"

"아, 넌 좀 더 일찍 그 생각을 했어야지!" 그 애가 이제까지 들어본 적 없는 신랄한 어조로 그가 말했다.


## XIV


비일 부인은 정말로 와락 덤벼들어 그 애를 끌어안았고, 그렇게 하는 동안 내내 생겨난 효과로 인해 그 애는 결국 자신이 얼마나 많이, 정말로 얼마나 굉장히 사랑받고 있는지 느끼게 되었다. 그 애의 계모는—아이 엄마가 그랬던 것처럼—너무나 변해버려서 아이에게 완전히 딴 사람으로 느껴졌는데, 어쨌든 메이지가 느낄 수 있는 것보다 더 많은 친밀감을 되새겨 주어 그 효과가 더욱 컸다. 간단히 말해서 더 능란해지고, 더 풍부해지고, 더 나이가 든 비일 부인의 모습에 담긴 풍요롭고 강렬하며 넘쳐흐르는 애정이 그 애를 덮쳤다. 그것은 마치 좋은 친구를 사귀는 것 같았다. 그들이 함께한 지 채 일 분도 지나지 않아, 그 애는 마차에서 강요받은 선택에 자신이 내렸던 결정을 우쭐하게 되었다. 비일 부인의 미모와 비일 부인의 포옹이 결합된 상태에 모든 미래가 담겨 있었다. 메이지에게 그녀는 매력적으로 보였고, 한때 속옷을 기워 입고 아이 방에서 밥을 먹던 사람과는 아주 딴판인 사람으로 보였다. 아이는 아빠의 아내 중 한 사람이[29] 상류사회의 멋쟁이였다는 것을 알고 있었고, 그 차이를 항상 어렴풋하게 구분했기에, 멋쟁이라는 용어를 다른 사람에게 적용하기가 망설여졌다. 비일 부인은 메이지와 헤어진 이후로, 멋쟁이라는 용어에 대해 눈에 띄는 권리를 획득했다. 현재의 기쁨에 대해 메이지가 보인 첫 홍조 띤 반응이, 이번에는 감미롭다는 의미와 함께 그녀의 모든 화려함을 채색했다. 그 애는 클로드 경에게 레전트 파크의 부인이 두렵다고 말했었다. 그러나 그 애는 그 자리에서 가장 솔직한 평가를 내릴 만큼 자신감이 들었다. "어머, 선생님은 너무 아름다우세요. 그녀가 너무 아름답지 않으요? 그렇지 않나요, 클로드 경?"

"간단히 말해, 런던에서 가장 멋진 여인이시지. 네가 제일 귀여운 소녀인 것만큼이나 확실히 말이다." 클로드 경이 호탕하게 대답했다.

글쎄, 런던에서 가장 멋지다는 그 여인은 온화하고 빛나는 표정에 온갖 다정한 태도를 취하며 마침내 다시 붙잡은 행복에 젖어들었다. 그녀의 성숙미는 거의 엄마만큼이나 생생하게 만개했다. 그녀는 금세 자기의 어린 친구에게 자기가 실질적인 권력을 가진 사람이라는 인상을 주었고, 마치 화창하고 긴 하루가 시작된 것 같았다. 그것은 엄마도, 클로드 경도, 윅스 선생님도, 모두 어마어마하고 다양한 각자의 매력을 가지고 있음에도 불구하고, 그들이 메이지에게 정확하게 점화시키지는 못했던 인식이었다. 그 생각은 그들의 대화가 실제로 신속하게 아빠에 관한 이야기로 향하기 시작했을 때, 즉각적으로 효과를 나타냈다. 오, 그렇다. 패런지 씨는 말썽거리였다. 그러나 이제 메이지는 그가 자기 딸에게는 말썽거리가 아니라는 것을 알았다. 비일 부인에게 그는 대단한 말썽거리였다. 그녀는 재빨리 그 사실을 충분히 인지시켰다. 비일 부인은 이 순간부터 자신을 대단한 재능을 부여받은 사람으로 메이지에게 각인시켰다. 그 대단한 재능이란, 단지 복잡한 상황을 다루는 그녀의 능력이었다. 그녀가 클로드 경에게 뭔가 이전의 만남을 상기시키는 말을 꺼내자, 그는 매우 놀란 목소리지만 차분한 모습으로, 자신이 그 애를 만나러 온 날 이후 그들이 서로 만나왔다는 사실을 그들의 친구에게 그 순간까지 부인했었다고 대답했다. 그때 그 애는 자신이 그 상황을 얼마나 대수롭지 않게 생각했는지 깨달았다.

비일 부인은 그 사실에 대해 애매한 태도로 유감을 표했다. "왜 그렇게 어리석은 짓을 하셨어요?"

"당신의 평판을 지키기 위해서요."

"메이지로부터요?" 비일 부인은 무척 흥미로워했다. "메이지가 가진 나에 대한 평판은 너무 훌륭해서 악화될 수 없어요."

"하지만 넌 나를 믿었지, 그렇지? 요 개구쟁이야." 클로드 경이 아이에게 물었다.

그 애는 그를 바라보았다. 그 애는 미소 지으며 "그녀의 명성이 손상을 입은 걸요. 당신이 여기 왔었다는 걸 제가 알게 되었으니까요."라고 말했다.

그는 웃음을 짓지 못할 정도로 섭섭해하지는 않았다. "이 녀석, 그 일을 네가 그렇게 말하는구나."

"엄마와 그런 모든 비참한 시간을 보낸 후에 아이가 어떤 식으로 말해야 하죠?" 비일 부인은 알고 싶어 했다.

"저에게 그 사실을 말해준 분은 엄마가 아니었어요, 윅스 선생님뿐이었어요."라고 그 애가 설명했다. 그 애는 윅스 선생님의 정보의 출처를 클로드 경에게 밝혀야 할지 망설이고 있었다. 하지만 비일 부인은 그 젊은 남자에게 말을 건네면서 망설이는 듯한 가식적인 태도를 보였다.

"당신은 그 몰상식한 사람이 엊그제 나를 찾아온 걸 아세요? 그때 내가 그녀에게 당신을 계속해서 만났다고 말했어요."

클로드 경은, 이따금 그렇듯이, 당황했다. "늙은 고양이 같으니라고! 그녀는 내게 그것을 전혀 말하지 않았어. 그래서 넌 내가 거짓말을 했다고 생각했니?” 그가 메이지에게 물었다.

그 애는 그가 자기의 다정한 친구를 그렇게 표현하는 데 당황했다. 그러나 그 애는 이것을 모든 면에서 자신에게 도움이 되는 기회로 삼아야 했다. “오, 전 상관하지 않았어요! 하지만 웍스 선생님은 신경을 쓰시더군요.” 그애가 자기 가정교사에 대해 호의적인 의도로 덧붙였다.

그 애의 의도는 비일 부인에게 그다지 좋은 효과를 거두지 못했다. “웍스 선생님은 너무 멍청해!” 그 부인이 선언하듯 말했다.

“그녀가 특히 당신에게 무슨 말을 하던가요?” 클로드 경이 물었다.

“웬걸요, 미카버 부인처럼,30 —내 생각에 웍스 선생님은 그녀를 꼭 닮았는데—자기는 결코, 결코, 결코, 패런지 양을 버리지 않겠다고 하더군요.”

“오, 그건 내가 해결하겠습니다!” 클로드 경이 유쾌하게 대답했다.

“제발 그렇게 해주시기 바라요, 다정한 분이여.” 그가 말을 어떻게 이어갈지 메이지가 궁금해하고 있는 동안, 비일 부인이 말했다. 그 애가 묻기도 전에 비일 부인이 계속해서 말했다. “미안하지만 그녀가 그 말만 하려고 여기 온 건 아니었어요. 당신은 그 나머지에 대해 짐작도 할 수 없을 거예요.”

“제가 맞혀볼까요?” 메이지가 떨리는 목소리로 말했다.

비일 부인은 또다시 흥미로워했다. “그래, 너라면 맞힐 수 있겠다! 그건 끔찍한 네 엄마 집에서 네가 들은 것과 같은 종류의 말일 테니까. 넌 거기에서 여자들이 자신이 사랑하는 남자를 곤경에서 ‘구해주겠’고 네 엄마에게 우는 소리 하는 걸 본 적 없니?”

메이지는 의아해하며 기억하려고 애썼다. 그러나 클로드 경은 상쾌하게 대화의 방향을 바꿨다. “오, 그들은 아이다에게 관심 없어요! 웍스 선생님이 ‘나’를 구해주겠다고 너에게 우는 소리 했니?”

“그녀는 자주 저에게 무릎을 꿇었어요.”

"사랑스러운 늙은이 같으니라고!" 그 젊은 남자가 소리쳤다.

그 말은 메이지에게 기쁨이었다. 그 말이 조금 전 그가 웍스 선생님에게 사용한 표현을31 보상해 주었다. "그럼 선생님이 아저씨를 구해주실 건가요?"32 그 애가 비일 부인에게 물었다.

그 애의 의붓엄마는, 아이를 붙잡고 다시 키스하면서, 그 애가 묻는 어조에 매혹된 것처럼 보였다. "눈곱만큼도 그럴 생각 없어! 나는 그를 뼈까지 쪼아댈 거야!"

"아저씨가 정말로 자주 올 거란 말씀이세요?" 메이지가 밀어붙였다.

비일 부인이 클로드 경에게 사랑스러운 눈길을 보냈다. "그건 내가 말할 게 아니고 그분이 대답하셔야 할 것 같구나."

그러나 그는 당장 어떤 대답을 하지는 않았다. 그는 호주머니에 손을 넣은 채 희미하게 콧노래를 흥얼거리며—메이지조차 그가 다소 긴장했다는 것을 알 수 있었다—창가로 걸어가서 레전트 파크를 내다보고만 있었다. "글쎄요, 아저씨는 약속했어요." 메이지는 말했다. "하지만 아빠가 어떻게 그걸 좋아하실까요?"

"그분이 여길 들락거린다는 거니? 아, 애야, 그건 솔직히 말해서 그다지 중요한 문제가 아냐. 하지만 사실을 짚고 넘어가자면, 비일은 가엾은 클로드 경 역시 네 엄마랑 싸움을 벌일 수밖에 없게 된 상황을 몹시 즐기고 있단다."

클로드 경이 돌아서서 진지하고 친절하게 말했다. "메이지야, 두려워하지 마. 네가 나를 보지 못하는 일은 없을 테니까."

"너무너무 감사해요!" 메이지가 밝은 표정으로 말했다. "하지만 제가 뭘 걱정하는지 아시잖아요? 그건 아빠가 '저'한테 뭐라고 말씀하실지예요."

"오, 내가 그에게 그걸 알아보고 있는 중이야." 비일 부인이 말했다.

"그는 충분히 잘 처신하실 거야. 너도 알다시피 가장 큰 어려움은 그가 세상 다른 모든 일에 대해서 3일마다 입장이 바뀐다는 건데, 네 엄마에 대해서는 결코 변한 적이 없단다. 그가 네 엄마를 증오하는 방식은 몹시도 유별나."

클로드 경이 짧게 웃었다. "그건 그녀가 '그'를 여전히 미워하는 방식보다 더 지독하구나!"

비일 부인이 정중하게 말을 계속했다. "그러니까요, 두 사람에게는 그 감정을 대신할 만한 게 아무것도 없죠. 그들이 증오를 보여주기에 가장 좋은 방법이라고 생각하는 게, 서로가 가능한 한 오래 상대방의 손에 너를 떠맡기는 거란다. 네가 직접 봐서 알겠지만, 그것보다 더 그 두 사람이 서로를 화나게 만들 수 있는 것은 없단다. 네가 요구하는 게 거의 없으니, 너 때문에 돈이 들거나 골치 아플 일도 없어. 그들은 각각 너를 보면서 상대방이 얼마나 역겹게 굴고 싶어 하는지 너무도 잘 느끼게 될 따름이지. 그러다 보니 비일은 네 엄마를 계속 너무 미워하느라, 다른 사람에게 분노를 느낄 여지가 없단다. 게다가 너도 알다시피, 내가 그에게 말을 잘해뒀어."

"오, 저런!" 클로드 경이 큰 소리로 웃으며 다시 창문 쪽으로 몸을 돌렸다.

"저는 선생님이 어떻게 하시는지 알고 있어요!" 메이지가 재빨리 선언했다. "아빠는 선생님이 하고 싶은 대로 하게 두고, 선생님도 아빠가 하고 싶은 대로 하게 두시는 거죠."

"너 이 깜찍한 녀석, 내 귀여운 것!" 그녀는 다시 한번 열렬히 포옹했다. "세상에나, 내가 너 없이 그렇게 오랫동안 어떻게 지냈겠니? 난 행복하지 않았단다, 얘야." 비일 부인이 아이의 뺨에 자기 볼을 비비며 말했다.

"이제 행복하셔도 돼요!" 메이지는 수줍고도 상냥한 기분에 가슴이 뛰었다.

"난 이제 행복할 거야. 네가 나를 구해줄 거니까."

"제가 클로드 경을 구하는 것처럼요?" 어린 소녀가 간절히 물었다.

비일 부인은 약간 당황해하며 그녀의 방문객에게 호소했다. "저 애가 정말 구해주고 있나요?"

그는 메이지의 질문에 무척 흥미로워했다. "그건 친애하는 웍스 선생님의 생각이란다. 거기엔 뭔가 있을지도 몰라."

"아저씨가 저를 받아들여 주셨어요. 아저씨께서 저를 자신의 삶으로 받아들여 주셨다고요." 메이지가 의붓엄마에게 설명했다.

"그럼, 그게 바로 내가 원하는 바야!" 비일 부인은, 그렇게 선수를 당하고는, 놀라서 얼굴이 붉어졌다.

"그럼, 두 분이 함께 저를 돌보실 수 있겠네요. 그러려면 아저씨가 오셔야만 하고요!"

그때쯤 비일 부인은 그녀의 어린 친구를 완전히 자기 무릎에 앉히고 클로드 경을 향해 미소를 지었다. "우리 둘이 그 일을 같이 할까요?"

그는 웃음을 멈췄고, 자신의 멋지고 진지한 얼굴을 잠시 동안 안주인이 아닌 의붓딸에게 향한 채 있었다. "글쎄다, 그게 다른 어떤 일보다 훨씬 더 품위 있겠구나. 맹세코, 일이 돌아가는 모양새가, 내가 보기에는 유일하게 품위 있는 부분인 것 같구나!" 그는 그 일에 관해서 메이지를 설득하려는 듯한 태도를 보였다. 그는 그 일을 양심의 충동을 통해, 그들이 그 애의 참여를 명예롭게 바라볼 수 있는 연관 관계로 제시하려는 태도를 취했다. 그가 단순히 '품위'라는 표현으로 핑계를 댄 것이 그 애의 조그만 장밋빛 상상에는 미치지 못해 보였을지라도 말이다. "만약 우리가 '너'에게 잘해주지 않는다면, 우리가 누구에게 잘해줘야 하는지 내가 알게 되는 일은 결코 없을 거야.”라고 그는 소리쳐 말했다.

비일 부인은 더욱 강렬한 눈빛으로 아이를 바라보았다. “난 네가 우리를 이런저런 곤란한 상황으로부터 구해줄 거라고 감히 말할 수 있단다.”

“오, 나는 그 애가 날 무엇으로부터 구해줄지 알아요!” 클로드 경이 단호하게 주장하더니, “물론 한바탕 소동이 있을 테지만.”이라고 이어서 말했다.

비일 부인이 재빨리 그의 말을 받았다. “그렇죠, 그러나 그 소동이라는 것도 당신 아내가 일으키는 소동에 비하면 아무것도 아닐 거예요. 적어도 당신에게는. 내가 겪는 고통쯤은 견딜 수 있어요. 하지만 당신이 괴로움을 겪는 건 견딜 수 없군요.”

“요 아가씨야, 우리는 너를 위해 많이 애쓰고 있단다, 알겠니?” 클로드 경이 마찬가지로 진지하게 메이지에게 말했다.

그 애는 의무감에 얼굴이 붉어졌다. 그리고 나는 그 애가 바라는 열망이 거의 사라지지 않았다고 말해야겠다. “오, 저도 알아요!”

“그렇다면 네가 우리를 무사하도록 지켜줘야 해!” 이번에는 그가 웃었다.

“애한테 무슨 말을 그렇게 하세요!” 비일 부인이 목소리를 높여 말했다.

“당신보다는 나아요!” 그가 유쾌하게 대답했다.

“성격과 행동이 외모보다 더 중요한 거죠!” 그녀도 마찬가지로 유쾌하게 대답했다. “애야, 외출복을 벗어도 된단다.” 그녀가 메이지를 품에서 놓아주며 말했다.

아이는 무척 감동해서 일어났다. “그럼 전 이대로 여기 머물러도 돼요?”

“아무렴, 괜찮고말고. 클로드 경이 내일 네 물건을 보내주실 거야.”

“내가 직접 가져오마. 짐 싸는 것을 내가 꼭 확인할게!” 클로드 경이 약속했다. "이리 와서 단추를 풀어라."

그는 자기가 앉아 있는 곳으로 아이를 손짓해 불렀다. 그리고는 그 애가 옷 벗는 것을 도와주었는데, 그동안 비일 부인은 조금 떨어진 곳에서 그가 보여주는 능숙한 솜씨를 보고 미소 지었다. "너한테는 훌륭한 새아빠가 있구나! 너도 알고 있지, 나는 그분이 다른 사람들이 필요로 하는 걸 채워주는 분이라고 말할 수밖에 없구나."

"유모가 하지 못하는 것을 내가 해주는 거죠!" 클로드 경이 웃었다. "너도 기억하지? 내가 너를 처음 보았을 때 그렇게 말한 거 말이야."

"기억하냐고요? 바로 그 말 때문에 제가 아저씨를 그렇게 좋아하게 되었는 걸요!"

"나는 그때 내가 '너'를 무엇으로 그렇게 좋게 생각했는지, 무슨 일이 있어도 너에게 말하지 않을 거야." 아이의 겉옷을 벗기고 나서, 그는 그 애에게 부드럽게 키스하고는 떨어져 서도록 어깨를 톡 쳤다. 그가 그처럼 다독일 때, 조금 전 그가 보인 진지함이 되살아나는 듯한 희미한 한숨이 동시에 그의 입에서 새어 나왔다. "아무렴 어째, 만약 네가 이렇게 치명적일 만큼 아름답지 않았다면…"

"어머, 뭐라고요?" 메이지는 그가 왜 말을 끊었는지 궁금해하며 물었다. 그 애가 자신이 아름답다는 말을 들은 것은 그때가 처음이었다.

"이런, 우리는 서로를 너무 좋게만 생각하면 안 되는 사이인데!"

"그분은 개인적인 사랑스러움을 말하는 게 아니야. 얘야, 넌 그런 저급한 아름다움을 가진 게 아니니까." 비일 부인이 설명했다. "그분은 네 성격이 솔직하고 둔하면서도 매력적이라는 거야."

"그 애는 세상 어디에서도 찾아볼 수 없는 독특한 성격을 가졌어요", 클로드 경이 비일 부인에게 말했다.

"오, 나도 그런 것쯤은 다 알고 있어요!" 그녀는 그 사실을 안다는 것을 꽤나 까칠하게 표현했다.

그 말에 메이지는 갑자기 책임감을 느꼈고, 그 책임감에서 벗어나고 싶었다. "그런데, 두 분 역시 가지고 계세요. '그런 것' 말이에요. 두 분도 치명적일 만큼 매력적이에요. 두 분 다 정말이지 멋진 성품을 가지셨어요!" 그 애가 쏟아내듯 말했다.

"성품의 아름다움 말이니? 이 녀석아, 우린 그런 건 눈곱만큼도 가지고 있지 않아!" 클로드 경이 이의를 제기했다.

"선생님, 당신 자신에 대해서나 말씀하세요!"라는 말이 비일 부인으로부터 가볍게 튀어나왔다. "나는 착하고 영리해요. 뭘 더 원하세요? 나는 당신이 얼굴을 붉힐 일은 하지 않을 거예요. 그리고 개인적인 편견을 갖지 않을 겁니다. 나는 그저 그쪽 두 사람이 함께 붙어 있을 수 있을 만큼 당신이 멋지다고 말할 거예요."

"두 분 모두 정말 인품이 훌륭하세요. 두 분이 그 사실을 어찌할 수는 없어요!" 메이지는 요점을 분명히 할 필요를 느꼈다. "그리고 두 분이 나란히 계신 건 정말 멋져요."

클로드 경이 모자와 지팡이를 집어 들고는, 그 애를 바라보며 잠시 서 있었다. "너는 고민거리 속 위안이야. 하지만 난 이제 집에 돌아가서 네 짐을 꾸려야겠다."

"그럼 아저씨는 언제 다시 오실 거예요? 내일, 내일 오실 거죠?"

"당신은 뭔가 꺼림칙한 일이 일어날 거라는 생각을 하고 계시는군요!" 그가 비일 부인에게 말했다.

"뭘요, 당신이 그걸 감당할 수 있다면 저도 견딜 수 있어요."

그들의 친구는 그 두 사람을 번갈아 바라보면서, 비록 자기가 클로드 경과 윅스 선생님 사이에서 정말로 행복했지만 클로드 경과 비일 부인 사이에 서라면 더욱더 행복해질 거라는 생각이 들었다. 그러나 그건 날뛰는 말 등에 앉아 있는 것 같았고, 그래서 그 애는 뭔가에 기대기 위해 몸을 움직였다. "그런데, 있잖아요, 제가 윅스 선생님께 작별인사를 해야 하지 않을까요?"

"오, 내가 그녀에게 잘 말씀드리마." 클로드 경이 말했다.

메이지가 잠시 생각하더니 "그리고 엄마한테도요?"라고 말했다.

"아, 네 엄마라!" 그가 슬픈 듯 웃었다.

그 점은 아이에게도 애매한 부분이 거의 없었다. 하지만 비일 부인은 그 점을 분명히 하고 넘어가려 했다. "네 엄마는 좋아서 환호성을 지를 걸, 좋아서 소리칠 거라고."

"마치 아침 일찍 일어난 새처럼 말이죠." 그녀가 비유할 표현을 찾고 있을 때 클로드 경이 말했다.

"그녀는 네 아빠가 대단히 불경스러운 말을 하게 해준 걸로 위로가 전혀 필요 없을 거야." 비일 부인이 계속해서 말했다.

메이지가 빤히 바라보았다. "아빠가 대단히 불경스러운 말을 하실까요?" 불경스럽다는 표현은 인상적이었고, 마치 성경에 나오는 표현 같았다. 아이의 질문에 비일 부인이 그 애를 다시 쓰다듬었고, 클로드 경 역시 그 애를 쓰다듬었다. 그러는 동안 그 애는 만약 윅스 선생님이 해고된다면, 누가 자기에게 지리 과목이나 기담과 같은 공부를 가르칠지 궁금해졌다. 그래서 그 애는 이윽고 민감할 수 있는 질문을 하게 되었다. "저에게 공부를 가르쳐줄 분이 없어지게 되나요?"

비일 부인에게는 그 애가 굉장히 훌륭하다고 생각할 대답이 준비되어 있었다. "네가 평생 받아본 적이 없는 그런 수업을 받게 될 거야. 학교에 보내줄 거란다.”

“수업을요?” 메이지는 그런 걸 들어본 적이 없었다.

“교육 기관에서 정규 과목을 배우게 될 거야.”

메이지는 계속해서 응시하며 “교과목을요?”라고 물었다.

비일 부인은 정말 멋졌다. “모든 주요 과목을 배울 거야. 불문학이나 기독교 역사 같은. 넌 수업을 듣게 될 거야, 아주 똑똑한 아이들과 함께 말이지.”

“있잖니, 내가 그 모든 일을 철저히 살펴볼 거야.” 클로드 경이 특유의 다정함에 친절한 윙크까지 곁들여가며 확신에 찬 고개를 끄덕였다.

하지만 비일 부인이 한 걸음 더 나아갔다. “내 귀여운 애야. 넌 강의를 듣게 될 거야.”

갑자기 지평선이 광활해지는 것 같았고, 메이지는 자신이 더욱 작아지는 느낌이 들었다. “저 혼자서요?”

“오, 아니야, 나도 너와 함께 그 강의들을 들을 거야.” 클로드 경이 말했다. “그 강의를 통해서 내가 모르는 것을 많이 배우게 되겠지.”

“나도 그럴 거야.” 비일 부인이 진지하게 인정했다. “우리는 그 애와 함께 강의를 들으러 갈 거죠. 멋진 일일 거예요. 공부를 그만둔 지 너무 오래됐어요. 네가 우리에게 그런 동기를 제공해 준 건 또 하나의 멋진 일이야. 저 애가 우리에게 도움을 주는 게 너무너무 크지 않나요?” 그녀가 클로드 경에게 넘치는 감흥을 쏟아냈다.

그는 그 말에 대해 잠시 숙고하더니, “그건 확실히 우리 생각이죠”라고 답했다. 메이지는 당연히 그 생각을 잘 이해하지 못했지만, 그것은 거의 그들과 같은 정도의 감격으로 그 애를 고무시켰다. 그 애는 그처럼 빛나는 전망 속에서 더 이상 바랄 게 없다면, 자신이 윅스 선생님을 그리워하지 않게 될 거라는 생각이 들었다. 그러나 그 다정한 사람의 부재에 동의한다는 아이의 의식은 그 애의 귓전을 종종 울렸던 한 쌍의 단어들이 다시 들리게 했다.33 간단히 말해서 그 생각은 그 애의 아빠가 엄마를 "저열한 인간"이라고 불렀을 때, 그리고 그 애 엄마가 아빠를 그렇게 불렀을 때, 그게 무슨 의미인지 그 애에게 보여주었다. 그 애는 윅스 선생님 없이도 공부하는 게 그렇게 행복해진다면, 자신이 저열한 인간이 되는 건 아닌가 하는 의문이 들었다. 윅스 선생님은 무엇을 하시게 될까? 어디로 가시게 될까? 메이지가 그에 대한 답을 찾기 전에, 문간에서 클로드 경이 막 떠나려는 순간, 그 애의 입술에서 그 걱정거리들이 튀어나왔다. 그 애의 의붓아빠는 그 질문에 대답할 수 있을 만큼 오랫동안 멈춰 서 있었다. "오, 내가 그녀와 잘 말해볼게." 그는 그렇게 말하며 떠났다.

메이지는 비일 부인과 마주 보며 안도의 한숨을 내쉬면서, 자신에게 더 고상한 새벽빛처럼 보이는 것을 둘러보았다. "그럼 모든 사람에게 일이 다 잘되겠네요!" 그 애가 평온하게 말했다. 그 말에 그 애의 의붓엄마가 다시 다정하게 그 애에게 몸을 기울였다.

## XV

그 애에게 소식을 전해주러 온 사람은 다름 아닌 수잔 애시였다. "그분이 아래층에 오셨어. 그분은 정말 멋지더구나."

예쁜 푸른색 커튼이 드리워진 아빠 집의 공부방에서, 그 애는 피아노 앞에 앉아 비일 부인이 아름다운 소품이라고 말한 악보를 이해하려고 애쓰고 있었다. 그 곡은 "달빛 자장가"라는 곡으로 클로드 경이 우편으로 그 애에게 보내주었다. 그는 그 애의 음악 교육이 개탄스러울 만큼 뒤처져 있다고 생각해서, 엄마 집에서 머무르는 기간이 끝나가는 달 즈음에 그 애가 규칙적인 레슨을 받도록 주선하려는 참이었다. 그 애는 진본 악보는, 그가 말한 대로, 엄청 비싸고 다른 건 모두 돈 낭비라는 것을 그를 통해서 잘 알고 있었다. 그래서 그 애는 그 악보가 나타내주는 희생적 행위에 대해 더욱 기뻐했다. 악보 표지에는 5실링이라고 표기되어 있었고, 그것은 분명히 진본이었다. 그 애는 이미 일어나 있었다. "비일 부인이 나를 내려오라고 했어요?"

"오, 그건 아니고, 비일 부인은 이 시간에 외출하고 안 계셔." 수잔 애시가 말했다.

"그럼 아빠!"

수잔은 "얘야, 네 아빠도 아니야. 꼬마 아가씨, 넌 산발이 된 머리를 좀 매만져야겠다."라고 말하더니 이어서 "네 아빠는 '잽에 아예 오시지' 않잖아."라고 덧붙였다.34

"어디에 계시길래 집에 안 오신단 말이에요?" 메이지가 몹시 들떠서 다소 건성으로 대꾸했다. 그 애는 자기 머리카락을 거칠게 빗질했다.

"오, 이 아가씨야, 그건 네게 말해줄 수 없어! 나라면 뒤쪽에 있는 그 하얀 걸 어디 안 보이는 곳에 넣어두겠다.35 그게 내 작품이라면 얼마나 좋겠냐만."

"그렇다면 제발 그렇게 하세요. 난 아빠가 어디에 계셨는지 알아요." 메이지가 다급하게 말했다.

"저런, 내가 네 입장이라면 말하지 않을 거야."

"아빠는 국화 클럽에 계셨어요. 그럼요!"

"밤새 계셨다고? 꽃들도 밤에는 봉오리를 닫는데, 너도 알잖아!" 수잔 애시가 말했다.

"뭐, 전 상관없어요." 아이는 문 앞에 있었다. "클로드 경께서 저를 보러 혼자 오셨나요?"

"마치 네가 공작부인이라도 되는 것처럼 말이다."

메이지는 아래층으로 내려가면서 자신이 지금 공작부인만큼이나 행복하다는 생각이 들었다. 또한 잠시 후 그의 목에 매달릴 때는, 공작부인이라 할지라도 이보다 더 당당하기는 쉽지 않을 거라는 생각도 들었다. 게다가 그 애가 느끼기에, 자신이 소리쳐 한 말의 무한한 의미 속에는 공작부인의 기미까지 담겨 있었다. "그런데 아저씨가 자주 오겠다고 말씀하신 게 이건가요?"

클로드 경은 그 애를 매우 반갑게 맞이했고, 그 애와 같은 기분이었다. "이 늙다리 녀석, 나에게 울고불고하며 요란을 피우지 말아다오 내가 만나보는 모든 여자가 그러고 있단다. 우리 뭔가 즐거운 시간을 보내자. 날씨가 무척 좋아. 멋진 모자를 쓰렴, 그리고 나랑 나가자. 그런 다음 그 문제를 조용히 얘기해 보자꾸나." 두 사람은 5분 뒤에 하이드 파크를 향해 걷고 있었다. 엄마 집에서 지내며 좋았던 시절에 그들이 나눈 그 어떤 대화도, 그가 지금 하는 신속한 설명보다 더 유쾌하고 평온하지는 않았다. 그는 자신이 자주 오지 못한 이유를 최선을 다해 설명했다. 그 애가 만나본 사람 중에 그분보다 설명을 더 잘한 사람이 있다면, 그것은 윅스 선생님이었다. 하지만 그에게는 여자의 지혜를 뛰어넘는 어떤 권위 같은 것이 있었다. 언제나 실패하고 말았던 계획들, 그 애가 끊임없이 미리 지불하고는 그 후에 다시 수중에 넣지 못한 보답과 뇌물들이, 대처해야 할 모든 거대한 중압감으로 매번 그 애에게 돈 문제로 새롭게 되돌아왔다. 그 애가 기만당했다는 느낌—그가 약속한 대로 자주 올 수 없었던 것—을 얼버무려 넘어가기 위해서 그가, 그 멋진 콧수염 아래로 돈 문제에 대해 숨을 내쉬기만 해도 되었던 것이, 제국의 힘처럼 엄청난 그의 매력이라는 것을 메이지 자신도 거의 알고 있었다. 학교를 보내주겠다는 계획은 어쨌든 근본적으로 비용이 많이 드는 것이었고, 많은 비용이 든다는 것은 본질적으로 불가능하다는 것을 의미했다. '관여'된다는 것은 모든 남녀관계의 본질이었고, 또한 모든 특별한 순간에 평소보다 더 깊이 관여하는 것이었다. 그것이 클로드 경과, 아빠와, 엄마와, 비일 부인과, 메이지 자신이 특별한 순간, 우리의 어린 숙녀가 자기 아빠 집에 다시 정착한 이후로 흘러간 몇 주라는 순간에 있었던 경우였다. '2실링 2파운드'가 어떤 경우에나, 누구에게나 있는 것은 아니었다. 그런 이유로 그 모든 영리한 소녀들에게 불문학 수업의 후속 강의가 없었던 것이다. 앞에서 말한 한정된 자본도 없이 어렴풋하게 세워진 계획에, 부잣집 아이들이나 그러듯이, 그 애를 끌어들이려고 한 것은 너무도 섣부른 짓이었다. 그 애는 그것을 알지 못했을까? 그 일이 있고 난 후에 그 아련한 계획은 아이의 눈앞에서 아른거렸다. 그 후로 그 애는 자기가 지식의 사탕가게의 단단한 유리창에 코를 대고 납작하게 누르고 있는 것처럼 느껴졌다. 그러나 다른 데서 접할 수 없는 훌륭한 수업들은 엄청나게 비쌌다고 할지라도, 교육 기관의 강의들은, 적어도 그중 일부는, 똑똑하지만 가난한 학생들에게 직접 제안되었다. 그러므로 무슨 이유에서 그 애가 그중 어떤 수업도 들을 수 없었는지는 즉석에서 더 쉽게 설명되어야 했다. 클로드 경은 그 이유를, 우연히도 그때 막 그 애를 수업에 보내려던 참이었다고 말했다. 비록 그들이 지금 서펀타인[36] 지역에 있는 은행 쪽으로 발걸음을 옮긴 것이 그것과는 아무 관련이 없어도 말이다. 메이지가 좋아하는 공원은 북쪽에 있었고, 바로 더 가까이에 있었다. 그러나 향기로운 6월의 하루가 저물어갈 무렵 눈에 띄는 모든 사람들이 향해 가는 방향이 그쪽이었기 때문에, 그들은 마차를 타고 서쪽으로 가고 있었다. 그들은 한 시간 동안 로우 산책로 위로, 그리고 드라이브 거리를 끼고 돌아다니며 각자 경치를 즐겼다. 그런데 그들 중 한 명은 사실 적잖이 들뜬 상태에서, 상대방을 미혹하려고 그 기회를 최대한 이용했다. 그 한 시간이 지나기 전에 메이지는 자신의 무척이나 예리한 도전에 대한 대답으로, 자기 친구가 오랫동안 자기를 찾아오지 않은 이유에 대한 더 깊은 설명을 이끌어냈다.

"왜 내가 너에게 한 약속을 그처럼 끔찍하게 어겼냐고? 그처럼 철석같이 약속하고선 오지 않았냐고? 그래, 애야, 날마다 나를 보지 못하는 상황에, 넌 물론 비일 부인에게 그 질문을 자주 했겠구나."

"오, 그랬어요. 하고 또 했어요."

"그녀가 너에게 뭐라고 하든?"

"아저씨가 잘생긴 것만큼이나 나쁜 사람이라고 하셨어요."

"그녀가 그렇게 말했다고?"

"그 말 그대로 하셨어요."

"아, 사랑스러운 늙은 영혼 같으니라고!" 클로드 경은 충분히 기분이 풀렸고, 그의 크고도 분명한 웃음이 그의 설명의 전부였다. 메이지는 그가 그런 표현을 지난번에 워스 선생님에게도 사용했던 것을 기억했다. 그 애는 그의 손을 꼭 붙잡고 다녔는데, 손에는 진줏빛이 감도는 회색에 짙은 검은색 줄무늬가 있는 장갑을 끼고 있었다. 그 장갑은, 엄마 집에 있었을 때 키가 큰 부인들이 자수가 놓인 장갑을 끼고 그 손으로 우산을 거꾸로 움켜쥐고 있던 모습을 연상시켜서 그 애에게 늘 인상적이었다. 그 애의 손에 그의 손이 쥐어져 있다는 단지 그 감각이, 습득의 지반 못지않게 상실의 지반도 덮어주었다.[37] 그의 존재는 그 애의 얼굴에 너무나 가까이 다가와서, 그 테두리를 볼 수 없게 된 물체와 같았다. 그러나 그 자신은 그들이 하이드 파크를 지나 그 장소와 계절이 가져다주는 매력에 심취해서 켄싱턴 가든즈를 산책하기 시작한 후에도, 멋진 장관을 보여주는 연출가의 역할을 하고 있었다. 그들이 그냥 지나쳐 간 것은, 그의 말대로, 아주 형편없는 서커스뿐이었다. 그리고 마음을 끄는 통로를 지나서 다리 하나를 건너 15분쯤 지나자, 역시 그의 표현대로, 그들은 런던에서 100마일은 떠나 있는 것처럼 느껴졌다. 무척이나 푸른 오솔길이 그들 앞에 펼쳐졌고, 키 큰 고목들이 서 있었으며, 그 나무들이 드리운 그늘 아래 신선한 잔디밭에 구불구불한 시골풍의 오솔길이 나 있었다. "저게 아든의 숲이야"38라고 클로드 경이 곧바로 즐겁게 말했다. "그리고 난 추방당한 공작이고 넌―그 젊은 여자 이름이 뭐더라?―그 소박한 시골 아가씨 말이야. 그리고", 그는 계속했다. "또 다른 여자애가 하나 있지―그 애 이름이 뭐더라, 로살린드던가?―그리고 (넌 모르겠니?) 그녀에게 구애하는 녀석 말이야. 맹세코 그 녀석은 그녀에게 구애하고 '있다니까'."라고 말했다.

그는 그들과 같은 방향으로 오솔길 끝쯤에 나란히 걸어가고 있는 어떤 남녀에 대해 그 말을 했다. 멀리 보이는 그 사람들은 느긋하게 걷고 있었는데, 둘이 너무나 가깝게 붙어 있어서 그들의 머리는 약간 앞으로 숙여진 채 거의 닿을 듯했다. 뒷모습만 보였지만 그 숙녀는 키가 커 보이고 분명히 매우 멋진 여성이었으며, 그 신사도 역시 뒷모습만 보였지만 그의 왼손은 그녀의 팔 깊숙이 들어가 있는 것처럼 보였고, 등 뒤에 대고 있는 그의 오른손은 지팡이를 쥐고 깐닥거리고 있었다. 메이지의 상상은 그 장면이 목가적이라는 친구의 생각에 잠깐 호응했다. 그러고는 그 애가 갑자기 발걸음을 멈추더니 너무도 분명하게 말했다. "어머, 저런, 저기 엄마 아닌가요?"

클로드 경이 응시하며 멈춰 섰다. "엄마라고? 하지만 네 엄마는 브뤼셀에 간 걸."

그 숙녀에게 눈길을 둔 채 메이지가 궁금해하며 물었다. "브뤼셀에 계시다고요?"

"그녀는 경기를 하러 거기에 갔어."

"당구 경기요? 아저씨 저한테는 그런 말씀 안 해주셨잖아요."

"맞아, 안 했어!" 클로드 경이 갑자기 소리쳤다. "그것 말고도 네게 말하지 않은 게 많단다. 그녀는 수요일에 떠났어."

그 두 남녀와의 거리는 더욱 멀어졌지만, 메이지의 시선은 그들을 뒤쫓는 것 이상이었다. "그럼 엄마가 돌아오신 건가요?"

클로드 경이 그 부인을 바라보았다. "그보다는 그녀가 떠나지 않았다는 게 더 타당해 보이는구나!"

"엄마예요!" 아이는 확신에 차 말했다.

그들은 멈춰 섰다. 그러나 클로드 경은 자신의 기회를 최대한 이용했다. 바로 그 순간 오솔길 저쪽 끝에서 그 두 사람은 걸음을 멈추고, 여전히 등을 보인 채, 뭔가를 이야기하며 서 있는 것 같았다. "네 말이 맞구나, 내 귀염둥이야!" 그가 마침내 큰 소리로 말했다. "내 사랑스러운 아내가 저기 있구나!"

그는 웃으며 말했지만 얼굴이 붉어졌다. 메이지는 재빨리 그로부터 시선을 돌렸다. "그런데 엄마랑 함께 있는 저분은 누구죠?"

"그걸 내가 어떻게 알겠니!" 클로드 경이 말했다.

"저분이 페리엄 씨일까요?"

"오, 아니야, 얘야. 페리엄 씨는 끝장났어."

"끝장났다고요?"

"런던 시내에 죄다 드러나고 말았단다. 하지만 그 사람 말고 다른 남자도 많지!" 클로드 경이 미소 지었다.

메이지는 그 남자들의 숫자를 헤아려보는 듯했다. 그 애는 그 신사의 등을 뚫어져라 바라보았다. "그럼 저분은 에릭 경인가요?"

잠시 동안 상대방은 아무런 대답도 하지 않았다. 그리고 그 애가 다시 그에게 시선을 돌렸을 때 그는, 그 애가 생각하기에, 다소 기묘한 눈길로 그 애를 바라보았다. "넌 에릭 경에 대해 아는 게 있니?"

그 질문에 대한 반응으로 그 애도 천진난만하게 이상하다는 듯한 표정을 지으려고 애썼다. "오, 저는 아저씨가 생각하시는 것보다 더 많이 알아요! 저분이 에릭 경이죠?" 그 애가 반복해서 물었다.

"그럴지도 모르지. 난 조금도 상관하지 않아!"

그들의 친구들은 서로 약간 떨어져 있다가, 클로드 경이 말하는 순간, 갑자기 얼굴을 돌렸고, 여사님의 모든 광휘와 그 동료의 모든 미스터리가 드러났다. 메이지는 숨이 멎을 듯했다. "그들이 다가오고 있어요!"

"오든지 말든지!" 클로드 경이 담배를 꺼내 물며 불을 붙였다.

"우리가 저분들과 마주치게 되는데도요!"

"아니, 저들이 우리와 마주치는 거지."

메이지는 굳게 버텨 섰다. "그들이 우리를 보고 있어요. 저기 좀 봐요."

클로드 경은 성냥을 던져버렸다. "정면으로 마주치라지." 그들은 돌아서면서 눈에 띄게 깜짝 놀라더니, 서로 떨어져서 어정쩡하게 멈춰 섰다. "그녀가 소스라칠 듯 놀라서 도망가고 싶어 하는구나. 하지만 너무 늦었지." 클로드 경이 말을 이었다.

메이지는 그의 곁에서 걸어 나아갔고, 거리가 떨어져 있는데도 불구하고, 여사님이 안절부절못하는 것을 알아챘다. "그럼 엄마가 어떻게 하실까요?"

클로드 경이 담배 연기를 내뿜었다. "그녀는 재빨리 머리를 굴리고 있어." 그는 그 상황을 즐기는 것처럼 보였다.

아이다는 잠깐 동요하는 듯했다. 분명히 그녀의 동료가 그녀에게 용기를 북돋워 주었을 것이다. 메이지는 그 신사분이 다소 멋져 보인다고 생각했다. 그는 페리엄 씨와 조금도 닮지 않았었다. 갸름하고 꽤 날카로워 보이는 그의 얼굴은 매끈했다. 그들이 더 가까이 다가와서야 그 애는 그가 눈에 띄는 금발의 작은 콧수염을 기르고 있다는 것을 알 수 있었다. 그 애는 이미 그의 눈동자가 매우 밝은 하늘색이라는 것도 알 수 있었다. 그는 페리엄 씨보다 훨씬 멋졌다. 엄마는 멀리 떨어져서 봐도 표정이 몹시 안 좋아 보였다. 긴장된 상황인데도 아이의 호기심은 반짝였고, 그 애는 다시 클로드 경에게 호소하듯 물었다. "저분이, 저분이 에릭 경인가요?"

클로드 경은 매우 태연하게 담배를 피웠다. "내 생각에 저 사람은 백작인 것 같구나."

그 말은 기분 좋은 해결책이었다. 그 모습은 아이가 생각하는 백작의 모습에 어울렸기 때문이었다. 그런데 지금 당당하게 다가오는 엄마는 어떤 개념에 어울릴까? 만약 그것이, 어처구니없는 상황에 처해 마치 풋라이트를 뛰어넘기라도 하려는 듯, 그 조명을 향해 급습해 오고 있는 한 여배우의 이미지가 아니라면 말이다. 메이지는 정말로 너무나 겁에 질려서 자기도 모르게 클로드 경의 팔에 손을 꼈다. 그 애의 압박에 그가 멈춰 섰고, 그것을 본 그쪽 남녀도 마찬가지로 멈춰 섰다. 그리고 좁혀진 거리의 저쪽 편에서 조금 더 이야기를 나눴다. 그러나 이것은 순간적으로 일어난 일이었다. 보아하니 그 백작은 더 돌아 나오도록 내버려 둔 채—만약 메이지가 알아차렸다면, 그건 선수를 치려는 움직임이었는데—여사님이 습격을 재개했다. "엄마가 뭘 하시려는 걸까요?" 그녀의 딸이 물었다.

클로드 경은 이제 이렇게 말할 수 있는 입장에 있었다. "그게 내 탓인 것처럼 하려는 거야."

"아저씨 탓이라뇨?"

"뭐, 내가 뭔가를 꾸미기라도 하는 것처럼 말이다."

다음 순간 아이다가 복장을 완전히 갖춰 입은 정의의 여신이라도 되는 듯, 그 두 사람 앞에 서서 그 예상을 증명했다. 메이지가 바라보는 동안, 그녀의 얼굴의 어떤 부분은 더욱 하얘졌다. 그리고 그 때문에 얼굴의 다른 부분의 다른 색깔들이 더욱 도드라져 보였다. "당신 내 딸과 뭐 하고 있는 거예요?" 그녀가 자기 남편에게 다그쳐 물었다. 그 말에 실린 분개한 어조에도 불구하고, 메이지는 이제까지 경험한 그 어떤 경우보다 자신이 개인적으로 주목받지 못했다는 느낌이 크게 들었다. 그 애는 클로드 경도 아이다가 그 질문을 두 번씩이나 큰 소리로 반복하며 도전해 온 것 때문에, 얼굴이 창백해졌다고 생각했다. 그는 묻는 말에 대답하지 않고, 대신 그녀에게 자신의 질문을 던졌다. "제기랄, 당신은 이제 어떤 놈을 문 거요?" 그 물음에 여사님은 공범자를 노려보는 듯한 시선으로 무서운 표정을 지으며, 아이에게 몸을 돌렸다. 메이지는 돌처럼 굳어서 엄마의 짙게 화장한 커다란 눈의 모든 위력을 받아들였다. 그 두 눈은 축제의 아치에 걸려 흔들리는 일본식 호롱등 같았다. 그러나 그 애는 갑자기 이상하리만치 부드러워진 엄마의 말투에 다시 정신을 차렸다. "애야, 저기 신사분에게 곧장 가 있거라. 내가 그분에게 너를 몇 분간 돌봐달라고 부탁했어. 멋진 분이야. 어서 가. 나는 이 인간과 할 말이 좀 있으니까."

메이지는 클로드 경이 즉시 자신을 붙잡는 것을 느꼈다. "아니, 고맙지만 그렇게는 못 하죠. 그렇게는 안 돼요. 그 애는 내 애니까요."

"당신 거라고?" 메이지는 엄마가 클로드 경에 관해서 마치 이전에 한 번도 들어본 적이 없다는 듯이 말하는 것을 듣고 당황스러웠다.

"내 것이죠. 당신은 그 애를 포기했잖아요. 당신은 그 애에 대해서 더 이상 할 말이 없어요. 나는 아이 아버지에게서 그 애를 넘겨받았어요."라고 클로드 경이 말했다. 그 말은 아이를 놀라게 했으며, 그 애는 그 말이 엄마에게 어떤 생생한 작용을 일으키는지도 보고 알 수 있었다.

그러나 아이다에게는 고려해야 할 한 가지 요소가 분명히 있었다. 그녀는 저쪽에 남겨둔 신사를 흘끗 바라보았다. 그는 호주머니에 손을 찔러 넣은 채 저만큼 멀찍이 걸어가고 있다가, 침착하고 모호한 태도로 거기에 멈춰 섰다. 그녀는 그를 향해 그가 자주 갈 수 있는 시즌 입장권을 가진, 십자형 회전문을 비롯한 온갖 것들로 화려하게 꾸며진 정원 같은 얼굴을 돌렸다. 그런 다음 그녀는 다시 클로드 경을 바라보았다. "나는 그 애를 '돌보라고' 그 애 아버지에게 맡긴 것이지, 당신이 되었건 다른 누가 되었건 함께 시내 여기저기를 나돌아 다니도록 그 애를 보내준 게 아니에요. 그 애만 괜찮다면 '그'를 불러서 내가 그렇게 말했다는 것을 확인시켜 줄 수도 있어요. 나는 그 사람이 당신에게 아이를 넘겨주었다는, 그런 말을 당신에게 듣고 싶지 않아요. 난 당신이 당신의 그 거짓 '관심'으로 당신 주장을 증명한 척하는 게 마음에 드는군요. 나는 당신이 하는 게임을 알고 있고, 지금 그 일로 당신에게 할 말이 좀 있어요."

클로드 경은 아이의 팔을 꼬집었다. "패런지 양. 그녀가 뭔가 할 말이 있을 거라고 내가 말했었지?"

"당신은 그 말을 유난히 두려워하는군요." 아이다는 말을 이었다. "하지만 그 애가 두려움으로부터 당신을 보호해 줄 거라고 생각한다면 큰 오산이에요." 그녀는 그에게 잠시 틈을 주었다. "나는 당신을 보자마자 그 애에게 혜택을 줄 거예요. 여보, 당신은 그 애가 알기를 원하나요?" 메이지는 그녀가 효과적으로 그 질문을 던졌다고 생각했다. 하지만 우리의 젊은 아가씨는 클로드 경이 그렇게 되길 바란다고 말해주기를 자신이 원한다는 생각이 들었다. 우리는 사람들이 그 애가 '알게 되기를' 바란다는 것을 그 애 자신도 안다는 걸 이미 알고 있다. 그럼에도 불구하고 그가 대답하기도 전에, 그 애의 엄마는 유난히 우아한 양팔을 벌렸고 그 애는 클로드 경이 잡고 있던 손이 느슨해지는 것을 느꼈다. "내 아이야"라고 아이다가 느닷없이 당황해하면서도 다정한 목소리로 중얼거렸고, 그 애는 그런 목소리를 처음 들어본 것 같았다. 그 애는 잠깐 망설였지만, 처음 느끼는 직접적인 그 호소에 감격했다. 그것은 예전에 소란스러웠던 시절에도 늘 날카롭기만 했던 입술에서 나온 최초의 호소였고, 그것은 단순한 모성의 끌림과는 달랐다. 다음 순간 그 애는 엄마 품속에 안겨 있었다. 잡다한 장신구들로 장식된 그 품속에서, 그 애는 마치 갑자기 보석 가게의 진열창 속으로 유리창을 박살내며 밀쳐졌다가, 다시 밀쳐져 쫓겨나는 것 같았다. 동시에 그 애는 쏘는 듯한 목소리의 명령을 들었다. "이제 대위분에게 가 있거라!"

메이지는 순순히 그 신사를 바라보았지만, 뭔가 소개가 더 필요하다는 느낌이 들었다. "대위라고요?"

클로드 경이 웃음을 터뜨렸다. "내가 백작일 거라고 아이에게 말했는데."

아이다가 노려보았다. 그녀는 너무도 거만해서 거대해 보일 정도였다. "당신은 정말로 지독히 혐오스러운 사람이군요." 그녀가 선언하듯 말했다. "얼른 가!" 그녀가 딸에게 되풀이했다.

메이지는 출발했고, 뒷걸음질하면서 클로드 경을 바라보았다. "잠시만 갔다 올게요." 그 애가 당황해서 그에게 손짓했다. 그러나 그는 너무 화가 나서 아이에게 주의를 기울이지 못했다. 그는 아내에게 잔뜩 화가 나 있었다. 돌아서서 떠나면서 그 애는 그의 분노가 폭발하는 소리를 들었다. "당신, 이 망할 늙은 년…"39 메이지는 그 말을 끝까지 다 들을 수 없었다. 그건 충분히 너무 심한 말이었다. 그 애는 그렇게 돌변한 말투에 충격을 받아 그 말이 마저 들리기 전에 그곳에서 달아나, 전혀 모르는 사람이었지만, 그를 향해 달려갔다.

XVI

그 애가 그 대위의 옅은 푸른색 눈동자와 마주쳤을 때, 더없이 경이로운 일이 일어났다. 그 애는 그 눈동자가 겁에 질린 자기의 얼굴에 걱정스럽게 반응하는 것을 보고 갑자기 안도감이 들었다. "저 사람이 대체 무슨 짓을 한 거니?" 그는 클로드 경에게 비난의 화살을 돌렸다.

"그가 엄마한테 망할 늙은 년이라고 했어요." 그 애는 그 말을 하지 않을 수 없었다.

대위는 그 애 엄마만큼 키가 컸는데, 놀라서 입이 벌어졌다. 그런 다음 다른 모든 사람처럼 몸을 부르르 떨었다. 그러나 그는 그 애가 한 욕설을 되뇌며 곧 자세를 가다듬었다. "네 엄마한테 망할 늙은 년이라고 했다고?"

메이지는 자신의 두 번째 대응을 이미 의식하고 있었다. "제가 보기엔 엄마가 그분을 화나게 하려고 했어요."

대위는 미묘하게 경악하는 모습을 보였다. "그녀가 화나게 했다고? 무슨 소리, 그녀는 천사 같은 사람이야!"

즉석에서 그가 그렇게 말했을 때, 그의 얼굴은 그 애를 사로잡았다. 그 얼굴은 너무도 멋지고 자상했으며, 그의 푸른 눈동자는 엄마가 적어도 그 사람에게만은 발산했을, 어떤 신비로운 우아함을 보여주었다. 그 애는 관찰하는 습관이 있었기 때문에, 그가 어떤 사람인지 파악하기 위해서 그를 쳐다보았다. 그는 솔직하고 단순한 군인이었다. 그는 근엄한 사람이었지만ㅡ그 애는 관찰하는 습관으로 되돌아갔다ㅡ전혀 나쁘지는 않았다. 어쨌든 그는 그 애에게 전혀 새로운 유형의 사람으로 느껴졌고, 그 애는 잠시 후 이렇게 말하게 되었다. "아저씨는 제 엄마를 많이 좋아하시나요?"

그는 망설이면서도 점점 더 기분 좋은 표정으로, 미소 지으며 그 애를 내려다보았다. "네 엄마에 대해서 내가 말해주마."

그는 커다란 군인의 손을 내밀었고, 메이지는 그 손을 곧바로 잡았다. 그리고 그들은 나무들 중 두 개의 벤치가 놓여 있는 나무 한 그루 아래로 함께 발걸음을 옮겼다. "엄마가 저한테 아저씨께 가 있으라고 말했어요." 가면서 메이지가 설명했다. 그리고 이윽고 그 애는 의자에 그와 가까이 앉았다. 그들 앞에 나무들 사이로 호수가 반짝이는, 그림처럼 아름다운 풍경이 펼쳐졌다. 새들이 지저귀는 소리, 보트들이 물을 철썩거리는 소리, 그리고 아이들이 노는 소리가 바람결에 들려왔다. 그 대위는 더 가까이 다가와, 더 친절하게 대하려고 그의 군인다운 풍채를 기울여 옆에 비스듬히 앉았다. 그리고 그 애의 손이 의자 팔걸이 위에 올려져 있어서, 그는 그 애가 듣기에 좋도록 해야 할 어떤 말을 강조하기 위해서 자기의 손을 그 애의 손 위에 얹었다. 그는 그 애의 엄마가 너무도 뜻밖에 그 애가 글쎄, 결코 좋지 않은 사람과 함께 있는 것을 보자마자, 그녀 말로는 진짜 범인을 붙잡는 동안 그에게 아이를 맡아달라고 곧바로 부탁했다고 이미 말했었다. 그는 그 아이에게 그가 그 애와 함께 당분간 즐거운 시간을 보내고 있다는 느낌이 들게 했다. 10분 전까지만 해도 본 적 없는 사람이었지만, 그 애는 지금 거기 앉아서 그와 손을 잡고 그에게 감동받고 있었다. 그리고 그 애는 어떤 신사가 날씬하고 갈색 피부를 가졌을 때 그렇게 하는 게 기분 좋은 일이라고 생각했다. 그의 피부는 약간 투명하고도 깊은 갈색이어서, 그의 담황색 콧수염을 거의 희게 보이게 했고 그의 눈동자는 약간 엷은 색의 꽃과 닮아 보였다. 무엇보다도 특이한 일은 바로 그때 클로드 경이 붙잡혀 있다는 사실을 그 애가 조금도 신경 쓰지 않았다는 것이다. 그 대위는 클로드 경과는 조금도 닮지 않았다. 왜냐하면 엄마 친구가 가진 유쾌함의 특이한 부분은, 그 친구의 이목구비가 너무도 자유롭게 합쳐져 있어 웃기다고 표현하는 것이 유일한 친절일 것 같은 그런 얼굴을 가졌다는 데 있었기 때문이었다. 그보다 더 특이한 점은 우리의 어린 숙녀가 그의 얼굴을 한층 더 자세히 분류해 보고서, 세상 모든 사람 가운데, 그가 자신도 모르는 사이에 윅스 선생님을 상기시켰다는 것을 그 애 스스로 확인하게 되었다는 점이다. 그는 교정 안경도 쓰지 않았고 왕관 같은 머리띠도 하지 않았다. 또한 윅스 선생님과 똑같은 곳에 단추를 달고 있지도 않았다. 그는 햇볕에 그을렸고 깊은 목소리를 가졌으며 담배 냄새를 풍겼다. 그런데도 그는 놀랍게도 아이의 젊은 의붓아빠보다는 늙은 가정교사와 더 많은 공통점을 가지고 있었다. 그가 그 애에게 해준 듣기에 기분 좋았던 말은, 그 애의 가엾은 엄마가 (그녀는 몰랐을까?) 그가 일생 동안 사귄 사람들 중 최고의 친구라는 것이었다. 그리고 그는 "네 엄마가 너에 관해서 너무너무 많은 말을 들려줬단다. 너를 알게 되어 정말 기뻐."라고 덧붙여 말했다.

생각해 보니 그 애는 젊은 숙녀라는 호칭으로 불린 적이 없었다. 오래전 클로드 경이 비일 부인과 함께 있는 것을 봤던 날에 클로드 경도 그렇게 부르지는 않았다. 젊은 숙녀라고 불리는 건 그 애에게, 무도회에서 한 차례 춤과 춤 사이의 짧은 휴식시간에 젊은 아가씨들이 매우 유쾌한 파트너들에게 그렇게 불릴 게 분명하다는 생각이 들게 했다. 그래서 그 애는 그분을 부를 호칭도, 그처럼 고무된 순간에 그에 걸맞은 수준으로 생각해 내려고 애썼다. 그러나 그런 노력은 그 애를 당황케 했고, 그 애가 할 수 있는 일이라고는 "있잖아요, 저는 처음에 아저씨가 에릭 경인 줄 알았어요."라고 말하는 것뿐이었다.

대위는 애매한 표정을 지었다. "에릭 경이라고?"

"그리고 클로드 경은 아저씨가 백작인 줄 알았고요."

그 말에 그가 크게 웃었다. "저런, 그 사람은 키가 5피트밖에 안 되고 피부색은 가재처럼 붉더구먼!" 그에 답하여 메이지도 우아한 모습—무도회의 젊은 아가씨라면 분명히 그럴 법한—으로 웃었다. 그리고 신중하게 그 주제에 관해서 유쾌한 질문을 던지려는 참이었다. 하지만 그 애가 말을 꺼내기도 전에 상대방이 먼저 물어왔다. "도대체 에릭 경이란 사람이 누구냐?"

"그를 모르세요?" 그 애가 생각하는 젊은 아가씨는 약간 놀라며 이렇게 말할 것 같았다.

"늘 입을 벌리고 다니는 그 뚱뚱한 사람을 말하니?" 그 애는 그 사람에 대해 알고 있는 내용이 너무 제한적이어서 그 이름을 가진 사람이 엄마 친구라는 것밖에 말할 수 없다는 사실을 고백해야만 했다. 그러나 대위에게 어떤 생각이 갑자기 스치더니, 그녀의 남자가 누군지 안다는 듯 재빨리 말했다. "그 누군가 하는 사람의 형제면서 보보링크를 소유하고 있는 사람?"[40] 그런 다음 그는 무척이나 친절하게 그 애의 말에 단호하게 반박했다. "오, 애야, 네 엄마가 그런 사람을 알 리 없어."

"하지만 윅스 선생님이 그렇게 말씀하셨어요." 아이가 용기 내서 말했다.

"윅스 선생님이라고?"

"저의 나이 든 가정교사분이세요."

그 말이 다시 대위를 흥미롭게 만드는 것 같았다. "그녀가 그를 착각했을 거야. 나이 든 네 선생님 말이다. 그 사람은 형편없는 야비한 인간이다. 네 엄마는 그를 본 적도 없어."

그는 다정한 것 못지않게 적극적이었다. 그러나 그는 그 말 뒤에 잠시 조용해졌다. 그 때문에 메이지는, 혼란스럽지만 여러 가지 생각이 떠올라서, 다시 겸손하게 한 가지 내용을 정정함으로써 너무 많이 아는 체했다는 실수를 만회할 기회를 얻었다. "그러면 엄마는 백작님을 모르시나요?"

"오, 아마도! 하지만 그 사람도 마찬가지로 얼간이일 거야." 그러고 나서 그는 갑자기 또 다른 표정으로, 잠시 떼어 놓았던 자신의 손을 그 애의 손등에 다시 얹었다. 메이지는 그가 얼굴을 약간 붉혔다고 생각하기도 했다. "나는 너무나 너와 대화를 나누고 싶어. 너는 네 엄마에 관한 험담을 절대로 믿어서는 안 돼."

"오, 믿지 않겠다고 약속할게요." 아이는 그런 생각에 동의하지 않는다는 감정이 급격하게 끓어올라 말했다.

그 대위는 그 애가 자기 장갑이 좀 더 좋은 것이었으면 하는 마음이 들게 하는 자비로운 태도로, 고개를 숙이며 그 애의 손을 들어 올려 그의 입술에 갖다 댔다. "물론 네 엄마가 너를 얼마나 좋아하는지 알고 있으니, 넌 그렇게 하지 않을 거야."

"엄마가 저를 좋아하신다고요?" 메이지가 갈망하듯 말했다.

"무척이나. 그런데 네 엄마는 네가 자기를 좋아하지 않는다고 생각하신단다. 넌 엄마를 좋아해야 해. 네 엄마는 견뎌내야 할 일이 너무 많단다."

"오, 그렇죠. 저도 알아요!" 그 애는 자기가 그 사실을 한 번도 부인한 적이 없다는 것이 기뻤다.

"물론 나는 특별한 친구로서의 입장을 제외하고는 네 엄마에 대해 말할 권리가 없어." 대위는 말을 이었다. "하지만 그녀는 훌륭한 분이란다. 그녀는 이제까지 정당한 대접을 받지 못했어."

"엄마가 그랬나요?" 그 말을 듣고 아이는 완전히 새로운 전율을 느꼈다.

"아마도 내가 너에게 그런 말을 해서는 안 되겠지만, 네 엄마는 모든 일에 고통받고 있어."

"오, 그래요. 저한테는 말하셔도 돼요, 아저씨." 메이지가 지체 없이 털어놓았다.

대위는 기뻐했다. "그럼, 넌 말할 필요도 없겠다. 다 너를 위해 네 엄마가 힘드신 거야. 알겠니?"

진지하게 미소 지으며 그 애는 그분에게 그 말을 듣고 싶었을 뿐이었다. "그건 아저씨와 저 둘만의 이야기예요! 오, 제가 아저씨께 말씀드리지 않은 게 많아요."

"그렇다면 이 말도 마음속에 간직하렴. 내가 너에게 확실하게 말해줄 수 있는 건, 사람들이 아무리 아니라 해도, 네 엄마는 지옥처럼 힘든 시간을 보내왔다는 거야. 그녀는 내가 만나본 사람 중에서 가장 총명한 여성이야. 게다가 그녀는 너무나 매력적이고." 그 애는 그의 어조에 이미 감동받았고, 지금은 의자에 등을 기대고 앉아 마음속에서 뭔가 동요가 이는 것을 느꼈다. "그녀는 정말 재미있는 사람인 데다, 모든 종류의 일을 내가 알고 있는 그 누구보다도 더 잘 처리할 수 있단다. 내가 아는데, 그녀는 대단한 담력을 가지고 있어. 내가 장담하마. 맹세코 그녀는 호랑이도 잡을 수 있을 만큼 강심장이야. 호랑이를 잡으러 가야 할, 그런 일이 있다면 난 그녀를 데리고 갈 거란다! 게다가 그녀는 무척이나 개방적이고 너그러워. 너도 알잖니? 끔찍하게 비겁한 여성들이 넘쳐나는데도 말이다. 그녀는 자기가 좋아하는 사람을 위해서라면 어떤 어려움이라도 감수할 거야." 그는 자기가 그처럼 강조한 말들이 상대방에게 일으키는 효과를 잠시 관찰하는 듯했다. 그런 다음말로 하는 데는 한계가 있다는 것을 아쉬워하듯이 작게 한숨을 내쉬었다.그러나 그는 거의 새로운 도전을 하는 듯한 어조로 말을 끝맺었다. "내 말좀 들어봐. 네 엄마는 진실한 분이야!"

메이지는 반박하고 싶은 생각이 거의 들지 않는 그 말에 강렬하게 반응하며, 기쁨에 넘쳐 가슴이 뛰는 자신을 발견했다. 그 기쁨은 대위를 존경하는 마음보다도 훨씬 더 말로 표현하기 어려운 것이었다. 그 애는 그가 엄마에 대해서 누구도 말한 적이 없는 방식으로 말했다는 느낌이 흘러넘쳐 말문이 막혔다. 말없이 앉아 있는 동안, 그 애는 그런 칭찬과 존중이 완전히 새로운 언어 표현이라는 생각이 들었다. 어떤 경우라도 그 칭찬과 조금이라도비슷한 말이 아빠나 비일 부인, 클로드 경, 심지어 웍스 선생님의 입에서 나온 적이 없다는 사실에, 아이의 그런 생각은 더욱 분명해졌다. 그 애가 결론적으로 이르게 된 생각은, 그 말이 여사님이라는 주제로 그 애가 들어본, 최초의 진정성 있는 친절한 언급이었다는 것이다. 그래서 그 말에 감동을 받은 아이의 가슴속에 이상하고 깊은 동정심 같은 감정이 치밀어 올랐다. 그것은 그 애가 아는 한 그리고 실제로도, 이번 경우를 제외하면, 엄마는 오로지 혐오의 대상일 뿐이었다는 사실에 대한 일종의 계시였다. 클로드 경의애정에 대해 웍스 선생님이 처음 해준 이야기도 이제 아이들 놀이의 합창처럼 공허해 보였다. 그리고 그 남편과 아내는 지금 이 순간 조금 거리를 두고 떨어져 증오에 찬 눈길로 서로 마주보고 있으며, 그가 그녀에게 내뱉은지독한 욕설이 아직 공중에 남아 있었다. 반면에 대위는 엄마에 대해 어떻게 말했던가? 메이지는 그 말을 다시 듣고 싶었다. 눈물이 눈에 고여 그 애의 뺨을 타고 흘러내렸다. 그 애 역시 불과 5분 전만 해도, 생생하게 탑처럼 솟아올랐던 미녀―그녀의 공격을 자신이 기다리고 있었던―가 잠시 동안 오로지 두려움의 대상이었다는 생각에 사로잡혀, 그 애의 눈물 젖은 뺨이 불타는 듯했다. 그 애는 그 자리에서 아이들에게 있어 가장 무례하다고 알려진 행동에 대해 평소에 가지고 있던 두려움을 신경 쓰지 않게 되었다. 그 애는 소리 없이, 그러나 끔찍하게 일그러진 눈물 젖은 자기 얼굴을 상대방에게 드러냈다. 그 애는 고통에 차서 그의 면전에서 울었다. 그 애는 이제껏 그 누구 앞에서도 그처럼 울어본 적이 없었다. "오, 아저씨는 엄마를 사랑하시나요?" 울음소리를 내지 않으려고 애를 쓰며, 그 애는 치밀어 오르는 울음을 삼키면서 그렇게 물었다.

그 애의 물음에 답하여 대위가 그처럼 이상하고 모호한 표정을 지어 보인 것은, 틀림없이 그 애가 눈물 때문에 짙은 안개가 낀 듯 흐려진 눈으로 그를 바라보고 있었기 때문이었다. 그는 말을 더듬었는데, 그의 목소리는 무척이나 어색한 주장을 하는 목소리였다. "물론이지. 나는 네 엄마를 엄청나게 좋아해. 이제까지 내가 만났던 그 어떤 여자보다 더 네 엄마를 좋아한단다. 나는 아무 거리낌 없이 이 말을 너에게 할 수 있어. 그리고 내가 그 말을 하는 데 추호라도 마뜩잖은 게 있다면, 나는 스스로를 짐승이라고 생각할 거야."라고 그는 말했다. 그런 다음 자신의 입장이 더없이 분명하다는 것을 보여주기 위해서, 그는 클로드 경도 결코 능가할 수 없는 친절함으로 그가 처음 자신의 감정을 드러내 보이며 그 애를 떨리게 했던 것처럼 다시 한번 그 애를 전율하게 했다. 그는 그 애를 이름으로 불렀고, 그것은 아이의 가슴속에 깊이 새겨졌다. "사랑하는 메이지야, 네 엄마는 천사 같은 분이야!"

그 말은 거의 믿을 수 없을 만큼 위안이 되었다. 그것은 그 애가 느끼는 위험과 고통을 진정시켜 주었다. 그 애는 다시 의자에 주저앉아 양손으로 얼굴을 감쌌다. "아, 엄마, 엄마, 엄마!" 그 애는 흐느꼈다. 그 애는 자기 옆에 있는 대위가, 더욱더 친절하게 행동하긴 했지만, 결코 마음이 평온하지는 않다는 인상을 받았다. 하지만 잠시 후에 눈물을 거두고 눈이 맑아져서 보니, 그는 그 애 앞에 똑바로 서서 얼굴이 홍당무처럼 붉어져서는 초조하게 주변을 둘러보며 지팡이로 자기 다리를 툭툭 치고 있었다. "대위님, 엄마를 사랑한다고 말해주세요. 말해주세요, 말해주세요!" 그 애가 애원하듯 말했다.

대위의 푸른 눈동자가 매우 단호하게 고정되어 있었다. "물론 나는 그녀를 사랑한단다. 거참, 너도 알잖니!"

그 말에 아이도 벌떡 일어났다. 어쨌든 그 애는 주머니에서 손수건을 꺼냈다. "저도 그래요. 엄마를 사랑해요, 사랑해요, 정말로 사랑해요!" 그 애가 열렬하게 단호히 말했다.

"그럼 엄마한테 돌아올 거니?"

메이지가 작고 단단한 플러그처럼 뭉쳐진 손수건을 빤히 바라보면서 눈으로 가져가다가 행동을 멈췄다. "엄마가 저를 받아주지 않을 거예요."

"그녀가 너를 받아줄 거야. 엄마는 널 원한단다."

"집으로 돌아와서, 클로드 경과 함께요?"

그는 다시 뜸을 들였다. "아니, 그 사람과 함께는 아니야. 다른 곳이야."

그들은 대위와 어린 소녀 사이로는 흔치 않은 강렬한 감정으로, 서로를 바라보며 서 있었다. "엄마는 어떤 곳에서도 저를 받아주시지 않을 거예요."

"오, 아니야, 네가 부탁하면 그녀는 받아줄 거야!"

메이지는 계속해서 집중했다. "아저씨도 거기에 계실 건가요?"

대위도 대체로 마찬가지였다. "오, 그렇고말고, 언젠가는."

"그럼 지금은 아니라는 말씀이세요?"

그는 순간적으로 미소를 지었다. "지금 갈래? 우리랑 같이 한 시간 동안?"

메이지는 생각에 잠겼다. "엄마는 지금도 저를 받아들이지 않으실 거예요." 그 애는 그가 어떤 생각을 하고 있는지 알 수 있었고, 그 애의 말투가 그의 말을 막아버렸다는 것도 알 수 있었다. 그래서 그 애는 약간 실망했지만 곧이어 그가 다시 말문을 열었다.

"내가 부탁하면 엄마가 너를 받아주실 거야." 그가 되풀이해서 말했다. "이번에는 내가 그녀에게 부탁해 볼게."

메이지는 그 말에 몸을 돌려 엄마와 의붓아빠가 서 있는 곳을 바라보았다. 처음에는 나무들 사이로 아무도 보이지 않았다. 다음 순간 그 애는 표정을 지으며 외쳤다. "끝났어요. 그분이 이리로 오고 계세요!"

대위는 여사님의 남편이 다가오고 있는 것을 바라보았다. 클로드 경은 메이지를 향해 구부린 손가락들을 공중에서 약간 흔들며 잔디밭 위를 태연하게 어슬렁거리며 걸어왔다. "난 저 사람을 피하고 싶은 생각이 없다."

"글쎄요, 그를 만나시면 안 돼요." 메이지가 말했다.

"오, 저 사람은 급한 기색이라곤 없구나!" 클로드 경이 담배에 불을 붙이려고 멈춰 섰다.

그 애는 그가 어떤 느낌을 갖는 게 적절한지 짐작하기가 힘들었다. 하지만 대위가 말한 표현이 그 적절함에 대해 꽤 자유로운 그의 생각을 반영했다고 느꼈다. "오, 그분은 상관하지 않으세요!" 그 애가 대답했다.

"뭘 신경 쓰지 않는단 말이니?"

"아저씨가 누군지 신경 쓰지 않으시는 거예요. 그분이 저에게 그렇게 말씀하셨거든요. 가서 엄마에게 물어보세요." 그 애가 덧붙여 말했다.

"네가 우리랑 같이 가도 되는지 네 엄마에게 물어보라는 거니? 그게 좋겠다. 넌 내가 저 사람을 기다리지 않으면 좋겠니?"

"제발 기다리지 마세요." 하지만 클로드 경은 아직 가까이 다가오지 않았었다. 대위는 왼손으로 그 애의 오른손을 꼭 붙잡고 있었다. 그리고 그처럼 잡은 손을 친밀하게 스스럼없이 가볍게 흔들었다. "우선 먼저 저한테 이것만 말씀해 주세요. 아저씨는 엄마와 함께 사실 거죠?" 그 애가 말했다.

그 애의 진지함에 아득한 웃음소리가 터져 나왔다. "어느 날엔가 그렇게 하겠지."

아이가 그의 웃음소리에 동요하는 기색이 전혀 없이 궁금해하며 물었다. "그렇게 되면 클로드 경은 어디에 계시게 되죠?"

"물론 그 사람은 네 엄마를 떠날 거야."

"그분이 정말로 그렇게 하실까요?"

"네가 그 사람에게 얼마든지 물어보아도 된다."

메이지는 단호하게 머리를 가로저었다. "그분은 그렇게 하지 않으실 거예요. 먼저 떠나시지는 않을 거예요."

그 애의 "먼저"라는 표현이 대위를 다시 웃게 만들었다. "오, 그는 틀림없이 비열한 짓을 할 거야! 하지만 내가 너에게 너무 많은 것을 말했구나."

"글쎄요, 아저씨는 아시잖아요. 제가 아무에게도 말하지 않을 거라는 걸." 메이지가 말했다.

"아니야, 그건 모두 널 위한 거야. 잘 가렴."

"안녕히 가세요." 메이지는 그의 손을 놓지 않고 이어서 말했다. "저도 아저씨가 좋아요." 그런 다음 아주 진지하게 "아저씨는 엄마를 사랑하시죠?"라고 물었다.

"이 귀여운 것!" 대위는 말문이 막혔다.

"그렇다면 엄마를 그냥 쪼끔만 사랑하진 말아주세요."

"쪼끔이라고?"

"다른 모든 사람들이 그러는 것처럼 말이에요."

"다른 모든 사람들?" 그는 멈춰 서서 바라봤다.

그 애는 손을 잡아 뺐다. "영원히 사랑해주세요!" 그 애는 클로드 경을 만나기 위해 자리를 떠났다. 대위를 떠나면서 그 애는 그가 일부러 유쾌한 목소리로 외치는 것을 들었다.

"오, 나에겐 그럴만한 이유가 있단다!"

그 애가 클로드 경을 만나면서 보니, 엄마가 멀찍이에서 천천히 멀어져 가는 것이 보였다. 그리고 다시 대위를 힐끗 보니 그는 지팡이를 흔들며 엄마와 같은 방향으로 멀어져 가고 있었다.

그 애는 클로드 경의 그런 모습은 처음 보았다. 그는 얼굴을 붉혔지만 흥분하지는 않았다. 단호한 혐오감 속에서 차분한 모습이었고, 핼쑥하면서도 엄한 표정이었다. 엄마와 나눈 대화가 그에게 상처를 입힌 게 분명했다. 그 아이는 익숙한 공포에 다시 휩싸였다. 그 공포감은 아이의 부모가 자기들의 전투에 그 애가 연료를 공급해 주리라고 기대했었던 그즈음에 그 애가 겪었던 순간적인 마음의 위축을 불러왔다. 그러나 그 순간 그 애의 가장 큰 두려움은, 자기 친구가 자신이 울었다는 사실을 알게 되는 것이었다. 다음 순간 그 애는 그가 자기를 힐끗 쳐다보았다는 것을 알게 되었고, 이윽고 그가 자신의 모습을 보여주고 싶어 하지 않는다는 생각이 떠올랐다. 그런 상황에서 그 애는 재빨리 시선을 돌렸고, 그러는 동안 그는 다소 무뚝뚝하게 말했다. "저 사람은 도대체 누구냐?"

그 애는 자신이 신중하고 또 신중해야 한다고 느꼈다. "오, 저는 아무것도 알아내지 못했어요!" 이 말은 마치 그가 스스로 알아냈어야 했다고 말하는 것처럼 들렸다. 그러나 그 애는 겉으로 드러난 불쾌한 표정의 꼴사나움을 꿋꿋하게 직면할 수 있었을 따름이었다. 그런 표정은 아빠가 그 애의 멍청함을 두고 아이에게 못생긴 작은 당나귀라고 험한 말을 했을 때나, 거짓말을 한다고 엄마가 아이를 방에서 쫓아냈을 때나 직면하던 그런 표정이었다.

"그럼 넌 그동안 내내 무얼 하고 있었니?"

"아, 저도 모르겠어요!" 그것은 그 애가 멍청하지 않으려고 대충 하는 그 애의 기본적인 대응 방식이었다.

"그렇다면 저 짐승 같은 자가 아무 말도 하지 않았단 말이냐?" 그들은 호숫가로 내려와 빠르게 걷고 있었다.

"글쎄요, 별다른 말을 하지 않았어요."

"그가 네 엄마에 관해서 아무 말도 하지 않았다고?"

"오, 했어요, 아주 조금!"

"그럼 뭐라고 말했는지 말해다오. 제발, 뭐라고 하던?" 아이는 침묵했다. 침묵이 길어지자 그가 곧 다시 물었다. "있잖니, 내 말이 안 들리니?" 그 말에 그 애가 입을 열었다. "글쎄요, 전 그분 말씀을 그다지 귀담아듣지 않았어요."

클로드 경은 담배를 거칠게 피워대며 바로 대꾸하지 않았다. 그러나 마침내 이렇게 말했다. "그렇다면 애야, 그런 좋은 기회를 가졌는데. 너는 멍청이 중에 멍청이로구나!" 그는 너무나 짜증이 나서─혹은 그가 그렇다고 그 애가 생각한 나머지─그들이 켄싱턴 가든즈에 머무르는 나머지 시간 동안 더 이상 한마디 말도 하지 않았다. 그리고 그동안 그 애도 그의 기분을 풀어주려는 어떤 시도도 예민하게 삼갔다. 그래서 더 많은 의문점만 생겨났을 뿐이었다. 가든즈 입구에서 그는 사륜마차를 불러 세우더니, 심지어 그 애와 눈도 마주치지 않고 아무 말 없이 그 애를 마차에 태웠다. 그러면서 단지 "이걸 저 사람에게 줘라"라고만 말하고는, 반 크라운을 좌석에 던져주었다. 심지어 마차 밖에서 문을 닫으며 마차꾼에게 행선지를 말해주면서도, 그는 그 애에게 작별의 눈길조차 보내지 않았다. 그들이 그랬던 적은 한 번도 없었다. 그렇다고 해서 그 애가 그 일로 그를 덜 사랑하게 되지는 않았다. 그래서 그 애는 마차를 타고 가는 동안 그 일을 견딜 수 있었을 뿐만 아니라 그것을 즐길 수도 있었다. 그 일은 오래전에 아빠 집에서 돌아오면서 엄마 집 계단에 서서 마음을 숨기고 멍청한 척하며 엄마의 맹렬한 질문에 대처했던 위기의 순간에 느꼈던 달콤한 성취감을 다시 되살려 주었다. 그때 그 애는 패런지 부인에게 거의 계단 아래까지 밀쳐졌었다.

## XVII

그 애가 만약 자기 자신만의 이유로 클로드 경의 노여움을 감내할 수 있다면, 어린 그 애의 참을성은 심각하게 시험당했을지도 모른다. 그가 아빠 집 문을 두드리는 일 없이 여러 날이 지났고, 새로운 변화를 줄 수 있는 어떤 눈에 띄는 사건이 일어나지 않았더라면 그 시간은 애석하게도 그저 낭비되어 흘러버렸을 것이다. 일어난 사건은 확연히 달라진 비일 부인의 태도였다. 달라진 그녀의 태도는 클로드 경이 집에 없는데도 불구하고, 왠지 그를 다시 집으로 불러들인 듯했다. 그 변화는 메이지가 혼자 마차를 타고 집에 돌아왔던 날, 두 사람 사이에 오간 대화로 사실상 시작되었다. 그때 비일 부인은 돌아와 있었고, 그녀는 우리의 어린 숙녀가 대위와 보낸 특별한 시간에 관한 이야기를 이끌어내는 데 있어서 클로드 경보다 성공적이었다. 그녀는 거듭해서 그 이야기로 되돌아왔고, 바로 다음 날 그녀가 같은 순간에 여사님과 클로드 경 사이에서 일어난 일도 이미 완전히 파악하고 있다는 것이 아이에게 명백해졌다. 그것이 클로드 경이 비록 집에 오지는 않았지만, 의붓엄마가 그와 완전히 단절된 상태로 지내지는 않는다는 그녀의 어떤 귀한 비밀에 대한 그 애의 최종적인 깨달음의 진짜 근원이었다. 그로 인해 비일 부인과 관련된 몇 가지 희귀한 추이가 나타났는데, 그중에 가장 즉각적인 것이 울음을 터뜨린 놀라운 사건이었다. 이번에는 메이지가 울음을 터뜨린 것이 아니었다. 비일 부인은 자신이 말한 것처럼 쉽게 우는 사람이 아니었다. 메이지가 아는 한 비일 부인은 그들 관계가 어렴풋한 여명의 시기였던, 그녀가 낮은 신분의 가정교사였던 시절 이래로 울음을 보인 적이 없었다. 그러나 지금 그녀는 격렬하게 눈물을 흘렸다. 그녀는 그렇게 우는 것이 자신에게 도움이 된다고 큰소리치면서, 자기가 맡은 아이에게 놀라운 말을 해대면서 울었다. 아이에게는 이 경우가 그동안 쌓인 모든 훌륭한 예방적 지혜에 덧붙여서 그에 버금가는 이득이 되었다. 메이지는 자신이 클로드 경에게는 말하지 않은 것을 비일 부인에게는 말한 행동이, 그 애가 생각하기에 클로드 경과 클로드 경의 아내 사이에 엄청난 긴장 상태가 존재하는 한, 그의 아내는 불행히도 비일 부인 같지 않기 때문에, 어쨌든 그 지혜에 위배되지는 않았다고 생각했다. 그는 켄싱턴 가든즈에서 사건이 있었던 3일 뒤에 자신의 의붓딸에게 다정한 만큼 솔직한 편지를 보냈다. 그러자 비일 부인은 반쯤은 호소하는 듯하고, 반쯤은 무시하는 듯한 태도로 토로했다. "그래, 제기랄, 그래. 내가 그 사람을 '만나고' 있어!"

그러나 어떻게, 언제, 어디에서 그들이 만나는지는 메이지가 알 수 없는 노릇이었다. 게다가 그건 그 애가 결코 질문하지 않았던 배제된 문제였는데, 그 애가 비일 부인의 다소 무의미한 독립적인 태도에 깃든 거대한 공허함을 공유하는 동안, 아이의 갈망하는 눈동자—거대하고도 어슴푸레한, 균형을 잃은 방에 나 있는 단 하나의 가장 훌륭한 사각 유리창 같은—속에서 빛나게 할 만큼 충분히 그가 폭넓게 관여한다는 점에 비추어 그런 문제는 질문하지 않았다. 그 애 아빠에 관한 한, 그는 그런 시간들에 어떤 방해도 되지 않았다. 그래서 그들 사이에선 부재하는 사람, 클로드 경을 각자 생각하고 있는 게 분명했고, 서로 다른 자기만의 생각을 하고 있었다. 그래서 클로드 경은 그 두 사람이 말하거나 행동하는 모든 일에 있어서 의식적으로 지칭하는 대상이 되었다. 비일 부인이 고백해야만 했던 비참한 진실은, 그녀가 요행을 바랐다는 것이었고, 클로드 경이 레전트 파크 집에 진짜로 드나드는 것은 불가능하다는 사실이었다. 그들은 마침내 그 사실을 직시해야만 하지 않았을까? 결국 그 누구도 만족하지 못하게 되었다는 사실이 너무도 분명했다. 그런데 누구도 만족하지 못했다면, 그것은 모두가 비열했기 때문이었다. 그 누구라거나 모든 사람은 물론 비일과 아이다를 가리켰다. 역겨운 짓을 할 수 있는 그들 힘의 한계는, 비일 부인이 그 어린아이에게 도저히 구체적으로 입증할 수 없는 것이었다. 그러므로 비일 부인이 말한 대로, 비일 부인과 클로드 경이 몰래 만나는 그러한 상황이 계속되기 위해서는, 이것도 그녀가 말한 대로, 그녀가 또 하나의 계획을 세워야 한다는 것이었다. 그 계획에는 메이지도 포함되었는데, 그 애는 계획의 존재를 아는 정도까지만 허용되고, 그것이 무엇인지는 아쉽게도 궁금해해야만 했다. 분명히 그 계획이 비일 부인의 갑작스러운 감정이나 갑작스러운 자신감의 원인이 된 측면이 있었다. 그것은 하나의 시연이었지만, 거기에서 눈물범벅이 된 비일 부인이 우리의 여주인공이 스스로 계획을 세울 수만 있다면 얼마나 행복할지를 생각하는 데 방해가 되지는 않았다. 비일 부인이 만든 계획은 규칙적이고도 빈번히 작용하는 것처럼 보였다. 왜냐하면 거의 매일, 혹은 하루 걸러 그녀가 메이지에게 편지를 가져다주고 또 그 애를 통해서 답장을 받아볼 수 있었기 때문이다. 그녀가 울면서 무너져 내렸던 것은, 그녀가 말했듯이, 그가 자기에게 했던 일을 머릿속으로 그려보고서 일어난 일이었다. 그 상상은 이후에 비일 부인이 더 유쾌해졌다는 사실뿐만 아니라 말 그대로 그녀의 실제 견해-누가 보더라도 주제넘어 보이지 않았다-가 증가했다는 사실에 의해 메이지 앞에서 어느 정도 유지되었다. 비일 부인 자신이 그런 견해를 처음으로 밝혔었다. 그가 자신의 기운을 굉장히 북돋워 주었고, 완전히 되찾게 해주었다는 것이었다. 그녀는 그에 대해 매력적이고 고뇌에 찬 말을 쏟아냈다. 그는 그녀의 멋진 요정이었고 그녀의 숨겨진 샘이었으며, 무엇보다도 그녀의 '더 고귀한' 양심이었다. 그는 그녀가 흘린 놀라운 눈물과 함께 그런 모습으로 표현되었다. 그녀가 사랑하는 그는, 그녀가 자신을 훨씬 더 좋게 생각하게 만들었다. 그녀가 어떤 면에서 병적인 생각에 빠졌다는 것이 그렇게 다소 놀랍게 드러났고, 메이지는 그런 병적 감정에 대해 듣게 된 동시에 그것을 고칠 수 있는 방법에 대해서도 듣게 되어 기뻤다.

이윽고 그 애는 자신이 샘이 나고 심지어 그렇게 되기를 바라는데도 불구하고, 비일 부인이 외출할 때마다 클로드 경이 어떤 식으로든 거기에서 만족감을 얻었을 거라고 생각하고 있다는 것을 알게 되었다. 그런 일은 지금 그 어느 때보다도 빈번히 일어났다. 그처럼 집을 비우는 정도가 얼마나 심했던지 그 애는 자기 의붓엄마가 거의 무절제할 정도로 집을 비운다고 생각했었을 수도 있었을 것이다. 두 가지 조건만 아니었더라면 그렇게 생각했을 것이다. 첫째로, 그 애 아빠가 그런 습관에 있어서 타의 추종을 불허하는 사람이 아니었다면 그렇게 생각했을 것이다. 그가 잠을 자기 위해서조차도 집에 거의 오지 않는다는 것이 그의 현재 아내가 자주 하는 말이었다. 마찬가지로 그것은 그녀의 전임자가 그들의 배심원 재판에서 했던 두드러진 하소연이기도 했다. 다음으로, 비일 부인은 집에 있을 때면 모든 것을 만회하고 싶어 하는 아름다운 태도를 가졌었고, 그래서 그 애에게는 그녀가 그렇게 무절제하게 집을 비운다는 생각이 들지 않았다. 그처럼 빛나는 휴식기에 드리워진 유일한 그림자는, 메이지가 자신에게 말했듯이, 질문으로 아무것도 알아낼 수 없다는 것이었다. 그것은 본질적으로 어린아이가 상관할 일이 전혀 아니었다. 어떤 조그만 어린아이가 처음부터 착각에 빠져서 자기가 너무 많은 것을 경험하게 되었다는 두려움에 사로잡혔을 때도 그러했다. 메이지가 경험한 일들은 그들의 본성에 너무나 충실한 것이어서 거의 대부분 질문하기에 부적절했다. 그러나 다른 한편, 그 애는 때때로 참을성 있는 작은 침묵과 영리한 작은 시선이 유쾌하고도 작은 희미한 인식을 통해서 어떻게 보상받을 수 있는지 알아보는 법을 마침내 배웠다. 비일 패런지의 집에서는 몇 년 동안 단음절 단어인 "그"라는 표현이 항상, 거의 지독할 정도로, 가장 master을 의미했다. 그러나 어느 시기에 그 모든 것이 확 바뀌어서 클로드 경의 장점이 저절로 분위기를 지배하게 된 결과, 그의 이름을 부르는 데 거의 두 글자도 필요하지 않았다. "그분은 더할 나위 없이 내 기분을 북돋워주셔. 그분이, 내 소중한 분이 그렇게 해주셔."라고 비일 부인은 자기 동지에게 말하곤 했다. 그 밖에도 그녀는 다른 쪽 집의 상황이 거의 믿을 수 없을 지경에 이르렀다고 말했다. 괴상하게 들릴지 모르지만, 그가 12일 동안 그녀에게 단 한 번도 눈길을 주지 않았다는 것이었다. 비일 패런지의 집에서 "그녀"라는 표현은, 물론 아이다 말고 다른 사람을 가리키지 않았다. 그리고 이번 경우에는 "그녀"라는 단어가 다시금 강렬하게 아이다를 의미한다는 차이가 있었다. 비일 부인이 그녀의 끔찍함에 대해 점점 더 심하게 비난하는 입장이라는 점이 특히 눈에 띄었고, 그 말에 내포된 도덕적 의미는 얼마나, 혐오스러울 만큼 그러나 다행스럽게 그녀가 남편에게 관심이 없는 상태인지에 있는 것 같았다. 그러한 정보의 흐름은 우리 두 친구에게 절실하게 느껴졌는데, 사실 비일 부인도 그에 못지않게 자기 남편과 관계가 없어졌기 때문이었다. 하지만 그런 생각은 메이지 자신이 지금 가진 연민의 마법을 깨뜨리지 않고 해낼 수 있었던 반성적 생각들 중 하나였다. 클로드 경의 영향력이 비록 멀리 떨어져서 작용하고 있을지라도 마침내 그의 의붓딸의 공부가 다시 시작되도록 결정했으니, 그 마법이 어찌 심원하지 않을 수 있겠는가? 비일 부인은 그 애를 공부시키는 문제에 관해 다시 열기를 띠게 되었는데, 메이지가 느끼기에 그 일은 사랑하는 사람의 부재가 그녀에게 활기를 불어넣어 매우 중요한 문제가 된 것이 분명해 보였다.

첫 번째 근원에 대해서는 방금 언급했고, 다음은 그 애가 스스로 새로운 국면이라며 매우 희망적으로 묘사한 무언가에 대한 의식의 두 번째 근원이었다. 또한 그것은 비일 부인이 늘 다시 등장할 때 보여주는 새로운 열의를 가장 밝게 제시해 주었다. 그리고 그 열의는 메이지에게 자신이 적어도 비일 부인과 클로드 경에게는 매우 사랑스러운 존재가 되었다는, 여태껏 느껴본 그 어떤 행복보다도 더 행복한 느낌을 주었다. 지금 그 애가 세 번째 국면에 대한 작은 기억만을 간직하고 있다는 사실은, 유감스럽게도, 그 애가 웍스 선생님을 잠시 잊고 있었다는 것을 나타냈다. 그것은 부자연스러운 흥분 상태로만 설명될 수 있는 우연한 일이었다. 비일 부인이 자기가 맡은 어린아이와 함께 클로드 경이 직접 권유한 시구를 읽거나 그가 아낌없이 제공해 준 문학 작품들을 탐독하는 "독서"라는 즐거운 형식이 아니라면, 그녀가 자신에게 아직 남아 있는 집안 상황에 열의를 갖거나 거기에서 위안을 얻는 행동은 무엇을 위해서 그런 형식을 취했겠는가? 그는 아주 훌륭한 문학 작품 목록을 손에 넣었고, 비일 부인은 "대부분 에세이들이야, 알겠니?"라고 말했다. 그 말은 메이지에게 항상 뭔가 대단한 것처럼 들렸지만, 이후에는 사실상 지루하게 끝나는 흐지부지한 내용으로 맥이 빠져버렸다. 여하튼 어떤 때는 적어도 일주일에 아홉 권 이상의 책이 배달되었고, 비일 부인에게서 풍기는 인상은 그녀와 클로드 경 사이의 불분명한 교류가 메이지의 공부에 관한 설명이나 비판을 포함하고 있을 뿐 아니라, 거의 보고와 상담을 목적으로 이루어졌다는 것이었다. 그녀가 종종 반복해서 말했듯이, 그녀가 자기 집 문을 닫아버린 것은 간단히 말해 메이지의 교육을 위해서였다. 그 집에 그처럼 많이 모이곤 하던 신사들, 그리고 그녀의 남편이 사실상 그녀를 버리고 떠나면서 그들을 받아들이는 것을 가장 상스러운 일로 만들어버린 그 신사들에게 그녀는 문을 닫아버린 것이다. 메이지는 오래전부터 비일 부인의 표현처럼, 적어도 매력적이고 사회생활을 하는 여성이라면 자신의 "평판"을 신경 써야 한다는 원칙에 익숙했다. 그래서 당연히 의붓엄마가 도덕관념에 있어서 엄격하다는 인상을 받았었다. 그녀가 집에서 자유롭게 만날 수 있는 것처럼 보이는 남성은 단 한 명도 없었다. 그래서 지난번 아빠 집에 머무르는 동안 그 집에서 꽤나 요란스럽게 환영받았던 숙녀들에 관해서 그 아이가 위험을 무릅쓰고 한 명씩 물어보았을 때, 비일 부인은 그 마귀 같은 여자들은 하나같이 결국 끔찍한 사람들로 드러났다고 그 애에게 주저 없이 말해주었다. 그러고는 그 애에게 만약 그 여자들에 대해 더 알고 싶으면 아빠한테 가서 물어보라고 말했다.

그러나 메이지는 그러한 교훈을 들은 바로 그 순간 훨씬 더 생생한 호기심이 있었는데, 클로드 경이 할 수 있는 일을 찾아내는 데 무한한 에너지를 쏟아부은 덕분에 교육 기관에서 강의를 듣는 꿈이 마침내 현실이 되었기 때문이었다. 누구라도 이와 관련하여 진지한 마음으로 일을 살펴본다면, 지하철 요금보다41 조금 더 큰 금액으로 매우 많은 일이 가능하다는 사실이 명백해졌다. 그 교육 기관은—시내 한 곳에 훌륭한 교육 기관이 하나 있었지만 아이는 거의 알지 못했다—그처럼 열성적인 마음을 가진 사람에게는 감격스러운 곳이 되었다. 그리고 기차역으로부터 글로우어가—한번은 비일 부인이 아이가 그 거리 이름을 발음하는 것을 두고 놀리기도 했다—를 통해 그곳까지 걸어가는 길은 말 그대로 그곳에서 가르치는 '교과목들'로 점철된 거리였다.42 메이지는 그 거리를 지나면서 자신이 그 과목들을, 마치 꽃을 꺾듯이, 가서 듣는 모습을 상상해 보았다. 비록 그 교과목들은 거대한 회색 방들 안에 무성하게 자라 있었고 그 방들에서는 지식의 분수가, 그 애가 처음에 화가 난 것으로 착각했을 정도로 높은 목소리로, 빈 단지처럼 줄지어 내밀어진 정지된 얼굴들 속에서 철철 넘쳐흐르는 소리를 내고 있었다. "그게 우리에게 도움이 되어야만 하는데—모두 너무나 끔찍하구나."라고 비일 부인이 즉시 선언하듯 말했다. 그것은 그녀가 하는 결심의 순수성을 분명히 드러내 보였고, 그 결심의 순수성이 두 사람이 함께했던 그 많은 일 가운데 이 경우를 가장 조화로운 것으로 만들었다. 메이지는 비일 부인이 숨을 헐떡이며 집안으로 다시 들어가 그들이 강의 시간에 아직 늦지 않았는지 알아보려고 몹시 새된 소리로 말하며 위층으로 올라갔던 순간만큼, 확실히 그때처럼 고무된 적이 결코 없었고 무엇보다 그렇게 완전히 감격한 적이 없었다. 그녀의 의붓딸은 아주 이른 시간부터 완전히 준비한 채, 대답하기 위해 거의 난간을 뛰어넘을 기세였다. 그리고 그들은 종종 다른 중요한 일에서 비일 부인을 자유롭게 해주기 위해 뛰어 돌아갔을 때처럼 격렬하게, 배우기 위해 함께 달려 나왔다. 웍스 선생님이 아빠 집에서 그 애가 놓쳐버린 모든 것을 "보충"하기 위해 마치 자기가 그 애를 훈육이라도 하듯 숨을 헐떡이던 그 짤막한 마지막 소란 이후로, 간단히 말해서, 일단 그들이 나오자 이 특별한 발작 같은 소란은 없었다.

　그 몇 주의 기간은 역시 너무나 부족했지만, 그들은 새로운 감정으로 벅

차올랐다. 그 감정 중 일부는 사실, 그들이 기다란 망원경 같은 글로우어가를 지나가면서, 혹은 그 교육 기관의 거대한 기둥들 사이에서—메이지는 그 인상적인 기둥들이 그 건물을 교육 기관으로 만들어주는 주된 요소라고 생각했다—언젠가는 클로드 경을 발견하리라는 가능성으로 생겨난 것이었다. 비일 부인은 압박감 속에서 의심의 여지 없이 약간 조바심이 나서 다음과 같이 말했다. "오, 그럼, 그렇고말고 언젠가는!" 그가 그들과 함께할 것이라는 생각은 당연지사라기보다는, 그가 애초에 자신의 교양을 향상시키기 위해 그들과 동행하고 싶다고 공언한 일로부터 그들이 추측해서 일어난 일이었다. 그것 때문에 우리의 젊은 숙녀는 그 이후로 어떤 파괴적인 일이 발생했거나 아니면 바람직한 일이 일어나지 않았을 것이라고 민감하게 추측하게 되었다. 비일 부인은 상황이 어떻게 해서 그 누구에게도 만족스럽지 못하게 되었는지를 그 애에게 말해주면서 부분적인 설명만을 제공했다. 어쨌든 메이지는 누군가라도 만족하기를 바랐다. 그러나 그 지식의 신전에 접근할 때마다 클로드 경을 찾으려는 그 애의 시도는 허사로 돌아갔지만, 동기이자 보답으로 사랑받는 그의 이미지가 기능하고 있다는 점은 의심의 여지가 없었다. 그 교육 기관이 대부분 거대한 기둥들에 접해 있었을 때, 혹은 비일 부인이 호언장담하여 그렇게 말했듯이, 주제는 매우 심오하고 강의는 너무 길고 수강생들은 몹시 꼴사나웠을 때, 그때 그 둘 모두 무대 배경에서 그들의 후견인이 자신들과 함께 몹시 기뻐했을 것이라고 느꼈다.

어느 날 그 배경을 바라보면서 비일 부인이 자기의 동료에게 말했다. "우리는 오늘 저녁에 얼스 코트에서 열리는 '거 뭐라 하는 데'에 갈 거야." 그 소식은 그녀가 대박람회를 가리켜서 말했다는 것을 그 애가 알게 되었을 때, 눈부신 빛을 발했다. 박람회는 그 지역에서 막 개막했으며, 멋진 정원에서 특별한 외국 문물을 모아 전시하는 행사였다. 거기에는 조명과 악대, 코끼리, 롤러코스터, 단막극 공연이 있을 것이었고 그 밖에 많은 군중이 모일 것이며, 그들 중에서 두 사람이 알고 있는 어떤 한 사람을 보게 될 가능성이 컸다. 메이지는 클로드 경의 이름을 머릿속에 떠올리며 자기 친구의 뒤를 들뜬 마음으로 따라다녔다. 그 이름을 말하는 것을 듣고 비일 부인은 "글쎄, 그렇지. 그분이 우리를 만나게 될 가능성이 있을 거야"라고 고백했다. 물론 그는 괴로운 입장에 처해 있어서 시시각각 무슨 일이 일어날지 전혀 알지 못했다. 하지만 그는 자유로워지기를 바랐고, 비일 부인에게 그것을 귀띔해 주었다. "그 애를 은밀하게 데려오세요. 그러면 내가 짠 하고 나타나도록 해볼게요." 그 말은, 여러 주 동안 그 애를 만날 기회를 박탈당한 그가 그 애를 보고 싶어 하는 열망이 어떤 상태에 이르게 되었는지 충분히 분명하게 보여주었다. 그 말은 그 사람도 그 애만큼이나 끊임없이 만남을 바라왔다는 것을 나타내는 것처럼 보이기까지 했다. 한편 그것은 또한 메이지가 어리둥절할 만큼 충분히 당황스러운 일이기도 했다. 그 애는 만약 그들이 그렇게 열정적으로 똑같은 마음이라면, 그 애가 비일 부인에게 돌아오게 된 이론적 조건, 전반적인 재회나 기쁨에 찬 세 사람의 약속이 실제로 왜 그렇게 망그러지고 만 건지 이해할 수 없었다. 더 나아가서 비일 부인이 자신들의 실망은 그가 어떤 생각을 머릿속에 품게 된 결과라고 말하면서, 그 애에게 더 많은 생각거리를 안겨주었을 뿐이었다.

"어떤 생각이에요?"

"오, 누가 알겠니!" 그녀가 신랄한 어조로 말했다. "그분은 지나치게 섬세해."

"섬세하시다고요?" 그 표현은 모호했다.

"그분이 하시는 일에 대해서 말이다. 모르겠니?" 비일 부인이 말했다. 그녀는 말을 더듬었다. "있잖니, 우리가 하는 일에 대해서 말이다."

메이지가 의아해했다. "선생님과 저 말씀이세요?"

"나와 그분을 말하는 거야, 바보야!" 비일 부인이 이번에는 정말로 킥킥대며 말했다.

"하지만 선생님은 어떤 해로운 일도 하지 않으시잖아요, 그렇지요?" 메이지가 새삼스럽게 궁금해하면서, 자기가 강조하는 것이 자기 부모에 대해 점잖게 언급한다는 의도를 담아 말했다.

"물론 우리는 그렇지 않아, 요 천사 같은 녀석아. 내가 취하는 입장이 바로 그런 거야!" 그 애의 상대방이 의기양양하게 대답했다. "그분은 네가 휘말려 드는 것을 원치 않는다고 말하셨어."

"무엇에 휘말려 든다는 거예요?"

"그게 바로 내가 알고 싶은 거야. 무엇에 휘말려 드는 건지. 그리고 어떻게 네가 이보다 더 휘말려 들겠니?" 비일 부인은 질문을 끝맺지 못하고 말을 멈추었다. 그녀는 잠시 후에 다른 방식으로 질문을 끝맺었다. "네가 말할 수 있는 것이라고는 그게 그의 근거 없는 생각이라는 것뿐이야."

그 말의 어조는, 지친 나머지 이제 그 주제에 대한 생각을 떨쳐버리고 그만 단념하려는 표현인데도 불구하고, 그런 근거 없는 생각이 비일 부인의 생각과는 얼마나 거리가 먼 것인지 너무도 생생하게 전해주었다. 그래서 우리의 어린 숙녀는 단지 연락했다는 사실에 이끌려 언급되지도 않았고 알려지지도 않은 어떤 일에 대한 어렴풋한 우려에 이르렀다. 그 애의 의붓부모 사이의 관계는 그 당시 불가사의한 찌꺼기를 갖고 있었다. 그 애는 자신을 제외하면 그 관계는 성립되지 않는다는 생각을 처음으로 하게 되었다. 그 두 사람 각자에게 그것은 단지 우연한 만남에 불과했다. 그래서 그 애는 그 때문에 클로드 경이 자신으로부터 거리를 두게 되는 것이라고 생각했다. 그는 그 애가 위태로워질까 봐 두려워하지 않았을까? 그가 그런 양심의 가책을 느끼고 있을 것이라는 생각은 그를 더 사랑스럽게 했다. 그래서 자기가 그런 위험과 얼마나 거리가 먼지 그에게 보여줌으로써, 모든 것을 단순하게 할 수 있지 않을까 하는 생각이 언뜻 떠올랐다. 그 애는 세 살 때부터 그런 상황에 눈길을 주며 살아오지 않았던가? 패런지네 집에서 가장 빈번하게 논의되는 것이 바로 그런 문제였다. 거기에서는 위험 요소라는 말이 항상 집안에 퍼져 있었고, 다섯 살 때는 박수갈채가 이어지는 가운데 그 말들을 재잘거릴 수 있었다. 간단히 말해서 그 애는 사람이 머리빗으로 뺨을 맞거나 어둠 속에 혼자 남겨지는 벌을 받듯이 명예를 손상당할 수 있다는 것을 알고 있었다. 그리고 그러한 시련들이 보통 너무나 미미한 영향을 끼치는 것으로 여겨진다는 것에 대해서도 똑같이 익숙했다. 그러나 가장 먼저 해야 할 일은 비일 부인에 대해서 절대적인 확신을 가져야 하는 것이었다. 이 일은 그 애가 그녀에게 다음과 같이 사려 깊게 말함으로써 이루어졌다. "만약 선생님께서 그걸 신경 쓰지 않으신다면, 정말 그런 거죠? 그렇죠?"

비일 부인은 흥미로운 기색을 내비치며 생각에 잠겼다. "너를 끌어들이는 것에 대해서 말이니? 조금도 신경 쓰지 않는단다. 그게 무슨 의미가 있겠니?"

메이지는 "그게 무얼 의미하든지 저는 휘말려 든다 해도 전혀 상관없어요. 그러니 선생님이 괜찮으시다면 저도 괜찮아요."라고 말하고는, 이어서 "오늘 저녁에 아저씨를 만날 때 제가 우리는 신경 쓰지 않는데 왜 아저씨가 그러셔야 하느냐고 말하는 게 낫지 않을까요?"라고 말을 끝맺었다.

# XVIII

그러나 그 아이는 '거 뭐라 하는 데'에서 클로드 경을 그렇게 많이 즐길 운명이 아니었다. 거기에서 일어난 일은 실제로 그들에게 매우 다른 방향으로 흘러갔다. 그 자리에서 비일 부인은, 들뜬 기분으로, 그 애에게 제안한 방향으로 해보라고 재촉했다. 그러나 나중에 박람회장에 이르러서 그녀는 다시 생각해 보고는, 그렇게 예민한 남자라면 장난스러운 행동을 보고 보통 기분이 더 상하게 될 것 같다고 말하면서 메이지에게 앞서 허락해 준 일을 철회해 버렸다. 처음에 느꼈던 감탄이 시들해졌을 때, 정원과 군중 속에서 그를 이리저리 찾아보아도 그 모습이 보이지 않자, 메이지는 실제로 클로드 경이 더 기분 나빠질 일은 일어날 가능성이 별로 없다고 느꼈다. 그 두 사람은 마음은 간절하지만 돈이 없어서 마음껏 즐기지 못하는 가운데 모든 시간을 보냈다. 그들은 집에서 함께 간단한 요깃거리로 식사를 때웠다. 메이지는 그 식사를 '잼 저녁'이라고 이름 붙였다. 패런지 씨가 외국에 나가 즐기는 동안에, 그들은 그런 식으로 저녁식사를 때웠다. 이제 패런지 씨가 그런 즐거움을 추구하는 일은 거의 전적으로 외국에서인 상황이었다. 그리고 그의 딸은, 그의 아내에게 들어서, 그가 친구와 함께 요트 놀이를 즐기기 위해 카우즈로 떠난 지 3일이 되었다는 사실을 알게 되었다.[43]

그곳은 서커스 단막극들로 넘쳐났다. 비일 부인은 어린 소녀에게 그 촌극들을, 애석하게도, 그처럼 매력적이고 황홀한 이름만을 보여주면서 소개해 주었다. 촌극 관람료는 1회에 6펜스였지만, 그것이 6펜스라는 소액임에도 불구하고 일찌감치 그 두 사람 중 더 나이 든 사람이 흡족해하는 대로 그 돈을 아껴야 한다는 애정 어린 충성의 분위기가 형성되었었다. 수업 시간에 딴전을 피우던 아이들이 선생님이 던진 질문에 건성으로 대답하는 소리처럼, 잔돈이 그 애의 손에서 마지못해 떨어졌다. 메이지는 팔짱 낀 팔을 친구의 호주머니에 더 바짝 대고 누르면서, 거기에서 1실링이 짤랑거리는 소리가 나기를 바라며, 커다란 그림 포스터들을 더 천천히 지나갔다. 그러나 그 결과는 그 애의 갈망을 더 심화시킬 뿐이었다. 클로드 경이 마침내 와주기만 한다면 그 백동전 실링들이 마음껏 울릴 텐데. 두 동료는 실링 동전 한 닢이 없어서 '숲속의 꽃들'이라는 촌극 앞에서 발길을 멈췄다. 그 극은 밝은 갈색으로 분장한 여자들이 출연하는 것이었는데, 그들은 열대의 풍부한 분위기를 표현하는 수단으로 온통 갈색으로 분장하고 있었다. 그리고 거기에서 메이지는 그가 결코 나타나지 않을 것이라는 자신의 믿음을 비통하게 표현했다. 그 일로 비일 부인은 눈에 띄게 낙담했지만, 그가 확실히 약속했던 건 아니라고 그 애에게 상기시켰다. 그 말을 듣고 아이는 '숲속의 꽃들' 쪽을 뿌예진 시선으로 바라보았는데, 그 촌극은 더 근사해졌지만 이상하게 더 혼란스럽게 번져 보였다. 그리고 그 혼란스럽게 번진 시선에 그 순간 화려한 부스에서 한 숙녀와 함께 나오는 한 신사의 모습이 들어왔다. 그 숙녀가 너무 갈색이어서, 메이지는 처음에 그녀가 '꽃들' 멤버 중 한 사람인가 생각했다. 그러나 그런 생각을 하고 있었던 몇 초—그 애도 울적하게 클로드 경의 출현을 단념했던 몇 초—동안, 그 애는 뒤에서 놀라움과 고통이 짧고 날카로운 외마디 비명으로 뭉뚱그려진 비일 부인의 목소리를 들었다.

"사악하고도 사악한 비일!"

그는 메이지와 비일 부인을 발견하지 못한 채, 이미 행인들 무리 속에서 다른 쪽 길로 방향을 돌렸다. 갈색 숙녀가 그렇게 제안한 것 같았다. 그녀가 어떤 길로 가는지는 사람들의 머리와 어깨 위로 곧추선 그녀의 주홍색 깃털 장식이 선명하게 보여주었다. 그 깃털 장식을 한 숙녀에게 메이지는 바로 뜨거운 시선을 주었다. "저 여자는 누구예요? 저 여자가 누구죠?"

그러나 비일 부인은 잠시 동안 그들의 뒷모습을 바라보기만 했다. "사기꾼, 사기꾼!"

메이지는 생각에 빠졌다. "아빠가 우리가 생각하는 그곳에 계시지 않기 때문에요?" 똑같은 상황이 한 달 전에 엄마를 만나게 되었던 켄싱턴 가든즈에서도 있었다. "아마도 아빠가 돌아오셨나 보죠." 그 애가 재빨리 뭔가 도우려는 말을 했다.

"그는 아예 가지도 않은 거야. 비열한 인간!"

클로드 경에 따르면 그 상황 역시, 그 애 엄마가 외국에 나간다고 하고는 나가지 않았던 일과 똑같은 경우였다. 그리고 메이지는 더 성숙해진 마음에 역사가 그런 식으로 반복된다는 어떤 느낌을 받았을 뿐이었다.

"저 여자는 누구예요?" 그 애가 다시 물었다.

비일 부인은 그 자리에 꼼짝하지 않고 서서 놓쳐버린 기회를 머릿속에 떠올리며 넋이 나간 듯했다. "그가 나를 보기만 했어도!" 그녀는 앞니 사이로 그 말을 내뱉었다. "그 여자는 아주 새로운 여자구나. 하지만 화요일부터 그 여자와 함께 지낸 게 틀림없어."

메이지는 그 말을 받아들였다. "그 여자는 거의 흑인 같은데요." 그 애가 이어서 보고하듯 말했다.

"그들은 항상 끔찍한 부류들이야." 비일 부인이 말했다.

그 말을 듣고 아이는 다시 곰곰이 생각했다. "오, 아빠의 아내들은 끔찍한 분들은 아니에요." 그 애가 항의하듯 말했다. 다른 때였다면 그 말은 아마도 그 애의 친구를 뚜껑이 '열리게' 만들었을 것이다. 그러나 지금 비일 부인은 극도로 신경이 곤두선 채로 너무도 철저히 정신을 차리고 있었다.

"넌 이제까지 저따위 깃털 장식을 본 적이 있니?" 메이지는 이내 계속해서 생각에 잠겼다.

그 깃털 장식은 상당한 거리를 두고 멈춰 서 있는 것처럼 보였다. 그리고 사이에 끼어든 군중들에도 불구하고, 두 사람은 그것을 볼 수 있었다. "오, 저들이 입고 있는 옷 꼬락서니하고는—저속하고도 저속한 것들!"

"그들이 되돌아오고 있어요. 그들이 우리를 보게 될 거예요." 다음 순간 메이지가 외쳤다. 그 애의 동료는 이게 정확하게 자기가 원하는 바라고 대답했고, 아이가 "그들이 다 왔어요. 그들이 다 왔다고요!"라고 대꾸하는 동안, 알아채지 못한 그 두 대상은 각별히 주의를 기울이면서 그들이 가려는 방향에서 마음을 바꿔 발걸음을 되돌려 그들을 비난하는 사람들 쪽으로 급하게 다가왔다. 그들이 의식하지 못하고 있었기 때문에, 비일 부인은, 숨을 죽인 상태에서, 메이지가 파악한 인식에 이를 수 있는 시간을 갖게 되었다.

"저 여자는 커든 부인임이 틀림없어!"

메이지가 커든 부인을 뚫어져라 쳐다보았다. 그 애는 심지어 그 이름을 입술을 달싹거려 따라 해보기까지 했다. 이어진 상황은 너무도 급작스럽게 진행되었다. 우리의 여주인공을 둘러싸고, 적어도 그처럼 짧은 순간에 벌어진 그 어떤 전투보다도 더 격렬한 한순간의 전투가 벌어졌다. 사람들이 눈치챌까 봐 내색하지도 못하는 상태에서 받은 충격은 격심한 것이었다. 그리고 시간이 지난 뒤 다시 생각해 보니 그 애의 발걸음은 질서가 있었는데, 그 발걸음을 통해서, 당황해서 소리를 내기보다는 오히려 침묵을 지켰다. 그리고 그 애는 너무도 갑작스러워서 이해할 틈도 없이, 너무도 이상해서 두려워할 틈도 없이, 박람회장의 입구에서 아빠와 함께 서 있는 자신을 발견하게 되었다. 그는 이륜마차 안으로 그 애를 밀어 넣고, 뒤따라 자기도 마차에 탔다. 그리고 그 애는 마차를 타고 가면서 비로소 자기에게 무슨 일이 일어났었는지 약간이나마 이해할 수 있게 되었다. 그는 정원에서 그들과 맞닥뜨리며 그들을 보게 되었고, 잠시 격심한 충격을 억제하는 듯싶었다. 그 순간 검은 눈동자를 반짝이고 머리의 붉은 깃털 장식을 흔들며 커든 부인이 그들을 알아봤고, 비명을 지르더니 사라져 버렸다. 또 다른 순간 그 애는 클로드 경 역시 놀라서 거기에 멈춰 서 있는 것을 알아차렸다. 하지만 그는 마치 그들에게 다가오지 말라고 경고를 받기라도 한 것처럼 자기 아빠의 시선에서는 벗어나 있었다. 다른 모든 것들이 제자리로 돌아가면서, 그 애는 비일 부인이 아빠에게 말하는 소리를 듣게 되었다. 그녀가 큰 소리로 말했는지 낮은 소리로 말했는지는 지금 기억나지 않지만, 이번에는 그가 새 여자를 얻었다는 말을 했었다. 그 말을 듣고 그가 뭔가 분명하지 않은 말을 으르렁거렸는데, 그 말의 어조나 종류로 보아 그 애가 아주 어렸을 때부터, 누군가가 누군가에게, 누군가가 그 사람이 아니라 '다른 사람'이라고 대꾸하는 것을 들어왔던 일과 관련이 있는 것 같았다. "오, 나는 오랫동안 사귀어온 사람에게 충실하단 말이에요!"라고 비일 부인이 아주 큰 소리로 선언하듯 말했다. 그녀의 말소리는 마차가 떠나가고 있는데도 여전히 공중에 메아리쳤다. 메이지 곁에 있는 유력인사는 비일 부인을 떨쳐내고 오는 순간부터 아무 말이 없었다. 단지 그는 발판 위에 서서, 마차 지붕 위로 마차꾼에게 어딘지 알 수 없는 주소를 말했을 뿐이었다. 나중에 이 일들을 회상해서 재구성하면서, 그 애는 아빠가 갑자기 팔로 자기를 감싸는 느낌을 받은 것, 아빠가 자기를 끌어당길 때 이전에는 결코 보여준 적 없는 방식으로 동요되어 있었다는 것을 느꼈던 것 때문에 침묵 상태—아빠가 그 침묵 속으로 자기를 매혹시켜 끌어들였는지 혹은 그 속에서 두려워 떨게 했는지, 어느 쪽인지는 말하기 어려웠다—에 빠지지 않았더라면, 그 순간 아빠에게 질문을 했을 수도 있었을 것이라고 생각했다. 그 애는 아빠가 떨고 있다는 것, 떨려서 말을 하지 못하고 있다는 것을 느꼈다. 그 때문에 아이는 그 순간 가슴이 두근거리기 시작했지만, 결코 두렵다고만 할 수는 없는 심정으로 그의 불길한 침묵에 순응하게 되었다. 그의 압박이 어떤 식으로든 알려주는 것처럼 메이지에 대한 그의 소유 행위가, 그 어떤 것이라도 되돌아오게 할 만큼 길고도 긴 중지 기간이 지나고 그 애에게 다시 돌아왔다. 그들이 탄 마차는 계속해서 달렸고, 그는 아이를 바짝 당겨 안고 있었다. 그 애는 앞을 똑바로 응시하며 하나의 어두운 거리가 지나가고 또 다른 거리가 다가오는 것을 숨을 죽이고 바라보고 있었다. 그때 이상하게도 이 모든 것들이 의미하는 바가, 아빠가 그 애가 생각했던 것보다도 모든 일에서 제외되어야 마땅한 사람은 아니라는 생각이 들었다. 채 일 분도 지나지 않아 아이는 그런 깨달음에 이르렀고, 그 깨달음은 그 애로 하여금 지금 아빠 팔에 안겨 있는 상태에서, 아빠가 놀라우리만큼 재확인된 어떤 의도를 가지고 있다는 생각이 들게 했고, 더불어 혼란스러운 신념을 갖게 해주었다. 그 애는 그가 어떤 일을 했고, 또 어떤 일을 하고 있는지 정확하게 알 수 없었다. 그 애는 완전히 감동받고 너무나 자랑스러워서, 단지 아빠가 무언가를 하기 위해서 급히 나섰고 그 애가 그만큼 빠르게 그 일의 일부가 되었다는 생각에 전율할 따름이었다. 그들이 그다지 크지 않은 어떤 집 앞에 도착했다는 것도 역시 그 일의 한 부분이었다. 선명한 흰색으로 꾸며진 그 집 전면에는 가로등 불빛에 세련된 화분들이 비치고 있었다. 그 애는 프랑스 엘리제에 관한 다채로운 로맨스는 말할 것도 없고, 윅스 선생님이 들려주었고 자기 자신의 것이 되었던 수많은 이야기의 세계 속에 빠져든 적이 있었다. 그러나 이런 종류의 이야기는 결코 접해본 적이 없었다. 아빠는 아이가 마차에서 내리도록 도와주었고 마차는 떠나갔으며, 그 집 문 앞에서 아빠가 열쇠로 문을 여는 짤막한 딸깍 소리를 듣게 되었을 때, 그 애는 아라비안 나이트의 세계에 완전히 휘말려 있었다.

　이 순간부터 모든 것에는 최고조에 달한 경이로움이 배어 있었다. 특히
나 그처럼 즉각적인 '열려라 참깨'44 같은 주문에도 배어 있었고, 그 마차의
출발에도 배어 있었는데 그 모습은 포기당한 의붓부모로 채워진 덜거덕거
리는 공허함이었다. 아빠가 벽에 있는 조그만 청동 스위치를 살짝 만지면서
생겨나는, 거의 눈부실 정도의 하얀 빛에도 그와 같은 선명한 경이로움이
배어 있었다.45 그곳은 짧고 부드러운 계단 꼭대기에 있는, 그 애가 이제껏
본 중에서 가장 아름다운 장소였다. 그 애가 다음에 알아차린 건, 그곳이 어
떤 숙녀의 응접실이라는 것이었다. 그 애는 그 방이 신사의 방이 아니라는
것을 바로 알아볼 수 있었는데, 심지어 아빠나 클로드 경 같은 신사의 방도
아니었다. 그 방에 있는 물건들은 엄마의 물건들보다도 훨씬 아름다웠는데,
그것은 엄마의 물건들이 비일 부인의 것보다 더 아름답다고 말할 수 있는
것만큼 차이가 났다. 작고 밝은 방 한가운데에서, 비일 부인과 여사님이 함
께, 그건 부자연스러운 동맹이지만, 수집하려 한다 해도 필적할 수 없을 만
큼 많은 커튼과 쿠션들, 그림과 거울들, 무늬를 넣은 직물 위로 잎을 드리운
종려나무들, 약간 구부러진 모양의 테이블 위에 흩어져 있는 조그만 은제
상자들, 그리고 벨벳 스크린에 걸려 있는 조그만 타원형의 미니어처들에 둘
러싸여서, 그 아이는 동정심을 예리하게 맛보며, 심미안을 가진 그 부인들
각자가 이상하게도 별 볼일 없는 존재로 좌천되는 것 같은 느낌이 들었다.
그보다 더 이상한 일은 아이의 눈에 그 자리에 있는 아빠가 그 눈부신 장면
속에 훨씬 안성맞춤이고 당당해 보인다는 것이었고, 그가 그보다 못한 장면
에서는 훨씬 구분되어 보인다는 것이었다. 그 애는 아빠가 머뭇거리며 아무
런 설명도 하지 않았던 20분 동안 그 방 안에 그와 함께 있었다. 그 시간은
그 애에게 자신들에게 갑작스럽게 닥친 위험 속에 즉석에서 마련된 값비싼

대접―비록 롤빵이나 진저비어 같은 것은 없었지만―같은 인상을 주는 시간이었다.

"그녀는 매우 부자인가요?" 그는 그 애에게 거의 당황하는 듯한 인상을 주었다. 그는 자신과 공유하는 것이 거의 없는 젊은 아가씨와 자신이 함께 있다는 사실에 너무나 부끄러웠을지 모른다. 그 애는 정확하게 그런 염려가 들어서 아빠에게 뭔가 재치 있는 위안의 말이라도 해야 할 것 같았다.

비일 패런지는 기발한 모양의 벽난로 쪽으로 등을 돌리고, 가벼운 코트 자락―런던에서 가장 가볍다는 바로 그 코트―을 열어젖힌 채, 그리고 그의 윤기 나는 멋진 턱수염으로 셔츠 깃을 완전히 가린 채, 자신의 어린 숙녀에게 미소를 지어 보이며 서 있었다. 그 애는 아빠가 잘생겼다는 생각에 어느 때보다도 더 기뻤다. 그는 엄마만큼 키가 커 보였고, 특별히 화려하고 좋은 야회복을 입고 있는 모습이 엄마만큼 근사했지만, 그 야회복은 엄마 것보다는 덜 호전적이고 덜 끔찍했다. "여백작을 말하는 거니? 왜 그런 질문을 하는 거지?"

메이지의 눈이 휘둥그레졌다. "그분이 여백작이신가요?"

그는 그 애가 그처럼 놀라는 것을 긍정적인 찬사로 받아들이는 듯했다. "그렇단다, 애야. 그러나 영국 작위는 아니야."

그 애는 그 말을 음미하는 듯한 태도를 취했다. "그럼 프랑스 작위예요?"

"아니, 프랑스 작위도 아니고 미국 작위란다."

그 애는 기분 좋게 대화를 이어갔다. "아, 그렇다면 그녀는 당연히 부자겠군요." 그 애는 국적과 신분의 그러한 조합을 받아들여 이해했다. "저는 그처럼 멋진 건 본 적이 없어요."

"넌 그녀를 보았었니?" 비일이 물었다.

"박람회장에서요?" 메이지가 미소 지으며 말했다. "그분이 너무 빨리 가버리셨어요."

아이의 아빠가 웃었다. "그녀가 도망쳐 버렸지!" 그 애는 아빠가 비일 부인과 클로드 경에 관해 무슨 말을 할까 봐 불안했다. 하지만 아빠가 그 말을 꺼내지 않고 있는 모습이 그 애를 몹시 불안하게 하기도 했다. 아빠가 입 밖에 내뱉은 말은 "그녀는 저속한 상황에 질색이란다."라는 것뿐이었다.

그 말은 그 애가 대꾸할 필요가 없는 그런 말이었다. 그 애는 여전히 평온한 상태를 유지했다. "그런데 아빠는 그분이 어디로 갔는지 아세요?"

"오, 나는 그녀가 마차를 잡아탔으니 지금쯤 여기에 도착했을 거라고 생각했어. 하지만 그녀는 곧 무사히 나타날 거야."

"저도 그러길 바라요." 메이지가 말했다. 그 애는 자신들의 주변에 펼쳐진 그 모든 아름다운 분위기에 감동을 받아서 진지하게 말했다. 그 아름다운 분위기에 여백작이 직접 더 기여할 거라고 생각했다. "우리가 너무 빨리 왔어요." 그 애가 덧붙여 말했다.

아이 아빠가 다시 큰 소리로 웃었다. "그럼, 애야. 내가 너를 외출하게 해줬단다!" 그가 잠시 기다렸다가 말을 이었다. "나는 그녀에게 너를 소개해 주려고 해."

메이지는 그 말을 듣고 비일 부인이 그날 저녁 외출을 위해서 직접 그 애의 오래된 모자를 수선해 주고 외모를 가꾸어주는 등의 신경을 써주었다는 것이 기뻤다. 그런 생각을 하고 있는 동안, 아빠가 말을 계속했다. "넌 그녀를 무척 좋아하게 될 거야."

"아, 그렇고말고요!" 그 말을 한 후에 그 애는 너무 많은 말을 했다는 느낌에서였는지, 혹은 더 이상 말할 화제가 없어졌다는 갑작스러운 생각이 들어서였는지, 당혹스러워져서 사소한 화제에서 핑곗거리를 찾았다. "저는 그녀가 커든 부인이라고 생각했었어요."

비일의 유쾌함은 줄어들기보다 더 커졌다. "네 말은 내 아내가 그렇게 말했다는 거지? 나의 사랑스러운 딸아, 내 아내는 막돼먹은 멍청이다!" 그는 자기 아내를 마치 그 애가 전혀 모르는 어떤 사람에 대해서 말하듯 이야기하는 가장 괴이한 태도를 가졌다. 그래서 어색한 분위기를 피해보려고 그 애가 꺼내든 핑곗거리는 그다지 즐거운 결과에 이르지 못했다. 비일은 잠시 후 양심의 가책을 느끼는 것처럼 보였다. "진지하게 말하자면 내 말은, 그녀가 어떤 일에 관해서건 아무것도 모른다는 거야." 그는 잠시 말을 멈추고 아이의 매혹된 듯한 눈동자를 따라 한두 걸음 발걸음을 옮겼는데, 덕분에 그 애는 여러 테이블 중 예쁜 소품들이 놓여 있는 한 테이블에 더 가까이 다가가게 되었다. "그녀는 자기가 멋진 소품들을 가지고 있다고 생각한단다. 너도 알잖아!" 그는 비일 부인이 한 착각을 심하게 비웃었다.

메이지는 그것이 하나의 '착각'이었다고 고백해야만 한다고 느꼈다. 그 애가 촌극을 구경하지 못해서 놓쳐버린 모든 것을 여백작의 호화스러운 장식품들이 보상해 주었다. "맞아요, 그녀는 그렇게 생각했어요."라고 그 애가 신중하게 말했다.

비일은 그녀가 어떻게 생각하든지 아무 상관 없다고 또다시 건조한 태도로 대답했다. 그러나 그는 자신이 더 심한 말을 하게 만들지 않은 채 그처럼 오랫동안 자기 딸이 자기와 함께 있어주었다고 생각하여, 딸에게 점점 더 상냥한 태도를 취했다. 그때의 모든 시간은, 몇 날 몇 주 동안, 지워지지 않을 정도로 선명하고 확실하게 그 애의 기억에 남아 있었다. 그 시간이 끝날 때쯤 해서 그 애는 그 순간에는 단지 기적처럼 즐겁기만 했던 수많은 일들로부터 그런 의미를 해석해 낼 수 있었다. 그들이 당시에 이르렀던 상태는, 단지 그 애의 상대방이 여전히 몹시 당황해 있으면서도 그것을 그 애에게 보여주지 않으려고 애쓰고 있었던 상황이었으며, 그런 시도에 그가 성공한 만큼 그에 비례해서 그가 그 애로 하여금 그를 친절한 사람으로 여기도록 기운을 북돋워 줄 수 있었던 상황이었다. 그는 잠시 후 방 안을 이리저리 왔다 갔다 하면서 그 애에게 소품들을 보여주며, 마치 자신이 미적 취향을 가진 사람이라도 되는 양 말했으며, 그 소품들 중 하나에 새겨져 있는 유명한 프랑스 귀부인의 이름을 말해주었고, 그 애는 그 이름을 아직도 기억하고 있었다. 그는 마치 그 애가 어떤 소소한 장신구나 눈길을 끄는 소품 하나를 갖고 싶어 한다는 것을 알아차리기라도 한 것처럼, 여백작이 돌아와서 뭔가 멋진 것을 그 애에게 줄 것을 믿어 의심치 않는다고 말했다. 그의 눈길이 뚜껑에 거울이 부착된 분홍색 공단 상자에 멎었다. 그는 그것을 재빨리 익살맞은 몸짓으로 집어 들더니 초콜릿이 여섯 개 줄지어 있는 특별히 귀한 과자를 그 애에게 권했는데, 그것은 네 줄짜리 초콜릿 이상을 준 적이 없는 클로드 경을 능가하는 것이었다. "나는 이 물건들을 내 마음대로 할 수 있단다. 왜냐면 내가 그 물건들을 그녀에게 선물해 주었다는 사실을 너한테는 말해도 괜찮으니까."라고 그가 말했다. 여백작은 틀림없이 그 선물에 대해 감사했을 것이다. 나열된 선물들 사이에는 무수한 빈틈이 있었고, 그것은 지금도 맞춰지지 않은 채 흐트러져 있었다. 그들이 함께 기다리는 동안 메이지는 자신이 아빠에게, 그가 마지막으로 자기를 인지했던 순간 이후로, 많이 성장한 모습으로 비쳤을 거라는 생각이 들었다. 그것은 두 사람의 이별이 어떤 것이었는지를 보여주는 표시이기도 했다. 그리고 그 애는 다른 것 때문이 아닌, 여러 해가 지나면서 그 애의 키가 몇 인치씩 커졌다는 사실로는, 그가 자기를 어린 사람으로 고려해야 한다는 생각이 더욱더 들었다. 그렇다. 이것이 그가 어리석어 보일 정도로 다정하게 행동하면서, 어름어름 숨기고 넘어가려 했던 적극적이지만 어색한 그의 태도 중 일부분이었다. 그처럼 시간이 흘러가는 가운데 방에 놓인 종려나무 화분 중 하나 아래에 놓인 노란색 비단 소파 위에서 그는 그 애를 무릎 위에 앉히고 머리를 쓰다듬으며, 자신의 빛나는 송곳니를 드러내 보이는 동안 장난치듯 그 애를 붙들고는, 애매하게 애정 어린 난감하고 무의미한 표현인 "사랑스러운 늙다리 소녀, 사랑스러운 내 어린 딸"이라는 말을 해대며, 그 애로 하여금 자기가 소중하게 기르고 있는 턱수염의 냄새를 맡게 했다. 나중에 알게 된 사실이지만, 그 애는 아빠가 무언가를 자기에게 구체적으로 표현하려고 하는 데 어려움을 겪고 있다는 것을 마음속으로 너무도 잘 이해하고 있었기에, 아빠에 대해서 안쓰러운 생각이 들었을 것이다. 그 애는 그에 대한 반응으로 마음의 동요를 일으킬 가능성이 컸기 때문에, 사실상 그 애의 상태에 관해 생략된 것을 여기서 보충하는 것은 더 이상 필요하지 않았다. 켄싱턴 공원에서 대위가 그 애의 엄마를 좋은 사람이라고 그처럼 '근사하게' 말해 주었을 때처럼, 그 애의 눈에 또다시 눈물이 고였다. 자신의 아빠에게서 느낄 수 있는 이처럼 더욱 직접적인 선량함이나 그의 비길 데 없는 찬란한 고독, 그리고 그것으로부터 그가 아빠이고 훌륭하다는 사실 말고 다른 모든 것은 없어져 버리는 느낌이 가슴 벅찬 일이 아니라면 무엇이겠는가? 아빠가 안절부절못하는 것을 보고, 그 애가 마침내 그가 표현할 방법을 찾아내지 못한 어떤 목적을 가지고 있다는 사실을 눈치챘다는 것으로, 그 애가 느낀 감동이 훼손되지는 않았다. 왜냐하면 그들은 새롭게 친밀함을 회복하게 되었고, 그래서 그 애는 아빠가 자신들의 관계를 매우 편안하고 솔직한 관계라고 암시하거나, 심지어 그런 척하는 데에도 즐거운 마음으로 적극적으로 응했기 때문이었다. 그의 태도에는 그 애에게 자기가 그런 척하는 것을 도와 달라고 애원하듯 부탁하는 것 같은 무언가가 있었다. 마치 자신이 그 애가 어떻게 생활하고 교육받는지, 어떻게 생계를 이어가는지, 그리고 그 자신에 대해 어떻게 생각하고 있는지 충분히 잘 알고 있는 것처럼 행동할 수 있도록 도와 달라는 듯했다. 그가 그 애에게 자연스럽고 가정적인 어조로 물어볼 수 없는 질문들을 할 수 있게 해달라고 애원하는 듯했다. 만약 그가 그 애에게 그런 눈치만 보여주었다면 그 애는 기쁘게 그런 척했을 것이다. 그가 커다란 이빨 사이로―그 애는 그런 짓이 멍청해 보이는 행동이라는 것을 알지 못했다―한숨을 내쉬는 동안, 그 애는 그의 입에서 그런 말이 나오기를 기다렸다. 그리고 그는 비록 자신이 그동안 줄곧 너무도 어리석었는데도 불구하고, 그 애의 눈에 가득 고인 동정심 어린 눈물이 마치 그 애가 어떤 일이라도 할 준비가 되어 있다고 말해주기라도 한 것처럼, 도대체 자기가 무엇을 붙잡고 의지해야 하는지 알 수 없다는 듯이 당황스러워했다.

## XIX

그가 담배에 불을 붙이고 그 애의 얼굴에 연기를 뿜어내기 시작했을 때, 그것은 마치 그가 예전에 했던 공언, 오래된 스캔들, 오래전의 의무들이 적힌 메모지의 기이하고 꼴사납고 시끌벅적한 내용에 성냥을 그어서 불을 붙인 것 같았다. 그것은 그 자신이 그 애에 대해 무엇을 소유했었는지에 대한 어렴풋한 인식이었고, 그 모든 것들이, 제기랄, 완전히 달라져 버렸다 할지라도 그 애가 여전히 그에게 무엇을 줄 수 있는지에 관한 인식이었다. 그러나 그 애가 그에게 무엇을 줄 수 있는가는, 그의 깜박이는 눈이 담배 연기를 통해서 그려보는 것처럼, 단순히 그가 그 애로부터 무엇을 얻을 수 있는

가와 같은 말이었다. 무언가를 주는 것, 이 자리에서 당장 준다는 것은 모두 그 애 자신의 욕망이었다. 되돌아온 옛것들 가운데는 평화를 유지하려는 그 애의 작은 본능이 있었다. 그 본능은 그 애가 어떤 특별한 일은 할 수 있으며 어떤 것은 할 수 없는지, 어떤 특별한 말은 할 수 있으며 어떤 말은 할 수 없는지, 또 어떤 특별한 방침은 취할 수 있고 어떤 것은 취할 수 없는지를 더욱 예민하게 궁금해하게 했다. 그처럼 예민한 궁금증은 모든 사람들, 심지어 여백작에 대해서도 위기의 전환점이 될 수 있었다. 그러한 유익을 위해서라면 그 애는 클로드 경을 제외하고는, 비일 부인을 제외하고는 대단한 모든 것을 포기할 마음의 준비가 되어 있었다. 그 막대한 양보에 두 사람은 포함되지 않았다. 만약 아빠가 머릿속에 어떤 생각을 숨기고 있다면, 그 애 역시 마음속 깊은 곳에 품고 있는 생각이 있었다. 그리고 그들이 함께 앉아 있는 동안, 그의 그런 비전에 대한 그 애의 비전과 그 애의 비전에 대한 그의 비전, 그 애의 비전에 대한 그의 비전에 대한 그 애의 비전 사이에는 특별한 침묵의 통로가 있었다. 사실 효과적으로 기록할 수 없었던 것은 아이의 순수성에서 생겨난 조그맣고 이상한 연민의 정에 관한 것이었다. 그 연민의 감정에는 상황에 대한 충분한 인식이 배어 있었으며, 처세술에도 충분히 익숙해져 있었다. 게다가 비일이 벽난로 불빛에 흔들리는 자신의 심정을 그의 멋진 존재감으로 반쯤 감추면서 했던 말은, "얘야, 넌 내가 곧 미국으로 떠나게 될 거라는 것을 알고 있니?"였다. 그의 말이 딸에게는, 그가 아내에게 직접 말하지 않아도 그 말이 그의 아내 귀에 전해지는 지름길이라고 여겨졌다. 그러나 아이의 대답 속에는 그의 아내의 눈부시고도 피상적인 확신에 찬 표정이 나타나 있었다.

"비일 부인과 함께 가시는 거예요?"

아빠는 그 애를 빤히 바라보았다. "그런 바보 같은 소리 하지 말아라!"

그 애의 침묵은 바보처럼 보이지 않으려고 노력하고 있다는 것을 보여 주는 듯했다. "그럼 여백작과 함께 가세요?"

"이 녀석아, 그녀랑 함께 가든 그렇지 않든, 그건 오직 네 가엾은 아빠가 상관할 일이니 넌 관심 끄럼. 그녀는 거기에 큰 사업체들을 가지고 있어서 내가 그 사업체들을 봐주길 바란단다."

메이지는 그 사업체들에 대해 곰곰이 생각해 보았다. "매우 오래 걸리나요?"

"그래. 그 사업들이 혼란스러운 상태에 있어서 몇 달 걸릴지도 몰라. 그래서 지금 내가 알고 싶은 건 네가 나랑 함께 미국에 가고 싶어 하는지 아닌지야. 알겠니?"

방 한가운데 아빠 앞에 다시 한번 나무처럼 세워져서 그 애는 자신이 하얗게 질려가고 있음을 느꼈다. 그 애는 "제가요?"라고 숨을 헐떡이며 말했다. 그러나 그렇게 대꾸하자마자 그처럼 낙담한 말투는 예쁘게 들리지 않았을 거라고 느꼈다. 아빠가 다리를 떨며 담뱃재를 떨어내고, 조끼와 바지까지 위아래 모두를 안절부절못하고 바라보며—그는 언제나 그런 시선으로 바라보았는데—그렇게 싫어할 필요는 없다고 대답했을 때, 그 애는 자기가 부적절하게 대답했다는 사실을 더욱 절실하게 느꼈다. 몇 초 지나지 않아, 그 애는 자신이 어떤 모습으로 보이든 어떤 대답을 내놓는 것이 옳은 일인지, 여백작의 광휘라는 아름다운 불빛 속에서 알게 된 것이, 정확하게 아빠가 더 바라는 모습으로 보이게 하는 데 도움이 되었다. "사랑하는 아빠, 전 어디든 아빠랑 함께 갈 거예요."

그 애에게 등을 돌리고 턱수염에서 담뱃재를 떨어내는 동안, 그는 벽난로 선반에 놓인 거울에 코를 댄 채 서 있었다. 그런 다음 그가 갑자기 말했다. "넌 짐승 같은 네 엄마에 대해 뭐라도 아는 게 있니?"

그 질문이 놀라우리만치 그 애에게 상기시켜 준 것은, 그 애의 짐승 같은 엄마가 보여주었던 것과 똑같은 태도였다. 그 태도는 아이다가 공간을 가로질러 연결해 놓은 멋들어진 가교들 중 하나를 자유로이 비상해 버리는 것이었다. 이런 느낌과 더불어 동시에 메이지에게는 영감의 불꽃이 빛을 발하였다. "오 그래요, 저는 모든 것을 알고 있어요."라고 말하며 그 애가 너무도 밝은 모습을 띠어서, 그 애 아빠는 거울로 그것을 보고서 아이를 향해 돌아서며 이내 소파에 앉아 그 애를 다시 무릎 위에 앉혔다. 그러면서 그는 다시 유난히 애처로운 표정을 지었다. 메이지는 엄마에 대해서 더 많이 말할수록 의붓부모에 대해서는 그만큼 덜 말할 수 있으리라는 것을 자신의 영감으로 절실히 알게 되었다. 그 애는 의붓부모를 보호해 줄 자신의 능력이 고갈되기 전에 여백작이 돌아오기를 계속해서 바라고 있었다. 그리고 이제 아빠와 더 가까이 있으면서 그 애의 머릿속에 간직되어 있던 생각이 말로 표현되어 나왔다. 그 애는 아빠에게 자기가 켄싱턴 공원에서 엄마가 어떤 신사분과 함께 있는 것을 만나게 되었고, 클로드 경이 여사님과 걸으며 이야기를 나누는 동안 그 신사분이 자기에게 친절하게 대해주었으며 함께 앉아서 이야기를 나누었다고 말했다. 그 상황을 묘사하는 동안 비일이 자기가 하는 말을 막무가내로 가로막지 않고 듣는 것을 보는 즐거움에 빠진 나머지, 그 애는 대위에게 비밀을 지키겠다고 약속한 기억을 까맣게 지워버리고 말았다. 아빠가 자신의 분노에 지쳐버렸다고—어쨌든 엄마에게 화를 내는데—짐작할 수 있게 된 것은 거의 깜짝 놀랄 일이었지만, 사실 매우 즐거운 일이었다. 그는 이제 그 애를 지루해하고 있었다. 그러나 그로 인해 그의 고갈된 불쾌감이 다시 분출되어서는 안 된다는 사실이 그 애를 더욱 절박하게 만들었다. 그 애는 자기가 아빠를 흥미롭게 해드릴 수 있다는 사실에 황홀한 기분을 느꼈다. 그 애가 여러 가지 질문을 한 후에 그가 생각에 잠겨 약간 애매하게 이렇게 말했을 때도, 그 황홀함은 여전히 남아 있었다. "그래, 빌어먹을, 네 엄마가 그렇게 하지 않을 거라면!" 이 말에도 역시 그 애를 안심시키는 어떤 초연함이나 지혜로운 권태감이 깃들어 있었다. 비록 가능한 한 적게 언급했지만, 그 애는 클로드 경에 대해서도 말해야만 했다. 그리고 그 말이 비일에게는 전혀 이해되지 않는 것처럼 보였다. 그 애는 그것이 일반적인 무관심으로 생긴 온화한 태도라고 생각을 정리할 수 있게 되었다. 그것은 그 애 자신에게 개인적으로 너무도 대단한 이익을 가져다주었기에, 만약 여백작이 비일이 그런 태도를 갖게 된 원인이라면, 그 애는 말 그대로 여백작을 포용할 마음이 생겨났다. 그 애는 여백작에 대해 연거푸 질문을 해대면서 그러한 들뜬 마음을 드러냈고, 그 애의 아빠는 다음과 같이 대답했다.

"오 그녀는 분별 있는 사람이야. 나는 그녀를 어떤 일에나 뒤로 물러나 있도록 뒷받침할 거야!" 그는 마치 메이지의 질문과 그 애가 감사해하고 싶어 안달 내는 것 사이에서 연관의 흔적을 찾기라도 하는 것처럼 메이지를 바라보았다. "나와 함께 가겠다고 말한 게 정말로 진심이니?"

그 애는 그가 지금 자신을 빤히 바라보고 있다는 느낌이 들었다. 그리고 자신이 마치 이전보다 더 성장한 것처럼 느껴졌다. "아빠, 저는 아빠가 부탁하는 건 뭐든지 할 거예요."

그는 다시 웃으며 다리를 벌리고 서서 자신의 조끼와 바지를 그 특유의 시선으로 훑어보았다. "이 녀석아, 그건 '고맙지만 사양하겠습니다!'라고 말하는 방법이야. 너는 네가 눈곱만큼도 가고 싶어 하지 않는다는 걸 알고 있잖아. 넌 날 속일 수 없어!" 비일 패런지는 주장했다. "나는 널 괴롭히고 싶지 않아. 난 이제까지 한 번도 널 괴롭힌 적이 없어. 하지만 내가 제안을 했으니, 너는 그 제안을 받아들여도 되고 그렇지 않아도 돼. 네 엄마는 다시는 너와 더 이상 아무런 관계도 갖지 못할 거야. 설령 네가 부엌데기라고 해도 네 실수를 구실로 너를 내쫓을 수 없는 것만큼이나 네 엄마는 너와 더 이상 아무런 관계도 없을 거야. 그러니 내가 너의 혈육에 의한 보호자이고, 너는 나한테서 가능한 모든 것을 얻을 수 있는 권리가 있단다. 보다시피 지금이 기회야. 그걸 모른다면 넌 멍청이야. 내가 그걸 너에게 제안하지 않았다는 말은 하지 못할 거야. 내가 친절하지 않았다거나 공정하지 않았다는 말도 하지 못할 거고. 그래. 네가 그렇게 말하지 못한다는 점을 명심해라. 그래서 내가 너를 여기 데려온 거야. 난 무엇이 타당한지 알고 있어. 내가 너를 몇 번이고 받아들였던 것처럼, 나는 너를 또다시 받아들일 거란다. 그리고 나는 네가 그렇게 찡그린 표정을 지어줘서 무척 고마워."

그 애의 표정이 그가 지금 하고 싶어 하는 것에 대한 자신의 예리한 인상을 보여주는 어떤 표시가 된다면, 그 애는 그것이 그를 정말로 기쁘게 할 수 없다는 것을 충분히 의식하고 있었다. 그 애는 그를 기쁘게 하고 싶지도 않았다. 아빠가 그 애에게 형세를 역전시키려고 하고 있지 않은가? 그 애를 당혹스럽게 해서, 그 애의 조그만 치부책에 정말로 부합하는 일이 그 애가 전적으로 자신을 위한 결정을 하도록 해주는 것이라는 사실을, 친절한 매너를 보여주려고 그렇게 많이 신경을 쓴 다음, 어떻게든 인정하게 하려 하지 않은가? 그 애는 다시 불안해지기 시작했다. 이 만남이 그들의 이별이라는 것, 그들의 영원한 이별이라는 것, 그리고 그가 그렇게 많이 쓰다듬어 주려고 거기에 데리고 왔다는 소리가 그 애의 머릿속에 낭랑하게 울려 퍼졌다. 그리고 그가 그렇게 한 이유가, 이 일이 다른 누구보다도 그에게 더 좋아 보여야 한다는 점이 중요했기 때문이라는 사실도 생생하게 이해하게 되었다. 그 애가 불협화음의 음색을 내면서 그의 의도를 망쳐버리는 것은 틀림없이 그에게 불평의 근거를 주는 셈이었다. 그리고 그 애는 그를 떨쳐내 버리고 싶다는 점에서 그와 같다는 생각과, 그에게 집착하는 척하면서 그를 불쾌하게 만드는 대안 사이에서 한순간 당황했다. 그래서 그 애는 그 순간 해결책을 찾지 못해서 매우 힘없이 중얼거렸을 뿐이었다. "아, 아빠, 아, 아빠."

"네가 무슨 생각인지 알아. 그러니 내게 말할 필요 없단다!" 그 말을 하고 나서 그는 곧장 다가오더니 너무도 엉뚱하게, 그 애를 한순간 팔로 껴안고 자기 턱수염을 그 애의 뺨에다 비벼댔다. 그러자 그 애는 그가 원하는 것이, 제기랄, 최고로 명예롭게 그를 보내주는 것이라는 사실을, 말로 표현하기라도 한 것처럼 선명하게 이해하게 되었다. 마치 그의 편에서 미덕과 희생을 베풀었는데도 불구하고, 그 애가 그의 제안을 거절한 것처럼 보이게 하는 모양새가 만들어진 것이다. 정확하게, 마치 그가 그 애에게 자신의 의지를 꺾은 것처럼 보였다. "이 얼간이 같은 녀석아, 나는 너한테 내가 비난받지 않도록, 고상한 사람이 될 수 있도록, 그리고 그 문제를 끔찍하게 싫증내지 않도록 도와달라고 말하고 있는 거야. 우리 중 한 사람만 부적절한 일을 하면 충분해. 그러니 네가 그 모든 걸 떠안아주렴. 그가 간절히 애원하는데도 불구하고 아랑곳없이, 부디, 너의 가엾은 늙은 아빠를 '거부해라.' 그는 너에게 거친 태도를 보일 수 없어. 그의 본성은 그렇게 할 수 없거든. 가엾은 그는 너무도 관대해서 너에 대한 자신의 의무감만큼 너에게 단호할 수 없으니, 너는 그를 성공적으로 내팽개칠 수 있을 거야." 이것이 그가 그 애의 등을 그렇게 연달아 쓰다듬으면서 표현하고자 했던 말이었다. 베이비시터였던 모들이 아이가 목이 막혔을 때 등을 쳐준 이래로, 그 애의 등이 그처럼 두드려진 적은 없었다. 잠시 후 그는 더 나아가서 그 애에 대해 충분히 확신하게 되어서 우아하게 다음과 같이 말할 수 있게 되었다는 인상을 주었다. "너도 알다시피 네 엄마는 너를 지긋지긋해한단다. 너를 끔찍이 싫어해. 그래서 나는 네가 소중하게 여기는 그 사람에 대해서 곰곰이 생각해 봤어. 네가 나한테 말해준 그 사람 말이야."

"그래요. 저는 그분에 대해 확신하고 있어요." 메이지가 당당하게 대답했다.

그 애의 아빠는 잠시 감을 잡지 못했다. "그가 너를 좋아한다고 확신한다는 말이냐?"

"아, 아니에요. 그분이 엄마를 좋아하신다는 말이에요!"

비일은 다시 쾌활해졌다. "취향이란 설명할 수가 없는 법이지! 다들 그렇게 말하잖니."

"뭐래도 상관없어요. 전 그분을 믿어요!" 메이지가 같은 말을 반복했다.

"네 말은 엄마가 내빼버릴 거란 뜻이냐?"

메이지는 내뺀다는 말이 무슨 뜻인지 잘 알고 있었다.46 그러나 단연코, 그 애는 나이가 더 들었으므로, 아빠가 그 추한 단어—기껏 해봐야 추하다고밖에 할 수 없는—를 낮고도 단호한 어조로 말하는 방식 때문에 뭔가 움찔했다. 그런 느낌이 들어서 그 애는 다음과 같이 말하며 그의 언급을 정정했다. "저는 엄마가 어떻게 하실지 몰라요. 하지만 엄마는 행복하실 거예요."

"그렇게 되기를 바라도록 하자." 거의 교화하려는 듯이 비일이 말했다. "어떻든 그녀가 더 행복하면 할수록 너에 대해서 원하는 게 더 적어질 테니까." 그는 상냥한 어조로 말을 이었다. "그렇기 때문에 너의 유일한, 고난을 견뎌내고 있는 부친인 내가 그 멋진 제안을 신중하게 생각해 보라고 널 설득하고 있는 거야." 그 말에 그들의 눈길이 길고 특별한 교감을 주고받으며 다시 마주쳤고, 그 시선은 그가 이렇게 말하면서 종료되었다. "아, 이 조그만 악당 녀석!" 그 애는 그 말을 자신이 보기에 그가 가장 좋아할 것 같은 방식으로 받아들였고, 그러면서 그가 다음과 같이 말을 잇도록 용기를 주었다. "넌 속 깊은 조그만 악마야!" 그 애의 침묵은, 손목시계처럼 째깍거리는 분위기 속에서, 자신이 방금 한 말을 확인하려고 그가 마침내 꺼낸 다음 말도 인정했다. "너는 그 다른 한 쌍과 해결을 보았구나."

"좋아요. 제가 그렇게 해결을 보았다면 어쩌실 건데요?" 그 애는 혼잣말로 아주 대담하게 말했다.

그 애의 아빠는 예전에 늘 그랬던 것처럼 너털웃음을 터뜨렸다. "이런, 넌 그들이 끔찍한 사람들이라는 걸 알잖니?"

그 애는 더욱 대담해졌다. "전 상관하지 않아요. 눈곱만큼도!"

"하지만 아마도 그들은 세상에서 가장 나쁜 사람들일 거야. 게다가 최악의 범죄자들이기도 하고" 비일이 유쾌하게 다그쳤다. "이 녀석아. 나는 네가 그 사실을 알지 못하게 할 사람이 아니다."

"그래도, 그것 때문에 그분들이 저를 사랑하지 못하게 되는 건 아니죠. 그분들은 저를 엄청 사랑하신다고요." 메이지는 자신이 한 말에 스스로 얼굴이 붉어졌다.

상대방이 무슨 말인가를 중얼거렸다. 거의 모든 사람들이—딸이라면 말할 것도 없이—그가 얼마나 양심적이고 싶어 하는지 알 수 있었을 것이다. "넌 그들이 왜 널 사랑하는지 알고나 있니?" 그 애가 그의 눈을 빤히 쳐다보자 그가 덧붙였다. "네가 그들에게 무지하게 좋은 핑곗거리가 되어주기 때문이야."

"무엇을 위한 핑곗거리란 말이에요?" 메이지가 물었다.

"물론 자기들의 농탕을 위한 거지. 그게 뭔지 네게 말해줄 수는 없다만."

아이는 생각에 잠겼다. "좋아요 그렇다면 그게 더 충분한 이유가 되는 거죠."

"제발, 무엇을 위한 이유란 말이냐?"

"그들이 나에게 친절해야 하는 이유요."

"그리고 네가 그들과 잘 지내기 위한 이유도 된단 말이지?" 비일이 다시 고함치듯 말했다. 그의 감정이 점점 고조되는 듯했다. "그런 식으로 말하면 네가 괴물처럼 보인다는 거 아니?"

그 애는 그 말을 생각해 보더니 "괴물이라고요?"라고 대꾸했다.

"그들이 너를 괴물로 만들었단 말이다. 내 명예를 걸고 말하는데 그건 정말 끔찍한 일이야. 그걸 보면 그들이 어떤 사람인지 알 수 있어. 그들이 너를 최악의 끔찍한 사람─자신들만큼이나 끔찍한 사람─으로 만든 다음 너를 그저 내팽개쳐 버릴 거라는 걸 이해하지 못하겠니?" 비일이 추궁하듯 말했다.

그 말에 그 애는 감정이 치솟았다. "그분들은 저를 버리지 않으실 거예요!"

"미안한 말이지만", 아빠가 정중하게 말했다. "나는 너에게 진실을 말해 줄 의무가 있단다. 만약 내가 너에게 그들이 더 이상 너를 필요로 하지 않는 때가 오게 될 거라고 지적해 주지 않는다면, 나는 나 자신을 용서할 수 없을 거야." 그는 그 애의 지성에 호소라도 하듯이 그 애가 자기 말에 충분히 부응하지 않는다면 부끄러워해야 한다고 말했는데, 그것은 그가 보여준 거만 떠는 우아함과는 정말로 차별되는 것이었다.

그가 원하는 대로 상황이 정리되었다. "그들이 저에게 관심이 없어져서 저를 필요로 하지 않게 된단 말씀이세요?" 그 애는 그런 생각을 머릿속으로 그려보며 말을 멈췄다.

"클로드 경은 자기 아내가 내빼버리면 당연히 너에게 관심을 갖지 않을 거다. 그는 그런 식으로 게임을 벌이니까. 그게 그의 천성에 딱 맞는 일이거든."

그것은 메이지가 완벽하게 받아들일 수 있는 가설이었다. 하지만 거기에도 여전히 승리를 위한 허점은 있었다. 그 애는 그 말을 충분히 새겨보았다. "아빠는 엄마가 아주 돌아오지 않을 거라는 말씀이세요?" 그런 가능성을 제시하며 그 애의 얼굴에 나타난 침착함은, 만약 그 장면을 바라보는 사람이 있었다면 그 애가 긴 여정을 통해서 그것을 얻게 되었다는 것을 보여주었을 것이다. "좋아요, 하지만 그것이 비일 부인을 어떤 입장에…"

"마찬가지로 편안한 입장에 있게 하지는 않을 거라는…?" 비일이 흥미를 보이며 그 애의 말을 가로막았다. 그는 다시 벌떡 일어서더니 다리를 떨면서 자기 구두를 바라보았다. "내 딸아, 이제야 옳은 말을 하는구나! 비일 부인에게 뭔가 더 필요한 게 있을 거야." 그는 잠깐 말을 멈추더니 덧붙여서 말했다. "하지만 그녀가 그걸 그렇게 오래 기다릴 필요는 없을지도 몰라."

메이지도 잠시 그의 구두를 바라보았다. 그건 그 애가 가장 좋아했던 구두는 아니었다. 그 애는 노란 '윗부분'에 끈이 달려 있고 거기에 에나멜 가죽 장식이 붙은 구두를 가장 좋아했다.[47] 그 애가 마침내 질문을 하며 눈을 들었다. "아빠는 돌아오지 않으실 거예요?"

다시 한번 그는 뜸을 들였다. 그런 다음 그는 작게 웃었는데, 그 웃음은 그 애에게 윅스 선생님이 내는 것을 들은 적이 있었던 독특한 소리를, 세상에서 가장 이상한 방식으로 상기시켰다. "내가 그 말을 인정하는 게 너한테는 터무니없어 보일지도 모르겠다. 사실, 너는 내가 하는 걸 이해할 필요가 없어. 하지만 네가 결정하는 데 도움이 될 수 있도록 우리는 그렇게 말할 거야. 요지는 내 아내가 머지않아 틀림없이 그런 식으로 표현할 거라는 거야. 넌 그녀가 자신이 버림받았다고 소리 지르는 걸 듣게 될 거야. 더 많은 나쁜 짓을 쌓기 위해서 말이야. 그렇게 되면 그녀는 자기가 원하는 대로 자유로워져. 있잖니, 네 엄마의 그 얼뜨기 같은 남편만큼이나 자유로워질 거야. 그 두 사람은 더 이상 고려해야 할 게 없을 거고, 그렇게 되면 너를 곧바로 길바닥으로 쫓아내 버릴 거야. 알겠니?" 비일이 물었다. "내가 이렇게 강조하는 데도, 넌 여전히 그 위험을 감수하고 싶은 거야?" 그것은 누가 되었건 어떤 신사가 자기 딸에게 할 수 있는 가장 훌륭한 호소였다. 그 애의 아빠가 호주머니에 손을 찔러 넣은 채, 그가 했던 그곳에서의 습관을 보여주는, 그가 행했던 그 어떤 것보다도 더 익숙해 보이는 발걸음으로 천천히 그 애 주변을 움직이는 동안, 그 애는 다시 그 방 한가운데에 세워져 있었다. 그 애는 자기 편에서 유례없는 궁지에 빠져 어떤 도움의 손길을 바라는 것처럼, 뜨거워진 자신의 작은 눈동자를 아빠 친구가 가진 휘황찬란한 물건들 위로 굴리고 있었다. 마치 그 압박이 그에게 닿기라도 한 것처럼, 그는 갑자기 멈춰 섰다. 그러고는 일반적으로 생겨나는 행동의 동기를 가장 효과적으로 형식화함으로써, 자신의 비범한 태도와 딸을 향한 충실함에 대한 자부심을 완성했다. "사랑하는 내 딸아, 너도 봐서 알고 있겠지! 그래. 돈 문제가 있단다. 그것도 끝이 없는 돈 문제가."

그 말이 처음에는 그 애에게 클로드 경이 데리고 가주었던 무언극 중 하나에서 몹시 번쩍이던 눈부신 빛과 같은 방식으로 영향을 주었다. 그 애는 그 속에서 그 말이 직접적으로 뜻한 것 말고는 아무것도 이해할 수 없었다. "그럼 제가 아빠를 다시는, 절대로 만날 수 없게 되는 거예요?"

"만약 내가 미국에 가게 된다면, 결코, 절대로, 영원히 만날 수 없게 되겠지." 비일은 마치 아무 상관 없는 어떤 사람이 말하듯 대답했다.

그 말을 듣고서, 너무나 어처구니없게도, 그 애는 무너져 내렸다. 그 말

을 받아들이는 것만큼이나 추한 말을 자신이 하고 있는 것을 듣게 되는 공
포를 제외하고는, 모든 것이 무너져 내렸다. 그래서 그 애는 경직되어 말했
다. "그렇다면 저는 아빠를 포기할 수 없어요."

그 애는 그가 자기를 몇 초 동안 바라보고 있도록 두었다. 그는 자신의
가지런한 이빨을 온통 드러내며 그 애에게 억지스럽게 찡그린 표정을 지어
보였는데, 그 표정에서 그 애는 자신이 실제로 약속했었던 고분고분함에서
그처럼 벗어나는 순간에 그가 정말 표현하고 싶지 않았던 혐오감을 읽어낼
수 있었다. 그러나 그 애가 자신이 품위 없게 무너지는 것을 어떤 방식으로
든 수습하기 전에, 그가 성마르게 몸을 홱 움직이더니 창가로 갔다. 그 애는
마차가 멈춰 서는 소리를 들었다. 비일이 창밖을 내다보았다. 그런 다음 그
는 새로운 표정을 지으며 그 애를 향해 몸을 돌렸다. 그는 여전히 아무 말
이 없었지만, 그 애는 여백작이 돌아왔다는 것을 알았다. 두 사람 사이에는
다시 침묵이 흘렀다. 그러나 그 침묵에는 그들이 함께 도착했을 때와는 다
른 당혹스러운 그림자가 서려 있었다. 그가 여전히 아무 말 없이 이미 너무
도 아낌없이 베풀었던 포옹을 갑자기 다시 하며, 그 애를 레몬색 소파 위로
홱 낚아채서 앉혔다. 그러고 난 직후에 방문이 확 열렸다. 그와 그처럼 새로
이 친밀하게 결합한 모습으로, 그 애는 그 갈색 피부의 부인이라고 바로 알
아볼 수 있었던 사람에게 소개되었다.

그 갈색 피부를 가진 부인은 박람회장에서 비일 부인과 조우하여 숨이
막힐 듯 놀랐던 것에 버금가게 놀라는 눈치였지만, 그때처럼 그렇게 경계하
며 두려워하지는 않았다. 사실 메이지가 거의 그 정도로 놀랐다. 그때 그 애
는 그녀가 정말로 갈색 피부를 가졌다는 것을 더 충분히 인식할 수 있었다.
그 애의 눈에 그녀는 '진짜' 귀부인이라기보다는, 말 그대로 일종의 동물처
럼 보였다. 그녀가 프릴을 입은 곱슬곱슬한 털을 가진 영리한 푸들이나 반

짝이는 페티코트를 입은 무시무시한 인간 원숭이처럼 보였을지도 모른다. 그녀는 너무나 큰 코에 너무나 작은 눈을 가졌으며 콧수염이 나 있었는데, 그것은, 글쎄, 클로드 경의 콧수염처럼 멋져 보이지 않았다. 비일이 벌떡 일어나 그녀에게 향했다. 그러는 동안에 그 여백작은, 아이의 눈에 놀랍게도, 비록 어떤 생각이 강렬하고 재빠르게 떠오른 것처럼 보였지만, 그 누구에게도 아무런 어색한 일이 없었던 것처럼 유쾌하게 걸어 들어왔다. 메이지는 이런 현상에 대해 잘 알고 있었음에도 불구하고, 이런 상황이 어색한 말 한마디 없이 그처럼 재빨리 당연하게 인정되는 것을 결코 경험한 적이 없었다. 다음 순간 여백작은 그 애에게 키스를 건넸고, 비일을 향해 명랑하면서 부드럽게 비난하는 투로 말했다. "이런, 당신은 나한테 조금도 말해주지 않았군요! 귀여운 애야, 네가 우리 집에 오게 되어 너무너무 반갑다!"

"하지만 그 애는 여기 온 게 아니에요. 오지도 않을 거고요!" 비일이 대답했다. "내가 아이에게 당신이 그걸 얼마나 원하는지 말해줬지만, 그 애는 우리와 조금이라도 얽이는 것을 원치 않는답니다."

여백작은 웃으며 서 있었다. 그리고 일순간 그녀의 기이한 모습에 충격을 받고 나서 메이지는 어떤 다른 미소가 떠오르는 것을 느꼈다. 그 미소도 역시 흥미로웠지만 그렇다고 추하지는 않았다. 그것은 요전 날 켄싱턴 공원에서 보았던 대위의 깨끗하고 흰 얼굴에 떠올랐던 친절한 빛과 같은 것이었다. 그렇다, 아빠의 대위는 바로 그 여백작이었다. 그러나 그녀는 대위만큼 그렇게 멋져 보이지 않았다. 틀림없이 그런 생각은 부인들에게 별 관심을 느끼지 않는 메이지의 평가로 나타난 것이었다. "넌 내가 너를 스파에 데리고 가려는 게 마음에 들지 않니?"48 그 부인이 애정 어린 말투로 말했다.

"스파에요?" 그 아이는 시간을 벌기 위해서, 여백작이 무시무시한 얼굴을 한 어떤 낯선 여인에 대한 희미한 기억을 떠오르게 했다는 것을 드러내 보이지 않으려고, 그 지명을 되풀이해서 말했다. 그 여자는 몇 년 전에 승합 마차의 맞은편 자리에서 그 애에게 몸을 기울여 "귀여운 꼬마 아가씨, 이걸 받지 않을래?"라고 말하면서 오렌지 하나를 건네주었다. 그 애는 그때 어떤 이유에서인지 조금은 어리석은 공포감이 들었는데, 나중에는 그렇게 말을 걸었던 여자가 불행히도 끔찍하게 생기기는 했지만 특별한 친절을 베풀려 고 했다는 생각이 들었다. 여백작도 바로 그런 의도였다. 그러나 그녀가 내 뱉은 몇 마디 말과 그 말을 하며 지었던 미소가 곧 모든 것을 일소해 버렸 다. 오, 아니야, 그 애는 그녀와 함께 그 어디도 가고 싶지 않았다. 그녀의 존재는 일순간에 그 방의 행복했던 분위기를 일소해 버렸고, 비일이 했던 그토록 고상한 말의 구사력에서 취해진 짧은 즐거움을 종식시켜 버렸기 때 문이었다. 다가오고 있는, 키가 작고 뚱뚱하며, 감언이설을 하는, 구레나룻 이 난 사람에게 그가 그 애를 소개하는 태도에는 고상함의 기색이란 찾아볼 수 없었다. 지금 그 애는 자신의 활동 범위가 확장되면서 목격해 왔던 개인 적인 관계망 속에서 그 어떤 매력도 찾아볼 수 없는 유일한 모습을 그 사람 에게서 인지해야 했다. 그 애는 그러는 동안 자기가 초대받은 장소를 저울 질하는 것처럼 보였을 것 같아 부끄러웠다. 그래서 가능한 한 빨리 덧붙여 말했다. "그러면 그곳이 미국은 아닌가요?" 여백작은 그 말을 듣고 날카롭 게 비일을 바라보았다. 비일은 그 애가 자기들과 아무런 관계도 맺고 싶지 않다고 이미 이해시켰는데 그게 도대체 무슨 상관이냐고 대수롭지 않게 그 녀에게 물었다. 그러고 나서 두 사람 사이에 간단한 말이 오고 갔는데, 그 애는 단지 그 자리를 벗어나고 싶다는 바람이 마음속 깊은 곳에서 되뇌어지 고 있어서, 그 말의 의미를 조금도 이해할 수 없었다. 그래도 그 애는 나중 에 자기 아빠가 그의 친구에게 그런 말을 해봐야 아무 소용이 없다고, 그 애는 고집불통인 작은 돼지일 뿐이라고, 게다가 그 애는 스스로 선택할 수 있을 만큼 정말로 충분히 나이가 들었다고 말했던 것을 추측해 낼 수 있었다. 그 애는 자신이 무례하지 않고 이상적으로 보이는 데 아주 처참히 실패한 게 틀림없다는 생각이 어렴풋이 스쳤다. 그것은 그 애가, 자신이 깨닫기도 전에 이미, 그들이 자기를 집에 가게 해주지 않는다면 울음을 터뜨릴 것이라는 인상을 그들에게 확연히 심어주었기 때문이다. 오, 만약 울음을 터뜨릴 만한 일이 있었다면, 그것은 누구라도 틀림없이 받아들였을 가장 멋진 제안에 어울리지 않게 그렇게 의식적으로 멍청하게 행동했다는 것이었다. 그중에서 그 애에게 가장 고통스러웠던 것은, 여백작이 자기가 그 애를 좋아하니 그 보답으로 그 애도 자신을 좋아하기를 바랄 만큼, 충분히 그 애를 좋아한다는 것을 그 애가 알게 된 것이었다. 그 애는 그처럼 그녀의 애정에 보답해야 한다는 생각에서 완전히 도망치려고 했다. 두 사람 사이에서 혼란스러운 큰 소리가 오고 간 다음, 그 애는 집에 돌아가야겠다는 생각이 들어서, 참사 앞에서 떨리는 목소리로 이 말이 그 애의 입에서 터져 나왔다. "제발 저를 마차에 태워서 집에 보내주실 수 있나요?" 그렇다. 여백작은 그 애를 원했고 마음의 상처를 입었으며 크게 실망했다. 그 애는 자신의 감정을 어쩔 수 없으며, 여백작이 달콤한 말로 그 애를 설득하려 할수록 상황은 어쩔 수 없이 더 심각해졌다. 마차가 올 때까지—메이지는 마차가 곧 온다는 것을 알고 있었다—두 사람 모두를 지탱해 준 유일한 것은, 어쨌든 비일이 자신이 원하는 것을 해냈다는 분위기가 감돌고 있다는 사실이었다. 그는 마차를 부르려고 밖으로 나갔고, 그는 하인들이 이미 잠자리에 들었지만 그 애가 예정된 시간을 넘겨서 그 집에 있게 하지는 않겠다고 말했다. 여백작은 그와 함께 방을 떠났고, 메이지는 방에 홀로 남아 여백작이 돌아오지 않기를 바랐다. 그건 모두 그녀의 얼굴 때문이었다. 아이는 도저히 그 얼굴을 처다볼 수 없었고, 그 얼굴을 어중간한 표정으로 마주했다. 순식간에 그 기이한 표정이 그 방에 있는 멋진 물건들에도 번져 보였다. 잠시 후 그 애는 자기 아빠가 엄마도, 비일 부인도, 워스 선생님도, 클로드 경도, 대위도, 심지어 페리엄 씨나 에릭 경도 좋아할 리 없다는 생각이 확실해지는 어떤 사람을 좋아한다는 사실을 너무도 순식간에 받아들여야만 했다. 3분 후에 아래층 대문 앞에 마차가 기다리고 있는 상태에서 그가 그 애를 떠나보내면서, 그 애가 그의 얼굴을 바라보지도 않는데 아이를 자기 가슴에 그럭저럭 끌어안은 것은, 아마도 자랑거리가 많지 않다는 마지막 고백이나 마찬가지였을 것이다. 그 애의 입장에서는 그 집을 너무나 떠나고 싶은 나머지, 그들과 헤어진다는 사실 말고는 아무런 생각도 나지 않았다. 그 애는 아빠와 자신이 다시 만나게 될 문제에 대해 그가―그 애가 그에게 충실하지 않은 벌로―위층에서 덧붙여 말했던 모든 '금지사항' 가운데 어느 하나도 머릿속에 떠오르지 않았다. 여백작에게는 모든 것을 거짓으로 만들어버리는 무언가가 있었다. 그것은 미국에 대한 커다란 관심을 거짓으로 만들어버렸고, 그보다도 세브르 세트나49 은제 상자로 표현되었던 비일 부인과 엄마에 대한 우월함으로 느꼈던 흥분마저도 거짓된 것으로 변형시켜 버렸다. 그것들은 여전히 거기에 있었지만, 아마도 미국에 대한 큰 관심은 사라져 버렸다. 엄마는 미국인 한 명을 알고 있었는데, 그 사람은 이 사람과 비슷한 구석이 조금도 없었다. 그녀는 고상한 신분이 아니었고, 이름은 단지 터커 부인이었다. 그럼에도 아빠로부터 메이지의 분리는, 만약 그 애가 갑자기 "오 이런, 전 돈이 한 푼도 없어요!"라고 큰 소리로 말하지 않았더라면 더욱 완벽했을 것이다.

그 말에 그 애 아빠가 드러내 보인 이빨은, 가난을 탄원하는 모습에 필적하는, 먹는 행동을 하지 않고도 식욕을 표현하는 그림 같았다. "네 의붓엄마가 지불해 주실 거다."

"의붓엄마들은 돈을 내주지 않아요!" 여백작이 목소리를 높여 말했다. "어떤 의붓엄마도 살아생전에 돈을 내주지 않는다고요!" 다음 순간 그들은 함께 거리에 나와 있었다. 곧이어 아이는 마차 안에 있었고, 여백작은 보도에서 그 애에게 다가서서는 주머니에서 급히 꺼낸 지갑에서 재빨리 돈을 꺼냈다. 그 애의 아빠는 사라지고 없었고, 거기에는 아직 상실의 고통을 다시 일깨워 줄 그 어떤 것도 없었다. "여기 돈 받아라." 갈색 부인이 말했다. "출발!" 그 소리는 명령적이었다. 마차가 덜거덕거리며 떠났다. 메이지는 손에 동전을 가득 쥔 채 마차 안에 앉아 있었다. 이게 다 마차 요금이라고? 마차가 가로등 불빛 아래를 지나갈 때, 그 애는 그 돈이 얼마나 되는지 보려고 고개를 숙였다. 그것은 한 움큼의 1파운드짜리 금화들이었다. 그녀가 미국에 대단히 큰 기업들을 갖고 있는 게 분명했다. 어쨌든 그것은 여전히 아라비안 나이트처럼 느껴졌다.

## XX

그 돈은 동화 나라에서의 요금이라 치더라도 너무 큰 액수였다. 비일 부인은 늦은 시간이었지만 아직 레전트 파크로 돌아오지 않아 집에 없었다. 그래서 홀에 있던 수잔 애시가 메이지가 낮은 소리로 말하는 만큼이나 큰 목소리로, 또 메이지가 조심스럽게 행동하는 만큼이나 대담하게, 아이 때문에 조금 전에 불이 켜진 장면과 대조적으로 그곳을 희미하게 비추고 있는 밤샘 램프 불빛 아래에서, 투박한 마차꾼이 자기가 받아야 하는 최소한의 액수라고 말한 5실링짜리 은화를 꺼냈다. 분명히 비일 부인이 도착하기 훨씬 전에 일어난 일이었다. 그 사이에 메이지는 재빠르게 움직이는 수잔에게 사랑스러운 연인처럼 잠자리에 들도록 권유받았을 뿐만 아니라, 연인들이 쓸법한 더 애정 어린 표현으로, 그 애가 그녀에게 입은 특별한 은혜에 대해서뿐만 아니라 평소에 입어왔던 은혜에 대한 보답으로, 그녀에게 그 금화중 하나를 헌납해야 한다고 권유받았다. 위층 옷장 탁자 위에 가지런히 놓인 그 금화들은, 네 개짜리 동전 한 세트를 능숙하게 슬쩍 챙긴 그 가정부 못지않게, 그 가정부가 돌보는 외로운 고아의 눈에도 눈부시게 빛나고 있었다. 그 가정부는 자신의 재산을 손수건에 싸서 매듭지어 묶은 채 잠자리에 들었고, 그 돈은 그녀의 베개 밑에서 들고 날 수 있는 가장 큰 액수였다. 그러나 그 애가 신분이 낮은 그 친구에게 했던 설명보다 다음 날 비일 부인에게 했던 당연히 더 완벽할 수밖에 없었던 해명은, 적절하게 거리낌 없는 양도 행위에서 절정에 달했다. 사실 비일 부인이 물어보는 것뿐만 아니라 설명해야 하는 것들도 있었다. 그중에 가장 인상적이었던 것은, 어린 소녀가 같은 여성 중에서도 그야말로 가장 비열한 여인에게서 돈을 받은 것이 끔찍하다는 취지의 발언이었다. 그 금화들은 꽤 면밀히 조사되었다. 그러나 누군가 그 문제를 정말로 조사하게 된다면, 그 결과는 그런 말을 한 당사자인 비일 부인으로 하여금 그 금화들이 죄를 짓고 받은 임금이 아니라면 무엇이라고 불릴 수 있는지 알고 싶어 하게 만드는 것이었다. 메이지는 단지 그들이 그 돈을 어떻게 해야 하는지 물어보는 정도로만 그 문제에 관심을 보였다. 그 질문에 대해 비일 부인은, 그때 그녀는 이미 그 돈을 자기 호주머니 안에 집어넣은 상태였는데, 위엄 있게 주머니 위에 손을 갖다 댄 채 대답했다. "우린 그 돈을 바로 되돌려 줄 거야!" 아이가 나중에 알게 된 일이지만, 수잔은 그 반환에 자신이 횡령한 동전 하나도 내놓도록 요청받았다. 그러나 그 금화를 더 꼭 쥐는 것을 보고, 메이지는 수잔이 그 일을 "해낼" 수 있는 방법에는 한계가 있다는 자신만의 은밀한 확신을 갖게 되었다. 메이지는 비일 부인에게 지난밤의 거래에 관해 모든 것을 털어놓았다. 그러나 그 애는 지금 자신이, 그들의 분개한 아랫사람의 입장에서 보면, 그 부인이 은폐한 것들을 암시하는 수많은 징표가 되는 말을 들어주는 사람이었다는 것을 알게 되었다. 그중 하나는 특별한 시간과 관련이 있었다. 그녀가 정말로 알고 싶다면, 비일 부인이 집에 돌아온 시간은 새벽 3시였다. 또 다른 징표는, 수잔이 특유의 말투로—메이지는 그 말투를 여전히 비난하지 않고 침묵하고 있었는데—참지 않아도 된다는 듯이 그런 "지간"gime에 그런 "수찌스런"shime 짓을 했다는 등의 표현으로 호소했다는 데서 찾을 수 있었다. 세 번째 징표는, 모든 분야에서 무보수로 한 수고와 소모된 열성에 대해 지불해야 한다고 주장한 막대한 금액에 관해 아래층에서 강도 높게 다루었던 문제와 관련이 있었다. 우리의 어린 숙녀의 의식은 사실 며칠 동안 주로 그 애의 보모가 자신이 부당한 대우를 받는다는 생각이 너무도 천천히 진정되는 데 대한 걱정으로 가득 차 있었다. 만약 부엌에서 어떤 돌발상황이 일어나 그 걱정을 종식시켰다면, 그 날들은 마치 그 애가 역사 시간에 암기했던 혁명과 같은 대단한 시간이 되었을지도 모른다. 그러한 예상을 더 확실히 하는 차원에서, 그 애는 수잔의 눈을 통해 혁명이 준비되는 상황을 여러 번 얼핏 감지했었다. 수잔이 하는 말을 듣고 있노라면, 인화성 물질에 불이 붙여져 이미 그것들이 타닥거리며 타기 시작하며 불꽃이 이는 상황이, 누군가가 자신의 몫에서 손을 떼기를 거부했다고 해서 그가 추악하고 천한 도둑이라고 불리는 상황이 되어버린 것으로 판명되었다는 생각이 들었다.

그러한 긴장이 풀리고 회복되는 시점은 다섯째 날에 찾아왔는데, 그것은 실제로 우리 여주인공의 가슴속에 생겨난 숨 막힐 듯한 인식과 관련이 있을 수밖에 없어 보였다. 그 애는 클로드 경의 활력보다는 수잔의 활력을 중심으로, 아침밥을 먹자마자 런던으로부터 포크스톤으로 데려와져서, 어느 멋진 호텔에 자리 잡게 되었다.50 그 애의 어리둥절한 눈앞에서, 그 모험을 해내기 위해 그리고 그 모험의 성공은 비일 부인이, 수잔이 표현했듯이, 지금 막 외출했다는 사실 덕분이었다는 느낌을 더해주려고, 그 요원들은 서로 연합했다. 클로드 경이 시계를 손에 든 채 "그렇다면 패런지 양의 짐을 싸서 우리 함께 떠나자!"라고 목소리를 높여 말하며 비일 부인이 집에 없다는 사실에 대처하자, 곧이어 패런지 양을 감격하게 만드는 식의, 계단을 급하게 오르내리며 요란스럽게 준비하는 일련의 모습이 뒤따랐다. 메이지는 사륜마차 안에 클로드 경과 함께 앉아 있었고, 그는 여전히 시계를 손에 들고 있었다. 그는 그 애의 손목에 맥박을 짚었던 어떤 의사보다도 더 오래 그 시계를 손에 들고 있었다. 그 시간은 조급함이 드러날 틈을 주지 않는, 짜릿한 희열 같은 것을 그 애가 느끼기에 충분히 긴 시간이었다. 그 희열은 공부방에서 들리는 베어서즈51 소리 너머로 시작되었다. 그리고 그것은 며칠 전에 수잔이 숨을 헐떡이며 올라와서, 공작부인에 대한 암시가 있고 난 후에, 그 애가 아래층으로 급히 내려갔을 때 들었던 예감과 같았다.52 그 애가 단 한순간이라도 공작부인이라는 호칭이 불러낸 감흥을 여전히 가질 수만 있다면, 실망하고 낙담한다고 해서 무슨 해가 되겠는가? 그 애에게는 아빠가 언젠가 그 애가 내쫓기게 될 거라고 예고했었던 기억이 남아 있었다. 하지만 그게 이날은 분명히 아니었다. 그 애는 자기를 찾아온 사람이 수잔을 부산하게 움직이게 만들고, 그 애가 그와 함께 기다리는 동안 그의 손을 아이의 손 위에 친절하게 얹어놓자마자, 아빠에게 무심코 드러냈던 클로드 경을 좋아하는 자신의 마음이 정당하다고 느껴졌다. 그것은 켄싱턴 가든즈에서 대위가 했던 행동 같은 것이었다. 그 애가 맞닥뜨린 현재 상황은 그 애에게 그때 상황을 약간 상기시켰고, 그런 식으로 행동하는 데 대한 어렴풋한 경이로움을 새삼 느끼게 해주었다. 그런 식의 행동이 있고 나서, 처음부터, 그 애에게 그와 같은 다독임과 잡아끄는 행동이 다른 사람의 관심사를 나타내는 단계와 표시라는 인상을 주었고, 심지어 약간은 그들이 가진 어려움이 꿈틀대거나 넘쳐흐르는 것이라는 인상을 주기도 했다. 박람회장에서의 밤에 그 애로 하여금 실패를 맛보게 했고 두려움에 떨게 했던 느낌이, 클로드 경으로부터 지금 막 터져 나오려고 하는 '깜짝 놀랄만한 일'이 단번에 터져 나오기에는 너무도 큰 것일 거라는 인상과 비슷하게, 지금은 사라져 버렸다. 그가 의붓엄마를 따돌리는 듯한 분위기를 풍기는 데서 생기는 그 애의 어떤 두려움도 일반적인 법칙의 힘으로 교정되었다. 그 법칙이란, 만약 비일 부인이 이제 그 애가 클로드 경을 생각나게 하지 않고서는 결코 오거나 가지 않는다면, 거기에 균형을 맞추기 위해서, 그가 비일 부인과 묶여서 언급되는 것도 그가 맞이한 새로운 현실을 나타내는 주된 표시가 아니라는 기이한 진실을 의미했다. 클로드 경과 함께 있는 것은, 클로드 경에 대해서 생각하게 하는 것이었다. 그리고 그 법칙은, 마차가 갑자기 기울어지면서 마침내 수잔이 올라탔고 그처럼 많은 짐도 실렸고 이어서 마차가 채링 크로스53에 거의 도착했을 때, 오랫동안 잊고 지냈던 윅스 선생님의 이미지가 어떤 이유에서인지 다시 그 애의 어지러운 머릿속에 갑자기 떠올랐을 때까지 메이지의 마음을 지배했다.

그것은 이상했다. 그러나 그때부터 그 애는 이해했고 따랐다. 그 애는 회피나 도망의 징후로 생겨난 어떤 공허감을 충분히 채워 넣는다는 느낌으로 따라갔다. 그 애의 희열은 돌아설 등보다는 돌려질 얼굴에 더 많은 것을 가진 그런 종류였다. 그들이 윅스 선생님을 찾지 않았다는 것에 가볍게 놀란 후였지만, 그것은 여행이 진행되면서 런던 기차역이나 혹은 포크스톤의 호텔에서도 여전히 윅스 선생님을 향한 한 쌍의 눈동자였다. 몇 시간이 지나자 그 아이는 비록 그녀가 그 장소 중 어디에도 있지 않더라도, 적어도 그 밖에 다른 모든 장소에는 있다고 느끼게 되었다. 메이지는 과거에도 언제나 많은 것을 알고 있었다. 그러나 그것은 그 애가 이 순간부터 알게 될 것만큼 그렇게 많은 것은 아니었다. 특히나 그것은 미풍이 살랑거리는 푸르름과 여름의 매력과 함께, 말하자면, 영국해협보다도 더 광활한 공간을 가로지르는 것을 상징했던 바다 위로 펼쳐진 막연한 기분으로 보낸 그 이틀 동안 알게 된 것만큼 그렇게 많지 않았다. 그 시간 동안 그 애는 너무도 광대한 예측에 이르도록 허락되었기 때문에, 화자인 나로서는 그 단계들을 따라가 보려 노력했지만 그 목표에 도달할 여력이 없었다. 그러므로 나는 클로드 경의 행동에 대해 우리가 할 수 있는 최대한의 표현이, 그의 젊은 친구의 머릿속에 떠오른 그림에 비하면 빈약하고 희미한 복사본에 불과하다고 말하는 데 만족해야 한다. 그날 아침에 갑자기 클로드 경은 윅스 선생님이 몇 주에 걸쳐 여러 가지 접근 방식으로 그에게 주입한 생각을 충동적으로 실행에 옮기게 되었다. 그녀는, 그가 비일 부인과 맺은 관계의 민감한 그 물망이 얽히고설킨 상황에도 불구하고, 그 접근 방식을 유지하는 특별한 기술을 실행할 능력이 있었다. 윅스 선생님이 가진 진심의 숨결이 쉼 없이 불어 넣어져서, 메이지도 역시 열광하게 만들었던, 내가 말했던 정도의 높이까지 그를 부풀어 오르게 만들었다. 그의 비상은 그가 자신의 아내뿐만 아니라 비일 부인에게서도 떠나버리는 한바탕의 일을 실행에 옮긴 것, 그 이상도 그 이하도 아니었다. 그 계획은 여전히 잘못된 그의 생각이 단념되고 그의 태만이 개선되는 것을 볼 수 있을 거라는 윅스 선생님의 꿈을 지지해 주는, 그런 이국 땅으로 그가 아이를 곧장 데리고 가는 것을 의미했다. 아주 어렴풋한 감정 변화도 놓치지 않을 눈길에, 그 계획을 실행한 것은 모두 일종의 희생이었을 것이다. 심지어 초반에 여사님을 자주 찾아왔던 낯선 사람들조차 그 불행한 어린아이의 진정한 장점이라고 부르곤 했던 눈에는 그렇게 비쳤다. 메이지의 머릿속에서는 그가 찾아오지 않았던 지난 긴 기간 동안 그의 머릿속에서 혼란스럽지만 솔직하게 오고 갔던 많은 것들에 대한 의심이 들었다. 그것은 그 애가 자기의 나이 든 가정교사가 해낸 기적을, 그 일에 대한 고마움 속에서 거의 두려움에 떨며 보게 되었다는 것을 뜻했다. 그 일을 해낸 윅스 선생님은 그와 관련해서, 비록 간접적으로 클로드 경을 통해서 실행하긴 했지만, 두루마리를 펼쳐 들고 있는 여자 예언자나 교회의 언어로 말하는 수녀원장일지라도 그보다 더 인상적일 수 없었다. 윅스 선생님은 자신의 깊고도 좁은 열정으로 클로드 경을 개종시키기 위해 단순히 최선을 다하면서, 날이면 날마다 그들의 유연한 동맹에 매달렸다. 그런 식으로 그를 변화시켜서 결국 그가 자기에게 주어진 멋진 기회를 실제로 받아들여 실행에 옮겼다. 그 기회가 허상이 아니라는 것은 그의 최종적인 이해가 완벽해졌다는 사실로 충분히 확인되었다. 그는 자신이 행동으로 옮길 경우에 그것이 아이다나 비일 그 어느 쪽에도 딱 들어맞는 것이어서, 둘 중 누구도 어떠한 소동도 일으키지 않으리라는 것을 이해하게 되었다.

그것은 의심할 바 없이 너무도 명약관화했지만, 메이지가 그 특별한 영향력의 아름다움을 짜 맞추어 이해할 수 있게 된 것은 전적으로 클로드 경이 한 폭로의 영향 때문만은 아니었다. 그 특별한 영향력을 통해, 그렇게 시간이 지나면서, 그는 가능한 한 자신의 감상적인 이해관계들을 혼동하지 않으면서 그 타당성을 다듬었다. 물론 메이지에게는 개념보다도 그것을 표현할 수 있는 이름이 훨씬 적었다. 그러나 그런 불리한 점을 무릅쓰고서야 그 애는 이제 그가 그간 모습을 드러내지 않았던 데에 그럴 만한 이유가 있었다는 것을 이해하게 되었다. 그 이유란 그가 의붓엄마의 애인이고, 그 의붓엄마의 애인이 자기를 돌볼 더 우월한 권리를 가지고 있는 척 나선다는 것이 논리적으로 가능성이 희박하다는 것이었다. 이때쯤 해서 메이지는 연인이 된다는 것과 단지 어린 소녀 상태라는 것 사이에 일종의 자연스러운 분기점이 있다는 것도 이해하게 되었다. 바로 그런 사실 때문에 레전트 파크의 거실 탁자 위에 놓여 있는 쪽지에 연필로 적혀 있음 직한 내용들이 환하게 이해되었다. 그 쪽지는 비일 부인이 돌아왔을 때 그녀를 반길 것이었다. 메이지는 그 쪽지의 어조가 경우에 따라서는 익살스럽게 보일 거라고 자유로이 생각했다. 비록 이 경우에 클로드 경이, 그 애가 대위와 헤어지고 나서 클로드 경을 끔찍하게 대했을 때 아이를 마차에 태워 보내면서 지었던 표정을 제외하고는, 그 어떤 당황스러운 상황에도 보인 적이 없는 암울한 표정을 그 애에게 지어 보였을지라도 말이다. 그는 정말로 당황했던 것 같다. 그러나 그 애가 보기에, 그는 아빠 집의 소중한 하인인 수잔을 그 집에서 제거해 버리면서 생길 동요를 과장되고 유쾌한 농담 속에 감추고 있음이 확실했다. 그 쪽지에 있지 않았을 수도 있는 엄청난 내용 같은 건 없다는 것이 그다지 중요한 것은 아니다. 그렇지만 메이지의 작고 가벼운 두뇌는 그 엄청난 내용이라는 것이 생겨나기에 더 적합한 곳이었다. 메이지가 콧노래를 부르는 동안 그 애의 머릿속에서 그 내용은 시간이 흐르며 사라져 갔다. 그리고 첫눈에 들어온 포크스톤의 경치가 그것을 머릿속에서 맴도는 온화한 색깔과 소리로 바꾸어놓았다. 그런 상태에서 그 애의 생각 속에서는 지금 자신의 의붓아빠가 정말이지 오직 비일 부인과의 얽히고설킨 관계에 골몰했을 것이라는 것이 분명해졌다. 그가 마침내 모든 사람과 그 밖에 다른 모든 문제로부터 해방된 것은 아닐까? 클로드 경의 행복을 명분으로 웍스 선생님이 강요한 불화를 막아줄 수 있는 것이, 단순히 그가 사랑에 빠졌다는 사실, 보다 더 정확하게 말하면 비일 부인이 그에게 사랑에 빠졌다는 사실이라는 점은 의심의 여지가 없었다. 비일 부인은 너무도 깊이 사랑에 빠져 있어서 그로 하여금 그녀가 그를 사랑으로 포획하였다는 것을 잠시나마 받아들이게 하는 데 성공했다. 심지어 그들이 약간의 처세술과 많은 인내심을 갖고 함께한다면 무엇을 할 수 있는지에 대한 생각도 어느 정도 받아들이게 만들었다. 어떻게 해서 비일 부인이 이런 상황에, 그들의 작은 짐인 메이지가 그들의 부정행위 낌새를 눈치채지 못하게 해야 한다는 클로드 경의 강력한 주장에 동의하지 않게 되었는지에 대해 메이지가 알지 못했는지, 나는 대답하지 않으려 한다. 한마디로 말해서, 클로드 경은 그들이 부정행위를 그만두거나 부모 노릇을 그만두거나, 둘 중 하나를 결정해야 한다고 주장했다. 그들의 작은 짐덩이가 되어버린 메이지는 웍스 선생님도 한때 엄청나게 상스럽다고는 생각하지 않았던 견해를, 오래전에 스스로 받아들였다. 그 견해는 작은 짐으로서 메이지가, 그런 일을 분석하는 것만으로도 끔찍한 환경 속에서 결국 도덕적으로 편안해졌다는 것이었다. 그러나 만약 웍스 선생님이, 결국 그런 생각에 소름 끼쳐 하며 단호한 조치를 취하기로 마음먹었다면, 메이지도 또한, 이미 언급한 대로, 그러한 조치의 이유를 생각해 보고 그 숙녀가 적어도 아직까지 그들에게 직접 나타나지는 않은 이유까지도 생각해 볼 수 있었을 것이다.

아아, 나는 결단코 메이지가 얼마나 많은 것을 알게 되었고 얼마나 많은 비밀을 알아내게 되었는지를 독자가 믿게 하고 싶지 않다! 예를 들면 클로드 경은 도대체 왜—그가 그렇게 하고 싶어 하지 않았을 것이라는 가설을 제외한다면—그것을 그 애에게 비밀로 할 수 없었을까? 당신이 그것을 직시하게 되었을 때 그것이 기정사실로 인정된 이해관계의 문제라는 한, 비일 부인이 반박할 수 있는 입장에 있지 않은 권리까지는 아니라 할지라도, 클로드 경이 메이지의 의붓엄마 못지않게 그 애에 대해서 많은 권리를 가졌다는 사실을 그 애에게 비밀로 할 수는 없었을까? 일단 그들 앞에 펼쳐진 바다 저편으로 프랑스 땅이 시아에 들어오기 시작했을 때, 어쨌든 그는 그 애로 하여금 거의 설명되지 않았던 일들을 대부분 과거 자신들의 행복했던 시절—그들이 처음 친해지기 시작했던 더 편안하고 즐거운 날들에 했던 산책과 여행의 경험—의 기분에서 생각하지 못하게 하는 효과적인 모호성을 만들어내는 데 실패했다. 그 애는 그들 사이의 일을 가장 잘 해결할 수 있는, 일 처리를 위한 힌트를 그에게 주어서 격려하려는 생각이 그처럼 들었던 적이 결코 없었다. 혹은 그 애가 올바른 장소에서 그를 만난 데 대해 그 애 자신에게 그처럼 대단히 감사해한다는 생각이 들었던 적도 결코 없었다. 그 애는 말 그대로 비일 부인이 가장 많이 고려되어야 하는 바로 그 지점에서 그를 만났다. 그 지점은 그 부인의 질투심이 날카로워지는 지점이었고, 그들이 가엾은 웍스 선생님이 여전히 관여하고 있다는 사실을 가능한 한 비일 부인이 눈치채지 못하게 해야 하는 지점이기도 했다. 그렇다, 의붓엄마가 질투할 만한 다른 사람이 없었으므로, 웍스 선생님이 그러한 감정을 도덕적 영향으로 돌림으로써 그처럼 엄청난 박탈감을 보충했다고 그 문제의 진실을 바라보는 시각에서도 그를 만났다. 클로드 경은 배후에서 조종하는 능력을 가진 도덕적 영향력이라는 것이, 결국 보이지 않는 데서 할퀴기로 드러나는 도덕적 영향력이라는 것을 순식간에 단호히 시사하는 것처럼 보였다.54 그리고 상황이 이러하므로 비일 부인이 무슨 행동을 할지 좀 더 잘 알 수 있게 되기 전에, 그들이 무방비 상태로 남겨둔 채 떠나와서는 안 되는 누군가가 있다는 것을 그 애에게 알려주는 것처럼 보였다. 메이지는 점심시간에 커피숍에서 재회하게 될 것이라는 것을, 정말이지 말로 표현하지 않았다. "만약 아빠가 법적 유기에 해당하는 조치를 취한다면, 웍스 선생님이 아저씨께 오는 것 말고 무엇을 할 수 있겠어요?" 그러고 나서 그는 그에 대한 대답으로 창가 쪽에 테이블 하나를 발견했다는 기쁨 말고는 다른 어떤 말도 할 필요가 없었다. 그 자리에서 그들은 차가운 소고기와 광천음료apollinaris[55] —그가 그들이 돈을 몹시 아껴야 한다고 언질을 주었기 때문에 —로 함께 식사하면서, 멀리 떨어진 흰 절벽을 다정한 눈으로 신기해하며 바라볼 수 있었다. 그 절벽은 종종 당황한 영국인들에게 안전을 약속해 주는 신호로 비쳤다. 메이지는 마치 곧 있으면 그 절벽 위에 위태롭게 서 있는 이상하고도 다정스러운 누군가의 모습을 발견하기라도 할 것처럼 그곳을 찬찬히 바라보았다. 그 사람의 모습에 대해서 이미 그 애는, 그 사람이 올라서 있는 곳이 어디든, 프랑스에서 목격되는 가장 이상한 모습일 것이라는 느낌이 들었다. 하지만 그 애에게는 적어도 윅스 선생님이 어디에 있지 않을지 느끼는 것이, 그녀가 어디에 있을 것인지를 느끼는 것 못지않게 흥미로웠다. 그리고 그녀가 아직 불로뉴[56]에 있지 않다면, 그것은 그런 책략을 더 불명확하게 할 따름이었다.[57]

그러나 만약 윅스 선생님이 그날 모습을 드러내지 않는다면, 그날 저녁은 유령이나 생각하며 지나치게 긴장했던 마음을 편안히 쉬는 특별한 시간이 되었을 것이다. 메이지는 호흡을 가다듬으며, 속눈썹을 내리깔고, 드레스와 주름 장식의 세련됨에 시선을 고정하고 있었다. 그 애는 그 장식의 세련됨에 주목하면서, 수잔 애시가 들뜬 기분에 떠나오면서 챙기지 못하고 남겨두고 온 좋은 물건들에 대해 열띤 모습을 하고 있는 데 생각을 온통 헛되이 빼앗기지는 않았다고 생각할 수 있었다. 그 애는 그런 생각을 하면서 저녁식사 전 30분을 호텔 정원에 있는 벤치에서 보냈다. 그 저녁식사는 호텔식 세트 메뉴의 신비로운 의식이었고, 그 애는 그 의식을 위해 때맞춰 부산을 떨 준비가 되어 있었다. 클로드 경은 그 애 옆에서 담배를 피우며 석간신문을 읽는 일에 몰두했었다. 비록 호텔은 투숙객들로 만원이었지만, 만찬에 참석하기 위해 옷차림을 갖출 것을 알리는 벨이 울린 이후 곧바로 정원에는 특이한 공허함이 감돌았다. 그 애는 사람들을 바라보는 데 거의 싫증이 나는 시간을 보내고 있었다. 어쨌든 그 애는 자신의 볼품없는 스커트에 있는 얼룩의 모양에서 느껴지는 자신의 인간적 속성이 그 애의 생각을 너무 오래 붙들고 있었으므로, 눈을 들자마자 그 애의 시선은 곧바로 고상하고 깨끗한 옷자락에 가 닿았다. 그 옷에 대비되어 자신의 얼룩진 옷이 수치스러워졌다. 옷이 스치는 소리도 듣지 못한 상태에서, 그 옷자락이 잔디밭 위로 미끄러지듯 그 애 쪽으로 다가왔다. 그 애의 시선이 그 옷의 빳빳한 광택을 따라 땅바닥으로부터 천천히 위로 올라가고 올라가서, 마침내 멈춘 곳에 고정되어 있는 얼굴을 보고 충격을 받았다. 그 충격을 이겨내자, 그 얼굴이 옷차림의 절정을 보여주는 것처럼 보였다. "어머, 엄마!" 그 애가 다음 순간 소리쳤다. 격양된 어조로 그 애가 자리에서 벌떡 일어났고, 옆에 앉아 있던 클로드 경도 그 소리를 듣고 벌떡 일어났다. 그 외침은 몇 야드 떨어져 있는 여사님에게 그들의 순간적인 혼란 상태를 이점으로 이용할 기회를 주었다. 가없은 메이지는 심한 혼란 상태에 빠졌다. 엄마의 갑작스러운 출현은 수잔 애시와의 저녁 산책에서 뜻밖에 보게 되었던, 가게의 철제 셔터가 떨어지는 것과 같은 효과를 주었다. 그 셔터는 용수철 하나를 만지자 눈부신 가게 앞 유리창 위에서 덜거덕거리며 떨어졌었다. 외국 여행으로 빛나던 빛이 단번에 꺼져버렸다. 그 애는 자기들이 붙잡혀 버렸다는 끔찍한 느낌이 들었다. 그 애는 아이다 앞에서 태어나 처음으로, 어떤 충동을 눈에 거슬리는 행동으로 옮겨버린 나머지 자신의 책임 있는 동료의 손을 곧바로 붙잡았을 정도였다. 그도 처음에 똑같이 겁에 질려 말문이 막힌 것처럼 보인 것은 그 애에게 도움이 되지 않았다. 잔디밭에는 긴 그림자들이 드리워져 있었고, 울타리 너머로는 초록빛 바다가 펼쳐져 있었으며, 공기 중에는 소스라치게 놀란 고요가 퍼져 있는 텅 빈 정원에서, 그 애의 두 어른들은 끝까지 꽉 차서 곧 쏟아질 것 같은 두려움으로 똑바로 세워져 있는 키 큰 텀블러처럼 몸이 굳어진 채 서 있었다. 마침내, 뜻밖에도 그 모든 놀라움을 풍성하게 만들어 버리는 부드러운 어조로 그 애의 엄마가 클로드 경에게 말했다. "내가 아이에게 할 말이 좀 있는데 그렇게 해도 되겠어요?"

"그렇고말고요. 너도 괜찮지?" 그의 대답은 무척이나 뜸을 들인 후에 나온 것이어서, 메이지가 가장 먼저 정확한 의도를 알아차렸다.

그는 그 애에게서 가져온 것 같은 투로 웃었다. 그리고 그 애는 그들의 방문자에게 말을 건네는 그의 태도에서 그가 충분히 양보하고 있음을 느낄 수 있었다. "대체 우리가 여기에 있다는 걸 어떻게 알았죠?"

그 말을 듣고 그의 아내는 남은 거리를 좁혀 다가와서, 자기 딸에게 손을 얹으며 벤치에 앉았다. 그녀는 우아하게 딸을 자기 쪽으로 끌어당겼고, 그녀의 손길에 그 애의 마음속에서는 그때 막 불꽃이 붙여진 두려움이 두 번째로 타올랐다. 그러나 이제는 아주 다른 방향으로 타올랐다. 저편에서 클로드 경이 다시 자기 자리에 앉아 신문을 들었다. 그래서 그 세 사람은 한 가족이라도 된 것처럼 함께 앉았다. 그 관계에서 아빠로서 그의 위치는, 세상에서 가장 이상한 방식으로, 거의 냉소적으로 눈 깜짝할 사이에 용인되었고, 엄마는 그 애를 다독거리며 말로 표현할 수 없는 일체감을 자아냈다. 메이지는 붙잡힌 사람이 클로드 경과 자기 자신이 아니라는 사실을 이미 어느 정도 느낄 수 있었다. 그 애는 오히려 그들이 그들의 친척을 붙잡았다는 긍정적인 생각, 그녀가 전례 없이 느긋한 마지막 태도로 자신의 짐을 제거하고 있는 현장을 포착했다는 생각이 들었다. 아, 그렇다. 그러자 두려움이 사라졌다. 그 애는 긴 장갑을 끼고 팔찌로 한껏 장식된 아이다의 팔에 의해서 지금 극도로 행사된 소유의 압박 속에서처럼 다시는 돌이킬 수 없을 정도로 분리된 적이 결코 없었다.58 "나는 레전트 파크 집에 갔었어요." 그것이 여사님이 이윽고 클로드 경에게 한 대답이었다.

"오늘 갔었단 말인가요?"

"오늘 아침, 당신이 그곳에 직접 들른 직후에요. 그래서 내가 당신을 찾을 수 있게 된 거죠. 그리고 내가 여기 올 수 있었단 말이에요."

클로드 경은 생각에 잠겼고 메이지는 기다렸다. "그럼 당신은 거기에서 누구를 만났죠?"

아이다는 너그러운 듯한 조소를 보내며, "당신이 겁에 질린 모습을 보니 기분이 좋네요. 나는 당신이 하려는 게임을 알고 있어요. 나는 만나보려고 감행한 그 사람은 만나지 못했죠. 하지만 그 애를 만나게 될 가능성을 운에 맡길 준비는 이미 되어 있었어요." 아이다는 메이지에게 말을 걸며, 그 애를 더 가까이 에워쌌다. "애야, 내가 너를 찾아갔었어. 그런데 응접실에서 일하는 꾀죄죄한 하녀밖에는 아무도 없더구나. 그 하녀는 내게 말한 대로, 자기 안주인이 없는 동안 조금 전에 벌어진 엄청난 사건 때문에 얼굴이 벌겋게 상기되어 있었어. 운 좋게도 그 하녀는 클로드 경이 너를 어디로 데리고 가려고 그곳에 왔는지 알 수 있을 만큼은 지각이 있는 애더구나. 만약에 그가 거짓 낌새를 풍기지만 않았다면, 나는 여기서 너를 찾을 수 있을 거라는 것을 알았어. 그런 추정으로 내가 이곳에 올 수 있었단다." 아이다는 자기가 처리하거나 추정한 일에 관해서 이처럼 분명하게 말한 적이 없었다. 그 설명을 받아들이면서, 메이지는 클로드 경이 그 설명에 대해 그 애가 받은 좋은 인상을 공유했다는 것을 알아차릴 수도 있었다. "나는 당신을 만나고 싶었어요." 그의 아내가 말을 계속했다. "이제 당신은 내가 얼마나 큰 수고를 했는지 알 수 있겠죠. 나는 오늘 시내에서 처리해야 할 일이 많았는데 간신히 떠나올 수 있었어요."

메이지와 그 애의 동료는 잠시 아이다의 그러한 성취를 공정하게 평가해 보았다. 메이지가 먼저 그 결과를 표현했다. "엄마, 엄마가 저를 보고 싶어 하셨다니 기뻐요." 이어서 더 깊이 집중하며 용기를 더 내서, "조금만 늦으셨다면 엄마가 우리를 만나지 못하실 뻔했어요."라는 말이 목에 걸렸지만, 결국 뱉어냈다. "우리는 프랑스로 갈 거예요."

아이다는 당당한 태도로, 그 애의 이마에 키스를 했다. "나도 딱 그렇게 생각했단다. 그래서 바짝 뒤쫓아 온 거야. 너희들이 급하게 서둘러 떠나오긴 했지만 바다를 건너려고 기다릴 거라고 생각했지. 그게 내가 너를 만나고자 했던 또 하나의 이유야."

메이지는 그 이유가 무엇일지 몹시 궁금했다. 하지만 그런 것을 물어볼 만큼 어리석지는 않았다. 그 애는 클로드 경이 그걸 물어보지 않는다는 것을 실제로 느꼈고, 이어서 그가 즉시 물어보는 것을 듣고서 다소 놀랐다. "도대체 당신이 그 애에게 무슨 말을 해야 한단 말이오?"

그의 어조는 딱히 무례하다고 할 수 없었지만, 그의 아내의 대답을 새롭게 상상하고 생기 있는 표본으로 만들어줄 만큼은 충분히 성마른 것이었다. "나의 사랑하는 임이여, 그건 전적으로 제 일이랍니다."

"당신은 내가 그 애를 데리고 당신 곁을 떠나기를 바란다는 말인가요?" 클로드 경이 물었다.

"그래요, 당신이 그렇게 해줄 만큼 좋은 분이라면 말이에요. 그건 제가 실례를 무릅쓰고 하는 특별한 부탁이에요." 여사님은 온화한 아이러니로 후퇴했는데, 그것을 보고 가엾은 메이지는 잠시 아리송해졌고 매혹되었으며, 뭔가 얼핏 떠오르는 것이 있어서 어리둥절해졌다. 그것은 몇 년 동안 줄곧 간헐적으로 메이지에게 내비친 것이었다. 아이다는 대화 상대에게 도전하는 경우에 그 온화함을 될수록 오래도록 유지하기 위한 이상한 태도를 취하며,

클로드 경을 향해 미소를 지었다. 그녀의 커다란 눈과 붉은 입술, 얼굴의 강렬한 인상이 유리창 안쪽에 세워진 램프만큼 분명하고 대중적인 조명과 같은 기능을 했다. 그 아이는 거기에서 그녀의 길을 밝혀 주었던 바로 그 횃불을 보는 것 같았다. 그 애는 신사들이 그 불빛에 이끌린 것이 놀라운 일이 아니라는 생각이 갑자기 들었다. 엄마는 처음에 클로드 경을 틀림없이 그런 식으로 바라보았을 것이다. 아이다의 특별한 시선이, 그 두 사람이 살다 보니 잃어버렸던 지난 시절의 광휘를 되돌려 놓았다. 그녀는 틀림없이 페리엄 씨와 에릭 경도 그런 식으로 바라보았을 것이다. 무엇보다도 그것은 만족해하던 대위의 모습을 메이지가 더 완벽하게 이해하는 데 도움이 되었다. 우리의 어린 숙녀는 심장이 빠르게 부풀어 오르며, 그런 생각을 이해하게 되었다. 잠시 침묵을 유지하는 가운데, 엄마는 대위가 했던 그 인상적인 찬사를 그 애가 충분히 이해할 수 있도록 해주었다. 그 침묵은 클로드 경에게도 처음 자신을 그처럼 강하게 빠져들게 했던 마법에 다시 빠져들어 숨을 헐떡이게 만들 만큼 충분히 오랫동안 유지되었다. 그래서 메이지는 그녀가 얼마나 매력적일 수 있는지를 인식했다는 것을 보여주기 위해 그가 적어도 무슨 말이든 하게 되기를 몹시 바랐다.

이윽고 그가 말했다. "당신은 오늘 밤 여기 머무를 건가요?"

그의 아내는 거만하게 낌새를 살피더니 "여기에서는 아니에요. 나는 도버에서 왔어요."59

그런 말을 하면서 그 두 어른은 메이지를 가운데 두고 마주 보고 서 있었다. "당신은 그곳에서 밤을 보낼 건가요?"

"그래요. 나는 짐을 좀 가져왔어요. 나는 호텔로 가서 급하게 수속을 한 다음, 기차를 잡아타고 이곳으로 급히 달려왔죠. 내가 하루를 얼마나 정신없이 보냈는지 아시겠지요?"

그 말은 적어도 그녀 딸의 귀에는 놀랍게 들렸다. 그 말에 사용된 어휘는, 아이다의 입술이 지금까지 뱉어낸 다른 어휘들만큼 명료하지는 않았을지라도, 정말로 정중했다. 그리고 딸의 마음속에서는 어쨌든 그 시간 동안 그 어휘들이 대화의 장으로 적절하게 환영받았으면 하는 소망이 바로 생겨났다. 확실히 엄마는 매력을 가지고 있었는데, 그 매력이 작동하게 되면 많은 것을 해명해 주었다. 그 매력을 칭찬하려는 충동에서 유일한 위험은 그것이 얼마나 희귀한 것인지를 내색하는 것처럼 보일 것 같다는 것이었다. 그러나 메이지는 아이다가 정말로 정신없이 서둘러 왔다는 사실을 싹싹하게 인정하면서 그 위험을 무릅썼다. 그 애는 엄마의 그날 상황이 자신들의 상황보다 더 급박했다는 그녀의 말에 동의함으로써, 클로드 경이 그의 의중을 드러내도록 유도했다. 그는 다분히 태연하게 "당신은 오늘 밤 그곳으로 돌아가는 거죠?"라고 말하면서 그 애의 호소에 대처하는 것처럼 보였다.

"오, 그럼요. 기차 편은 많으니까요." 클로드 경이 다시 망설였다. 아이가 그 두 사람 사이를 연결해 주고 있는지, 아니면 갈라놓고 있는지 말하기가 어려워 보였다. 이어서 그는 조용히 말을 꺼냈다. "당신이 여기저기 돌아다니기에는 시간이 너무 늦은 것 같군요. 내가 바래다주겠소."

"말씀은 고맙지만 그러실 필요 없어요. 내가 알아서 처신할 수 있다는 걸 부인하지는 않으실 테죠. 그리고 내가 내 지독한 인생에서 이런 일을 감당한 게 이번이 처음도 아니고요." 그녀가 지독한 인생이라고 말한 것만 빼면, 메이지가 보기에, 그 두 사람은 거기에서 마치 그저 알고 지내는 친구 사이인 것처럼 이야기했다. 그것은 그 애가 전에 아주 친밀한 사이라고 생각했던 관계의 중심에서 종종 의아하게 느껴졌던 특별한 느낌이었다. 그 느낌은 여사님이 말을 계속 이어가는 편안하고 자연스러운 태도로 더욱 커졌다. "나는 해외로 나가려는 참이거든요."

"도버에서 곧장 나간다는 말인가요?"

"확실히 말할 수는 없어요. 몸이 너무 안 좋아서요."

이런 말들은 잠시 메이지에게 대화의 일부분이라는 인상을 주었을 뿐이었다. 그런 느낌이 끝나면서, 클로드 경에게는 전혀 그렇게 느껴지지 않았겠지만, 그 애는 그것이 뭔가 좀 더 중대한 것의 일부분이라는 생각이 들었다. 그것 때문에 그 애는 한층 더 가깝게 끼어들었다. "엄마 어디 아프세요? 정말로 아파요?"

그 애는 그 말을 하자마자 '정말로'라고 말한 것을 후회했다. 아이다가 그 표현을 듣고도 조금도 짜증 내며 꾸짖는 기색을 보이지 않았다는 것보다 그 애 엄마가 지금 품위를 지키고 있다는 더 확실한 증거는 있을 수 없었다. 다른 때에는 그보다 훨씬 사소한 문제에도 성을 내며 꾸짖었다. 그녀는 그저 메이지를 자기 가슴에 바짝 끌어안고 "너무너무, 내 사랑아. 나는 그 새로운 곳으로 가야만 한단다."라고 말했다.

"그 새로운 장소라는 데가 어딘데요?" 클로드 경이 물었다.

아이다는 생각해 보았지만 그곳을 떠올릴 수 없었다. "오, '그 모종의 장소', 사람들이 너나없이 가는 그곳, 그곳 모르세요? 나는 적절한 치료를 받고 싶어요. 내가 바란 건 그게 다예요. 하지만 내가 지금 그런 말을 하려고 여기 온 건 아니고요."

클로드 경은 잠자코 신문을 한겹 한겹 접었다. 그런 다음 그는 일어나서 신문 꾸러미로 자기 손바닥을 탁탁 치며 서 있었다. "당신은 여기 머물며 우리와 저녁식사를 함께 할 건가요?"

"이런, 안 돼요. 나는 이 시간에 식사할 수 없어요. 도버에서 저녁식사를 주문해 두었거든요."

여사님의 말투는, 이 한 가지 경우에서 보듯이, 자기 딸이 순진무구하게 포크스톤을 지상낙원 같은 곳이라고 생각했던 상황에 대해 어떤 우월감을 드러냈다. 그러나 그 우월감이라는 것은 메이지가 열의에 차서 꺼내놓는 말의 싹을 잘라버릴 정도로 압도적이지는 않았다. "하지만 엄마, 차라도 한 잔 하시면 안 돼요?"

아이다는 그 애의 이마에 다시 키스했다. "고맙다, 애야. 여기 오기 전에 차를 마셨단다." 그녀는 눈을 들어 클로드 경을 바라보았다. "사랑스러운 애죠!" 그는 동의하지 않는다면, 하고 생각해 보기만 하고서 그 이상의 대답을 하지는 않았다. 하지만 메이지는 그 상황에 마음이 편안해졌고, 아직도 그들의 대화가 이처럼 행복한 음조를 띠는 데 기쁨을 느꼈다. 그런 느낌은 여사님에 대한 대위의 견해에 점점 더 큰 의미를 실어주었고, 사실상 그와 같은 어떤 찬양자가 저쪽에서 엄마와 함께 저녁식사를 하기 위해서 기다리고 있을지도 모른다는 상상을 하게 되었다. 클로드 경도 똑같은 상상을 했을까? 그런 상상이 그의 마음속에서 생겨났다 할지라도, 그는 그의 아내가 분명히 처리했다고 생각한 질문으로 되돌아가는 약간 심술궂은 태도로 그 애를 조금 당황하게 했다.

그는 다시 신문 뭉치로 손바닥을 탁 치더니 "내가 당신을 데려다주는 편이 훨씬 낫겠어요."라고 말했다.

"메이지를 여기 혼자 두고요?"

엄마는 메이지가 어떤 대위가 도버에서 그녀를 배웅했고, 그녀가 돌아오기를 기다리는 동안 그녀를 다시 데려가기 위해서 일정한 거리를 두고 배회하고 있을 거라는 상상 속으로 빠져드는 것을 분명히 바라지 않았다. 켄싱턴 가든즈에서는 대위의 산책 동료였던 그녀 자신이 딱 그만큼의 거리를 두고 맴돌았던 것이다. 그러나 물론 그런 종류의 짐작을 표현하는 대신에 그녀는 클로드 경이 대답하게 했다. 그의 대답이 그녀의 현재 위풍에 그만큼 더 기여할 수 있게 하려는 것이었다. "그 애는 돌봐주는 하녀가 있으니 혼자 남겨지지 않을 겁니다."

여태까지 메이지는 어떤 수행원의 봉사를 그처럼 누려본 적이 없었다. 그리고 그 애는 또한 그 일에 대한 여사님의 반응을 즐기려고 기다렸다. "당신이 런던에서 데리고 온 그 여자를 말하는 거예요?" 아이다가 생각에 잠겼다. "그 집에 있던 사람은 그 여자가 아이 곁에 머물며 도와줄 것 같지 않다는 식으로 말하던데요." 그녀의 말투는 그 애가 자기와 함께 지낼 때는 어떤 대단한 사람과 동행하는 것을 원치 않았다는 투였다. 그녀는 함께해 주겠다는 클로드 경의 제안을 마찬가지로 분명하게 사양했다. "바보같이 굴지 마요. 우리 각자 알아서 합시다." 그녀가 매력적으로 말했다.

그들 앞에 잔디밭이 있었기 때문에 그가 그때 그 경우에 그럴법한 것보다 더 우울해 보인다고 메이지는 생각했다. "나는 당신이 왜 내 앞에서 그 말을 할 수 없는지 모르겠군요."

그의 아내는 딸의 머리 모양을 고쳐주었다. "뭘 말이에요?"

"당신이 그 말을 하려고 여기에 온 것 말이오."

그 말을 듣고 메이지가 마침내 끼어들었다. 그 애는 클로드 경에게 애원하듯 말했다. "엄마가 저한테 그 말을 하시도록 만들진 말아주세요."

그는 한동안 자기의 어린 친구를 빤히 응시했다. "네 엄마가 무슨 말을 하려는지 네가 어떻게 안다는 거니?"

"그 애도 그것을 감당해야만 해요." 아이다가 말했다.

"나는 단지 너를 보호해 주고 싶단다." 그가 아이에게 말했다.

"당신은 당신 자신을 보호하고 싶은 거죠. 당신 말은 그런 뜻이에요." 그의 아내가 대답했다. "얘야, 두려워할 필요 없어. 난 너에게 해를 끼치지 않을 거니까."

"엄마는 나에게 해를 끼치지 않을 거예요. 그러지 않을 거라고요!" 메이지가 단언하듯 말했다. 이때쯤 되어서는 그 애는 자신이 정말로 그렇게 대답할 수 있다고 느꼈으며, 자신이 대위의 말을 들을 때 느꼈던 어떤 감정이 되살아났다. 그런 생각에 그 애는 너무도 행복하고 안전하다고 느꼈으며, 그래서 엄마를 적극적으로 옹호할 수 있었다. 그 애는 대위가 말했던 표현을 사용하여 말했다. "엄마는 좋은 분이에요. 엄마는 좋은 분이라고요!" 그 애는 선언하듯 말했다.

"오, 저런!" 그 말을 듣고 클로드 경은 더 이상 대꾸하지 않기로 마음먹었다. 그는 그 애가 다시 자기 아내의 품에 안기는 것을 보고서는, 나지막이 조롱 섞인 어떤 소리를 내뱉는 것 같았다. 메이지의 귀에는 그렇게 들렸다. 아이다는 아이를 품에서 풀어주며 조금 떼어 놓은 채, 그 애를 매우 이상한 표정으로 바라보았다. 그런 다음 아이는 그들의 상대방이 그들을 떠났다는 것과 그 얼굴에서 무언가 확실히 해두려는 듯한 말이 나오려는 것을 알아차렸다.

"사랑하는 내 딸아, 나는 '좋은' 사람이란다." 여사님이 말했다.


## XXI


아이다의 방문 중 나머지 시간의 많은 부분은, 말하자면, 너무도 특이한 내용의 말을 설명하는 데 할애되었다. 그 설명은 그녀가 탐닉했던 어떤 설명보다도 그 내용에 있어서 더욱 풍부했다. 여름날의 황혼이 짙어지는 상황에 그녀가 아이를 데리고 정원에 있는 동안, 그녀는 상황을 정리하고 싶은 자신의 욕구가 약간 느껴지는 정도로만 타협적인 태도를 취했다. 그녀는 단순히 설명을 하는 정도에 그치지 않고, 거의 대화를 나누었다. 바라는 게 있었다면 그녀가 말을 조금만 더 적게 했더라면 하는 것이었다. 그것은 정말로 메이지의 인생에서 자기 엄마가 자기에게 가장 많은 것을 말해준 경우였다. 그 대화에 내포된 관대함과 미덕이란 단지 그 사실뿐이었다. 우리의 어린 숙녀로 하여금 자신이 엄마를 최선을 다해 만나고 있으며, 그녀의 주장이 타당하다는 데에 감동을 받은 것처럼 보이게 행동함으로써 그 만남을 될수록 빨리 끝내야 한다고 느끼게 하는 데는 그 어떤 대단한 확대 해석도 필요하지 않았다. 엄마의 장갑 낀 손이 때때로 아이의 손 위에 다정하게 놓이고, 때때로 너무 빈약한 리본이나 몹시 풍성한 머리칼을 매만져주는 동안, 그들은 함께 앉아 있었다. 메이지는 가끔 놀라서 깜빡이려고 하는 자신의 눈에서 놀란 기색이 드러나지 않게 하려고 애를 쓰는 것을 의식하고 있었다. 오, 누군가가 자신을 자유롭게 풀어주었더라면 놀라서 눈을 깜빡이게 될 일이 있었을 것이다. 그들이 단둘이 함께 있는 것은 다행이었다. 경솔한 시선으로 흘긋 바라보았을 클로드 경이나 윅스 선생님, 심지어 비일 부인이 거기에 있지 않았다는 것은 다행이었다. 여사님의 태도는 비록 후하고 느긋하기는 했지만, 그다지 명료하지는 않았다. 그리고 자신이 처한 상황에 대한 그녀의 설명은, 그것이 세세한 묘사라 할지라도, 앞뒤가 맞지 않는 말들이 뒤죽박죽으로 섞여 있었다. 그것은 그녀가 너무나 무심코 모욕을 주었던 어떤 경우를 멍든 과일처럼 상징적으로 나타내주었다. 그녀가 한 말은 어느 것도 깊이 생각한 것이 아니었다. 그들 중 일부는 위선적이기까지 했다. 그녀는 자신이 그처럼 소중히 여겼던 것을 포기하겠다고 인정하는 바로 그 놀라운 행위보다도 자신의 선함과 위대함에 어떤 더 좋은 증거가 있는지 철저히 따져보았던 것 같았다. 그녀는 마치 그처럼 많은 표현들로 말하는 것처럼 보였다. "클로드 경과 나 사이에는 네가 이해할 수 없어서 내가 자세히 말할 필요가 없는 일들이 있단다, 이 눈엣가시 같은 녀석아." 그녀는, 자기가 관련되거나 생각할 수 있는 한, 메이지는 계속 신성한 무지 상태로 있어야 하고 그녀가 지고한 단순함을 당연하게 생각해야 했다고, 자기 편한 대로, 말로 표현했다. 그녀는 자신이 자초했고, 그것으로부터 우아하게 물러설 수도 없었으며 그렇다고 훌륭하게 속내를 드러낼 수도 없었던 궁지로부터 요리조리 피해 갔다. 그녀는 뻔뻔함이라는 누더기로 자신을 감쌌고, 그처럼 많은 균열이 효심 어린 미신이라는 잘 닦인 접시를, 깨진 유리조각으로 된 최후의 작은 삼각형으로 격하시켜 버린 형상 앞에서, 한껏 포즈를 취했다. 만약 클로드 경도, 윅스 선생님도 계시지 않았더라면 그것은 그만큼 더 애석한 일이 되었을 것이다. 그 장면은 내보일 만한 자격을 갖춘 그 자체의 스타일을 가졌었다. 특히나 그녀가 자기의 가엾은 딸아이를 자신의 더러워진 손아귀에 두기보다는 클로드 경에게 맡기는 것이 더 좋겠다고, 정말 그렇게 생각한 것을 드러나게 했던 순간에는 더욱 그러했다. 어쨌든 그녀가 시인하는 것이나 그녀의 뒤틀린 성품에는 어떤 부족함도 없었다. 메이지가 드러내지 않고 속으로 무슨 생각을 하는지에 대한 두려움과 그와 동시에 그녀가 이기적이어야 할 필요성과 야만적인 습관으로부터 그러모은 버텨내는 힘이 혼합된 상태에는 결핍된 것이 아무것도 없었다. 그런 습관은, 그때 그녀가 분명한 어조로 자신이 저속한 소동이나 피우려고 포크스톤에 온 것이 아니라고 자랑삼아 말했던 모습을 통해 분출되었다. 그녀는 누군가의 따귀를 때리거나 어떤 문을 쾅 하고 닫거나, 심지어는 어떤 막말을 하려고 온게 아니었다. 그녀는 비일 부인의 천박한 하녀가 뻔뻔하게도 패런지 양의 시중을 들겠다고 입고 있는 옷이 얼간이처럼 이따금씩 씰룩거리는 꼴을 보고서, 자신이 주장하려는 바의 실마리를 놓쳐버리는 최악의 경우에 와 있었다. 그녀는 웍스 선생님이 추정했던 공부방에서 사라진 안락함에 대해서까지 자신의 입장을 표명하지 않으면서 모든 비판거리를 다 고려해 보았다.

"나는 마음씨가 고운 사람이란다. 나는 무모할 정도로, 죄가 될 정도로 착한 사람이야. 하지만 그게 너한텐 아무 도움이 되지 않겠구나. 그리고 내가 클로드 경과 다투는 것을 그만두었다면, 너와 다투는 것도 그만두었다면, 그가 우리 사이에 대부분의 문제를 야기하는 사람인데, 그것은 네가 언젠가는 너무도 잘 이해하게 될 이유 때문이란다. 그 어느 날엔가 나는 네가 엄마를 잃어버린다는 게 어떤 건지 알게 되길 바라. 나는 몹시 아프지만, 넌 거기에 대해 아무것도 물어보면 안 돼. 만약 내가 어디쯤에선가 지금의 상태에서 벗어나지 않는다면, 내 주치의가 내 건강이 어떤 결과에 이르게 될지 대답해 줄 수 없게 될지도 모른단다. 그 의사는 내가 견뎌낸 고통을 알고는 경악하더라. 그는 내가 그 고통을 감당해야 할 운명이었기 때문에 그런 고통이 나에게 주어진 거라고 말했어. 나는 남아프리카공화국으로 떠나려고 생각하고 있지만, 그건 네가 상관할 바가 아니야. 네 일은 네가 결정해야 해. 네가 나를 단념할 마음의 준비가 그처럼 잘 되어 있다면, 나에게 어떤 질문도 해서는 안 돼. 안 되고 말고. 나는 너한테 아무것도 말해주지 않을 거야. 너 스스로 알아내렴. 남아프리카공화국은 멋진 곳이라고 사람들이 말하더라. 내가 그곳으로 가게 된다면, 그것은 분명히 공정한 시도를 할 수 있게 해주기 위해서야. 두 가지 중에서 하나를 선택해야 해. 만약에 클로드 경이 너를 데려간다면, 너도 알다시피, 그가 너를 데려간단다. 나는 너를 위해서 내가 할 수 있는 마지막 행동까지 다했어. 내가 여기저기 한없이 너를 따라다닐 수는 없는 노릇이다. 나는 이제 나 자신을 위한 삶을 살아야겠어. 얼마 남지 않은 내 인생을 나 자신을 위해서 살겠다는 말이야. 나는 건강이 너무너무 안 좋단다. 나는 너무너무 지쳤고, 나는 너무너무 단호한 상태야.

단지 그런 상태란다. 그것을 최대한 잘 활용하렴. 네 드레스가 너무 꾀죄죄하구나. 하지만 나는 나를 희생할 작정으로 여기 왔어." 메이지는 범죄의 냄새가 풍기는 그 장소들을 바라보았다. 그처럼 지저분한 어떤 곳에라도 눈길을 돌리는 것이 그 애에게 위안이 되는 그런 순간들이 있었다. 엄마와 했던 모든 대화, 엄마와 함께했던 모든 시련이, 그 애가 나이가 들면서, 다른 무엇보다 견고한 지속성을 가진 것처럼 보였다. 그러나 그처럼 평화롭고 그처럼 상냥하게 엄마와의 관계를 결말지으며, 그 애에게 주어진 지금 이 순간이 이상하게도 그 어떤 시간보다 더 길게 느껴졌다. 그 순간을 그처럼 길게 느껴지게 만들었던 것은 그 애의 불안감이었고, 무언가 갑작스럽게 뒤틀려 버릴 것 같은, 무언가가 그 흐름을 막아버릴 것 같은, 여사님의 유명한 돌발행동 중 하나가 튀어나올 것 같은 두려움이었다. 그 애는 숨을 죽였다. 그 애는 엄마의 심기에 맞춰 행동하면서 단지 낌새를 파악해 보고 싶었다. 그러나 엄마의 성마름 자체가 매 순간 모든 상황을 현기증 나게 했다. 아이다는 어떤 말을 하면서 스스로 그 말을 듣지 않기도 하고, 어떤 경우에는 듣기는 했지만 아마도 하지 않은 말도 있었다. "너는 내 전부란다. 그렇지만 난 그걸 감당할 수 있어. 네 아빠는 네가 죽어버렸으면 하고 바란단다. 얘야, 그게 네 아빠가 바라는 거야. 내가 그랬듯이 너도 그 말에 익숙해져야 할 거야. 내 말은, 나는 그가 내가 죽기를 바라는 것에 익숙해졌다는 거야. 아무튼 너는 내가 클로드 경에게 얼마나 훌륭하게 처신했는지 직접 알게 되었을 거다. 클로드 경도 마찬가지로 내가 죽기를 바란단다. 그리고 너에 대해 울고불고하는 상황이 되었다면, 나는 차라리 죽고 싶어졌을 거야." 아이다가 토해내는 열변의 특징은, 이말 저말 시작해 놓고는 방향을 잃고 어떤 결론에도 이르지 못한다는 것이었다. 지금 하는 말이 흘러가는 방향도 그녀는 단지 눈길 한 번 흘끗 던졌을 뿐이다. 이어서 그녀는 클로드 경이 의당 느껴야 할 정당한 수치심을 느끼지 않으려고 메이지를 빼내어 도망쳐 버렸었다는 사실이, 그녀가 남편을 천사처럼 취급하는 바로 그 증거가 된다고 말했다. 그녀는 마치 그가 발뒤꿈치를 들고 물러났다는 듯이 말했고, 마치 그가 그 자리에 있는 게 어울리지 않았던 어떤 숭배의 장소로부터 슬그머니 물러나 버렸다는 듯이 말했다. "내가 너 때문에 어떤 고난을 당했는지 넌 절대 모를 거야. 결코, 절대로, 결코 모를 거야. 나는 늘 그래왔듯이 너의 모든 것을 아껴줬어. 비록 내가 알고 있었다고 해도 아무런 상관 없었을 일들을, 네가 알고 있었다고 난 감히 말할 수 있지만 말이야! 어쨌든 너도 이제 충분히 나이가 들었으니 내가 쉽게 말해버릴 수 있는데도 말하지 않는 많은 일이 있다는 것을 알 거다. 일생에 단 한 번이라도 내 속마음을 털어놓는 게 나한테 도움이 된다는 걸 너에게 확실히 해두고 있지만 말이야. 네 아빠의 그 불경스러운 아내에 대해서는 말하지 않겠다. 그게 내가 너를 놓아주는 방식을 이해하게 해줄 어떤 개념을 너희에게 가져다줄지도 몰라. 내가 '너희'라고 말했을 때, 그건 너의 그 소중한 친구들과 후원자들을 말하는 거다. 만약 네가, 내가 섬세하게 배려한 나머지 네 의붓아빠에 대해 단지 마지막으로 해야 할 말, 비교함으로써 나 자신을 더 훌륭하게 보이려는 목적으로 말해야 하는—남을 중상비방하면서 자신을 순금처럼 드러나게 하는—몇 가지 사실에 관해 언급하지 않는 걸 정당하게 평가해 주지 않는다면, 너는 결코 나를 정당하게 평가하는 게 아니야."

그때 메이지는 엄마를 제대로 인정해 주고 싶다는 마음이 너무도 간절해서, 그런 바람으로 어떤 영감이 떠올랐다. 그들의 만남이 가져다준 대단한 효과가 클로드 경과 함께 독립된 삶을 시작한다는 그 애의 느낌을 확인해 주었고, 그 느낌을 그 애가 이제까지 꿈꾸었던 그 어떤 것보다 더 풍요롭고 충만하게 해주었다. 그리고 자기의 조그만 손을 단 한 번만 부드럽게 잡아준다면, 그 행위가 그 선한 일을 완성시켜 줄 것이라는 점을 암시해 주기 위해 이제 모든 것이 어우러져 있었다. 여사님이 그처럼 신속하고 당당하게 내일을 향해 맑게 갠 항로를 항해할 수 있도록 해주려고, 모든 것이 서로 협력하고 있었다. 그것은 눈에 띄게 작전을 펼치고 있던 엄마의 손에서 그 애의 손이 잠시 동안 자유로워졌기 때문에 더욱 그러했다. 그녀의 변덕스러운 두 손 중 하나가 뒤쪽 옷자락 깊은 곳에서 눈에 띌 정도로 조급하게 뭔가를 더듬어 찾더니, 이윽고 조그마한 물건 하나를 움켜쥐고 다시 나타났다. 그 행동은 어렸을 때부터 다른 사람의 손의 움직임에 주목하도록 훈련된 어린아이에게는 의미심장한 동작이었다. 그리고 거기에 담겨 있음 직한 의도는, 비일 부인이 손이 큰 그 여백작에게 되돌려 주었을 거라고, 수잔이 결코 절대로 믿지 않았던 한 줌의 금화에 대한 기억으로 인해 환하게 파악될 수 있었다. "그녀는 그럴 사람이 아니야. 그녀는 너무나 거짓되고 너무나 탐욕스러운 사람이니까." 그럼에도 불구하고 여사님의 손지갑이 그녀의 등 뒤에서 바스락거리던 숨겨진 곳에서 꺼낸 물건의 진짜 모습일 것이라고 짐작했고, 바로 그런 느낌 때문에 아이는 그 자리에서 신중하게 거리를 둔 채 처신해야 한다는 생각을 하게 되었다. 게다가 그러한 막연한 느낌이 낙관적인 기분을 더해 주어, 사려 깊게 처신하려는 그 애의 태도가 한 시간 동안이나 흐트러져 버렸다. 그 애는 자신이 미련하지 않고서는 결코 안전하지 못했었다는 사실을 잊어버릴 정도로 마음이 들떠 있었다. 그 애는 자신이 여사님의 실질적인 이해관계를 받아들이고, 그것을 얼마나 완벽하게 이해하고 있는지 여사님께 보여주고 싶은 충동 때문에, 자신의 습관적인 경계심을 잠깐 망각했다. 그 애는 굳이 보지 않고도 엄마가 조그만 죔쇠를 눌렀다는 것을 알았다. 원하지 않았지만, 뭔가가 꺼내진 돈지갑이 딸깍하는 날카로운 소리를 듣게 되었다. 그것이 무엇인지를 그 애는 알지 못했을 뿐이었다. 그것은 여사님의 접힌 손가락들 속에서 손쉽게 잠가질 수 없을 정도로 상당한 금액은 아니었다. 모든 일을 따로따로 생각하는 것은 가장 익숙하지 않은 일이었다. 그래서 그 순간에 그 애는 목구멍에서 나오려는 말을 꺼내놓으면서 동시에, 엄마의 손에 쥐어진 물건에 대해서, 그것이 실링일까 하는 의문을 금화일 것인가 하는 의문과 비교 평가할 수 있었다.60 말을 시작하자마자, 그 애는 금세 그 의문이 해결되었다는 것을 알았다. 그 애는 엄마의 입에서 막 나오려던 짤막한 증여 연설을 어리석게도 가로막고 말았다. 누구보다도 자존심이 센 아이다도 그 상황에서 어떻게 말해야 할지 생각을 조금 해봐야 했다. 그 애가 다음 순간에 느꼈던 것은, 자기가 그 말을 완전히 막아버렸다는 것이었다. 그 애가 내뱉은 어조로 인해 단번에 상대방의 눈에 증여와는 어울리지 않아 보이는 표정이 떠올랐다.

"그 말이 그날 대위께서 저한테 하셨던 말씀이었어요, 엄마. 저는 그분이 엄마에 대해 말씀하셨던 걸 전하는 게 엄마에게 즐거움을 줄 거라고 생각했어요."

메이지가 지금 당황하여 되새겨 생각해 보니, 그 즐거움이 만약에 그 애의 언급으로 야기된 반응보다 더 빠르게 오지 않았다면, 그것은 오랜 시간에 걸쳐서 왔을지도 모를 일이었다. 그 애의 엄마는 아이의 면전에 대고 문짝을 쾅 닫아버리는 것 같은 표정을 지었다. 성공적이지 못했던 실험을 경험하면서도 메이지는 그처럼 노려보는 표정을 받아 본 적이 결코 없었다. 그 상황에서 그 애는 이전에 글로어가에서 들었던 수업 중 하나에서 있었던 장면이 기억에 떠올랐다. 낯선 유리잔들이 줄지어 있고 고약한 냄새가 풍기는 가운데 행해진 그 실험에서, 커다란 유리 단지 속에 들어 있는 어떤 물질이 아름다운 노란색으로 나타날 것 같았지만, 아름다운 검은색으로 나타났다. 그때 그 애는 그 강사에게 유감스러운 마음이 들었다. 그러나 지금 그 애는 자신에게 더욱 유감스러웠다. 아, 엄마가 말하는 모습만큼이나 극심한 고통을 불러일으키는 것은 아무것도 없었다. "대위라고? 무슨 놈의 대위?"

"있잖아요. 우리가 가든즈에서 만났을 때, 저를 데리고 가서 함께 앉게 한 그분 있잖아요. 그분이 바로 그런 말씀을 하셨어요."

아이다는 놓쳐버린 실마리를 다시 집어 들려는 듯이 잠시 가만히 있었다. "도대체 그 사람이 뭐라고 했니?"

메이지는 몹시 우물쭈물했지만, 그 말을 극적으로 끄집어냈다. "엄마가 방금 전에 했던 말씀 말이에요. 엄마가 마음씨 고운 사람이라는."

"'내가' 말했던 거라고?" 아이다는 천천히 일어서면서 아이를 뚫어져라 바라보았다. 그러면서 지갑 속에서 바삐 움직였던 손이, 그녀의 옆구리에서 그리고 드레스 자락이 접힌 곳 사이에서 팔의 경직된 어떤 상태와 자세가 일치하게 되었다. "너는 사랑스러운 멍청이구나. 내가 그런 말을 했다고 네가 뇌까리는 것을 그냥 두고 보지는 않을 거야!" 그것은 단순한 반박을 훨씬 넘어서는 단호한 태도였다. 메이지는 그 자리에서 모든 것이 산산이 찢겨버렸다는 느낌이 들었고, 그들의 대화는 갑자기 중단되었다. 그것은 곧 사실로 증명되었다. "도대체 너는 무슨 까닭으로 나한테 그 사람에 대해 말하는 거니?"

그녀의 딸은 얼굴을 몹시 붉혔다. "나는 엄마가 그분을 좋아한다고 생각했어요."

"그 사람을! 런던 최악의 막돼먹은 인간을!" 여사님은 다시 몸을 수그렸고, 짙어지는 황혼 속에서 그녀의 두 눈망울의 흰색이 커다랗게 다가왔다.

그러나 이때는 메이지의 눈망울이 아이다의 눈망울에 꽤 잘 필적했다. 적어도 그때 그 애는, 이제까지 나타낸 적 없는 적개심과 분노의 불꽃을 처음으로 얼굴에 드러내며 내려다보는 그 어떤 눈빛에 결코 지지 않을 혹독한 눈빛으로 올려다보았다. "그래요. 그때 그분은 엄마에게 친절했어요. 그랬다고요. 그래서 저는 그분이 좋았어요. 그분이 여러 가지를 말해주셨는데, 그 말이 상냥했어요. 상냥한 말씀이었다고요. 정말 그랬어요!" 그 애는 거의 난폭하다 할 만큼 자기주장을 강요하는 듯한 모습을 보여주었다. 그 이유는 그처럼 분노가 치밀어 오르는 가운데도, 사실 그 분노는 일부분에 불과했지만, 그 애의 마음속에서는 그와 같은 충심을 상실했다는 것이 엄마의 운명에 어떤 의미가 있을지에 대한 두려움과 고통, 조숙하고 불길한 예감이 일어났기 때문이었다. 말 그대로 메이지가 보게 되었던 순간이 있었다. 그 순간에 그 애는 광기와 외로움을 보았고, 파멸과 어둠과 죽음을 보았다. "그이후로 저는 종종 그분을 생각했고, 엄마가 그분과 함께 떠났으면 하고 바랐어요." 그 순간, 감정이 격앙된 상태에서, 그 애의 효심 어린 소망의 숨결은 그 애에게 아무런 도움이 되지 못했다.

그러나 아이다는 그 애의 소망에 대해 대꾸했다. "네가 바랐다고? 너 이조그만 골칫덩이가?"

"나는 도버에 그분이 와 계셔서 엄마를 데리고 가기를 소망했어요. 그분이 엄마를 남아프리카공화국으로 데리고 가실 것을요." 메이지가 다시 한 번 비참한 심정에 빠져 말했다.

그 말을 듣고 아이다는 망연자실하여 부자연스러울 정도로 긴 침묵에 잠겼다. 그 침묵은 너무도 길게 이어져서 그녀의 딸은 이어서 어떤 일이 벌어질지 궁금했을 뿐만 아니라, 엄마가 보여주려던 관대함의 징후가 모조리 소멸해 버렸다는 것을 완벽하게 짐작할 수 있었다. 그녀는 그곳에서 그저 어둡고 말문이 막힌 웅대한 모습으로 그 애의 눈에 비쳤다. 그녀의 분노는 분명히 여전히, 늘 그랬듯이, 변화무쌍하고 실행력을 가진 것이었다. 그러한 기준에 비추어서 그 분노에서 메이지가 일어나지 않기를 가장 바랐던 일이 지금 벌어진 일이었다. 그 분노는 여름날 황혼 속 열기에 녹아서 점차 연민으로 바뀌었다. 그리고 잠시 후에 그 연민은 그녀의 지갑에서 새롭게 들려오는 딸깍 소리가 주는 강세에서 그에 어울리는 억양을 찾았다. 그녀는 꺼낸 것을 도로 넣었다. "끔찍하고 불길하고 괘씸한 어린 것 같으니라고." 그녀는 중얼거렸다. 그 말을 남기고 그녀는 돌아서서 잔디밭 위로 옷자락 스치는 소리를 내며 멀어져 갔다.

아이다가 사라진 뒤에, 메이지는 텅 빈 정원의 깊어가는 어스름 속에서, 다시 벤치에 주저앉아 한참 동안 엄마가 훌쩍 떠나버리고 그 자리에 선 채로 남겨진 그녀의 이미지를 응시했다. 그 이미지는, 그것이 아빠 모습일 수도 있다는 차원에서만, 매우 이상한 방식으로, 엄마의 모습이 아니게 되었다. 그 애가 죽어 없어지길 바란다고 선언한 아빠의 음성이 아직도 공중에 맴돌고 있는 것 같았다. 그 이미지는 흐릿한 윤곽을 가진 존재였는데, 계속해서 그 애를 직면하면서, 그 애를 감싸고 있었다. 그런데 만약 패런지 씨가, 그쪽에서, 역시 떠나고 있었다면, 여백작과 함께 미국으로 떠나거나 아니면 그저 스파로 떠나고 있었다면, 그 이미지는 그 애가 생각할 필요가 있는 어떤 현실을 나타내었던가? 집 쪽에서 들려오는 웅장한 종소리에 그 질문에 대한 갑작스럽고 유쾌한 대답이 실려 있었다. 동시에 그 애는 클로드 경이 불이 켜진 넓은 출입문에 서서 자기를 찾으려고 둘러보는 것을 보았다. 그것을 보고 그 애는 그를 향해 갔으며, 그도 앞으로 나와서 잔디밭에서 그 애를 맞이했다. 그 애는 잠시 동안 아무 말 없이 그와 함께 거기에 서 있었다. 조금 전 마지막 순간에 그 애가 엄마와 그렇게 서 있었던 것처럼.

"네 엄마는 떠났니?"

"엄마는 가셨어요."

그 순간 두 사람 사이에는 더 이상 아무 말이 없었고, 그들은 그저 집을 향해 걸어갔다. 그 집 현관에 이르러 그는 거기에서 펼쳐지고 있던 유쾌한 대화에 섞여들었고, 그의 의붓딸에게 기쁘게도, 본연의 생기가 넘쳐흘렀다. "패런지 양께서 나의 팔짱을 껴주신다면 영광이겠습니다."

그 애의 생애에서, 패런지 양이 그처럼 행복하게 제안을 수락했던 것은 아무것도 없었다. 그것은 그 두 사람을 자신들의 향연을 향해 출발하게 한 찬란하고도 풍요로운 첫걸음이었다. 그 향연에 도착하기 전에 그 애는, 생애 처음으로 만찬에 초대된 기쁨에 넘친 젊은 숙녀의 기분으로, 사교적인 말을 한마디 했는데, 그 말을 듣고 그는 갑자기 발길을 멈췄다. "엄마는 남아프리카공화국으로 떠났어요."

"남아프리카공화국이라고?" 일순간 그의 얼굴은 뛰어오를 듯 활기가 넘쳐 보였다. 다음 순간 그 얼굴은 극도의 환희의 빛을 띠었다. "그녀가 그렇게 말했니?"

"오, 그래요. 저는 잘못 듣지 않았어요." 메이지가 뽐내듯이 말했다. "온화한 날씨를 찾아 가신다고 했어요."

클로드 경은 이제 검은 머리에 붉은 원피스 차림에, 조그만 테리어 개한 마리를 팔꿈치 아래에 껴든 어떤 젊은 여인을 바라보고 있었다. 그 여자는 그곳의 북적대는 소리 가운데 풍겨오는 따뜻한 음식 냄새와 섞여드는 강하고 인상적인 향수 냄새를 남기며, 그들을 스치듯 지나서 저녁식사 장소로 향하고 있었다. 그는 약간 우울해져서는 여전히 뭔가 말하려고 머뭇거렸다. "알겠다, 알겠어." 다른 사람들이 스쳐 지나갔다. 그는 그 사람들을 알아채지 못할 정도로 우울하지는 않았다. "네 엄마가 그 밖에 다른 말은 하지 않더냐?"

"오, 했어요, 아주 많이요."

그 말에 그는 약간 강렬한 눈빛으로 그 애를 다시 바라보았지만, 단지 "알겠다, 알겠어."라고만 되풀이했다.

메이지는 여전히 머릿속에 자신만의 이미지를 그리고 있었고, 그것을 꺼내놓았다. "엄마가 제게 뭔가를 주시려고 했다고 생각했어요."

"어떤 걸 말이니?"

"엄마가 지갑에서 꺼냈다가 다시 집어넣은 돈 말이에요."

클로드 경의 흥미가 되살아났다. "그녀는 도로 집어넣는 편이 더 낫다고 생각했던 모양이구나. 참으로 알뜰한 영혼이야! 그런 작전으로 얼마나 주려고 했었니?"

메이지는 잠시 생각했다. "보지는 못했어요. 아주 작았어요."

클로드 경은 고개를 뒤로 젖혔다. "아주 적은 금액이라는 말이니? 6펜스쯤?"

메이지는 마치 저녁식사 자리에서 벌써 상냥한 옆 사람과 농담을 주고받기라도 하고 있는 것처럼 그 말에 뾰로통해졌다. "아마도 1소버린이었던 것 같아요."

"아니면 심지어 10파운드짜리 지폐였을지도 모르지." 클로드 경이 제안하듯 말했다. 그 애는 자기가 놓쳐버린 것일지도 모를 모습이 갑작스럽게 떠올라 얼굴을 붉혔다. 그는 이렇게 말을 덧붙여서 그 이미지를 더욱 생생하게 만들었다. "그 지폐를 작은 공처럼 단단하게 말아서 말이야. 그녀는 지폐를 마치 머리카락을 말 때 사용하는 종이처럼 말아서 가지고 다니거든!" 그랬을 수도 있다는 가능성이 아주 크게 다가오기도 했고, 늘 그 애에게 클로드 경의 영리함을 상기시켜 주었던 의식의 물결이 새롭게 일어나기도 해서 메이지의 볼은 더욱 붉어졌다. 결국 그가 그 애보다 엄마에 관해서 비교도 할 수 없을 만큼 더 많이 알고 있다는 사실에 부끄러운 생각이 들었다. 그 애는 엄마가 머리를 마는 물건의 재료가 종이라는 것도 알아차리지 못한 채, 그녀가 지폐를 다루는 다른 자리에 함께한 적도 없이, 여러 차례에 걸쳐서 그녀와 함께 살았다. 어쨌든 그 단단한 종이 공은 영원히 그 애에게서 멀리 굴러가 버렸다. 마치 아이다의 당구 큐대가 당구공들을 쳐내서 멀리 보내버린 것처럼 말이다. 클로드 경은 팔짱을 끼도록 그 애에게 다시 자신의 팔을 내밀었고, 저녁식사 자리에 앉았을 때 그 애는 자기가 날려버린 금액에 대해 완전히 확신하고 있었다. 그러나 그 애 주변의 모든 것들—붐비는 홀, 화려하게 꾸며진 연회, 요리의 풍미, 드라마에서와 같은 인물들—이 인생의 즐거움을 더해주었다. 저녁식사를 마친 후에 그 애는 일종의 테라스인 현관에서 자기 친구와 함께 담배를 피웠다. 그것이 정확하게 그 애가 그렇게 했다고 느꼈던 것이기 때문이다.[61] 그곳에서는 빨갛게 타고 있는 담뱃불과 가벼운 드레스 차림의 숙녀들이 행복한 별빛 아래서 거의 넋을 잃을 정도로 황홀한 시적인 분위기를 연출하고 있었다. 두 사람은 거의 대화를 나누지 않았는데, 엄마가 무슨 말을 했는지에 대해서 그가 더 이상 묻지 않자 그 애는 약간 놀랐다. 하지만 대화의 필요성을 느끼지는 않았다. 거기에 있는 모든 것에는 말이 아무것도 더해줄 수 없는 어떤 느낌과 소리가 있었기 때문이었다. 그들은 계속해서 담배만 피워댔고, 의붓아빠의 침묵에는 달콤한 기운이 서려 있었다. 마침내 그가 말문을 열었다. "한 바퀴 더 돌아보자. 하지만 너는 곧 잠자리에 들어야 해. 오, 너도 알다시피 우린 정해진 일정대로 일을 진행할 거야." 그들은 어둑어둑한 길을 따라 걸으며 검은 돛대와 배의 붉은 불빛을 볼 수 있었고, 행복한 외국 여행과 관련된 게 틀림없는 누군가를 부르는 소리와 외치는 소리를 들을 수 있었는데, 모퉁이를 돌자 다시 정원으로 들어왔다. 그들의 정해진 일정은 분명한 의견 교환이 없이도, 그처럼 느긋하게 좀 더 걸으며 다시 한번 아름답게 이어질 예정이었다. 그러나 마침내 그가 말했다. 그는 담배에 새로 불을 붙인 성냥불을 손가락으로 튕겨서 날려버리면서 말을 시작했다. "나는 바람을 쐬러 나가야겠구나. 마음속이 어지러워. 산책하면서 마음을 좀 정리해야겠어." 그 애는 다른 모든 말에 그렇듯이 그 말에도 동의했다. 그가 말을 계속 이었다. "너는 애시 양에게 올라가 있거라." 그들은 그런 이름으로 그녀를 부르기 시작했었다. "올라가서 그녀에게 어려움은 없는지 살펴보렴. 혼자서도 찾아갈 수 있겠지?"

"오, 그럼요. 일곱 번이나 오르락내리락했는 걸요." 그 애는 여덟 번째로 가게 된 것을 무척 즐기는 듯했다.

여전히 그들은 헤어지지 않은 채 있었다. 그들은 별빛 아래서 함께 담배를 피우며 서 있었다. 그런 다음 클로드 경이 마침내 그 말을 꺼냈다. "나는 자유의 몸이야. 자유의 몸이 되었어."

그 애는 그를 올려다보았다. 그곳은 몇 시간 전에 그 애가 엄마를 올려다보았던 바로 그 자리였다. "아저씨는 자유의 몸이 되셨어요. 자유의 몸이 되셨다고요."

"내일 우린 프랑스로 간다." 그는 마치 그 애가 하는 말을 듣지 못한 것처럼 말했지만, 그것이 그 애가 그의 말에 동의하는 데 방해가 되지는 않았다.

"내일 우리는 프랑스로 가는군요."

이번에도 그는 그 애의 말을 듣지 못한 것처럼 보였다. 그리고 잠시 후에, 그건 틀림없이 그의 깊은 생각과 영혼의 동요의 결과였는데, 그는 마치 이전에 그 말을 하지 않았던 것처럼 다시 말했다. "나는 자유의 몸이야. 자유의 몸이 되었어!"

그 애도 그의 말에 동의하는 표현을 되풀이했다. "아저씨는 자유의 몸이 되셨어요. 자유의 몸이 되셨다고요.”

　이번에는 그가 그 애가 하는 말을 들었다. 그는 어둠을 뚫고서 진지한 표정으로 그 애를 바라보았다. 하지만 그는 더 이상 아무 말도 하지 않았다. 그는 그저 몸을 약간 굽혀서 그 애를 끌어당겨, 잠시 그 애를 끌어안고 있더니 굿나잇 키스를 했다. 그런 다음 그는 그 애를 말없이 위층에 있는 애시 양에게 보낸 다음, 검은 돛대와 붉은 불빛을 향해서 다시 발길을 돌렸다. 메이지는 마치 위층에 프랑스가 있기라도 한 기분으로 계단을 올라갔다.


## XXII


　다음 날 그 애는 정말이지 최악의 상태로 떨어져 내린 것 같았다. 영국 해협을 건너는 배 위에서 그 애는 몸서리칠 정도로 곤두박질쳐 너무 깊이 가라앉게 되어, 클로드 경이 유지하고 있는 높이를 새삼 느끼게 되는 것 같았다. 저만치 높다란 곳에 클로드 경이 있었는데, 그는 비록 돛의 장막이 기울어진 각도이기는 했지만 흠뻑 젖은 상태에서 의붓딸의 머리를 그의 무릎 위에 눕힌 채, 그리고 비일 부인 가정부의 머리는 적당히 그의 가슴에 기대게 한 채 상냥하게 앉아 있었다. 그 애에게는 클로드 경이 어느 모로 보나 그처럼 대단해 보인 적이 없었다. 메이지는 그들이 항구로 들어갈 때 자기들이 아름다운 날씨에 항해를 했었다는 것을 알고 놀랐다. 그러나 그런 감정은 불로뉴에 이르자 다른 감정들 속에서, 무엇보다 삶에 대한 더 큰 인상이 가져다주는 황홀감 속에서, 재빨리 사라졌다. 그 애는 ‘해외’에 와 있었고, 화창한 대기 속에서 분홍색 집들 앞에서, 다리를 드러낸 어부의 아내들

가운데서, 그리고 붉은 바지 차림의 군인들 속에서, 어떤 사명감에 대해 즉시 확신에 차서 그 상황에 자신을 맡겼으며, 그것에 감응했다. 그 애의 사명감은 세상을 둘러보는 것이었고, 그러한 모습을 보며 기쁨에 넘쳐 전율하는 것이었다. 그 애는 5분 만에 한층 더 성숙해졌다. 그래서 그들이 호텔에 도착했을 때에는 프랑스의 제도와 풍속에서 무한한 친근함과 메시지를 인식했다. 말 그대로 한 시간 정도가 지나는 동안, 그 애는 성인이 되는 통과의례를 거친 것처럼 느껴졌다. 그것은 그 애가 수잔 애시에게 행하고 있다고 스스로 인식한 우월한 역할에 의해서 더욱 활기를 띠게 된 생각이었다. 그 애는 프랑스식 아침식사를 재빨리 먹어치우자마자—그것은 그 연주회에서 실제 높은음을 내는 부분이었는데—그런 역할을 수행하고 있었다. 클로드 경은 이미 자기가 아는 사람들과 조우했고, 그의 표현을 빌리자면, 처리해야 할 업무나 편지들이 있었으므로, 둘이서 산책하라고 메이지와 수잔을 내보냈다. 그 산책길에서 그 애는 런던에서 함께 걷는 동안 자기의 수행인에게서 터져 나오곤 했던 킥킥거리는 큰 웃음소리에 대해서뿐만 아니라, 순수와 죄의식 사이에서 너무나 크게 흔들리는 것 같았던 뭔가 이상하게 과도하다는 인상을 사교적으로 만들어내는 애시의 성향에 지배당했던 모든 시간에 대해서, 시적 정의가 요구하는 정도만큼, 앙갚음을 했다. 불로뉴에서, 당장은 비록 과도함이 있었을지라도, 적어도 주저함은 전혀 없었다. 그 애는 깨닫고, 이해했으며, 찬미하고, 소유했다. 자신이 모든 것에 적응하고 있다고 느꼈으며, 단순히 그 애를 기다리고 있었던 모든 것들에 양손을 번갈아가며 대보았다. 그 애는 수잔에게 설명하고, 수잔을 보고 웃었으며, 수잔 위에 군림했다. 그 애에게 가장 활기차게 반응하면서 직접적으로 인식하고 받아들이게 해주었던 것은, 어쨌든 수잔의 어리석음과—그 애는 그걸 지금처럼 확실하게 느낀 적이 없었다—당황과 무지와 반감이었다. 그 장소와 사람들이 한데 어우러져 하나의 그림이 되었다. 그 그림은, 그들이 넓은 모래사장으로 내려갔을 때, 아름답게 구성된 해변이나 구경 나온 사람들과 수영하는 사람들의 유쾌한 모습, 프랑스어와 그곳의 날씨, 그리고 무엇보다 우리의 어린 숙녀가 맞고 있는 전례 없는 상황과 어울려 무수한 색조를 띠며 일렁이고 있었다. 그 애에게는 단 한 시간 안에 그처럼 진귀한 경험을 해보거나 그처럼 풍부한 경험을 해본 사람이 유사 이래로 아무도 없었을 것 같았다. 그런 느낌에 이어지는 뒷맛으로 그 애가 지금 자신의 모습이 과거로부터 얼마나 놀라울 정도로 바뀌었는지를 의식적으로 느껴보는 데는, 짐작하기 어려울 만큼 심통이 난 수잔이 자기에게는 엣지웨어가[62]가 더 마음에 든다고 말하는 것을 들어보는 것이면 충분했다. 과거는 너무도 달라져 버렸고 이미 만들어졌던 범위는 밟혀 지나쳐져서, 바로 그날 오후 또 한 번의 산책길에서 그 애는 자신이 조금의 망설임도 없이 클로드 경에게 파리로 출발해야 할 정확한 시간을 말해줄 수 있는지 묻고 있다는 것을 알게 되었다. 여기서 밝혀둘 점은, 그의 대답이 그 애를 조금도 위축되게 하지 않았다는 것이다.

"오, 파리라니, 사랑스러운 내 아이야. 나는 파리에 대해서 잘 몰라!"

그 말은 대꾸를 필요로 했다. 그러나 그 애가 잠시 그를 바라보고 나서 "그런데, 우리가 외국으로까지 왔을 때는… 파리로 가는 게 진짜 목적이 아닌가요?"라고 대답한 것은, 여행의 세부사항에 관해 처음으로 논의했을 때의 강렬한 기쁨에 비해서는 훨씬 못 미치는 항의였다.

그는 다시 침통해졌고, 그 애는 그 말을 단순히 던져보았을 따름이었다. 그것은 그들의 삶에 깃든 심각성을 정당하게 인정하는 방법이었다. 더욱이 이번에 그 애가 그 문제에 대해 조금 더 깊이 들어가서, 단순히 인내심을 위해서는 그 애가 할 만큼 충분히 했다는 것을 그가 알아챘으리라는 사실을 되새겨보지 않고서는, 그 애가 어제 이후로 그보다 더 나이 들어 보일 수 없었을 것이다. 그의 눈빛에는 사실, 그 애가 보기에, 갑자기 그 애 자신의 분별력을 초라하게 만드는 무언가가 있었다. 그 애가 그것을 수습할 여유를 찾기 전에, 그는 그 애의 마지막 질문에 대답했다. 그 대답은 모든 면에서 그 애가 거의 예상하지 못한 방식의 대답이었다. "해서는 안 돼서 하지 않는 그런 일 말이니? 물론 파리는 매력적인 곳이야. 하지만 이 사랑스러운 녀석아, 파리는 네 머리를 잘라먹어 버린단다. 내 말은 파리는 생활비가 살인적으로 비싸단 말이야."

그 말의 어조는 그 애에게 고통을 주었다. 그 어조 때문에 현실이라는 빛이 갑자기 더 강하게 들어왔다. 그렇다면 그들이 가난하다는 말인가, 그가 가난하다는 말인가, 광천음료나 차가운 소고기를 즐기는 것 이상은 정말로 감당할 수 없다는 말인가? 그들은 항구를 감싸고 있는 긴 방파제의 끝까지 걸어갔다. 그리고 그들이 도망쳐 나온 위험, 영국을 나타내는 회색빛 수평선과 몸부림치며 뒹구는 바다, 그 위에서 깐닥거리는 갈색 배들의 철썩거림을 바라보았다. 그는 왜 이처럼 당황스러운 시기를 택해서 급작스럽게 외국으로 떠나왔을까? 만약에 그것이 갑작스럽게 닥친 재정적 문제가 아니라면 말이다. 그 애는 그런 문제에 대해서 종종 들어본 적이 있었다. 그리고 그 애는 회색 수평선과 깐닥거리는 배들을 다시 한번 바라본 뒤에 의기양양하게 그 문제로 다시 돌아갈 준비가 되어 있었다. 그 애는 그와 똑같은 태도를 취하며 대답했다. "그렇군요, 알겠어요." 그 애는 그를 올려다보며 미소 지었다. "우리가 처한 상황이 내포된 거군요."

"바로 그거야." 그는 그 애의 미소에 답했다. "내 상황은 너만큼 나쁘지는 않단다. 왜냐하면 네 상황은, 나의 사랑하는 녀석아, 정말로 내가 전혀 꿰뚫어 볼 수 없는 상태거든. 그래도 내 상황은 엉망이긴 하지만 그럭저럭 감당할 만해."

그 애는 그 말을 곰곰이 생각해 보았다. "하지만 영국보다 프랑스가 생활비가 더 싸지 않나요?"

저만큼 짙어가는 어둠 속에서, 그때 영국은 너무도 소중해 보였다. "어떤 지역들은 그렇다고 말할 수도 있겠다마는."

"그럼 우리가 그런 곳에서 살 수는 없나요?"

순간 그 제안에 답하려고 그가 막 말하려는 듯한 태도를 취하다가 막상 말하지 않은 어떤 것이 있었다. 이윽고 그가 한 말은 "바로 이곳이 그런 장소들 중에 하나야."였다.

"그럼 우린 이곳에서 살게 되나요?"

그는 그 애가 바라는 만큼 분명하게 대답하지 않았다. "우리가 돈을 아끼기 위해서 왔으니까."

그 말을 듣고 그 애는 그를 더욱 밀어붙였다. "우린 얼마 동안 머무를 건가요?"

"아, 3일이나 4일가량."

그 말을 듣고 그 애는 움찔 놀랐다. "그 기간 동안에 돈을 아낄 수 있다고요?"

그는 큰 소리로 웃음을 터뜨리며 그 애에게 어깨동무를 하고 다시 걷기 시작했다. 도중에 그는 그 애에게 그 애 역시 자신의 약점 중에 가장 아픈 구석을 건드렸다고 털어놓았다. 그 아픈 구석이란 만약에 그가 검약을 위해서 하는 어떤 일도 하지 않았더라면 아마도 자신의 수입 안에서 생활할 수 있었을 것이라는 사실이었고, 그는 그걸 완전히 알고 있었다. "행복한 생각에서 그 일을 하게 되었어. 싸구려 여행을 일주일 끼워 넣는 것보다 더 비참한 일은 없단다." 메이지의 귀에는 저물어가는 하루의 유쾌한 소리들 가

운데서 아이다가 마음을 바꿔 지갑의 강철 걸쇠를 딸깍하고 잠갔던 소리가
새롭게 들리는 듯했다. 그 애는 이처럼 중대한 때에 자기의 동료에게 용기
를 북돋워 주기 위해서 꺼내놓는다면 즐거웠을, 그 10파운드짜리 지폐에 대
해서 생각해 보았다. 그러나 그러한 생각은 그들이 감탄하려고 멈춰 선 다
음 상황 앞에서 그가 뜬금없이 "우리는 그녀가 도착할 때까지 여기 머무를
거야."라고 말했을 때 싹 사라져 버렸다.

그 애는 그를 향해 돌아섰다. "비일 부인 말씀이세요?"

"윅스 선생님 말이다. 그분과 전보를 주고받았어. 그녀가 네 엄마를 만
났단다." 그가 말했다.

"엄마를 만났다고요?" 메이지가 응시했다. "도대체 어디에서요?"

"아마도 런던에서였겠지. 그들은 거기 함께 있었으니까."

한순간 그것은 불길한 말처럼 들렸다. 두려움이 그 애의 눈빛에 떠올랐
다. "그럼 엄마가 떠나지 않으셨나요?"

"네 엄마가? 남아프리카공화국으로? 나는 그럴 거라는 가능성을 버렸단
다, 이 녀석아." 클로드 경이 말했다. 그 애는 그가 거기에 서서 그러한 생
각을 단념하는 것을 실제로 바라보고 있는 것 같았다. 그러는 동안 그는 멍
한 표정으로—그 애의 문제들에서 생각이 떠난 듯한 표정으로—새우가 가
득 담긴 바구니를 들고 바닷물에서 막 걸어 나오는 한 젊은 여자 생선장수
의 멋진 걸음걸이와 눈부신 팔다리를 바라보고 있었다. 그의 생각이 그의
시선보다 더 먼저 그 애에게로 되돌아왔다. "그런데 나는 그게 문제가 되지
않는다고 봐. 그녀는 그럴 필요가 없다면 우리에게 오지 않을 거야, 이 짠한
녀석아. 그녀는 자기가 어떻게 처신해야 하는지 아주 잘 알고 있으니까."

그 말은 메이지를 충분히 안심시켰고, 그 애는 그 말을 잠시 생각해 본
다음 그것을 자신이 꿈꾸는 일에 갖다 맞출 수 있었다. "좋아요, 엄마는 무

슨 일을 하시려 할까요?"

그는 마침내 그 어부 아내에게서 눈길을 돌리고, 그 애가 묻는 말에 답했다. "오, 너도 알고 있잖아." 그가 그 말을 하는 태도에는 그 애가 이제까지 상상했던 것보다 두 사람 사이를 더 대등한 관계로 만드는 어떤 것이 있었다. 하지만 그것은 그가 자신을 끌어내렸다기보다는 그 애를 끌어올려서 나타난 효과였다. 그것이 그 애에게 가져다준 효과는, 그 애가 그의 말에 동의하는 말투로 드러났다.

"그럼요, 저도 알고 있죠!" 그 애가 알고 있는 것, 그 애가 알 수 있게 된 것은 지금 우리에게 전혀 비밀이 아니다. 그 애가 알게 된 내용이, 어쨌든 그날 남은 시간 동안 그가 당연시하는 분위기에서, 늘어나고 또 늘어났다. 그 애가 알고 있는 걸 시험하는 것보다 그가 모든 것을 말해주는 편이 더 나았다. 그러나 최악의 경우에도 그 문제의 핵심은 거기에 있었다. 그들이 경험하는 거대한 변화가, 마치 그 일이 몇 주 동안 계속되었던 것처럼 말하는 가운데, 메이지가 그렇게 말했듯이, 윅스 선생님을 둘러싸고 축적되어 생겨났다는 사실이 그들 사이에 마침내 공공연해졌다. 그 애는 그날 밤 잠자리에 들기 전에 클로드 경이, 그가 말한 대로 그들의 상황이 다급해서, 한 통 이상의 전보를 받았었다는 것을 알게 되었다. 하지만 두 사람은 비일 부인에 관해서는 어떤 말도 하지 않은 채 다시 헤어졌다.

아, 교정 안경을 끼고 낡은 갈색 드레스를 입고 영국해협을 건넌다는 것은 얼마나 대단한 일인가! 그 애가 보았던 그 낡은 갈색 드레스는 여행이라는 예상되는 재난에 대비해서 알뜰하게 부활했을 것이다. 밤이 되자 바람이 거세졌다. 메이지는 자기가 묵고 있는 여관의 작은 방에서 바다의 요란한 소리를 들을 수 있었다. 다음 날은 비가 내렸고 상황이 완전히 달라졌다. 수잔에게도 그런 변화가 있었는데, 그녀는 궂은 날씨에 대해 대놓고 큰 소리로 웃어댔다. 그런 태도를 보인 것은 한편으로는 그들을 찾아올 사람이 배에서 겪게 될 고초를 고소해했기 때문이기도 하고, 또 한편으로는 그러한 궁지로 찾아오는 어리석은 의욕을 지적하는 것 같기도 했다. 젖은 날씨 속에서 그 애는 클로드 경과 함께 포크스톤에서 오는 정기선이 닿는 선착장으로 갔다. 시끌벅적한 소동과 함께 정기선이 도착하자, 그는 그 애에게 부두에서 우산을 쓰고 기다리고 있으라고 했다. 그리하여 그 배가 부두에 닿자마자 그는 갑판 위에 밀집한 뱃멀미에 녹초가 된 사람들 사이를 헤집고 다니며—그가 그렇게 말했다—그들의 친구를 찾아 헤매는 중에, 윅스 선생님에게 보일 참이었다. 오랜 시간이 지나고 나서야 그는 다시 나타났다. 사실 모든 사람이 배에서 다 내린 후에야 나타난 것이다. 그때 그는 자신의 자비의 대상을 데려와서 보여주었는데, 메이지는 그 대상이 완전히 의기소침한 상태인지 아니면 승리감에 흥분된 상태인지 거의 알 수가 없었다. 그의 팔에 부축을 받고 있는 그 부인은, 여행 종반부에 겪은 호된 시련에 여전히 녹초가 된 상태로 그처럼 큰 고통을 감싸준 적이 없었던 옷자락으로 몸을 칭칭 감싸고 있었다. 한 시간 후에 호텔에서 그 모호성은 벗겨졌다. 윅스 선생님이 생기와 역할을 되찾도록 친밀하게 도와주면서 메이지는 그녀로부터 만약 클로드 경이 그 문제를 그녀에게 맡기지 않았더라면, 그녀가 그 일을 거의 해낼 수 없었을 것이라는 말을 자세히 듣게 되었다. 그녀는 자기 방에서, 무어라 표현할 수 없는 전후 관계 속에서, 그 표현을 반복했다. 그녀의 표현을 빌리자면, 그가 가장 내밀한 질서에 대한 '변화'를 이끌어낼 권한을 그녀에게 맡겼다는 것이었다. 그 질서는 방대한 여행 일정을 단계별로 예시할 정도로 다양한 환경과 기회에 맞도록 조정된 것이었다. 한 명의 가정교사에게 그처럼 많은 돈을 쓴 뒤라, 당연히 저렴한 비용이 드는 여행 기간도 몇 주 고려해서 넣어야 했다. 그러나 그녀의 어린 학생은 그 금액—심지어 웍스 선생님이 자신의 외모가, 그 교정 안경을 통해서, 눈에 띄게 신비화된 관심을 불러일으킨다고 느끼는 데 사용된 금액조차도―을 아깝다고 생각하지 않았다. 사실 클로드 경은 웍스 선생님의 외모보다 그 금액에 신경 쓸 시간이 더 없었다. 게다가 웍스 선생님은 비일 부인과 만날 경우에 삐걱거리는 새 신발을 신고 있는 메이지의 입장보다는 자신의 입장에 더 있고 싶어 했다.63 메이지도 그처럼 많은 새로운 상황에서 비일 부인이 어떠한 판단을 내릴지에 너무나 몰두한 나머지, 스스로 어떤 판단을 할 수 없는 상태였다. 게다가 점심을 배불리 먹고 애정 어린 표현을 수없이 주고받은 이후라서, 그 문제는 아주 다른 방향으로 전환되었다. 그 애는 자기가 보여줄 수 있는 것에 열린 눈이, 수잔 애시의 눈 말고도 다른 눈도 있다는 생각을 재빨리 하게 되면서 당연히 즐거워졌다. 애석하게도 그 애는 비가 그치기 전까지는 많은 것을 보여줄 수 없었는데, 그날 비는 그치질 않았다. 하지만 그래서 웍스 선생님이 뭔가를 보여줄 수 있는 시간을 더 많이 갖게 되었다. 그 일은 그들이, 메이지가 생각하기에 아마도 여백작의 아파트를 제외하고는 가장 아름다운 것 같은, 하얀색과 황금색으로 꾸며진 살롱에 앉아 있었을 때, 여름 폭풍우가 너무도 세차게 창문에 몰아치며 방 안으로 냉기를 불어 넣는 동안에 일어났다. 클로드 경은 바지 주머니에 양손을 찔러 넣은 채 이빨에 담배를 물고서 연이어 피어대며, 안절부절못해하고, 인상을 쓰면서, 창밖을 내다보았다가 돌아서며, 맵시 있는 작은 벽난로에 연기가 자욱한 작은 불을 피워서 그 냉기를 없애주었다. 웍스 선생님이 뭔가를 보여주려고 했던 행동은, 클로드 경이 그것을 저지하려고 한다고밖에 볼 수 없는 태도를 취했음에도 불구하고, 행해졌다. 그런 그의 태도는―아, 그의 모든 태도는 그의 의도에 부합했다―그가 실없는 농담이나 하찮은 말로 그 대화를 제한한 정도까지는 그의 의도에 부합했었다. 그 대화를 조그만 빈 커피잔과 작은 유리잔—윅스 선생님은 그 잔을 각각 두 개씩 가지고 있었다!—수준으로 유지하려는 그의 태도는 그의 의도에 부합했었다. 프랑스 벽난로 불과 영국산 담배가 만들어내는 연기를 통해 메이지의 눈에 비친 그 잔들은, 거기에 놓였던 의미보다도 더 큰 징표로 나타나 보였다. 그 애는 이제, 밀폐된 숙소 안에서 마치 윅스 선생님이 자기에게 말로 해준 것처럼 분명하게, 그녀가 거기에 온 목적이 단순히 농담이나 받아주고 제자가 농담의 대상이 되는 것을 보기 위해서가 아니라는 것을 느꼈다. 또 클로드 경—그는 프랑스어를 완벽하게 구사했다—이 그 호텔에 묵고 있는 영국 사람들이 서툴게 발음하는 프랑스어를 흉내 내는 것을 들으려고 온 것도 아니라는 것을 알 수 있었다. 그녀의 그러한 감정은 이전에 입었던 옷이 자기 옷이 아닌 것처럼 느껴지기라도 하는 듯, 아마도 반쯤은 그녀가 지금 입고 있는 새로운 옷차림의 결과로 생겨난 것이었다. 그처럼 짙은 홍조를 띠면서 흥분된 기분이 드는 것은, 메이지가 생각해 보니, 감정이 고조된 순간에 일어나는 윅스 선생님의 '습관적인' 현상이었다. 그녀는 진심으로 불로뉴에 관한 잡담에는 전혀 관심이 없었다. 그녀의 홍조가 부분적으로는 점심을 먹고 나서 술을 두어 잔 한 것 때문이라 할지라도, 그것은 또한 그녀가 무슨 말을 하려고 거기에 왔는지에 관한 대담한 신호이기도 했다. 메이지는 그 신호가 왔을 때 거기 모인 사람들 중 가장 어린 사람이 그것을 얼마나 마음 졸이며 기다렸는지 알게 되었다. "여사님이 짐을 싸주면서 내가 떠나게 해주셨단다. 그녀가 나를 거의 마차에 태워줬어." 윅스 선생님은 마침내 그렇게 말했다.

# XXIII

클로드 경은 창가에 박힌 듯 서 있었다. 그는 돌아설 기색을 보이지 않았다. 그러자 그 세 사람 중 가장 어린 사람이 윅스 선생님이 한 말을 받아야 하는 상황이 되었다. "선생님이 어제 엄마를 만나러 가셨단 말씀이세요?"

"그녀가 나를 만나러 오셨단다. 그녀가 나의 초라한 문을 노크하셨어. 나의 초라한 계단을 올라오셨지. 포크스톤에서 너를 만났다고 말하셨어."

메이지는 의아했다. "엄마가 그날 저녁에 런던으로 돌아가셨나요?"

"아니, 어제 아침에 돌아오셨어. 그녀는 기차역에서 곧장 나를 만나러 오셨단다. 그건 정말 놀라운 일이었어. 내가 처리해야 할 어떤 일이 있었다면, 그녀는 그 일을 악화시킬 어떤 행동도 하지 않으셨다. 그녀는 그 일을 더 좋게 만들려고 대단한 일을 하신 거야." 윅스 선생님은 뜸을 들였지만, 그녀의 얼굴에 이는 불길은 더욱 밝게 타올랐다. 그러고는 용기를 내어 말했다. "여사님은 친절한 분이셔. 그녀는 내가 전혀 기대하지도 않았던 일을 하셨어."

그 말을 듣고 메이지는 의붓아빠의 등을 바라보았다. 그의 등이, 그때 그 애에게는, 여사님의 친절을 상징하는 기념비였을지도 모른다. 그는 기념비처럼 꼼짝 않고 서 있었다. 그렇게 서 있는 동안 그 아이가 그들의 동료에게 물었다. "엄마가 정말로 선생님을 도와주셨어요?"

"가장 실질적인 방법으로 도와주셨단다." 윅스 선생님은 잠시 말을 멈추더니 이어서 분명하게 다시 말했다. "그녀가 내게 10파운드짜리 지폐를 주셨어."

그 말을 듣고 여전히 창밖을 내다보며 서 있는 클로드 경이 큰 소리로 웃었다. "자, 이제, 메이지야, 우리가 그 돈을 아주 잃어버리지 않았다는 것을 알겠지."

"아, 잃어버린 게 아니었군요. 너무 잘된 일이에요." 메이지가 대답했다. 그 애는 윅스 선생님을 향해 미소 지었다. "우리는 그 돈에 대해 잘 알고 있어요." 그런 다음 그 애는 자기 친구가 얼굴에 홍조를 띠면서 멍한 표정을 짓는 것을 보고서 물었다. "엄마는 제가 선생님과 함께 지내기를 원하시나요?"

윅스 선생님은 또 한 번 망설였다. 하지만 클로드 경이 창유리를 손가락으로 두드리는 동안, 윅스 선생님은 이내 정신을 차렸다. 메이지는 그가 돌아서지도 않은 채 창유리를 톡톡 두드리며 서 있는 데도 불구하고, 어떤 의미로는, 그를 그 애 손에 맡기고 싶어 할 정도로 몹시 흥미로워하고 있다는 생각이 들었다. 그런 행동이 갑자기 그 애에게는 그가 간섭해서 보여줄 수 있는 것보다 더 확실한 증거인 것처럼 보였다. "네 엄마는 내가 너를 맡기를 원하신단다." 윅스 선생님이 선언하듯 말했다.

클로드 경에게 가해진 그 말의 충격에 메이지가 대답했다. "그렇다면 그건 우리 모두에게 잘된 일이네요."

물론 그랬다. 그의 계속된 침묵이 그 점을 충분히 인정해 주었다. 그동안 윅스 선생님은 앉아 있던 의자에서 일어나 더욱 단호한 자세를 취하기라도 할 것처럼, 위엄의 기미까지 내비치며, 벽난로 불 앞에 가서 섰다. 그녀의 옷맵시에서 느껴지는 부조화, 빳빳한 원피스가 주는 분위기가 그녀가 그들 중 그 누구보다 더 실제로 파리에 갈 채비가 되어 있다는 것을 보여주었다. 그녀도 역시 클로드 경의 등을 굳은 시선으로 바라보았다. "당신 아내는 내가 이전에 전혀 볼 수 없었던 모습이었어요. 그녀는 어떻게 하는 게 타당한지 알고 있어요."

"그게 어떤 건지 혹시 기억하고 있나요?" 클로드 경이 물었다.

윅스 선생님은 바로 대답했다. "메이지에게 점잖은 여성이 필요하다는 거예요. 내 말은 그처럼, 뭐랄까, 성숙한 인격을 갖춘 사람이 중요하다는 거죠. 그녀는 단순한 하녀가 그 애를 돌보는 데 반대했어요. 나는 그녀가 내게 바라는 역할이 무언지 당신께 당당하게 말할 수 있답니다." 한 가지 분명한 사실은, 윅스 선생님이 이제 어떤 일이라도 할 수 있을 만큼 대담해졌다는 것이었다. "그녀는 내가 당신을 설득하여 비일 부인의 집에서 그 사람을 없애기를 원해요."

메이지는 그 말에 대해 클로드 경이 어떤 반응을 내놓기를 기다렸다. 그때 그 애는 그가 그의 편에서 대답을 기다리고 있다는 것만 이해할 수 있었을 뿐이었다. 그 애는 자신이 그 문제에 대해 책임지고 대답하는 것이, 이 경우 상식에 부합하다는 것을 충분히 인지하게 되었다. "오, 저는 수잔이 선생님과 함께하는 것을 원치 않아요!" 그 애는 윅스 선생님에게 말했다.

클로드 경이 여전히 창가에 서서 동의했다. "그건 아주 간단한 문제야. 내가 수잔을 다시 데려다줄 거야."

윅스 선생님이 단호한 태도로 벌떡 일어났다. 메이지는 그녀가 놀란 표정을 짓는 것을 알아차렸다. "그 여자애를 데려다준다고요? 그곳에 가려는 다른 속셈이 있는 건 아니고요?"

클로드 경은 잠시 말이 없었다. 그런 다음 "내가 당신을 이곳에 남겨두면 안 될 이유라도 있습니까?"라고 물었다.

그 말을 듣고 메이지가 벌떡 일어났다. "오, 그렇게 하세요. 오, 그렇게 하시라고요. 오, 그렇게 하시라니까요!" 다음 순간 그 애는 윅스 선생님을 껴안았고, 그 두 사람은 벽난로 앞 깔개 위에 서서 서로 눈을 마주 보면서,

그 계획에 대해 열띠게 생각했다. 그때 메이지는 그 문제에 대해 그들이 각자 어떤 다른 생각을 하고 있는지 느낌이 왔다.

"그 여자애는 당연히 혼자서도 돌아갈 수 있어요. 그런데 왜 당신은 직접 그곳에 가려고 하는 거죠?" 윅스 선생님이 따지듯 물었다.

"오, 그 여자애는 좀 모자란 데가 있어요. 그럴 능력이 없습니다. 만약 그 애에게 무슨 일이라도 생긴다면 그건 안 될 일이죠. 그녀를 이곳에 데려온 사람은 바로 나입니다. 그 애가 그렇게 해달라고 부탁하지도 않았는데 말이에요. 만약 내가 그녀를 돌보지 못할 상황이 되면, 나는 내 손으로 직접 그 애를 원래 있었던 자리로 다시 되돌려 놓아야 해요."

윅스 선생님은 그런 말도 안 되는 소리에 대해 메이지에게 도움을 호소하기라도 하는 듯한 표정을 지었다. 그리고 그들의 동료를 향한 그녀의 태도는, 그 애에게 놀랍게도, 전례 없이 단호한 모습을 띠었다. "존경하는 클로드 경, 나는 당신이 잘못 생각하고 있다고 생각해요. 그 여자애에게 여비를 주세요. 1소버린을 줘요. 그 애는 꿈도 꿔보지 못했던 외국 여행을 경험해 보게 되었고, 그게 그 애에게는 일생을 통해서 득이 될 것입니다. 만약 그 애가 도중에 길을 잘못 든다면, 그건 단순히 그 애가 그렇게 하기를 원해서일 거예요. 그 애가 가진 여비와 그 애가 받은 급료—그건 당신이 원하는 대로 맞춰서 주세요!—만으로도, 당신은 항상 모든 사람을 대하듯이 그 애에게도 충분히 자상하게 대해준 것이 될 겁니다."

윅스 선생님은 이전에 들어본 적 없는 새로운 어조로 그 말을 했다. 그 것은 그녀의 모자만큼이나 새로웠다. 그리고 그 어조는, 거기에 내포된 의미를 민감하게 감지하는 한 젊은이에게는 새로운 성격을 띠게 된 관계에 대한 결과로 느껴졌다. 그것은 메이지에게 자신의 친구들이 자신이 짐작한 것보다도 얼마나 더 심하게 나란히 서서 싸우고 있는지를 보여주기도 했다.

동시에 그것은 너무도 분명하게 정당화될 필요가 있었으므로, 클로드 경이 마침내 그들을 향해 돌아섰을 때 그 애는 처음에 그가 단지 지나치게 허물 없는 윅스 선생님의 언행에 분개했다고 생각했다. 그래서 그 애는 그가 마음의 평정을 흐트러뜨리지 않는 멋진 모습을 보여주는 것을 보고, 게다가 그가 여사님의 자유 말고는 어떤 자유와도 완전히 별개인 문제에 똑같은 관심을 보여주는 것을 보고 더욱 당황스러웠다. "내 아내가 혼자 왔었나요?" 그는 그 질문마저도 기분 좋은 어조로 던졌다.

"그녀가 저를 찾아왔을 때 말인가요?" 이제 윅스 선생님의 얼굴이 붉어졌다. 그의 유쾌한 기분도 그녀의 홍조를 누그러뜨리지 못했다. 그 홍조는 그녀의 지긋지긋한 정직함처럼 그녀의 얼굴에서 잠시 빛을 발했다. "아니요, 마차에는 누군가가 있었어요." 그녀가 자신의 흥분을 누그러뜨릴 수 있다고 생각한 유일한 방법은, 잠시 후에 다음과 같이 덧붙여 말하는 것이었다. "하지만 그들이 제 집으로 올라오지는 않았어요."

클로드 경은 웃음을 터뜨렸다. 메이지는 그 웃음의 의미가 무엇인지 짐작할 수 있었다. 그가 여전히 웃으며 이리저리 걷는 동안, 그리고 벽난로에서 위치를 벗어난 장작개비를 발로 차서 넣는 동안, 그 애는 '그들'이라는 표현에 깃든 우스꽝스러움이 모호하게 느껴지기도 했지만, 그 밖에 거의 모든 것들이 그보다도 더 모호하게 느껴졌다. 사실 그 애는 다음과 같이 말하려고 생각했던 것이 그 농담을 더 심각하게 만드는 건지 그것을 완화시켜 주는 건지, 독자에게도 거의 말해줄 수 없는 상태였다. "아마도 그 사람은 엄마의 하녀였겠죠."

윅스 선생님은 그 애의 빗나간 어조에 어쨌든 반대한다는 표정으로 그 애를 바라보았다. "그 사람은 그녀의 하녀가 아니었단다."

"이번에는 두 사람이었단 말씀이세요?" 클로드 경이 마치 이전 말을 들지 못한 것처럼 물었다.

"하녀가 두 명이라고요?" 메이지는 마치 그가 이전에 그 말을 들었다는 듯이 말을 계속했다.

교정 안경에 질책의 빛이 짙어졌다. 그러나 클로드 경이 갑자기 말을 막았다. "이봐요. 무슨 말을 하려는 겁니까? 그녀가 어떤 의도였다고 생각하는 거죠?"

윅스 선생님은 잠시 침묵을 지키면서 그의 물음에 대한 대답이, 그가 상관하지 않는다면, 그가 원하는 것 이상이 될 수도 있음을 그가 깨닫게 만들었다. 이러한 망설임을 통해, 그녀는 마침내 다음과 같이 말하면서 그에게 말해준 모든 것을 판단하고 조정하는 것처럼 보였다. "그녀가 의도했던 바는 당신이 명백히 자유로워졌다는 사실을 내가 알게 하려는 것이었어요. 아이다로부터 그 사실을 직접 확인하는 건, 물론 내가 바라던 즐거움은 아니었어요. 그것을 보고 나는 확신을 갖게 되었고, 거기서 오는 즐거움으로 일을 진척시킬 수 있었어요. 당신은 그녀가 그렇게 나를 압박하지 않았더라도 내가 그 일을 시작했을 것이라는 사실을 이제 확실히 알았을 거예요. 당신은 우리가 그처럼 오랫동안 무엇을 추구해 왔는지 이미 알고 있고, 그녀가 포크스톤에서 취한 조치를 내게 말해주자마자 우리가 얻게 되었다고 내가 기쁨에 넘쳐 깨닫게 된 것이 무엇인지 이미 알고 있을 겁니다. 내 생각이 옳았다고 느끼게 하는 건, 당신이 자유를 얻었다는 사실이에요." 그녀는 자신의 논리를 꽤나 뿌듯해했다. "하지만 나를 행복하게 해주는 건 다름 아닌 그녀가 한 행동이라는 걸, 나는 거리낌 없이 당신에게 말할 수 있어요."

"그녀의 행동이라고요?" 클로드 경이 메아리치듯 말했다. "무슨 말씀이죠, 부인. 그녀가 한 행동은 끔찍한 범죄일 뿐이에요. 그것이 우연히 꽤나 만족스러운 방식으로 우리의 연민을 충족시켰을 뿐입니다. 하지만 그렇다고

해서 그녀가 한 행동이 이제껏 한 일 중에서 가장 혐오스러운 짓이라는 사실은 조금도 바뀌지 않아요. 그녀는 우리의 어린 친구를 이곳 배 밖으로 내던져 버렸어요. 그런 짓은 그녀가 2층에서 창문 밖으로 고래고래 소리를 지르고 자기주장을 해대면서 그 고함소리와 주장을 길바닥 포장된 돌에 내팽개친 행동과 조금도 다를 것이 없습니다."

메이지는 논쟁을 벌이고 있는 양측을 차분히 바라보았다. "오, 여기 있는 당신 친구는 소리를 지르지도, 주장을 늘어놓지도 않고 있습니다, 클로드 경!"

그는 그 애를 잠시 바라보았다. "결코, 결코 그런 행동을 하지 않죠. 그 점은 우리가, 지금까지 보아 온 아름답기만 한, 그 애를 좋아하는 백여 가지 이유 중 단지 한 가지에 불과합니다." 그런 다음 그는 윅스 선생님께 추궁하듯 물었다. "내가 도무지 이해할 수 없는 건, 정말로 아이다가 무슨 꿍꿍이를 가지고 있는지, 그녀가 이전에 당신에게 그처럼 야비한 행동을 했었는데도 불구하고 이제 와서 그처럼 역겨운 낯짝을 보이며 당신에게 의존하려는 게 무슨 게임을 하려는 수작이냐는 거예요. 그녀의 의중을 헤아려보자면, 그녀는 어디에서 이내 자기가 원하는 것을 우리로부터 받아 갈 수 있다고 상상하고 있을까요? 우리는 그럴 생각이 조금도 없는데 말이에요."

"그녀는 아무것도 상상하고 있지 않아요. 누군가에게 어떤 것을 바라고 있지도 않고요. 당신이 역겨운 낯짝이라고 말한 건 내가 그녀에게서 본 것 중에서 가장 훌륭한 거였어요. 그녀가 과거에 나를 야비하게 대했던 건 아무래도 상관없어요. 나는 천 번도 넘게 모두 용서합니다!" 윅스 선생님은 이전에 그런 적이 없는 정도로 목소리를 높였다. 그녀는 자신의 의도를 명백히 하고는 몹시 의기양양해했다. "나는 그녀를 이해하고 거의 존경해요!" 윅스 선생님의 목소리가 떨렸다. 그녀는 이 정도면 실질적으로 충분하다는 듯이 말했다. 그러나 더 불분명한 개념에 대해 자비심을 베푸는 차원에서 그녀는 설명을 덧붙였다. "이미 말씀드린 대로, 그녀는 달라졌어요. 맹세코 내가 그녀를 제대로 알지 못했던 겁니다. 그녀는 어렴풋한 지각을 가졌고, 본능적인 감각도 있어요. 그것들이 그녀를 일깨웠습니다. 그것은 일종의 행복한 생각이었어요. 만약 당신이 그녀가 그런 걸 가졌었다고는 도무지 생각할 수 없다면, 나도 물론 그 점에 있어서는 당신에게 전적으로 동의해요. 하지만 그녀는 그런 것을 정말로 갖게 되었어요! 그렇다고요!"

메이지는 이러한 항변 속에 들어 있는 어떤 무례한 정당성이 상대방의 분노를 불러일으킬 수 있다는 것을 다시금 느낄 수 있었다. 그러나 불쾌한 상황이 생길까봐 염려하는 가운데 종종 그 애가 클로드 경을 목격했듯이, 클로드 경은 이번에도 분노를 나타내는 언행을 하지는 않았다. 그 애는 자기 아빠라면 "오, 염병할!"이라고 내뱉었을 표현 대신에, 아무리 나쁘게 말한다 해도 뜬금없다고나 할 정도의 질문을 하면서 그가 마음의 위안을 구하는 것을 지켜보았다.

"당신은 이번에 그 작자가 누구인지 아세요?"

윅스 선생님은 아무것도 모르는 척하면서 체면을 유지하려 했다. "누가 누구라는 말씀이세요, 클로드 경?"

"마차에 타고 있던 그 남자 말이에요. 당신 집 출입문 앞에서 기다리고 있던 그자는 누구였나요?"

그처럼 다그치자 그녀는 너무 오래 머뭇거리고만 있었고, 그래서 그녀의 어린 친구의 동정 어린 양심이 그녀에게 도움의 손길을 주었다. "그분이 대위는 아니었을 거예요."

그러나 그 애의 그처럼 훌륭한 의도도 그 훌륭한 여인의 망설임을 단지 더 애매한 시선으로 바꾸어놓았을 뿐, 게다가 클로드 경까지 기운이 빠지게 만들었다. 윅스 선생님은 정말로 그에게 호소하듯이 물었다. "제가 그걸 꼭 말해야 하나요?"

그는 계속 흥미진진해했다. "그녀가 말하지 말라고 약속이라도 하라고 하던가요?"

윅스 선생님은 그를 더욱 빤히 바라보았다. "나는 메이지 면전에서 그런 말을 할 수 없어요."

클로드 경은 다시 웃었다. "무슨 말씀이세요. 그 애는 그 남자에게 아무런 해도 끼칠 수 없는 걸요!"

메이지는 그 말을 듣고, 거기에 깃든 가벼운 유머에 자신의 얼굴이 붉어지는 것을 느꼈다. "맞아요. 저는 그분에게 아무 해도 끼칠 수 없어요."

교정 안경을 쓴 사람이 다시 그 애를 감싸 안았다. 그러자 마치 그 안경은 그것을 낀 사람의 정직성 때문에 폭발해서 금이 가는 것 같았다. 날아오르는 파편들 사이로 윅스 선생님이 한 이름을 말했다. "티쉬바인 씨였습니다."

잠시 침묵이 흘렀다. 그 침묵은 클로드 경의 영향력 아래, 그와 메이지가 서로 쳐다보는 동안 짐짓 진지함으로 생긴 침묵인 것 같은 착각이 들게 했다. "우리는 티쉬바인 씨가 누군지 몰라요. 그렇지, 애야?"

메이지는 그 말의 요지가 무엇인지 충분히 생각해 보았다. "그래요. 저는 티쉬바인 씨가 누구인지 모르겠어요."

그 표현은 눈에 띄게 그들의 친구에게 영향을 미쳤다. "클로드 경, 실례하겠습니다만", 윅스 선생님은 정말로 준엄한 어조로 말했다. "나는 그가 우리가 맡은 아이에게 연민을 보였다는 걸 당신 앞에서 맹세할 수 있어요. 그가 내게 이런 행동을 하도록 허락해 주었습니다." 그녀는 고통스러운 긴 한숨을 내쉬었다. "그럴만한 때가 되었어요!" 그러고는 그와 관련된 도덕적 의미를 지적할 것이 아직 더 있다는 듯이 말을 이었다. "나는 방금 당신 아내를 이해한다고 말했습니다. 방금 그녀를 존경한다고 말했어요. 그 말은 진심이에요. 나는 그녀가, 그 가엾은 분이, 어떻게 생각하는지 이해하게 되었을 때, 그 두 가지 판단을 했고 그렇게 말했습니다. 당신이 그 사실에 대해서 더 세세한 내용을 알고 싶으시다면 말씀드릴게요. 그녀가 했던 모든 행동에도 불구하고, 그녀가 나를 만나러 온 이유는 내가 올바른 사람이기 때문이에요." 그녀는 떨리는 목소리로 말했다. "그래요. 나는 단지 깨끗한 사람일 뿐입니다! 그녀가 자기 딸을 위해서 고려했던 건 그 애에게 마침내 '인격을 갖춘' 사람이 있어야만 한다는 사실이었어요."

메이지는 그 말에 클로드 경이 그런 인격을 갖춘 사람이 아니라는 뉘앙스가 깔려 있다는 것을 알고 재빨리 벌떡 일어섰다. 그러나 다음 순간 그 애는 그런 차별화가 어떤 사람을 염두에 두고 행해졌는지를 더 깊게 짐작해 보았다. 그래서 그 애는 클로드 경이 완벽한 솔직함으로 그 최악의 상황을 받아들이는 것을 보고 더욱 놀란 채 서 있었다. "만약 그녀가 성숙한 인격을 갖춘 사람에게 마음이 쏠려 있다면, 왜 저 애를 나에게 맡겼을까요? 당신은 나를 인격을 갖추지 못한 사람이라고 말하죠. 나는 아이다를 정당하게 평가하려 해요. 그녀는 결코 정당한 평가를 하는 사람이 아닙니다. 나는 내가 다른 누구만큼이나 인격적으로 성숙하지 못한 사람이라고 스스로 생각해요. 그리고 내 품행에서 아내가 저 애를 내게 양도한 것을 조금이라도 덜 비열하게 만드는 건 아무것도 없습니다."

"당신의 품행에 대해서는 말하지 마세요!" 윅스 선생님이 소리쳤다. "그런 끔찍한 말씀은 하지 마세요. 그런 말들은 거짓되며 사악합니다. 그리고 나는 당신을 용서합니다! 내가 여기 온 건 당신의 품위를 지켜주기 위해서예요. 그리고 나는 그렇게 하기 위해서 내가 할 수 있는 모든 일을 했습니다. 그게 당신을 구원하는 일이에요. 그것이 당신 자신으로부터 당신을 구하는 일이라고는 말하지 않겠습니다. 왜냐하면 당신의 심성은 곱고 선하기 때문이에요! 세상 최악인 사람에게서 당신을 구하려는 거예요. 나는 이곳에 와서 그녀에 대해 말하는 걸 두려워할 생각이 조금도 없어요! 그 여자는, 여사님이 그녀 대신에 심지어 나 같은 사람에게라도 아이를 맡기길 원하는 그런 인간입니다. 여사님 스스로 자신이 메이지를 맡아 기르는 데 적합하지 않다고 생각한다고 해서, 그녀가 제게 거의 그런 식으로 말했는데, 그것이 곧 그녀가 비일 부인에게 여지를 줄 수 있다는 것을 뜻하지는 않아요. 아마 당신도 그렇게 짐작하고 계실 테지만 말입니다."

메이지는 이러한 돌발 상황을 받아들이는 클로드 경의 얼굴을 바라보았다. 그리고 거기에서 그 애가 볼 수 있었던 가장 두드러진 모습은 얼굴이 약간 창백해졌다는 것이었다. 그의 얼굴은, 수잔 애시가 말했듯이, 기이해 보였다. 그리고 그가 짙은 미소를 짓는 모습은 그러한 기이함의 일부였다. "당신은 비일 부인에 대해 너무 심하게 말하는군요. 그녀는 나름대로 대단한 장점들을 가지고 있습니다."

그 말에 웍스 선생님은 바로 대답하지 않고 클로드 경이 조금 전까지 하고 있던 행동을 했다. 그녀는 창가로 다가가더니 잠시 폭풍우를 응시했다. 메이지가 느끼기에는 바람과 비에 반향하는 침묵이 얼마 동안 흘렀다. 이러한 상황에도 불구하고 클로드 경은 주변을 둘러보며 자신의 모자를 찾았다. 메이지가 그 모자를 먼저 발견하고는 달려가서 그것을 집어서 그에게 건넸다. 그는 얼굴에 "고마워"라는 표정을 지으며 그것을 받아들었다. 그런 다음 무언가가 메이지로 하여금 그 모자챙의 맞은편을 계속 붙들고 있게 했다. 그렇게 그 모자를 서로 붙들고 있는 상태에 의해 결속되어, 그 두 사람은 잠시 많은 것을 생각하며 서로 바라보며 서 있었다. 그때 웍스 선생님이 돌아섰다. "당신은 '돌아갈 거라고' 내게 말하려는 건가요?"

"비일 부인에게요?" 메이지가 모자를 그에게 넘겨주었다. 그 애는 그들의 동료의 도발적 언사가 당황스럽고도 거의 수치스러운 방식으로 행해진 것이, 그가 그 모자를 계속해서 돌리고 있게 하는 것은 아닌가 하는 생각이 들었다. 그 애가 생각하기에는 틀림없이, 클로드 경과 똑같은 동작을 하는 사람을 본 적이 있었다. "애야, 나는 아무 말도 할 수 없구나. 우리는, 나는, 생각을 좀 해봐야겠어. 내일 이야기하자. 그동안 나는 바람을 좀 쐬어야겠어."

웍스 선생님은 창문 쪽으로 등을 돌린 채 고개를 높이 치켜들었다. 잠시 그처럼 정지된 자세를 취하는 것이 그를 붙들어 두는 효과를 냈다. "클로드 경, 내가 생각하기에 프랑스의 모든 공기도 당신이 그녀를 단지 두려워하고 있다는 사실을 부인할 용기를 주지는 않을 거예요!"

이번에는 그가 정말로 기이한 표정을 지었다. 메이지는 그 표정을 알아차리는 데 굳이 수잔의 어휘가 필요하지 않았다! 그가 문 손잡이를 잡은 채 자기 의붓딸을 바라보았다가, 다시 눈길을 그 가정교사에게 돌렸다가, 또다시 그 애에게로 눈길을 되돌리며 서 있는 동안, 그의 그러한 표정은 그 애에게 저절로 인식되었다. 메이지의 눈동자에 의지하면서, 비록 너무나 짧은 순간이었지만, 그의 눈동자에는 그 애에게 전해주면서 설명하려고 했던 무언가가 있었다. 그러나 그의 입술은 아무런 설명도 하지 않았다. 그의 입술은 웍스 선생님에게만 굴복했다. "그래요! 나는 정말이지 그녀를 두려워하고 있어요!" 그는 방문을 열고 밖으로 나갔다.

그 상황은 그가 엄마를 두려워한다고 메이지에게 고백했던 것을 상기시켰다. 그렇다면 의붓엄마는 그가 신사의 특징을 가장 잘 보여준다고 여겨지는 어떤 특별한 미덕을 실현하는 데 실패한 두 번째 숙녀였다. 사실 만약 그 애가 윅스 선생님을 포함해서 헤아린다면, 그가 그 앞에 서면 부인할 수 없을 정도로 기가 죽었던 세 명의 여성이 있었다. 그런데 그가 용기가 없다는 사실이, 그 애의 다정한 심성에는 그의 더 깊은 매력으로 비쳤을 따름이었다. 그런 심성에 반응하여 전율하기 위해서, 그 애는 자신을 두려워 떨게 만들었던, 그런 표현은 바로 그 부인들이 사용했었는데, 모든 부인을 기억해 내기만 하면 되었다.

## XXIV

비가 너무 세차게 계속 내려서, 그들의 방문객에게 대륙을 설명해 주려는 우리 어린 숙녀의 개인적인 꿈은 그런 날씨에 적절하게 대처하는 방법을 위한 항목을 포함해야만 했다. 그날 저녁 호텔 세트 메뉴 식사에서 그 애는 다양한 빛을 발하였다. 이번이 그런 종류의 예법으로는 그 애가 끝까지 앉아 있었던 두 번째 경우였다.64 만약 그 애가 번역 능력으로 빛을 발할 준비가 적절히 되어 있지 않았더라면, 그 애는 자신의 특권을 소홀히 하고, 자신이 사용하는 어휘―사실 그 어휘란 주로 요리 이름이었다―에 오점을 남겼을 것이다. 정신이 팔려 있기도 하고 위압당해서인지, 윅스 선생님은 눈에 띄게 멍해 보였다. 그녀는 그 신기하기만 한 메뉴를 어린 제자가 번역해 주는 대로 받아들였다. 그 애는 그녀의 그러한 모습을 보고 그것이 너무 쉽게 믿어버리는 데서 생겨나는 침울함이라는 생각이 들었다. 그러한 상태로 그녀는 음식에 대한 식욕보다는 메뉴의 규모를 더 의식하고 있었다. 메이지는 또다시 지체 없이 곧바로―비록 그 일이 잠자리에 들기 전에 일어나는 경우는 좀처럼 없었지만—자신이 논평하기를 유보했던 다른 종류의 계획에 직면했다. 그 두 사람은 함께 호텔방 거실로 올라갔다. 그동안 클로드 경은 나중에 합류하겠다고 말한 다음, 아래층에 남아서 그가 향하는 곳마다 만나게 되는 옛 지인들과 담배를 피우며 담소를 나누었다. 그는 그의 동료들에게 독서 라운지에서 커피를 마시며 즐거운 시간을 갖자고 제안했다. 하지만 윅스 선생님은 약간 거만한 듯한 태도로 그들의 호텔방도 모든 편의를 다 갖추고 있다고 지체 없이 대답했다. 메이지가 바로 알아차릴 수 있었듯이, 그 착한 부인에게는 그들의 호텔방이 대단한 열람실로 보이는 편의시설—그녀는 그 편의시설에 대해 자기가 마치 저택의 객실에서 평생을 보내기라도 한 것처럼 지금까지만 보더라도 자기 학생에게 뒤지지 않으려고 애쓰고 있었다—을 갖추고 있었다. 또 그 호텔은 그녀에게 딱딱한 프랑스 소파도 제공해 주었는데 그녀는 거기에 앉아서, 프랑스 벽시계가 고장 나서 멈춰 있었기 때문에, 클로드 경이 현저하게 개입했을 시간을 다소 셈해보기 위해 희미한 프랑스 등불을 바라볼 수 있었다. 그녀의 표정은 그가 그녀 자신이 닿을 수 있는 범위를 벗어나서 맴돌고 있다는 데 대해 너무도 직접적으로 그를 비난하고 있었으므로, 메이지는 점심식사 후에 그들이 나눈 대화에서 수잔이 보여준 부적절한 태도에 관해 말하면서 그녀의 주의를 돌려놓으려고 애썼다. 메이지는 동정심으로 그 젊은 여성에게 그녀를 놓아주려는 계획에 대해 말했다. 그러나 이국적인 도로에 대한 수잔의 불만이, 이상하게도, 그녀 스스로 우울한 상태에 빠지도록 만들었다. 그래서 그 아이는 수잔을 돌려보내려는 윅스 선생님의 영향력과 눈에 띄게 경직되어 가는 수잔의 등 사이에서 이중의 직분을 가진 듯 느꼈고, 평화를 위한 능력을 발휘하기 위해 확대된 역할을 해야 한다고 느꼈다.

사실 윅스 선생님에게 클로드 경이 외고집이라는 비전을 유지하게 해주는 데 있어서, 메이지의 그러한 능력은 전혀 대단한 역할을 하지 못했다. 그에 대한 그런 이미지는 그들의 대화가 잠시 끊어지는 동안 그들의 머릿속에 떠올려졌고, 클로드 경이 명백히 뜸을 들인 이후에 거의 10시가 다 되어서야 손에 어떤 물건을 받쳐 들고 불쑥 들어오면서 마침내 그 이미지를 활활 타는 듯하게 만들었다. 메이지는 그가 말을 꺼내기도 전에 그것이 무엇인지 알았다. 그 애는, 박람회장에 다녀온 뒤에 아빠와 보냈던 시간으로, 적어도 패런지 씨를 아빠로 존경하는 마음을 되돌리려는 의지가 생겨나지 않게 했던 모든 근원적인 감정을 통해서, 그 사실을 알게 되었다. 그 애는 그것이 비일 부인의 승리를 의미한다는 것을 알았다. 클로드 경의 얼굴을 지금 보는 것만으로도 그 애는, 패런지 씨에 대한 마지막 인상을 통해서, 요즘 날아오르는 듯한 기분으로 며칠간 안심하고 지냈던 것보다도 훨씬 더 깊숙이 도달하는 감정의 추를, 곧장 마음속 깊은 곳으로 낙하시켰다. 그 애는 침묵을 지키며 자기가 받은 인상을 내색하지 않았다. 그 침묵이라는 베일의 절반은, 클로드 경이 나타난 이후로, 패런지 씨의 부인에 대한 이미지를 감추는 데 할당되었다. 하지만 클로드 경이 높이 치켜들고 있는 손에 든 물건이 편지로 드러났다면, 그처럼 단순한 그의 동작에는 그것이 비일 부인과 관련된 것임을 드러내 주는 어떤 것이 있었다. "여기 있어요!" 그는 거의 방문에서부터 자신의 트로피를 흔들어대면서 동시에 그 두 사람을 번갈아 바라보며 소리쳤다. 이어서 그는 곧장 윅스 선생님에게로 갔다. 그는 종이 두 장을 봉투에서 꺼내 그중 어떤 것이 어떤 것인지 알아보기 위해 그것을 살펴보았다. 그는 그중 하나를 윅스 선생님에게 내밀어 보여주었다. "이걸 읽어보세요." 그녀는 두려움에 휩싸인 듯 그를 빤히 바라보았다. 그가 흥분했다는 것이 눈에 띄지 않을 리 없었다. 그녀가 그 편지를 받아들었지만, 그녀가 그 것을 읽는 동안 메이지는 그녀의 얼굴을 바라보지 않았다. 그 점에 있어서 클로드 경도 마찬가지로 그녀의 얼굴을 훑어보지 않았다. 그는 벽난로 앞에 몸을 구부리고 서 있었고, 이제 자신이 취할 행동을 했으므로, 말없이 자신의 의붓딸과 친밀감을 나누고 있었다.

사실 그 침묵은 순식간에 깨졌다. 웍스 선생님이 난폭한 소리를 내뱉으며 벌떡 일어섰다. 그 편지는 그녀의 손에서 마룻바닥으로 떨어졌다. 그녀는 하얗게 질린 얼굴로 돌아섰으며, 그 결과 할 말을 잃은 채 있었다. 그러고 나서 그녀는 "이건 너무나 혐오스러워요. 뭐라 말로 할 수 없을 지경이에요!"라고 소리쳤다.

"매력적인 편지 아닌가요?" 클로드 경이 물었다. "그 편지는 그녀 자신의 한마디 말로 동봉되어 막 도착했어요. 그녀는 답장할 필요가 없다는 말과 함께 그것을 나에게 보냈습니다. 나는 그게 정말 매력적이라고 생각해요. 당신도 그 말 말고는 할 말이 없을 겁니다."

"그녀는 이런 소름 끼치는 말을 전해서는 안 돼요. 그녀는 그걸 곧바로 불속에 처넣었어야 합니다." 웍스 선생님이 말했다.

"이보세요, 부인, 그녀는 바보가 아닙니다! 그 편지는 너무나 소중해요." 그는 그 편지를 집어 들어서 흐뭇한 시선으로 다시 살펴보았고, 그의 얼굴에는 환한 빛이 감돌았다. "이처럼 훌륭한 문서는", 그는 생각에 잠기더니 말끝을 약간 흐리며 결론지었다. "이처럼 훌륭한 문서는 결국 근거가 됩니다!"

"무엇을 위한 근거란 말씀이세요?"

"글쎄요, 일을 진행하기 위한 근거 말입니다."

"그녀의 일을 진행하는 것 말인가요?" 웍스 선생님의 목소리는 대놓고 조롱하는 어조였다. "그녀가 어떻게 일을 진행한단 말씀이세요?"

클로드 경은 잠시 생각하더니 "어떻게 그녀가 그를 떨쳐내 버릴 수 있겠어요? 좋아요, 그녀는 그를 '떨쳐내' 버렸어요."

"법적으로는 아니죠." 웍스 선생님은 어린 학생에게 전혀 주의를 기울이지 않았고, 자기가 무슨 말을 하고 있는지조차 알아차리지 못했다.

"내가 감히 말할 수 있는 건, 그녀가 나 못지않게 권리를 박탈당했다는 사실입니다." 클로드 경이 웃으며 말했다.

"이혼할 수 있는 권리를 빼앗겼다는 건가요? 당신이 그런 권리를 갖지 못했다는 사실 자체가 당신과 그녀의 관계를 추문으로 만드는 거예요. 마찬가지로 그녀가 이혼할 권리를 갖지 못했다는 사실이 그녀와 당신의 관계를 추문으로 만드는 겁니다. 그게 바로 내가 주장하는 거예요." 웍스 선생님은 전례 없이 전투적인 목소리로 결론지었다. 아, 그녀는 자기가 무슨 말을 하고 있는지 알고 있었다!

그러는 동안 메이지는 말없이 클로드 경에게 호소했다. 그는 그 애가 말하지 않고 있던 것에 대처하는 것이 웍스 선생님이 말한 것에 대처하는 것보다 더 쉽다고 판단했다.

"이건 네 아빠가 비일 부인에게 보낸 편지다, 얘야. 그분이 스파에서 편지를 써서 보냈는데, 그들 사이의 불화가 결코 회복될 수 없는 상태임을 선언한 거야. 그 편지는, 그다지 고운 말은 아니다만, 기술적으로 표현해서, 그가 그녀를 버렸다는 사실을 그녀에게 알리고 있단다. 그 편지로 그들의 관계는 영원히 끝장난 거야." 그는 다시 한번 그 편지에 눈길을 주더니 뭔가 결심한 듯 보였다. "메이지야, 사실 그 편지의 내용은 너와 매우 밀접하게 관련되어 있고, 또 너를 너무도 구체적으로 언급하고 있어서, 나는 정말로 네가 너에게 일어난 이 새로운 상황이 발생하게 된 조건을 직접 읽어보아야 한다고 생각한단다." 그는 그 편지를 내밀었다.

그 말을 듣고 웍스 선생님이 그 편지를 향해 덤벼들었다. 그녀는 메이지가 두려움을 느끼기도 전에 너무나 재빨리 그 편지를 움켜쥐었다. 그것을 자기 등 뒤로 바로 돌리면서 그녀는 클로드 경을 단호하게 노려보았다. "그 편지를 보라고요, 이 가엾은 양반아? 저 순진한 아이가 그런 것을 보아야 한다고요? 당신은 제정신이 아닌 것 같군요. 내가 여기에 막아서서 있는 한 저 애가 이 편지의 한 글자라도 읽게 되는 일은 없을 겁니다!"

그녀가 취하는 행동의 당당함에 클로드 경의 얼굴이 붉어졌다. 그는 심지어 약간 얼빠진 것처럼 보이기까지 했다. "당신은 그 편지가 사악하다고 생각하나요, 그런가요? 하지만 내가 보기에는 나쁜 내용을 담고 있다는 바로 그 이유 때문에 그게 그 애를 위한 교훈과 미덕을 담고 있는 것 같은데요."

메이지는 자기를 분명하게 개입할 수 있도록 해주려는 그의 동기를 충분히 빨리 알아볼 수 있었다. 그 애는 그를 향해 환하게 미소 지었다. "저는 그 편지가 매우 나쁜 내용을 담고 있다는 것을 완전히 믿고 있다는 사실을 아저씨께 말씀드릴 수 있어요." 그 애는 무언가를 생각했다가 잠시 뒤로 미루고, 그런 다음 "저는 그 내용이 무엇인지 알고 있어요."라고 말했다.

그는 물론 웃음을 터뜨렸고, 윅스 선생님이 "오, 맙소사!"라고 투덜거리는 동안 "네가 그걸 알고 있다고 해도, 넌 그걸 말하지는 않을 거야, 이 녀석아."라고 대답했다. 이어서 그는 온화한 태도를 되찾아서 윅스 선생님에게 "내가 말하려고 하는 요지는, 단지 그 편지로 비일 부인이 자유의 몸이 되었다는 사실입니다."라고 말했다.

그녀는 잠시 머뭇거렸다. "당신과 함께 살 수 있도록 자유로워졌단 말씀이세요?"

"그녀의 남편과 살지 않을 자유, 그와 함께 사는 체하지 않아도 되는 자유를 얻었다는 말입니다."

"아, 그 두 가지는 굉장히 다른 문제죠!" 그녀의 그 말은 진실이었고, 그 진실에 대한 그녀의 진지함이 이제 미세하게 모순된 표정과 더불어, 그 아이의 개입을 유도할 수 있었다.

그러나 메이지가 자신의 태도를 분명히 할 수 있게 되기 전에 그 화제의 주도권은 클로드 경의 차지가 되었는데, 그는 그들의 방문객 앞에 서서 반쯤은 구슬픈 듯하면서 반쯤은 설득력 있는 표정을 지으면서 손으로 자기 뒷머리를 예리하게 위아래로 문질렀다. "그런데 대체 무엇 때문에 당신은 그런 식으로 인정하는 거죠? 굳이 말하자면, 아니 대체 무엇 때문에 당신은 사랑하는 배우자로부터 내가 내쳐진 것을 두고 내가 자유의 몸이 되었다며 그렇게 쾌재를 부르는 거죠?"

윅스 선생님은 도발적인 그 말에 처음에는 침묵을 지키더니, 이어서 너무나 놀라운, 전혀 예상 밖의 감정 표현으로 대응했다. 메이지는 그 착한 부인이 실제로 위를 향해 얼굴을 한 번 찡그리더니 클로드 경에게, 마치 장난스럽게 한 대 때리려는 듯이, 킥킥거리는 극단적인 웃음을 지어 보이는 것을 보고는, 거의 자기의 눈을 믿을 수 없었다. 그 애는 그때까지 그녀에게 도발적인 태도의 최소한의 기미도 전혀 찾아볼 수 없었다. "이 비열한 인간아, 당신이 그 이유를 잘 알잖아요!" 그리고 그녀는 몸을 돌려 물러섰다. 그런 동작으로 윅스 선생님이 메이지에게 보여주려고 남겨두고 간 클로드 경의 얼굴은, 그의 의붓딸에게 망연자실의 이미지 그 자체로 남겨지게 되었다. 그러나 그 두 사람은 위안이라거나 놀람이라거나, 그 어떤 것을 서로 교환할 시간적 여유가 없었다. 그러기 전에 그들에게 충고를 던졌던 사람이 다시 그들에게 다가왔기 때문이었다. 그녀는 사실 무한한 변신을 보여주기 시작했고 더욱 재빨라진, 달라진 어조로 쏘아붙였다. "당신은 영국으로 건너가려는 구실로 그 편지를 나에게 가져온 건가요?"

클로드 경은 마음을 진정시키지 못했다. "그런 소식을 듣고 나는 기본적인 예의상 가보지 않을 수 없어요. 내 말은 기본적인 배려심이나 인정상 가서 만나보려는 겁니다. 아시겠어요? 친애하는 부인, 한 여성을 그런 식으로 내버릴 수는 없어요. 특히 그녀가 극도로 모욕을 당하고 부당한 취급을 받은 순간을 고려하면 더욱 그렇습니다. 제기랄, 친애하는 윅스 선생님, 내가 그녀의 친구라면 신사다운 행동을 해야 합니다. 우리 두 사람이 서로 붙잡고 늘어지기 위해서 여기로 떠나온 것이 아니잖습니까, 아시겠어요? 우리 일의 속도를 점검하고 우리와 관련된 모든 사람에게 우리의 진정성을 입증해 보이기 위한 며칠간의 여유를 가져보려는 목적에서 여기로 떠나온 것입니다. 우리가 진지하게 임하고 있다는 바로 그 이유 때문에, 빌어먹을, 우리는 그렇게까지 까다롭게 굴어서는 안 됩니다. 내 말은, 우리가 그처럼 지독하게 두려워할 필요가 없다는 겁니다, 아시겠어요?" 그는 활발한 태도로 자신의 주장을 강력하게 펼쳤다. 그리고 만약 메이지가 그가 하는 말을 헤아리고 있었다면, 그 애는 한 차례 숨을 급히 몰아쉰 다음, 이어서 그가 대답을 듣기 위해 잠시 멈추고 있다는 것을 의식했던 그의 말을 꿀꺽 삼킬 태세를 더욱더 취하고 있었다. "우리는 당장 영원토록 멈춰 서서 그 모든 일을 '지금' 해치워 버리려고 여기에 온 건 아니야, 이 애늙은이 녀석아, 그렇잖니?" 그는 단도직입적으로 간청했다.

메이지는 자신이 그를 위해서 영웅적인 행동을 할 수 있다는 점을 결코 의심한 적이 없었다. "오, 그럼요!" 그 애는 적나라한 그의 생각에 충격을 받은 것처럼 보였다. "우리는 일이 진행되는 대로 받아들일 거예요." 그 애는 갑자기 어떤 영감이 떠올랐고 미소로 그것을 뒷받침했다. "우리가 무엇을 감당할 수 있는지 알아보려는 거죠" 그 애는 평생 자기 자신을 위해 무언가를 요구해 본 적이 없었다. 하지만 이번에는 솔직히 자기가 하는 일이 어떻게든 자신의 공으로 돌아오게 되기를 바랐다. 그 애는 비록 그를 바라보는 것이 두려웠고 또 그에게 눈물을 보이는 것이 두렵기는 했지만, 실제로 클로드 경이 그런 자신의 의도를 받아들여 준다고 느꼈다. 그 애는 윅스 선생님을 바라보았다. 그 애는 자신이 할 수 있는 최대한의 표현을 했다. "저는 비일 부인께 제가 나쁜 마음을 품어서는 안 된다고 생각해요."

그 애는 클로드 경이 그 말에 대해서 확실하지는 않지만 달콤한 어떤 저음의 소리를 내는 것을 들었다. 하지만 윅스 선생님은 주저하지 않고 눈물을 보였다. "그럼 넌 나한테는 나쁜 마음을 품을 수밖에 없다는 말이니?" 그 질문은 그녀가 보인 눈물보다 더 그 애를 당황하게 만들었으므로, 윅스 선생님의 감정이 그녀가 보여준 효과의 이점을 그녀에게서 뺏어버리지 않았다. "당신이 비일 부인을 다시 한번 만나게 된다면 당신은 끝장이에요!" 그녀는 자기들의 동료에게 선언했다.

클로드 경은 달처럼 둥근 램프를 바라보았다. 그는 비일 부인을 만나는 것이 어떤 의미를 갖는지 순간 전망해 보는 것처럼 보였다. 틀림없이 그러한 비전으로부터 그는 대답할 힘을 얻었다. "이미 일어난 일을 보고 판단하건대 그녀의 상황은 완전히 달라졌습니다. 그리고 내가 그 점을 고려할 필요가 없다는 걸, 당신이 내게 입증하려고 해봐야 소용없어요."

"만약 당신이 그 여자가 타락했다는 것을 알아보지 못한다면 그렇겠죠!" 윅스 선생님이 더욱 강력한 어조로 되풀이해서 말했다.

"당신은 그녀가 내가 당신에게 돌아오지 못하게 할 거라고 생각하나요? 친애하는 부인, 나는 당신을, 당신과 메이지를 여기에 운명의 인질65로 남겨둡니다. 그리고 나는 늦어도 토요일에는 당신과 다시 함께 있게 될 거라고 모든 신성한 존재를 걸고 약속해요. 나는 그동안 사용할 비용도 제공할 거예요. 나는 당신을 이 아름다운 방에서 지내도록 할 겁니다. 나는 이곳에서 일하는 사람들에게 당신을 최대한 세심하게 배려하고 모든 편의를 다 제공하도록 다짐을 받아둘 거예요. 이 시간 이후로 날씨는 좋아질 것이고, 틀림없이 아름다운 날씨가 될 겁니다. 당신들 두 사람은 바람처럼 자유로울 것이고, 이 지역 이곳저곳을 둘러볼 수 있을 것이며, 너무나 재미있는 시간을 보내게 될 거예요. 당신들이 타고 다닐 마차도 준비해 놓겠습니다. 이 호텔방 전체가 당신들의 부름에 응할 것이고, 당신들은 멋진 지위를 누리게 될 겁니다." 그는 말을 멈추었고, 자기가 심어준 인상을 살펴보기 위해서 윅스 선생님과 메이지를 번갈아 바라보았다. 그가 어떤 말을 더 추가해야 한다고 판단했는지 그러지 말아야 한다고 생각했는지는 모르겠으나, 잠시 후에 그는 이렇게 말했다. "그리고 당신은 그 무엇보다도 내가 빈말하는 사람이 아니라는 점에 대해 감사하게 될 겁니다."

메이지는 자신이 받은 인상에 대해서만 답할 수 있었다. 비록 그 애가 실제로는 윅스 선생님의 모진 마음 한가운데로부터 타락한 양보의66 희미한 향기가 떠다니는 것 같다고 느꼈는데도 말이다. 메이지는 그러한 열변이 만들어낼 수 있는 과시에 대해, 그의 눈부신 진실성에서 느낄 수 있는 저항할 수 없는 매력에 대해, 말로는 표현할 수 없는 마음의 언어를 갖고 있었다. 그래서 과도한 빛에 단지 눈을 깜박일 수밖에 없는 상황이 되기 전에, 그 애는, 마치 그 가엾은 부인이 이미 그 애의 그런 마음을 짐작하고 그래서 그 애에게서 그것을 낚아채서 짓이겨진 꽃처럼 말라비틀어지게 해버리기를 바랐던 것처럼, 윅스 선생님의 입술에서 바로 이런 말이 목소리가 되어 나오는 것을 들었다. "당신은 지독한 사람이군요, 당신은 끔찍한 사람이에요. 당신은 본인이 군주다운 말투로 말하는 게 나한테 대단하게 들린다는 사실을 너무도 잘 알고 있군요!" 그가 거기에 서서 바라보며 말을 하고 있는 태도는 과연 군주다운 모습이었다. 바로 그것 때문에 메이지는 그 순간 그의 존재 자체를 숭배하기 위해 자신을 위축시키고 있음을 알게 되었다. 그러나 이상하게도, 윅스 선생님이 말을 계속하자, 그 애가 방금 전에 만들어냈던 메아리에 버금가는 메아리가 가슴속에서 울려 퍼졌다. "그 여자가 얼마나 보고 싶으면 그런 말을 할 수 있고, 메이지와 나처럼 힘없는 사람들에게 그렇게까지 행동할 수 있단 말이죠! 그 여자가 당신을 사로잡아 버렸군요. 그리고 당신도 그걸 알고 있고, 그걸 다시 느끼고 싶어 하고요—하나님은 아시겠지요, 아니 적어도 나는 알고 있어요. 당신의 동기가 무엇이며 욕구가 무엇인지를—다시 한번 그것을 만끽하고 싶어 하며, 그것에 푹 빠져들고 싶군요! 하루가 걸리든 3일이 걸리든 상관없어요. 마음껏 축제를 즐기는 걸로 충분하겠죠. 그리고 그 여자와 함께할 감미로운 시간은 당신이 그것을 위해 기꺼이 대가를 치르고 싶어 하는 어떤 것이겠죠! 그 애가 당신을 포기하게 만드는 게 당신이 치러야 할 대가라는 사실을 내가 믿기를 당신이 바란다고, 나는 감히 말하겠어요. 하지만 나는 바로 그 문제에 대해서 당신이 대가를 미리 지불하지 말기를 강력히 촉구합니다. 먼저 그 애를 포기하세요. 그런 다음에 그녀에게 당신의 애정을 마음껏 쏟아부으세요."67

클로드 경은 그 상황을 끝까지 감수했다. 비록 그 과정에서, 메이지가 이제껏 그의 얼굴에서 감지했던 그 어떤 경우보다 더 특별한 종류의 충격이 더 많은 불안을 불러일으켜 안색이 붉어지기는 했는데도 불구하고, 그는 그것을 참아내고 있었다. 그 애는 윅스 선생님을 제외한 누군가가 그처럼 정말이지 실제로 모욕을 당하는 것을 본 건 이번이 처음이라는 이상한 느낌이 들었다. 그 느낌 때문에 메이지에게는 윅스 선생님이 그 두 사람 중 어느쪽이 그 애에게 여지를 허락했던 것보다, 고려해야 할, 더 큰 힘을 가지고 있는지 입증하고 있다는 추정이 매 순간 점점 더 커져갔다. 얼마 지나지 않아 그녀가 그를, 그녀의 표현을 빌리자면, '장악'했다는 것이 사실이었다.

그녀의 장악은 비일 부인이나 여사님의 장악과는 다른 종류였다. 그러나 메이지는, 이제 그에 대해서, 그가 자신이 그처럼 납득하게 되는 유리한 위치를 실제로 기대하고 있지 않다는 것을 충분히 알 수 있었다. 오, 그들은 윅스 선생님이 자신의 주장을 멈추게 될 상황에 전혀 처해 있지 않았다. 다음 순간 그녀가 그전보다 더욱 심하게 몰아붙였기 때문이다. 그가 매우 친절하면서도 상당히 냉정한 태도로 다음과 같이 말한 결과, 그것을 보고 메이지가 가장 크게 감명받은 것은 그의 인내심에 대해서였다. "나의 소중한 친구여, 그건 단지 내가 스스로 판단해야 할 문제입니다. 당신은 최근에 나를 위해 상당히 많은 판단을 해왔어요. 나는 그 점을 알고 있고, 당신이 그런 판단을 한 방식에 대해서 철저히 감사해한다고 확실히 말할 수 있습니다. 하지만 당신이 한없이 그런 식으로 행동할 수는 없어요. 그 누구도 다른 사람을 위해 어떤 경우에도 그처럼 행동할 수는 없는 법입니다. 무슨 말인지 아시겠지요? 우연히 드러난 특별한 경우나 지독하게 민감한 경우에는 예외가 있으니까요. 내가 그 일들을 모두 당신에게 떠넘길 수 있다면 얼마나 편하겠습니까만, 그렇게 하는 건 당신에게 막대한 책임을 떠맡기는 것이어서, 나는 단지 그런 상황을 너무나 수치스럽게 여길 따름입니다. 맹세하건대, 만약 당신이 우연히 만들어진 상황을 받아들일 정도로 선량한 마음을 가지고 있다면, 그래서 내가 못지않게 즐겁고 안락한 기반에서 여러분과 다시 만날 때까지 우리의 친구와 여기에 머무르신다면, 당신은 당신이 딱 즐길 만큼의 책임감만을 갖게 되리라는 것을 알게 될 겁니다. 그리고 나는 두 사람 모두에게 최대한 나를 신뢰해 달라고 첨언할 권리가 있다고 생각합니다."

오, 그는 정말로 군주다웠다. 그러한 태도는 그가 말하는 한마디 한마디마다, 그리고 그가 말하는 특별한 방식으로 더욱 두드러졌다. 메이지는 그에게 충고하려는 웍스 선생님이 그의 마법이 증가하는 데 저항하느라 고통에 빠져 거의 몸이 뻣뻣하게 굳어가는 것을 알 수 있었다. 그러더니 그녀는 그에 대한 자포자기식 방어의 몸짓으로 난폭하게 같은 말을 반복하는 확연히 비참한 상태 속으로 빠져들었다. "당신은 그녀를 두려워하고 있어요. 두려워하고 있어요. 두려워하고 있습니다. 두려워하고 있어요! 오 이런, 오 이런, 오 이런!" 웍스 선생님은 몹시 떨리는 소리로 그렇게 울부짖더니 무기력과 비통함에 한참 동안 몸서리치며 무너져 내렸다. 그런 다음 그녀는 누추한 소파 위에 다시 몸을 던졌고 격렬한 울음을 터뜨렸다.

클로드 경이 일어나더니 잠시 그녀를 바라보았다. 그는 고개를 천천히, 아주 부드럽게 가로저었다. "나는 이미 그 사실을 인정했습니다. 나는 치명적인 두려움에 빠져 있어요. 그래서 우리는 내가 두려움에 빠져 있는 상태에서 그 문제가 해결되게 할 겁니다. 당신은 잠자리에 드는 것이 최선일 것 같군요." 그는 덧붙여서 "당신은 너무나 고달픈 하루를 보냈고, 두 사람 모두 틀림없이 극도로 피곤할 거예요. 나는 여러분이 내일 아침 나의 움직임에 대해 걱정하리라고 기대하지 않을 겁니다. 아침 일찍 출발하는 배편이 있어요. 여러분이 일어나기 전에 나는 떠나고 없을 겁니다. 게다가 장담하건대 내가 직접, 매우 효과적으로, 거만하지만 아주 무기력하지만은 않은 애시 양을 다루어 두었습니다."라고 말했다. 그는 마치 그 애의 허락을 받기라도 하려는 듯이, 그리고 그 모든 긴장과 갈등을 통해서 그 애가 조금도 걱정할 필요가 없다는 식으로 그들이 결속되어 있다는 것을 알려주기라도 하려는 듯이, 의붓딸을 향해 돌아섰다. "메이지, 이 녀석!" 그는 그 애를 향해 팔을 벌렸다. 그 애는 비난받을 만큼 가벼운 태도로 그의 품속에 안겨들었고, 그가 자기에게 키스하는 동안 그를 만족시키기 위해 침묵이라는 부드러운 방식을 선택했다. 말싸움이 끝난 후에 그 침묵은 그 애가 그의 상처를 감싸줄 수 있는 최고의 향유였다. 그들은 그들의 맹세를 강렬하게 재확인할 만큼 충분히 오랫동안 서로 껴안고 있었다. 그런 다음 윅스 선생님이 벌떡 일어나는 바람에 두 사람은 어쩔 수 없이 서로에게서 떨어졌다.

그녀가 벌떡 일어나는 모습은, 용기가 급격히 회복되어서 취해진 동작이었든지 혹은 완전히 소진되어서 나타난 동작이었든지 간에, 거의 절망적인 상태의 애원에 가까웠다. "나는 당신에게 그렇게 비참하고 너무나 치명적인 행동을 취하지 말라고 간청합니다. 내가 그렇게 말한다고 당신이 나를 비웃을지도 모르지만, 나는 그녀를 너무나 잘 알아요. 그녀를 만나본 적은 별로 없지만, 나는 그녀를 압니다. 나는 그녀를 알아요. 나는 그녀가 무슨 짓을 하려는지 알고 있습니다. 나는 여기에 서 있으면서도 그것을 환히 볼 수 있어요. 당신이 그녀를 두려워하고 있기 때문에 그 일이 마치 하늘의 자비인 것처럼 보일 겁니다. 제발 부탁하건대 그 두려움을 드러내 보이는 걸 두려워하지 마세요. 그것으로부터 이득을 얻고, 그것이 당신에게 제공해 줄 바로 그 안전에 이르는 것도 두려워하지 마세요. 맹세하건대, 나는 그녀가 두렵지 않아요. 이미 당신 스스로도 내가 이제 두려워하는 건 아무것도 없다는 것을 보아서 아실 겁니다. 내가 그녀에게 가도록 해주세요. 내가 그녀의 마음을 진정시켜서, 머리카락 하나 다치지 않게 그 여자를 데리고 오겠습니다. 2~3일 정도 시간을 주시면, 내가 그 관계를 마무리하겠습니다. 당신은 여기에서 메이지와 함께 마차를 타고 다니며 즐겁고 호화스러운 시간을 누리며 기다려 주세요. 그러면 내가 돌아올 것이고, 우리는 함께 떠나게 될 겁니다. 우리는 아무런 어려움 없이 함께 살게 될 거예요. 나를 보내주세요. 나를 보내주십시오." 그녀는 같은 말을 반복했고, 그녀의 열변은 고조에 달했다. "내가 여기 있어요. 나는 나의 분수를 압니다. 내가 해서는 안 되는 일도 알고요. 하지만 나는 두 사람에게 감히 말합니다. 당신들을 위해서 그 여자가 하려고 하는 것보다 내가 훨씬 더 잘하리라는 점을 말이에요. 비록 내가 입고 있는 이 드레스와 내가 신고 있는 이 구두를 모두 당신에게 신세 지고 있는 처지이지만, 클로드 경, 나는 당신 것이라고 할 수 있는 이 물건들에 대해 그렇게 말합니다. 나는 당신에게 모든 걸 신세 지고 있어요. 그게 바로 그 이유입니다. 넘치도록 보답해 드리는 것, 그게 바로 내가 원하는 게 아니면 무엇이겠어요? 내가 여기 있어요. 내가 여기 있다고요!" 그녀는 자신의 의견을 관철하려고 자신의 마음속을 전시물처럼 드러내 보였다. 그녀의 그러한 표현은, 그녀의 강렬한 열정에 장식적 표현이 결합되어, 그녀에게 이상한 임무와 헌신을 부여하는 듯했고, 그녀 자신을 우스꽝스러운 교체물이자 대용품으로 제시하는 것처럼 보이게 했다. 그녀는 그런 말을 하면서 자신의 야회용 드레스를 매만졌고, 자신이 빚지고 있는 것들에 대해 역설했다. "나는 가진 게 아무것도 없습니다. 그래요, 나는 돈도 없고, 옷도 없고, 멋진 외모를 가진 것도 아니고, 가진 게 아무것도 없어요. 내가 가진 것이라고는 내가 지금 움켜쥐고 있는 이 작은 진실 하나뿐입니다. 그것이 내가 당신을 매수할 수 있는 유일한 수단이에요. 그 진실이란 여러분 두 사람이 다른 세상 모든 것을 합친 것보다 나에게는 더 중요하다는 겁니다. 만약 내가 당신을 도와 당신을 구원할 수 있게 해주신다면, 여러분 두 사람이 원하는 것을, 가능한 한 딱 한 가지 방식으로, 실현시키게 해주신다면, 아무렴요, 나는 당신을 위해서 뼈가 으스러지도록 헌신할 겁니다."

클로드 경은 이 장엄한 호소에 한마디 대답도 없이 그 자리에서 떨고 있었다. 그는 분명히 적잖이 동요하고 고통스러운 상태에서 어떤 대답을 찾아내려고 궁리하고 있었다. 그러나 그처럼 모색하는 가운데 그는 총명한 어린 의붓딸의 효심 이상의 무엇인가가 깃든 시선과 자신의 시선이 다시 마주쳤을 때까지—그는 너무도 자주, 그리고 적극적으로 그 애와 시선을 마주쳤다—단지 어딘가를 향해 혼잣말을 중얼거렸다. 그러한 행동은 그에게—그는 나약하고 휘어지기 쉬우며 의존적인 남자였다—소정의 결과를 가져다주었다. 비록 아직 어린애라 할지라도, 그래도 그 애는 그에게 도움을 주고 어려움을 해결해 줄 수 있는 여성이었다. 그는 또다시 그 애를 포옹하려고 하면서 그 속에 그만큼 많은 의미를 담았다. 그 애가 그의 품에 상쾌하게 안기자, 두 사람은 다시 들리지 않게 대화를 나누었다. "웍스 선생님께 잘 대해드려라. 그녀에게 잘 대해드리기 바란다." 그가 마침내 분명히 알아들을 수 있게 말했다. "나에게 하는 것보다도 더, 그녀에게 상냥하게 대해드리럼." 그렇게 말하고는 심지어 웍스 선생님을 쳐다보지도 않은 채 방을 나갔다. 또다시 그가 의심의 여지 없이 책임을 회피했다는 생각이 드는 데서 오는 압박감뿐만 아니라, 그가 한 말에서 느껴지는 약간의 압박감 속에 메이지를 남겨둔 채 클로드 경은 떠나갔다.

## XXV

그가 예언한 모든 일이 너무도 사실로 드러났기 때문에 그가 약속한 거나 마찬가지였던 것에 못지않을 만큼 기대하는 것이 결국 당연지사가 되었다. 그들은 그가 약속한 것들을 낱낱이 입증할 수 있었다. 애시 양에 대해서도 뭔가 방법이 있을 거라던 그의 장담도 그대로 입증되었다. 메이지는 여름날 새벽녘에 잠에서 깼고, 흥미진진한 국외 생활로부터 심한 압박을 받기도 해서 소파에 몸을 기대고 앉아서, 그가 취한 방침에 대해 새삼 감사해했다. 이후에 옷을 입기 위해 일어났을 때, 그가 취했던 조치의 기념물이 수잔이 가졌다고 넘치게 자랑스러워했던 6펜스짜리 은화의 모습으로 카펫에서 그 애를 향해 반짝거렸다. 이후에 올 48시간을 위해서 6펜스짜리 은화들이 그 애의 인생에 그득한 것처럼 보였다. 그 애는 상상에 젖어, 종달새처럼 유쾌한 시간으로 의미를 띠게 될 그 은화들의 숫자를 계산해 보았다. 이윽고 그 애는 클로드 경이 훌륭하게 마련해 준 그 편의시설들을 윅스 선생님이 이용하길 거부하는 형태를 취하면서 그에게 복수를 하려는 계획으로도 그 숫자가 진정되지 않는다는 것을 알게 되었다. 그 편의시설을 외면한다는 것은 사실상 불가능했다. 그 착한 부인의 표현을 빌리자면, 문간에 마차가 의기양양하게 와 있는데 걸어서 돌아다닌다는 것은 어처구니없는 짓이었다. 그들을 둘러싼 모든 일이 의기양양하게 돌아가고 있었다. 요리를 가져다줄 때 웨이터들조차도 신바람이 난듯했다. 윅스 선생님은, 그녀가 외고집을 부리는 것이 앞뒤가 맞지 않는다는 것을 보여주며 그 요리를 마음껏 먹었는데 그녀가 즐기는 그러한 자유는, 메이지가 보기에 그녀의 논리라기보다는 고갈된 심정에 대해 말해주고 있었다. 그녀의 식욕은 자기 동료에게는 매우 많은 것을 알려주는 표시였으며, 그에 못지않게 전체적으로도 그녀의 특수한 상태보다는 일반적인 상태를 증언해 주었다. 그녀는 늦어진 만찬을 벌충해 주어야 했으며, 식사도 하지 못한 상태에서 그녀의 도덕적 열정이 그처럼 선명하게 타오를 수 있었다는 사실은 감동적이었다. 그녀는 주로 우울증을 떨쳐버리려고 음식을 먹어치웠다. 그럼에도 그처럼 음식을 양껏 먹을 기회는 단지 그녀를 우울하게 하는 불길한 표시에 불과했다. 그 일은 간단히 말해서 일종의 전투였다. 그 전투는 매수당하는 것을 거부하려는 그녀의 의지와 옷을 차려입고 배불리 먹고 싶은 욕구에 대한 그녀의 동의 사이에 벌어지는 싸움이었는데, 그 싸움에서는 더 기본적인 요소가 승리했다. 아무튼 프랑스에서의 상황 전개가 그녀에게 위안을 주었다는 사실은 반박할 수 없었다. 그 위안은 너무나 대단한 것이어서 메이지가 그 모든 안전을 당연한 것으로 받아들이게 해주었고, 모든 위험을 털어내 버리게 해주었다. 바로 그것이 '즐겁게' 지내라는 클로드 경의 권고를 철저하게 실행하는 방식이었다. 또한 그것은, 해외 생활의 즐거움을 개관하는 데 있어서, 그 애가 어떤 의심의 꼭대기 바로 너머를 전망하는 방식이었다.

날씨가 좋아지자 마침내 모든 의심이 오그라들었다. 날씨가 그 두 사람에게 막대한 영향을 미쳤고, 클로드 경이 보증했던 것만큼이나 화창해졌다. 그 상황은 그를 세상사의 비밀 속으로 너무나 깊숙이 밀어 넣은 것 같았고, 세상의 즐거움이 길목마다 숨어서 그의 친구들의 발걸음을 불러 세우는 것 같더니, 희망의 기운이 조금씩 대기를 채우고 마침내 모든 장면을 지배했다. 높다란 벼랑을 따라 마차를 타고 가는 것도 더할 나위 없이 멋졌으나, 햇볕이 강렬해서 아마도 그늘에서 사뿐사뿐 걷는 것이 더 좋았다. 그들은 다채로운 색깔과 다양한 향기가 뒤섞인 항구를 따라서 그리고 거리를 통과해서 산책했는데, 그들 영국 사람의 눈에는 영국과 똑같은 모든 것은 신기하기만 했고, 영국과 다른 모든 것은 익살의 대상이 되었다. 그 산책의 기쁨 중에서 제일은, 격조 높은 마을의 입구까지 중심가를 따라 계속해서 천천히 걸어서 그 마을 아래를 통과하여 기묘하고도 꼬불꼬불한 성벽으로 올라가면서 줄지어 선 나무들이나 조용한 모퉁이, 다정한 모습의 벤치들을 바라보고, 흰 주름 장식이 있는 모자를 쓰고 기다란 금 귀걸이를 한 갈색 피부의 나이 든 여인들이 그 벤치에 앉아서 뜨개질을 하거나 졸고 있는 모습을 보고, 구두 쇠들이나 성직자들의 집처럼 보이는 정면이 노란색인 조그만 집들을 보고, 어두운 분위기의 저택을 보고, 그 저택 주변의 빈 해자를 가로질러 놓여 있는 다리 위에 서 있는 키가 작은 군인들의 모습을 보며, 성탑들의 창문에 걸려 있는 군인들의 세탁물을 바라보는 것이었다. 그곳은 메이지에게 중세에 대한 사람들의 생각에 딱 들어맞는 곳은 아닌지 묻게 만드는 그런 곳 가운데 하나였다. 그리고 역사적 상상력에 대한 윅스 선생님의 마음의 한계를 인식하는 것—그런 인식이 그때가 처음은 아니었다—이 충격적이라기보다는 만족스러웠으므로, 그것을 드러내 보이는 것이 그 애의 현재 임무라고 생각했던 다양한 종류의 통찰에 한 가지를 더 추가해 주었을 뿐이었다. 두 사람은 오래된 회색 요새 위에 함께 앉았다. 그곳에서 그들은 조그만 신도심을 내려다보았는데, 그 신도심도 그들에게는 꽤 오래된 것처럼 보였다. 그들은 건너편에 있는 거대한 돔 지붕과 금박을 입힌 높다란 성모 마리아 교회를 바라보았는데, 그것들은, 한데 어우러져 있어서 유명했으며, 두 사람이 예배를 드렸던 어떤 곳과도 다른 모습이어서 그들을 즐겁게 해주었다. 이후에 그들은 그 신전을 이리저리 돌아다녀 보았다. 그리고 윅스 선생님은 자신이 가톨릭교도가 되지 않았던 것이 인생 초기에 범한 치명적인 실수가 아닌가 하는 생각이 든다고 고백했다. 그녀의 고백을 듣고 메이지는 그러한 과오에 대해서 마음의 문을 닫아버리는 것이 인생에서 얼마나 늦은 시기쯤일까 하는 꽤 흥미로운 궁금증이 들었다. 두 번째 날 아침 그들은 다시 그 성벽을 보러 갔다. 그곳에서 그들은, 과거 모든 못마땅한 일들로부터 그들을 분리시켜 줄 수 있었던 그 여행에서, 가장 먼 곳까지 와 있는 것 같은 느낌이 들었다. 그곳은 새삼 그들에게 상호 신뢰에 이르게 하는 것과 가장 크게 관련이 있는 새로운 인상이 들게 해주는 곳이었다. 그 신뢰란 메이지 쪽에서는 그것을 위한 준비가 되어 있고, 그 애의 동료 쪽에서는, 그 애가 보기에, 그것을 위해 필사적인 상태에 있는 것이었다. 그 애는 여러 시간 동안 자신이 윅스 선생님에게 너무나 많은 것을 구경시켜 주고 있다는 느낌이 들었으므로, 자신이 동시에 동일한 목표의 주체가 되어 있다는 것을 비교적 나중에야 의식하게 되었다. 하지만 그 느낌은 그 애가 그것을 눈치챈 순간부터 더 빠르게 진행되었다. 그런 다음 그것은 특별한 현상에 대한 그 애의 일반적이고도 습관적인 견해로 제자리를 잡았다. 그 현상이란, 만약 그 애가 그것을 표현할 어휘에 대한 필요성을 느꼈다면, 자신의 지식에 대한 자신의 개인적인 관계라고 부를 수도 있는 그런 것이었다. 그러한 관계가 그 애가 클로드 경이 다시 나타나기를 나이 든 가정교사와 함께 기다리고 있었던 시간 동안만큼 그렇게 생생하게 느껴졌던 적이 없었다. 그것은 정확하게 웍스 선생님이 그 문제에 대해서 새로운 의심을 품고 있다는 느낌이 그 애에게 들었기 때문이었다. 그때까지, 웍스 선생님은 그처럼 모험적인 시간을 보내며 두 사람이 결합되어 있었음에도 불구하고, 자기 어린 학생으로 하여금 방어적인 태도를 취하도록 몰아붙이려고 계산된, 그런 의심을 결코 품고 있지 않았다. 그것은 확실했다. 그녀의 어린 학생은 자신이 포크스톤에 급히 데려가졌을 때 이해했던 것에 못지않게 많은 놀라운 일들을 실제로 이해했다. 그리고 포크스톤에서 클로드 경과 함께 있었던 그때 웍스 선생님이 끊임없는 암시의 대상이었다면, 마찬가지로 웍스 선생님과 함께 있는 지금 이 시간 동안에는 클로드 경이, 무엇보다도 모든 긴 중지 기간을 통해서, 항구적이고도 극복할 수 없는 생각의 주제가 되어 있었다. 그 모든 것이 그들을, 그가 갓 결혼해서 처음에 한껏 들뜬 상태였던 때로, 그리고 사랑과 고통의 위기가 찾아왔을 때 공부방에서 그가 취했던 입장으로 되돌려 놓았다. 오직 그 자신만이 그가 부풀렸던 거대한 의식에 공기를 불어넣어 훨씬 더 큰 풍선으로 만들었다.

두 사람은 그 모든 것을 되짚어 보았다. 진정으로 클로드 경이 돌아오기를 기다리는 시간이, 그 매력의 무게 자체로, 길게 이어지는 동안 그들은 방어적인 생각과 의심이 들었는데도 불구하고 그 모든 것을 재검토했다. 그들이 미래에 강하게 매달리는 것은 마치 벽시계의 초침처럼 고동쳤다. 하지만 그것은 정밀시계여서 불가피하게, 기껏해야 때때로 불길한 전조가 되는 시간도 역시 종을 쳐서 알려주었다. 오, 그런 시간이 몇 차례 있었다. 그런 시간 중에서 최악이었던 일이 두세 차례 구도심의 성벽에서 일어났는데, 그곳은 다른 모든 것이 너무나 평화로운 분위기였다. 클로드 경이 소원했던 만큼이나, 웍스 선생님에게 상냥하게 대하고 싶은 것보다 메이지가 더 바란 것은 아무것도 없었다. 그러한 직감 자체가 북돋워진 것은 웍스 선생님에게 상냥하게 대하려는 것이 곧 평화를 유지하려는 그 애의 뿌리 깊은 본능에 부합했기 때문이었다. 그러나 그 직감이 강해지는 순간부터 그것은 또 다른 상태를 야기했는데, 무엇보다 우선 그런 식으로 그 애는 자기가 가장 피하고 싶어 했던 복잡함 자체를 만들어내고 있었다. 그즈음 그 애가 가장 중요하게 행했던 일은 말로 표현되지 않은 것을 말로 표현된 것으로 읽어내는 것이었다. 그래서 그런 거듭된 노력의 결과로, 비일 부인의 완벽한 희생이 말로 표현되지 않았다는 사실이, 이루 말할 수 없이, 그 애에게 더욱 명백해졌다. 클로드 경이 떠나 있는 매 순간이 비일 부인의 관에 못질을 하는 것과 같은 시간들이 있었다. 그런 노력을 통해서 메이지는, 이리저리 돌려서 생각해 봄으로써, 비일 부인 자신의 우아함과 매력, 그녀 특유의 귀염성과 총명함, 심지어는 그녀 특유의 고난뿐만 아니라, 결혼 전 그녀의 꽃과 같았던 오버모어 가문과의 관계가 가진 아름다움과 고풍스러움도 되새겨 보았다. 수많은 생각이 그 애의 머릿속에서 윙윙거렸다. 그런데 그중 두 가지는 너무나 자명했다. 첫째는, 아무튼 비일 부인이 결국 그 애의 의붓엄마이자 친척이라는 사실이었고, 둘째는, 부분적으로 바로 그 이유 때문에도, 그녀가 클로드 경의 가장 가까운 여자친구(메이지의 표현을 빌리자면 '여절친')라는 사실이었다. 그래서 웍스 선생님의 명령대로 그들 모두가 포기하고 절교해야 하는 존재는 한 사람에게는 자기가 특별히 좋아하는 사람이고, 또 다른 사람에게는 자기 아빠의 아내였다. 이상하게도, 그 애의 합리적인 인식은 형언할 수 없을 정도로 그 애가 느끼는 고난과 보조를 맞추어 나갔다. 그러나 그 애의 마음속에는, 초라해지지 않으려고 극도로 애를 쓰지 않고서는, 그 추론들을 당연한 것으로 여길 수 없는 무언가가 있었다. 아마도 독자인 우리가 짐작할 수 있는 것은, 우리가 이미 알고 있다시피, 그 애가 폐적되고 발가벗겨졌는데도 불구하고 그 애의 삶에는 여전히 부모의 영향의 메아리가 사라지지 않고 남아 있다는 사실일 것이다. 그 애는 아직도 가정에서 받은 신성한 교육 내용 중 하나를 기억하고 있었다. 그것은 그 애가 기억하고 있는 유일한 것이었는데, 다행히도 그 애는 그것을 힘겹게 노력하여 기억하고 있었다. 한마디로 말하면 그 애는 아빠가 엄마더러, 그리고 엄마가 아빠더러, 어떤 일을 한다고 혹은 하지 않는다고 서로를 비열한 사람이라고 불렀던 그런 일들이 있었다는 사실을 나타내는, 지워지지 않는 이미지를 즐겼다. 지금 그 선명한 기억이 그 애에게 그것에 대한 하나의 이름─비일 부인이 그 말을 입 밖으로 꺼낼까 봐 두려워했던─을 갖게 해주었다.68 그 애는 단지 그 말을 듣는 것만으로도 스스로 움츠러들었을 것이다. 그 애가 흠뻑 젖어 있는 외국 생활의 달콤함이 클로드 경이 부재하는 동안 매 시간마다 그런 고통의 가능성을 증가시켰다. 그 애는 윅스 선생님 곁에서 거대한 황금 성모 마리아 상을 바라보았다. 그리고 그들의 벤치 끝 쪽에 앉아 있던 귀걸이를 한 나이 든 여인들 중 한 사람이 어정버정 걸어서 떠나갔다. 그 나이 든 부인은 "숙녀분들, 안녕히 계세요들!"이라고 쉰 듯하고 친절한 작은 목소리로 말했다. 그 모습을 보고 우리 친구들은 너무나 감명을 받아서 머리 숙여 인사했고, 거의 그녀에게 무릎을 굽혀 인사할 뻔했다. 그들은 다시 자리에 앉았고, 얼마 지나지 않아 프랑스 곤충들이 여름날 잉잉거리는 소리 속에서 그리고 거의 졸린 듯한 몽상의 상태로, 메이지는 그와 같은 전망으로부터 그처럼 매혹적인 참가자를 내쫓는다는 것이 어떤 것일지에 대한 비전을 최대한으로 그려보는 듯했다. 그 순간에 그 비전은 푸른색으로 빛나며 낭만적인 자세로 예의를 갖춘 동상들에 대한 전망만큼, 아직은 그렇게 웅장해 보이지는 않았다.

"우리는 왜 결국 당신들 두 사람 가운데 한 사람을 선택해야만 하나요? 우리 네 사람이 함께 살면 안 되나요?" 마침내 그 애가 다그쳐 물었다.

윅스 선생님은 잠자던 사람이 깨워져서 벌떡 일어나듯이 홱 몸을 움직이거나, 휴전의 깃발에 윙 하고 총알이 스쳐가는 소리를 들은 사람이 보일 법한 반응을 보였다. 그녀는 평화를 깨뜨리는 그런 소리를 듣고 소스라치게 놀라서 잠시 대답을 못 하고 있었다. "네 명의 부적절한 사람들이 한데 모여 살자는 말이니, 넌? 우리 중 두 사람이 우연히 품위 있는 사람들이기 때문에 그렇게 해야 한다는 말이니? 그 여자가 그런 짓을 할 수 있는 사람인데도 불구하고, 내가 너와 함께 계속해서 지내야 하기를 네가 바란다고 내가 생각한다는 거니?"

메이지는 그녀가 비일 부인이 하게 될 수도 있는 일을 더 이상 표현하기 전에 그녀의 말을 가로막았다. "그래요, 제 친구로 계속해서 머물러주세요. 엄마 집에서 머물렀던 것처럼 그렇게 계속 머물러주세요. 비일 부인이 그렇게 허락해줄 거예요!" 그 아이가 말했다.

윅스 선생님이 갑자기 팔을 살짝 짚으며 몸을 일으켰다. "비일 부인더러 그렇게 하라고 누가 허락해 준다니? 나는 그게 궁금하구나. 이 짠한 녀석아, 네가 그렇게 허락해 준다는 거니?"

"그러지 못할 것도 없잖아요. 이제 그녀가 자유의 몸이라는데요."

"자유롭다고? 너 그분 말을 따라 하는 거니? 좋아. 클로드 경이 그렇게 하는 게 어리석은 짓이라는 걸 알고 있을 만큼 충분히 나이가 들었다면, 분명히 너도 그를 그만큼 나이 든 사람으로 대해주는 게 마땅하다고 생각한다. 어쨌든 네가 취하려는 노선이 그런 거라면, 너는 그렇게 하는 게 어리석은 짓임을 알아야만 해." 윅스 선생님이 그처럼 모질게 대한 적은 없었다. 다른 한편으로는 메이지 자신이 그렇게 지나칠 정도로 분방해 보인 적이 없었다고 생각할 수도 있었다. 그러나 그 저변에 깔려 있는 것이 그 아이를 화나게 했다기보다는 그 애에게 위압감을 주었다. 그 애는 반박을 위해서가 아니라 궁극적인 평화를 위해서 여전히 그렇게 주장할 수 있다고 느꼈다. 그러는 동안에 그 애의 분방함이 그 애 친구에게 계속해서 영향을 끼치고 있었다. 윅스 선생님은, 감정적 반동이 생겨나서, 가장 심하게 도발적인 말을 다시 꺼내 들었다. "자유롭다고? 자유롭다니, 자유롭다는 말이냐? 만약 그녀가 너처럼 자유롭다면 말이다, 애야, 틀림없이 그녀도 충분히 자유롭다고 하겠지!"

"저처럼 말씀이세요?" 메이지는, 잠시 생각한 후에 그리고 그 말이 전달하는 불길한 의미에도 불구하고, 중대한 말을 되받아하는 위험을 무릅썼다.

"그래, 너도 알다시피, 그 누구도 범죄를 저지를 자유는 없는 거야."

"범죄라고요!" 그 단어는 아이가 그것을 반복해서 발음하게 하는 식으로 다시 언급되었다.

"만약 우리가 그들과 함께함으로써 그들의 부도덕을 눈감아 준다면 너도 그들의 죄만큼 중한 죄를 저지르는 게 될 거고, 나도 그런 셈이 될 거야."

메이지는 잠시 기다렸다. 그 말은 지독할 만큼 단호하게 들렸다. "그게 왜 부도덕하다는 거죠?" 그럼에도 그 애는 곧바로 그렇게 물었다.

그 애의 동료는 이제 더 심각한, 그러나 더 부드러워진 어조로 질책하며 그 애를 향해 돌아섰다. "넌 정말 형편없는 녀석이구나! 넌 우리가 무슨 말을 하고 있는지 알고 있기나 하는 거니?"

메이지는 궁극적인 냉정함을 유지하기 위해서는 무엇보다 분명해야만 한다고 느꼈다. "그럼요. 그분들이 자기들에게 주어진 자유를 어떻게 이용해야 하는지에 대해서 이야기하고 있잖아요."

"그렇다면, 그들이 무엇을 할 수 있는 자유를 가졌단 말이니?"

"음, 우리와 함께 살 수 있는 자유를 말하죠."

그 말을 듣고 윅스 선생님이 지은 웃음은 그야말로 거칠었다. "'우리랑?' 아서라!"

"그렇다면 저와 함께 살기 위해서요."

그 말을 듣고 그 애의 친구는 흠칫 놀랐다. "네가 나를 포기하겠다는 거니? 넌 나와 영원히 헤어지겠다는 말이니? 넌 나를 길거리로 내쫓겠다는 말이냐?"

비록 잠시 숨을 헐떡이기는 했지만, 메이지는 쏟아지는 도발적인 언어를 참아냈다. "제가 느끼기에는 선생님이 저를 버리려고 하시는 것 같은데요."

윅스 선생님은 그 애의 용기를 거의 이해하지 못했다. "나는 무슨 일이 있어도 결코 너를 내 시야에서 벗어나게 하지 않을 거라는 점을 약속할 수 있어! 너는 그가 그 수치스러운 짓을 너에게 비밀로 하고 가증스럽게도 몇 달 동안 숨겨온 것을 네 눈으로 직접 목격하고도, 나한테 그게 왜 부도덕한 일이냐고 물어볼 수 있단 말이냐? 그가 자신의 의무를 다하려고 노력하는 바로 첫 단계에서 그녀와의 관계를 깨끗이 끊고 그녀에게서 너를 곧바로 데리고 나왔어야 한다는 사실을 이해하는 게 그렇게 어렵니?"

메이지는 그 말을 이리저리 생각해 보았으나, 그것은, 너무 쉽게 동의해

주려는 충동에서라기보다는, 그냥 숙고하는 모습을 보여주기 위해서였다. "그래요. 저는 선생님이 무슨 말씀을 하시는지 알아요. 하지만 그때는 그분들이 자유로운 상태가 아니었어요." 그 애는 공격적인 그 말에 윅스 선생님이 다시 고개를 드는 것을 보았다. 그러나 그녀는 타이르는 듯한 손길로 그 애를 어루만져 줄 수 있을 만큼 감정을 억제했다. "나는 네가 그들이 얼마나 자유로운 상태가 되었는지 알지 못한다고 생각한다."

"저는 제가 선생님만큼이나 잘 알고 있다고 생각해요."

메이지는 걱정스러운 마음이 들었지만 그것을 극복했다. "여백작에 대해서요?"

"네 아빠를 유혹하는, 그 여자 말이니?" 윅스 선생님은 곁눈질로 그 애를 보았다. "그렇고말고. 그녀가 네 아빠한테 돈을 대주고 있으니까!"

"아, 그래요?" 그 말을 듣고 아이의 얼굴에 실망한 빛이 감돌았다. 그 말은 아빠가 그렇게 행동했던 이유를 알려주는 것처럼 보였고, 그 행동을 더 동정 어린 입장에서 보게 만들었다. 그 애는 정당하게 판단하고 싶었다. "저는 그녀가 관대하지 않다고는 말할 수 없어요. 그녀가 저를 그렇게 대했으니까요."

"뭐라고? 어떻게?"

"그녀가 저에게 큰돈을 주셨어요."

윅스 선생님이 빤히 바라보았다. "그렇다면 너는 그 큰돈을 도대체 어떻게 했니?"

"저는 그 돈을 비일 부인에게 드렸어요."

"그렇다면 비일 부인은 그걸 어떻게 했다니?"

"그녀가 그것을 되돌려 주었어요."

"그 여백작에게 말이니? 말도 안 되는 소리 하지 마라!" 윅스 선생님이 말했다. 그녀는 그 핑계에 대해 수잔 애시만큼이나 효과적으로 결말지어 버렸다.

"음, 저는 아무래도 상관없어요!" 메이지가 대답했다. "제 말은 선생님이 나머지 다른 일들에 대해서는 알지 못한다는 뜻이에요."

"나머지 다른 일들? 무슨 나머지?"

메이지는 어떻게 해야 그것을 가장 잘 표현하는 것일까 생각해 보았다. "아빠가 그곳에서 한 시간 동안 저를 데리고 계셨어요."

"나도 알고 있다. 클로드 경이 말해주었으니까. 비일 부인이 그에게 말해주었겠지."

메이지는 믿기지 않는다는 눈치였다. "어떻게 그녀가 알 수 있죠? 제가 말해주지 않았는데도 말이에요."

윅스 선생님은 어리둥절해졌다. "무엇을 말해주지 않았단 말이니?"

"음, 그녀가 너무나 소름 끼치게 생겼다는 것에 관해서 말이에요."

"그 여백작 말이니? 물론 그녀는 소름 끼치게 생겼지!" 윅스 선생님이 대답했다. 잠시 후에 그녀가 덧붙였다. "바로 그 이유 때문에 그녀가 그에게 돈을 대주는 거야."

메이지는 신중하게 생각해 보았다. "그렇다면 그녀가 나에게 주었던 만큼 아빠에게 돈을 많이 준다면 그녀는 더할 나위 없이 잘하는 것이겠지요."

"글쎄다. 그게 네 아빠한테는 그다지 좋은 일이 아닐 거야! 아니면 아마도 지나치게 좋은 일일 수도 있겠고!" 윅스 선생님이 덧붙여 말했다.

"하지만 그녀는 형편없는 분이에요. 정말, 정말이에요." 메이지가 말을 받았다.

윅스 선생님이 그 애를 제지했다. "너무 자세하게 말할 필요는 없어!" 하지만 그녀의 그러한 충고는 다음과 같은 질문과 모순되었다. "그게 어떻게 그 일을 더 바람직하게 만든다는 거니?"

"그 두 분이 저와 함께 사는 것 말씀이세요? 뭐, 그 여백작을 위해서―그녀의 구레나룻을 위해서죠!―아빠가 그 구레나룻에 대해서 저를 진절머리 나게 했어요. 저는 아빠를 이해해요." 메이지가 심오하게 말했다.

"그렇다면 나는 그분이 너를 이해했기를 바란다. 그건 내가 바라는 것이상으로 중요한 일이야!" 윅스 선생님이 인정했다.

그 말의 뜻은 더할 나위 없이 분명했다. 그리고 우리의 어린 숙녀는 즉시 그 말의 의미를 분명하게 이해했다. "제 말은 그게 범죄는 아니라는 거예요."

"그렇다면 클로드 경이 왜 너를 훔쳐내 왔겠니?"

"그분이 저를 훔친 게 아니에요. 단지 빌려오신 거죠. 저는 그게 그리 오래가지 않을 거라는 걸 알아요." 메이지가 대담하게 털어놓았다.

"너의 그 말에는 내가 꼭 이렇게 대답을 해야만 되겠구나. 넌 그런 일에 대해서는 아무것도 모른다고, 그리고 지난밤에 네가 나를 지지해 주겠다고 한껏 들떠 야단이었지만, 넌 그렇게 하는 데 오히려 형편없이 실패하고 말았다고 말이야! 이것이 더 좋은 일의 시작이기를 바란 만큼, 그리고 지금 내가 어리석은 열정에 빠져서 그렇게 바라고 있는 만큼 너도 그래 주길 바란다." 윅스 선생님이 소리 높여 말했다.

오, 그랬다. 윅스 선생님은 진정 처음으로 정확한 판단을 하고 있었다. 그래서 우리 여주인공의 마음속에는 자신이 정직하지 못했다는 것보다는, 자신으로부터 깨끗이 털어내 버리고 싶은 바로 그 욕망을 통해서 스스로 모든 게 자기 탓이 된 비열함에 대해 정확히 비난받고 있다는 느낌이 들었다. 그 애는 갑자기 격렬하게 항의하고 싶은 충동이 마음속에 차오르는 것을 느꼈다. "저는 절대로, 절대로 비일 부인을 다시는 만나고 싶어 하지 않기를 바라지 않았어요! 저는 그렇게 바라지 않았어요. 정말로, 정말로 그렇게 바라지 않았어요!"69 메이지는 같은 표현을 되풀이했다. 윅스 선생님은 그 말에 대답하려는 충동이 치솟아서 몸이 떨렸고, 그 애 역시 그 대답의 진동을 예상해야만 한다고 느꼈다. 그리고 그처럼 강한 충동으로 윅스 선생님은 확연히 거의 넘쳐흐를 듯한 상태였지만, 그 대답은 충동을 악화시키기에 충분한 시간을 주며 지체되었다. "그녀는 아름다운 분이에요. 저는 그녀를 좋아해요. 그녀는 아름다워요!"

"그럼 내가 못생겨서 넌 나를 싫어하니?" 윅스 선생님은 그 애를 잠시 뚫어져라 바라보더니 자신의 몸을 일으켜 세웠다. "난 그런 문제로 널 심하게 비난해서 네 기분을 망쳐놓고 싶은 생각이 없다. 아무튼 내가 못생겼다는 말을 듣는 게 처음인 것도 아니니까! 비록 구레나룻은 없지만 나는 내가 못생겼다는 것을 잘 알고 있어. 난 구레나룻은 없지? 또 다른 여러 면에서 그 여백작이 나에 비하면 비너스라고 말할 수 있는 측면도 있다고 말할 수도 있어! 그래서 내 주장이 너에겐 틀림없이 터무니없는 것처럼 보일 거야. 그건 네가 나를 좋아하지 않는다는 것과 같은 말이기도 하고, 그래도 그들의 죄에도 불구하고 네가 그들과 함께 살고 싶다고 나한테 말하는 정도까지 가야겠니?"

"선생님은 제가 뭘 원하는지 아시잖아요. 제가 무얼 원하는지 아시잖아요!" 메이지가 눈물을 글썽이며 말했다.

"그럼, 알고말고. 넌 내가 너처럼 못된 사람이 되기를 바라잖아! 그런데 난 그렇게 되지 않을 거다. 저런! 비일 부인이 네 아빠 못지않게 못된 사람이구나!" 윅스 선생님이 계속해서 말했다.

"그녀는 못된 사람이 아니에요. 나쁜 사람이 아니란 말이에요." 그녀의 어린 학생이 거의 비명을 지르듯이 대꾸했다.

"네 말은 클로드 경이 적어도 멋지고 재치 있고 우아하기 때문에 비일 부인이 나쁘지 않다는 뜻이니? 하지만 여백작이 돈을 대주는 것과 마찬가지로 그도 비일 부인에게 돈을 대주고 있어!" 웍스 선생님은 이제 일어서며 말했고, 감췄던 냉소적인 태도를 확연히 드러냈다.

그 말을 듣고 메이지 역시 일어섰다. 그 애의 친구는 몇 걸음 물러서더니 멈춰 섰다. 그 두 사람은 이제까지와는 다른 방식으로 서로를 바라보았다. 그리고 그 자리에서 웍스 선생님은 자신의 화려한 옷을 과시하는 것처럼 보였다. "그렇다면 그분이 '선생님께도' 돈을 써주시잖아요?" 그녀의 불행한 학생이 물었다.

그 말을 듣고 웍스 선생님이 자기 자리에서 펄쩍 뛰었다. "오, 이런 형편없이 못된 녀석!" 그녀는 난폭하게 울부짖는 듯한 소리로 말했다. 그런 다음 또 한 차례 몸을 떨더니 그녀는 곧장 떠나가 버렸다.

메이지는 벤치에 주저앉으며 울음을 터뜨렸다.


## XXVI


물론 그처럼 끔찍한 일이 그런 식으로 끝맺어질 수는 없었고 심지어 오랫동안 이어질 수도 없었다. 그들은 너무나 빨리 다시 서로를 향해 다가갔으므로, 각자 서로 그처럼 괴로운 상태를 유지했었다고 느낄 수 없을 정도였다. 그리고 그들은 말없이 호텔로 돌아오기는 했지만, 돌아오는 동안 메이지는 자기 동료의 손이 자기를 감싸주는 것을 생생하게 느꼈다. 그 손길이 지난 24시간 동안의 상황을 종결지을 수 있는 새로운 능력을 보여주었다. 그리고 그 아이가 거의 저항할 수 없었던 진실들 중 하나는 어떤 위대함이 윅스 선생님에게 새로 생겨났다는 사실이었다. 그것은 사실상 그녀의 동기의 질이 그녀의 날카로운 입장을 압도했던 경우였다. 그들이 그날 오후에 마차를 이용했을 때, 메이지는 그러한 동기의 순수함과 입장의 날카로움이라는 두 가지의 결합과 그 특이성을 극단까지 느낄 수 있는 자유를, 명상에 잠긴 그들의 장엄한 침묵을 통해서 얻어낼 수 있었다. 그 애는 자신의 친구가 자기를 결코 눈에서 벗어나지 않게 하겠다고 협박하듯 말했던 그 어조가 남긴 인상을 여전히 간직하고 있었다. 간단히 말하면 그 친구는 나약함으로부터 강인함으로 완전히 탈바꿈해 있었다. 그녀의 그러한 새로운 권위의 빛이 그녀가 얼마나 먼 거리로부터 여기까지 왔는지를 보여주었다. 문제의 그 위협적인 말이, 몹시 의기양양한 상태에서, 반항적인 태도를 띠게 했을 수도 있었다. 그러나 그렇게 추악한 어떤 일이 일어나기 전에, 또 하나의 사태가 음험하게 진행되면서 그것을 앞질러 막았다. 그러한 진행이 무르익기 시작한 순간이란, 그들이 묵고 있던 호텔방의 품격에 그리고 이제는 눈에 띄게 습득된 우월감에 격조를 맞춘 윅스 선생님의 존엄성이 일제히 솟아 나왔던 순간이었다. 그들은 점심식사 후에 클로드 경이 마련해 준 분위기에 걸맞게 커피를 주문했다. 그들이 흰색과 황금색으로 꾸며진 살롱에서 마차를 기다리고 있는 동안 커피가 나왔다. 게다가 커피 타임에 두어 잔의 독한 술이 곁들여졌으므로, 메이지는 클로드 경이 한 말이, 비록 그가 흐뭇한 기분으로 담배를 피우며 담소하고 난 다음에 그 말을 했다고 할지라도, 이보다 더 철저히 수용될 수 없었을 거라고 생각했다. 여하튼 그러한 호사의 권세가 분위기를 지배하고 있었다. 램프의 등피 앞에 까치발로 서서 장갑을 끼면서 머리를 움직여 깃털 장식이 제자리로 오도록 흔드는 동안, 메이지에게는 그러한 분위기가 윅스 선생님이 갑자기 다음과 같이 말한 것과 무언가 관련이 있는 것처럼 보였다. "너는 정말이지 진정으로 도덕관념이라는 게 있기는 한 거니?"

메이지는 자신의 대답이, 비록 그 질문에 곧바로 이어진 것이긴 했지만, 바보 같아 보일 정도로 모호했다는 것을 의식했다. 그리고 그때 처음으로 그 애는 윅스 선생님과의 사이에서 그녀에게 지적으로 대처하는 데 자신이 못 미친다고 느꼈다. 그 애가 아빠나 엄마에 대해 그처럼 많은 어려움을 잘 겪어낼 수 있었던 것은 그러한 지적 허약함 덕분이었고, 그런 상황은 그 애를 공정하게 평가해 주지 못했다. 그것은 이후 도덕관념이라는 의식이 그들의 교제를 주로 채색하게 된 것이 아이의 놀이친구의 압박 못지않게 그 애의 솔직함을 통해서 이루어졌기 때문이었다. 가엾은 그 아이는 그것이 무엇인지도 거의 알지 못한 상태에서 도덕관념에 대해 생각하기 시작했다. 그러나 도덕관념이라는 생각은, 마차의 흔들림에 몸을 맡기는 경우를 제외하고는 표면적으로 거의 드러나지 않고, 그들이 마차 드라이브에서 돌아오기 이전에 어느 정도 익숙하게 머릿속에 떠올릴 수 있었던 어떤 것으로 판명되었다. 그날의 화창함이 그 생각을 단지 더 깊어지게 했고, 오후 바다의 광채나 멀리 떨어진 갑headlands에 낀 이내, 그리고 향기로운 대기의 기운도 그 생각에 깊이를 더해주었다. 그들에게 자신들의 여행이 뭔가 너무 부족하다고 느끼게 만들어서, 돌아온 뒤에도 긴 낮 시간의 여운이 남아 있게 만들고, 마차꾼의 정중한 제안을 받아들여 그들이 반짝이는 백사장을 거닐며 보냈던 한 시간의 여운도 남아 있게 만들어주었던 것은, 다름 아닌 바로 그 예의 바른 마차꾼이었다. 정말이지 그들에게 그런 느낌을 갖게 해준 것은 그 마차꾼이었다. 그는 미소 지으며 채찍질하여 마차를 몰고, 자신의 자리에서 몸을 돌려 눈에 띄지 않는 사물들을 가리키며 알아들을 수 없는 소리로 말했는데, 그것은 모두 주로 언어에 표현된 사회 계층의 특징이라고 우리의 여행객들이 인식했던 것이었다. 메이지는 클로드 경과 함께 요전 날에도 그 바닷가를 구경했었다. 그러나 그렇기 때문에 더욱 그 바닷가, 그 애가 말하듯이, 자기가 리스트에 올려놓은 장소들 중 하나이며, 자기가 프랑스어로 이름을 알고 있는 것들 중 하나라는 사실을 윅스 선생님에게 그 자리에서 알려주어야 하는 하나의 이유가 되었다. 무척 늦은 시간이어서 해수욕하는 사람은 아무도 없었고 파도는 잔잔했다. 바닷물 웅덩이들은 햇빛을 받아 반짝거렸고, 마른 장소들도 있어서 그들은 거기에 다시 자리를 잡고 앉아 감탄하며 상세히 설명할 수도 있었다. 그런 분위기에서 그들이 철썩거리는 파도소리를 듣고 있던 중에 윅스 선생님은 자신이 말했던 도전적인 주제를 새삼스럽게 다시 꺼냈다. "너에게는 그게 전혀 없단 말이니?"

적어도 그 질문 자체에 대해서라면, 윅스 선생님은 이제 구체적일 필요가 없었다. 다른 한편으로 도덕관념이라는 것이 그들 사이에 그처럼 군이 말로 표현할 필요가 없게 된 것은, 그처럼 우려스러운 메이지의 상태에 대해 그들이 서로 말없이 의견의 일치에 이르게 된 최종 결과 때문이었다. 그랬다, 메이지가 절대적으로 지독할 만큼 거의 그것을 가지고 있지 않다는 사실을 그들은 직면해야만 했다. 그러한 현상은 특히 그 아이가 자기 친구가 거의 숭고하다고 여겨질 정도로—좌우간에 그 경지가 권위를 잃게 될 때까지는—도덕의식에 있어서 드높은 수준에 올라 있다는 것을 인식하는 순간 나타났다. 출발하면서 가졌던 최초의 열기 속에서 그 애가 나름대로 상상했던 비전보다도 더 주목할 만한 일은, 불로뉴에서 보냈던 그날의 나머지 시간 동안, 아무것도 일어나지 않았다. 그리고 그 애의 어떤 인식의 행위도 서술자인 나의 거친 방식으로 극도로 과도하게 추적되었을 따름이었다. 나는 여기에서 그 애의 소리 없는 정신적 자취의 뒤꽁무니를 추적하는 데 너무나 절망한 나머지, 지금부터 독자인 당신에게 내가 전하는 말은 그 애에게 사실 그대로 제시된 것을 묘사한 것이라는 점을 조잡하게나마 밝혀두어야겠다. 윅스 선생님은 그 애가 예외적으로 너무 많은 것을 알고 있는 어린 애여서, 그 점을 고려해서, 그 애가 아직 알고 있지 못한 것은, 그게 당황스러운 것이 아니라면 아마도 엉뚱한 것일 거라고 생각했다. 사실 윅스 선생님은 당혹감에 대처할 자격을 그 어느 때보다도 더 잘 갖추고 있었다. 메이지가 자기와 관련된 나이 든 사람들을 그처럼 능숙하게 교육시키게 만들었던 자기 삶의 기이한 법칙을 어렴풋하게라도 알고 있었는지, 나는 확신할 수 없다. 말하자면 오히려 그 애가 어른들의 교육적 발달을 유발한 셈이었다. 예를 들면, 그 애가 비일 부인의 교육적 발달을 촉진시키는 데 성공한 것보다 더 눈에 띄는 것은 없었다. 그 애의 모든 인생사가 그 애 자신의 삶에 대한 지식을 습득하는 연속된 단계였다면 그 정점은, 마찬가지 관점에서, 그러한 지식이 흘러넘치는 단계일 것이라고 윅스 선생님은 판단했다. 그 애는 점점 더 많은 것을 알게 되도록 저주받았는데, 최대한을 알게 되기 전에 어떻게 그것이 논리적으로 멈출 수 있겠는가? 사실상 그 애가 모든 것을 분명하게 알게 되는 과정에 있었던 것은, 두 사람이 백사장에 앉아 있었을 때였다. 그 애가 자기 가정교사들로부터 무언가를 얻어내지 못한 적은 없었다. 알아내고, 알아가고, 또 알아내는 것이 아니었다면 도대체 그 애가 무엇을 해왔겠는가? 그 애는 자신이 곧 모든 것을 알게 될 것이라는 평온한 전조를 드러내는 붉은 노을을 바라보았다. 두 사람은 붉은 노을빛이 마침내 잿빛으로 바뀌면서 그 애가 미풍의 모든 바람결로부터 새로운 정보를 얻는 것처럼 느껴질 때까지, 그 노을빛 속에 머물러 있었다. 두 사람이 호텔로 돌아올 때쯤 해서는, 그 불가피한 각성의 순간이, 윅스 선생님이 느끼기에는, 마치 팽팽하고 기다란 줄이 신경이 곤두선 손으로 갑자기 잡아당겨진 것 같았으며, 그에 따라 정보의 소중한 진주들이 그 줄에 산뜻하게 꿰어지는 듯했다.

저녁에 이층에서 그들은 또 한 차례 이상한 기분에 빠졌다. 그 감정에 대해서, 메이지는 자기 동료가 도덕관념이라는 음표를 새로 강조하여 소리 냈던 것이 도중에 쾅 하고 갑자기 일어난 것인지 아예 처음부터 그랬던 것인지 훗날에라도 당신에게 말해줄 수 없을 것이다. 중요한 점은 그녀가 외치듯 말했고, 처음에도 그랬듯이 밑도 끝도 없이 갑자기 그 말을 꺼냈다는 사실이었다. "하나님, 저에게 자비를 베푸소서. 그게 정말로 모습을 나타내려는 것 같구나!" 오, 그처럼 열렬히 호소하더니 마침내 그것이 꽃 피듯 피어나게 한 그 묘한 혼란이라니! 그러나 그 어떤 것도 비애에 찬 그 표현만큼 이상하지는 않았고, 그것은 사실상 분노라고 일컬어질 수도 있었다. 분노와 비애가 섞인 기이한 감정 속에서 그 가엾은 여인은 자신의 비옥한 무지가 비극적인 종말을 맞게 된 것을 몹시 슬퍼했다. 그러던 어느 순간, 그녀는 과거에 헤어졌다가 다시 만났을 때 그랬던 것처럼 그 아이를 붙잡아 꽉 껴안았다. 그 순간 그녀는 그 애가 그처럼 오염되어 버린 데 대해 그 희생자에게 어떻게 보상해 줄 것인지 생각해 보고는 눈에 띄게 당황해했다.[70] 그녀는 자신이 과거에 했던 일과 지금 하고 있는 일에 대해서 얼떨떨해하며, 설명하려 했으며, 애원하려고도 했고, 다시 안심시키려고도 했으며, 용서를 구하기도 했고, 심지어는 대놓고 동정을 구하기도 했다.

"내가 너에게 무슨 말을 했는지 모르겠구나, 내가 한 말의 의미를. 나는 내가 지금 무슨 말을 하고 있는지도 모르겠고, 하나님 맙소사, 네가 내 인생에 가져다준 변화가 나로 하여금 무슨 말을 할 능력을 갖게 해주었는지도 모르겠다. 난 모든 우아함과 점잖음을 잃어버린 걸까? 내가 어떤 상태까지 이르게 된 건지, 얼마나 타락했는지 짐작할 수도 없게 되어버린 걸까? 네가 생각하기에 내가 결코 그렇게 될 것 같지 않은 사람처럼 보일지 모르겠다만, 나는 내가 가졌던 모든 걸 잃어버린 것 같구나. 이 귀여운 녀석아, 나는

'너'를 위해서 그렇게 했을 뿐이야. 너를 잃지 않기 위해서 그 모든 것을 잃었어. 너를 잃는다는 게 나에겐 최악인 거야. 그래서 나는, 네가 비웃을지도 모르겠다만, 너와 꼭 붙어있기 위해서, 너를 간직하기 위해서, 나 자신의 순수함을 그 대가로 치러야만 했단다. 내가 치른 대가가 무효가 되게 하지 말아다오. 내가 아무것도 얻지 못한 채 그런 공포와 수치심 속으로 내던져지도록 하진 말아다오. 나는 그들에 관해서 아무것도 아는 게 없었고 알고 싶지도 않았다! 그런데 나는 그들에 관해 너무나 많은 것을 알게 되었어, 너무도 많은 것을!" 그 가엾은 부인은 한탄하며 신음소리를 냈다. "나는 너무나 많은 걸 알게 된 나머지, 그런 대화를 들으면서 내가 어디에 있는지 나 자신에게 물어보게 되는구나. 그리고 그런 말을 하면서도, 그게 더 나쁜 상태겠지, 내가 처음 시작했던 곳으로부터 너무도, 너무도 멀리 와버렸다고 나 자신에게 말하고 있어! 만약 내가 선을 넘어버리는 소리를 들었다면, 잃어버린 나 자신에 대해서 어떻게 생각했을지 스스로 묻는단다. 내가 어려운 상태에 처했다고 생각해야만 했던 곳에서 '너'와 함께 넘었던 선들이 있어…" 단지 상상만으로도 그녀는 숨을 헐떡거렸다. "나는 한 가지 상황을 겪고 난 다음 이어서 또 다른 상황을 겪어왔단다. 그리고 그 모든 것은 정말 너를 사랑하기 때문이었어. 이제 내가 가려는 길에 대해서 어떤 사람들이 알게 된다면, 내 말은 '그들'을 제외한 다른 사람들 말이야, 그들은 뭐라고 말할까? 나는 너와 발걸음을 맞추어야만 했단다. 그렇지 않니? 그러니 네가 '나'와 발걸음을 맞춰주기를 기대하는 게 아니면, 대체 내가 뭘 할 수 있겠니? 그러나 최악은 '그들'이 아니야. 내 말은 최악인 사람이 '그'가 아니라는 뜻이야. 그건 바로 지독하게 비열한 너의 아빠와 그가 자기 자신보다 더 사악하다는 걸 알게 됐을 수도 있는, 나도 그렇게 믿는, 세상에 단 한 사람71—그런데 그 여자는 그 여백작이 아니야, 이 바보야—이야. 어쨌든 그들이 그 일에 관여한 동안, 그들은 너를 '정말로' 망쳐놓았어. 정직한 한 여인에게 자비를 베풀어주기 위해 그들이 그렇게 한 건지도 모르겠다만. 그래서 나는 그게 뭐였든지 간에 최악의 짓을 할 필요가 없었단다. 나는 네가 이해하지 못하는 사악함에 대해 너에게 집요하게 지적하지 않아도 되었고, 네가 가진 고약함을 이용해서 내 이익을 챙기는 짓을 할 필요도 없었어! 오늘 아침에 내가 인내심을 잃게 된 것은 어떻게 해서 네가, 비난하는 것처럼 보이지 않으면서도―그렇게 하지 않았잖니, 넌 기억하고 있지!―그 모든 사정을 '알고' 있는 것처럼 보이느냐 하는 것에 대해서였어. 고맙기도 하지, '만약' 네가 마침내 모든 걸 알고 있다면, 그건 그를 가엾게 여겨서겠지!"

그날 밤은 기온이 온화했고 창문 하나가 조그만 발코니를 향해 열려 있었으며, 메이지는 저녁식사를 마치고 돌아와서 그 창문의 난간에 오랫동안 몸을 기대고 머무르면서 사람들이 대화하는 소리와 불빛, 그 계절에 그 시간에 화려하게 펼쳐지는 부두의 생활을 바라보며 즐거운 기분에 젖어 있었다. 윅스 선생님의 요구사항이 목가적인 분위기로부터 그 애를 방 안으로 끌어들였고, 윅스 선생님의 포옹이, 감정을 분출하는 사이에 그 애의 혼동과 동정심이 그 포옹에서 빠져나오도록 허락했거나 혹은 그렇게 하도록 적극적으로 도왔는데도, 그 애를 그녀의 품 안에 붙들어 두었다. 하지만 여닫이 창문은 여전히 넓었고, 눈에 들어오는 즐거운 목가적인 풍경도 여전히 거기 있었다. 방 안쪽 그 애가 서 있는 자리에서, 그 방은 잘 닦여 광이 나는 바닥과 우아한 창틀로 인해 방 안쪽 불빛보다는 밖에서 들어오는 불빛으로 밝혀져 있었는데, 그 아이는 여전히 바깥 풍경에 주의를 기울일 수 있었다. 그 애는 눈여겨보며 귀 기울여 듣는 것 같았고, 잠시 후에 윅스 선생님이 묻는 말에 대답했다. "제가 만약 알고 있다면…?"

"네가 만약 '비난하고' 있다면." 윅스 선생님이 다소 엄격한 어조로 정정했다.

메이지는 그 말에 압박감을 느껴서 무의식 중에 어렴풋한 한숨을 내쉬었으며, 곧이어 그 어렴풋한 기분을 구실 삼아서 다시 발코니 쪽으로 빠져나갔다. 그 애는 다시 난간에 몸을 기대고 여름밤을 느꼈으며, 프랑스풍의 분위기 속으로 빠져들었다. 호텔 아래쪽에는 카페가 있었고, 그 앞에 작은 의자와 테이블이 있어서 사람들이 커다란 통 모양의 화분들에 심어진 식물로 둘러싸인 공간에 앉아 있었다. 그런 인상은 웨이터들의 하얀 앞치마와 한 남자와 한 여자가 연주하는 음악 소리로 풍요로워졌다. 그 남녀는 그 구역 너머에서 서툴게 기타를 연주하면서, 거기에 맞춰 '아모르'amour[72]에 관한 노래를 느린 템포로 부르고 있었다. 메이지는 '아모르'라는 표현이 무슨 뜻인지도 알고 있었으며, 윅스 선생님이 그 말뜻을 아는지 궁금했다. 윅스 선생님은 방 안쪽에 머물러 있었고, 아마도 그 음악 소리를 듣지 못했을 것이다. 그러나 얼마 후 연주자들이 음악을 멈추고 작은 그릇을 돌리기 시작하기 전에, 그녀의 어린 학생이 그녀에게로 되돌아왔다. "그건 정말 범죄인가요?"

윅스 선생님은 마치 야수의 잠자리 안에 웅크리고 있기라도 했던 것처럼 곧바로 반응했다. "성경에 의해서 낙인이 찍힌 죄악이야."

"하지만, 그분은 죄를 범하지 않으실 거예요."

윅스 선생님이 음울한 표정으로 그 애를 바라보았다. "그는 지금 죄를 범하고 있는 중이야."

"지금이요?"

"그 여자와 함께 있음으로써 말이야."

메이지는 한 번 더 대꾸하려는 말이 혀끝에서 맴돌았다. "하지만 지금 그분은 자유로우시잖아요." 그러나 그 애는 지난 모든 시간 동안 자신이 알아낸 것 중 하나가 그렇게 말해봐야 아무 소용이 없다는 것이었음을 기억했다. 그런 다음 그 애는 자기가 옳은 길이라고 생각했던 것을 완전히 뒤엎어 버리기라도 할 것처럼, 어떤 기억이 떠올라서 그 기억을 향해 맹목적으로 돌진하려는 참이었다. 그 기억은 그렇게 말하는 것이 소용이 있을지도 모른다는, 즉 비일 부인의 죄를 감소시켜 줄지도 모른다는 나약한 반전이었다. 하지만 윅스 선생님의 얼굴에 나타난 의기소침한 표정을 보고 그 생각은 자연스럽게 가라앉아 버렸다. 윅스 선생님은 자신이 그토록 고통스러워하는데도 자기 어린 학생이 여전히 상황을 바로 이해하지 못하는 것을 그 애의 태도로 유추해 내고는 좌절하고 있었다. 메이지는 어떤 일에 맞닥뜨리게 되었을 때만큼 그렇게 간절하게 이해하고 싶었던 적이 없었다. 그리고 그 애의 생각은 자신의 단순함을 반증할 어떤 것을 보여주려는 노력에 잠시 집중되었다. "선생님, 저를 그냥 믿어주세요. 그뿐이에요!" 메이지가 마침내 그렇게 말했다. 그리고 윅스 선생님이 길고도 고른 신음소리와 함께 그 애를 안아서 잠자리로 데리고 간 것은 그녀의 행동이 선의를 담고 있다는 표시였을 것이다.

다음 날 아침에도 클로드 경에게서 편지는 오지 않았다. 윅스 선생님은 그것이 최악의 징후로 보인다고 말했다. 그러나 그 어느 때보다도 더 이국적인 기분이 들게 했던 커피와 롤빵을 먹고 나서, 차후에 그가 비용을 지불하도록 처리해 둔 신선한 음료를 마시기 위해 밖으로 나갔을 때, 그들이 백사장에 있는 사람들 속으로 들어가거나 수영복 차림의 거의 벌거벗은 해수욕객들과 함께 바닷물 속으로 들어가서 기분전환을 꾀하는 대신에, 다시 언덕을 걸어올라 성벽으로 갔던 것은 그들이 그런 방식으로 그와 더불어 갖고 있었던 더 조용한 영적 소통을 위해서였다. 그들은 금박을 입힌 성모 마리아 상을 다시 한번 바라보았다. 그리고 그들이 전에 앉았던 낡은 벤치에 다시 않았다. 그러고는 다시 한번 자신들이 레전트 파크로부터 얼마나 멀리 떨어진 곳에 있는지 느꼈다. 마침내 윅스 선생님이 그들의 친구로부터 아무런 소식이 없는 사실에 대해서 입장을 분명히 했다. "그는 그 여자를 두려워하고 있어. 그 여자가 그에게 편지를 쓰지 못하게 한 거야." 클로드 경이 두려워하고 있다는 사실은 메이지도 이미 알고 있었다. 그러나 자기 동료가 그 점을 언급한 것이 그 순간 예상치 못한 두 가지 결과를 초래했다. 첫째로, 그 애는 무언의 항의 속에서 윅스 선생님이, 자기 못지않은 헌신적인 애정을 그에게 가지고 있으면서도, 그처럼 모진 조롱을 그런 언급 속에 섞어 넣을 수 있는지 궁금증이 들었다. 둘째로, 그 애는 클로드 경이 가진 두려움에 대해 더 깊이 들여다보게 되었다. 우리가 알고 있듯이, 그 애 역시 클로드 경이 두려워했던 사람들을 두려워했다. 그리고 같은 원칙으로 그 애는 비일 부인에 대한 잠재된 우려에 적절한 이해의 척도를 갖고 있었다. 하지만 현재 일어난 상황은, 그런 연민이 그에 대해서는 헛되어 보이는 반면, 그 연민의 근거가 이기적인 경고를 위한 하나의 이유로 어렴풋하게 떠올랐다는 것이었다. 그 애가 그런 불안한 기분에 깊숙이 빠져들기 전에 윅스 선생님이 뜬금없어 보일 만큼 너무도 갑자기 다시 말문을 열었다. "너는 그녀에게 질투심이 들었던 적이 전혀 없었니?"

그런 생각이 들었던 적은 결코 없었다. 그러나 윅스 선생님의 그 말이 채 끝나기도 전에 메이지는 그 말을 즉각 받아들였다. 그 애는 그 말을 잘 받아들였고 똑바로 응시했다. 마침내 그 애는 애석하게도 자신 말고는 아무도 존중해 줄 사람이 없는 한 가지 확신을 분명히 느끼게 되었다. "음, 선생님이 물어보시니까 생각해 보니, 그런 마음이 들었던 것 같아요." 그 애는 생각에 잠기더니 말을 이었다. "수없이 여러 번 그랬어요."

윅스 선생님은 의심스럽다는 듯이 잠시 곁눈질로 바라보았다. 그녀가 지은 인정하는 듯한 표정이 전혀 근거가 없는 것은 아니었다. 아무튼 그것은 아마도 그녀가 다시 한번 다음과 같이 말한 것과 뭔가 관련된 표현이었다. "맞아. 그는 그녀를 두려워하고 있어."

메이지는 그 말을 들었고, 그리고 그것은, 질투라는 개념의 가능성 때문에 지금 주의력이 흐려진 상태이긴 했지만 그 애에게 새롭게 그 효과를 발했다. 그 가능성은 단지 그 애가 그런 식으로 자신이 단순하지 않다는 것을 보여주는 방식을 찾아냈다는 느낌 때문에 생겨났다. 윅스 선생님에게서는 그녀가 요구하는 도덕관념에 그 애가 흥미를 갖게 되었고, 그런 척하는 것을 여전히 믿는다는 낌새가 풍겼다. 그 무엇이 몹시 들뜬 상태의 열정이 모습을 드러내는 것에 버금가는 그녀의 진실성을 측정하는 척도가 될 수 있겠는가? 그처럼 감정을 표현하는 것이 낙담에 이르는 것을 막아주었을 수도 있다. 그리고 낙담한다는 것이 사실상 불가능한 상황이었기 때문에 그들이 보낸 그날 오전의 진정한 절정 상태는, 서로 면밀하게 상대방의 마음을 눈치 보는 태도가 아닌, 전례 없이 솔직하게 터놓는 태도에 의해서 도달되었다. 또한 그런 절정 상태는 어느 정도 오로지 희망에 대한 그들의 강렬한 욕구에 힘입어서 이루어진 것이기도 했으며, 한편 그러한 희망은, 그 본성상, 클로드 경으로부터 편지가 오지 않았다는 사실에 대한 어두운 전조로부터 생겨난 것이기도 했다. 곰곰이 생각하며 침묵을 지키는 시간이 있었고, 메이지는, 자신이 자기 친구 눈에는 기껏해야 피상적으로 비치며, 또한 자신이 확실히 더 피상적일수록 그만큼 더 완전한 듯 보이려 애쓰는 것으로 비칠 거라는 생각에 더 깊이 빠져들었다. 모든 지식의 합계라는 것이 지금 단계에서 우리가 그 상태에 이르는 데 얼마나 부족한지를 알게 된 것에 불과하단 말인가? 메이지가 살아서 그런 말을 하게 될 거라고는 꿈에도 생각하지 못했던 말을 비일 부인과 관련해서 내뱉게 되자마자, 그 빛의 밝기가 그 상황을 확 덮어씌워 버리는 바람에 그 물음에 대한 대답은 다행히도 저절로 실종되었다. "만약 비일 부인이 그에게 못되게 군다면 저는 어떻게 해야 할지 모르겠어요!"

윅스 선생님은 사시인 자신의 한쪽 눈을 내리깔았다. 그녀는 거칠게 투덜거리며 그런 행동을 확인하기까지 했다. "나는 내가 어떻게 해야 하는지 알고 있어."

그 말을 듣고 메이지는 자신이 뒤처졌다고 느꼈다. "음, 저도 한 가지 생각이 있어요."

윅스 선생님은 더욱 직접적으로 도전해 왔다. "그럼 그게 뭐니?"

메이지는 그녀의 표현에 그게 마치 눈 깜빡이지 않기 게임이라도 되는 것처럼 대처했다. "제가 그녀를 죽여버릴 거예요!" 그 애는 눈길을 돌리면서 그 말이 적어도 자신의 도덕관념을 보장해 줄 수 있기를 바랐다. 그 애는 눈길을 돌리고 있었지만, 자기의 동료가 너무나 오래도록 말이 없어서, 마침내 다시 고개를 돌렸다. 이어서 아이는 그 교정 안경이 눈물로 얼룩져 있다는 것을 알았고, 잠시 후 그 눈물은 그 애 자신의 눈에서 솟아난 것처럼 보였다. 사실 안경의 양쪽 모두에서 눈물이 흘러내렸다. 눈물이 너무 심하게 쏟아져 나왔기 때문에 이윽고 그 애는 눈물 너머로 윅스 선생님이 마침내 천천히 손을 내미는 것을 알아볼 수 있었을 뿐이었다. 그 상황뿐만 아니라 몇 분 후에 그 밖의 다른 문제들도 그녀가 손을 내밀었다는 물리적 압박으로 해결되어 버렸다. 그것은 그 자체의 방식으로 특히나 한 가지 문제를 해결했다. 그 문제는 종종, 두 사람 사이에, 맹세코, 맴돌며 떠다녔던 문제였는데, 미소를 지으며 얼버무리고 넘어가는 식으로 해결되어서는 안 되는 문제였다. 그 두 사람이 함께 앉아 있었던 긴 시간 동안, 혹은 어떤 불특정한 시점에 윅스 선생님이 자신의 존엄을 위해서 충분히 분명한 어조로,

하지만 주변에서 졸고 있는 부인들에게는 들리지 않을 정도의 낮은 목소리로, 다음과 같은 말을 했던 방식에는 경박함의 기미도 없었고 불만이나 농담의 기미도 없었다.

"나는 그를 진심으로 좋아한단다. 나는 그를 정말 좋아해."

메이지는 그 말을 기분 좋게 받아들였다. 너무나 흡족한 나머지 잠시 후에 그 애는 심오한 어조로 대답했다. "저도 그분을 너무나 좋아해요." 그러나 그 순간이 채 지나가기도 전에 어떤 일이 일어나서, 다른 말이 그 애의 입에서 새어 나왔다. 아마 틀림없이 그것은 메이지 자신의 손에서 느껴지는 윅스 선생님의 손의 중요성에 대한 더 깊은 의식에 지나지 않았을 것이다. 그들의 손은 그들이 결합되어 있다는, 말로 표현할 수 없는 표시로, 서로 꼭 붙잡고 있었다. 메이지는 마침내 간결하고도 침착하게 "오, 저는 알고 있어요!"라고 말했다.

그들은 서로의 손을 아주 꼭 붙들고 있었고 그들의 결합은 너무도 단단한 것이어서, 그들에게 시간의 흐름과 예의 바른 행동을 일깨워 주는 데는 여름날 공기에 실려 멀리서 들려오는 심원한 종소리가 필요했을 정도였다. 그들은 마음속 가장 깊은 곳까지 서로 맞닿아 있었고 함께 섞여 녹아들고 있었지만, 마침내 갑작스레 서로 떨어졌다. 그 종소리는 여관에서 들려오는 소리였고, 여관은 점심식사 분위기로 들썩거렸다. 그들은 자칫 식사 시간에 늦을 수도 있었다. 그들은 일어났고, 돌아오는 길에 빨라진 그들의 발걸음에는 신뢰에 찬 율동 같은 것이 느껴졌다. 그들이 도착했을 때 호텔이 제공하는 식사가 시작되었다. 입구에 들어서면서 홀이나 계단에, 윅스 선생님이 표현했듯이, '직원들'personnel이—그녀는 그 표현을 주워 들었었다—아무도 보이지 않자 그런 상황임을 분명히 알 수 있었다. 직원들은 모두 식당에 모여 있었다. 두 사람은 거울을 보고 머리를 빗기 위해 숙소로 올라갔다. 앞질러 가면서 충동적으로 우쭐대며 흰색과 황금색으로 된 문을 활짝 열어젖힌 사람은 메이지였다. 그래서 그 애가 먼저 소리를 질렀고, 그 소리를 듣고 윅스 선생님이 그 애를 거의 덮칠 뻔했다. 그 반대 경우였더라면, 그 애가 윅스 선생님을 덮칠 수도 있었을 것이다. 아무튼 그 소리는 그 두 사람이 잔뜩 긴장한 시선으로 새로 생긴 상황을 바라보며 서로 꼭 껴안고 있게 만들었다. 그런 상황에서 순식간에 비일 부인의 눈부신 모습이 드러났다. 그녀가 모자를 쓰고 재킷 차림으로, 여러 개의 가방 가운데 서서, 숄을 어깨에 두른 상태로, 미소 지으며 껴안으려고 양팔을 벌린 채 거기에 서 있었다. 그녀가 지금 막 도착했다면, 그것은 두 사람 중 어느 쪽과도 다른 모습이었다. 그 두 사람은 창백한 얼굴에 비트적거리며 간신히 목숨이나 구한 듯 녹초가 된 상태로, '그들'을 위해서, 최근에 영국해협이 토해낸 그런 모습을 하고 있었다.[73] 그녀는 배를 타고 건너왔던 그날의 날씨만큼이나 아름다웠고, 그녀와 함께했던 행운과 건강만큼 생기가 넘쳤다. 그 자리에서 메이지는 그녀가 그 어느 때보다도 더 아름답다는 생각이 들었다. 이 모든 일이 너무나 급작스럽게 일어나서 상황 판단이 불가능했다. 그래도 거기에는 무엇이 그 광휘에 빛을 비춰주었는지 아이가 느낄 수 있게 해주는 시간이 있었다. 그 빛은 벌린 양팔에서 튀어나왔고, 크게 뜬 두 눈에서 그리고 활짝 벌린 입에서 튀어나왔다. 그것은 비일 부인이 그 애를 향해 목소리를 높여 말하는 것과 더불어 튀어나왔다. "난 자유로워졌어. 난 자유로워!"

# XXVII

그 무엇보다도 의아한 것은 비일 부인이 자신의 선언을, 우리가 판단할 수 있는 한, 웍스 선생님에게도 똑같은 방식으로 전달했다는 것이었다. 메이지가 방문객의 품에 몸을 맡기는 동안 웍스 선생님은 마치 갑자기 몸의 힘이 완전히 빠져나가기라도 한 것처럼 의자에 털썩 주저앉았다. 아이는 비일 부인의 품에서 벗어나자마자 웍스 선생님의 망연자실한 모습을 심각하게 맞닥뜨렸고, 어느 면에서는 대결 상태를 유지하면서 그녀의 얼굴이 아직도 강렬하게 이렇게 말하듯이 보인다는 것을 실제로 알아볼 수 있었다. '얘야, 제발, "제가 그렇게 말했잖아요."라고 소리치며 의기양양해지진 말아다오.'라고. 어떻든 간에 메이지는 자신이 그런 환성을 지를 의향이 없다는 것을 바로 의식했다. 그 애가 비일 부인의 주변에 놓여있는 물건들을 재빨리 훑어보고, 그중에 클로드 경의 것으로 보이는 물건이 없다는 것을 알아차리는 데는 잠깐의 시간이 필요했다. 그 애는 그의 소지품 넣는 가방에 대해 잘 알고 있었고—오, 그것이 눈에 띈다면 얼마나 기분 좋은 일이겠는가!— 순간적으로 그것이 거기에 없다는 것이 한 가지 최악의 소식이라는 생각이 들었다. 그러나 연속적인 상황이 전개되면서 그 애는 어떤 것이 소멸했다는 증거를 알아차린다는 것이 무엇을 의미하는지 알 수 있게 될 것이었고, 그래서 이 순간적인 고통이 죽음과 같은 경험의 전조라는 사실을 알아차리지 못한 상태에 머물러 있었다. 물론 그러한 상태는 비일 부인의 광휘에 순식간에 묻혀버렸고, 그것은 그 애의 즉각적인 호소 속에 실려 사라져버렸다.

"혼자 오셨어요?"

"클로드 경과 함께 오지 않았냐는 뜻이니?" 이상하게도 비일 부인은 한층 더 밝은 표정이 되었다. "그래. 너에게 한시라도 빨리 오고 싶어서 혼자 왔단다. 이 지겨운 작은 악당 녀석아!" 그리고 그 애의 의붓엄마는 산뜻한 웃음을 지으며, 그 애의 볼을 꼬집듯 어루만졌다. "너한테 무슨 일이 있었니? 무엇 때문에 네가 나를 이곳에 오게 했지? 하지만 나는 외국에 나오게 돼서 기뻐. 결국 네가 나를 이곳에 오도록 안내한 거야. 네가 아니었다면 나는 이곳에 더 일찍 올 수도 있었을 거야. 더 일찍 올 수도 있었단 말이야. 자, 어쨌든, 나는 여기 와 있고, 한순간 너를 더 염려하기 시작하게 되었어. 일은 잘될 거야." 그녀는 그 장소에 대해 흐뭇해했고, 심지어 그곳이 매력적이라고까지 말했다. 그러고는 더 유쾌한 홍조를 띠며, 자신에게 가장 중요한 점을 다시 한번 강조했다. "나는 자유롭게 되었어. 난 자유로워졌어!" 메이지는 자신의 편에서 주장을 폈다. 그 애는 윅스 선생님에게로 시선을 돌렸는데, 그녀는 놀라서 여전히 정신을 차리지 못한 상태였다. 그 애는 자기의 나이 든 친구가 꺼내들지 않은 우월한 방식에 대해 새롭게 그녀의 관심을 이끌었다. 그 애가 다음 순간 꺼낸 말은 클로드 경에 관한 질문이었다. "그분은 어디 계신 거예요? 그분은 오시지 않을 건가요?"

비일 부인이 미소를 지으며 그 질문에 대해 곰곰이 생각해 보는 동안 그 애의 마음속에는 예상되는 일 두 가지가 스쳐갔다. 비일 부인이 눈 하나 깜빡 안 하고 윅스 선생님을 받아들이는 행동은 눈길을 끌면서도 비범했다. 메이지는 이제 윅스 선생님의 기다란 얼굴에 나타난 어떤 표정에서 그런 기적 같은 행위를 읽어내기 시작하기까지 했다. "그분은 오실 거야. 하지만 우리가 그분이 오실 수 있도록 해드려야 해!" 그녀가 유쾌하게 말했다.

"오시도록 해야 한다고요?" 메이지가 되물었다.

"우리가 그분에게 시간을 드려야 해. 우리는 나름의 방책을 써야만 한단다."

"하지만 그분이 우리에게 확실히 약속하셨는 걸요." 메이지가 대답했다.

"사랑스러운 녀석아, 그분은 나한테도 확실히 약속하셨어. 그것도 아주 많은 약속을 하셨어. 그런데 그 약속을 모두 다 철저하게 지키신 건 아니란 다." 비일 부인의 유쾌한 기분이 윅스 선생님도 당연히 기분이 좋아야 한다고 주장하는 듯했다. 비일 부인은 갑자기 윅스 선생님에게 몹시 주의를 기울이고 있었다. "아마도 그분은 당신에게도 많은 약속을 하고선 그걸 다 지키지는 않았을 테죠. 모든 약속을 다 지키지는 않았을 거예요. 하지만 그는 자신의 방식대로 그걸 보충하죠. 우리가 그분이 어떤 사람인지 정확하게 알지 못하는 건 아닌 것 같군요. 그의 처지를 나타내주는 한 가지가 있어요. 그건 그 밖에 다른 모든 걸, 우리를 위해, 단지 일종의 재치의 문제로 만들어버리죠." 그녀가 말을 계속했다. 그게 무엇인지 궁금해할 시간을 가질 새도 없이, 말하자면, 그것이 곧바로 그들의 얼굴에 날아와 부딪혔다. "그분도 나와 마찬가지로 자유로운 상태가 되었습니다."

"맞아요, 저도 알아요." 메이지가 말했다. 그러나 그 애는 마치 그 말의 의미를 자기 멋대로 해석하기라도 하는 것처럼 말했다. 그 애는 의붓엄마가 그 사실을 '그 애'에게 마치 무슨 뉴스거리라도 되는 듯 취급하는 태도의 기묘함에 대해서도 신중하게 생각해 보았다. 사실 클로드 경이 그 말을 맨 처음 해주었던 사람은 다름 아닌 그 애였다. 잠시 동안 그 애는 마치 그의 그 말이 귓가에 들려오는 듯한 상태로 추억에 잠겨, 그가 황혼빛 속에서, 포크스톤 호텔의 정원에서, 자신의 곁에 다시 서 있는 듯한 기분에 빠져들었다.

비일 부인이 간과한 것이 있다면, 사실 그녀는 짐쳐 보았는데, 단지 그 것은 들뜬 기분에서 우쭐해하는 것이 초래하게 될 효과에 관한 것이었다. 그녀는 거의 속사정을 터놓고 신뢰할 만큼 몸을 낮출 때조차―그러면서도 여전히 공평무사하게 행동했다—기분이 부풀어 오르는 경향이 있었다. "좋아요, 그럼 우린 단지 기다리기만 하면 돼요. 그는 우리 없이는 오래 해나갈 수 없어요. 윅스 선생님, 그는 당신이 없이는 해나갈 수가 없어요! 그게 확실해요. 그는 당신에게 헌신적이더군요. 그는 당신에 관해 나에게 너무나 많은 것을 말해줬어요. 내가 당신에게 기대할 수 있는 정도, 당신이 나를 도와주리라고 기대할 수 있는 정도…!"라고 비일 부인은 말했다. 그리고 그녀는 그처럼 한껏 고무된 상태에서도 그 이상을 표현할 수는 없었다. 그녀의 고무된 기분이 표현할 수 있었던 것에 못지않게 그것이 표현할 수 없었던 것이 어쨌든 모든 순간 그녀의 존재와 심지어 그녀의 그 유명한 자유를 더욱 크게 부각되어 보이게 했다. 그래서 비일 부인이라는 그 강력한 덩어리가 당황한 채 서로 떨어져 있었던 그녀의 동료들로 하여금, 마치 더욱 두꺼워지는 베일을 통해서 교란되어 효과가 없어져 버린 신호를 서로 주고받도록 만들었다. 그들은 적어도 준비가 되어 있지 않은 상태라는 공통된 지반 위에서는 단단히 결속되어 있었다. 그리고 어떤 위안도 얻을 수 없는 메이지는 윅스 선생님이 경악하여 정신적 공황 상태에 빠져 있는 것을 알아차렸다. 그녀는 완전히 무기력해져 있었다. 침울함이 암담한 그늘을 드리우고 있다는 점만 제외한다면, 그녀는 마치 비일 부인의 고상한 스타일에 매료된 듯 앉아있었다. 그녀는 깊고도 긴 침묵 속에 빠져 있었다. 당시에 벌어지고 있던 일은 그녀가 전혀 예상치 못한 일이었고, 그 상황에 직면하자 그녀가 불러일으켰던 특별한 엄정함이라는 것이 병든 절름발이 상태가 되어버렸을 따름이었다. 그녀는 클로드 경이 공모자인 비일 부인과 함께 다시 나타나거나, 아니면 혼자 다시 나타날 것으로 예상했었다. 그는 나타나지 않고 그의 공모자만 나타나리라고는 상상조차 하지 못했다. 그때에 이르러서는 비일 부인이 자신이 추구할 수 있는 우위를 점한 게 분명했다. 그녀는 놀리는 듯한 비난의 표정을 지으며, 말문이 막혀 있는 그 우스꽝스러운 사람을 바라보았다. "당신은 정말 나와 악수도 하지 않을 참인가요? 됐어요. 당신이 곧 기운을 되찾게 되겠죠!" 그녀는 당장에 계속해서 몰아붙이면서 그 문제를 시험하려 들지 않고, 대신 악수하려고 내밀려던 손을 곧장 머리로 올려 자신의 숙인 머리에 손이 가 닿도록, 우아한 동작으로 뒷머리에서 한 역할을 하고 있는 긴 검정 핀을 매만졌다. "식사 자리에 모자를 써도 되나? 만약 여러분이 나만큼 배가 고프다면 우리 지금 바로 식사하러 내려가죠."

윅스 선생님은 완전히 굳어버렸다. 그러나 그녀는 자기 어린 학생이 알아챌 수 없는 목소리로 그 질문에 대답했다. "나는 모자를 쓰고 갈 거예요."

비일 부인은 윅스 선생님의 새로 생겨난 용감한 행동을 단 한 번의 눈길로 집어삼키며―그녀는 그 용기를 그것이 생겨난 기원과 결부시키면서 동시에 그것이 비약하는 것을 따라가는 것처럼 보였다―그녀의 대답을 결론으로 받아들였다. "오, 나는 그처럼 아름다운 모자를 갖고 있지 않아서요!" 그런 다음 그녀는 메이지를 향해 쾌활하게 말했다. "얘야, 내가 너를 위해 예쁜 걸 하나 가져왔단다."

"예쁜 거라고요?"

"멋진 모자 말이야, 내 짐가방 속에 있단다. 나는 '그게' 기억이 났어." 그녀는 의붓딸의 머리에 얹힐 물건을 생각하며 고개를 끄덕였다. "그래서 나는 너를 위해 공작새 가슴 깃털 장식이 붙은 모자를 가져왔지. 그건 정말 아름다운 푸른색이야!"

그 아이는 그 자리에서 어느새 비일 부인과 클로드 경이 아닌 공작새에 관해 말하고 있다는 것이 너무나 이상하게 느껴져서, 그것이 너무도 이상해서, 그녀에게 고맙다고 말할 기분이 들지 않았다. 그러나 그녀가 도착하면서 보여준 행복에 겨운 모습이 모든 일에 대한 아주 확실한 반증이어서, 메이지는 그 행복의 저변에 틀림없이 숨겨져 있을 목적의 깊이를 점점 더 의식하게 되었다. 그 애는 그 목적이라는 것이 끝없는 나락과 같은 것일 거라는 어렴풋한 느낌이 들었다. 그것은, 흰색과 황금색으로 장식된 그 살롱에서, 생기도 없고 환영의 기미도 없는 그 어색한 분위기를 얼렁뚱땅 숨기고 넘어가려는 비일 부인의 기질에 대한 느낌이기도 했다. 윅스 선생님은 그 어느 때보다 더 숨이 막히는 듯한 모습이었다. 비일 부인이 고립되었다는 느낌이 가져다주는 당혹감은 그녀의 우아함이 가져다주는 당혹감과 비교해 보면 아무것도 아니었다. 그러한 딜레마를 인식하는 것이 그 아이의 입장에서는 전적으로 새로운 의문을 불러일으키는 씨앗이었다. 이렇게 제멋대로 행동하면 어떻게 되는 거지? 그러나 그런 생각은 희망하기에는 너무 겁이나고, 두려워하기에는 근거가 너무 희박한 무언가 속에서 저절로 사라져버렸다. 그리고 모든 것이 일사천리로 진행되는 동안 웨이터 중 한 사람이 호텔 식당의 식사 시간이 반쯤 지나갔다고 그들에게 알려주기 위해 방문 앞에서 있었다.

"여러분은 손을 씻으려고 올라왔나요?" 비일 부인이 그 상황에서 그들에게 물었다. "어서 가서 씻어요. 내가 기다리고 있을 테니. 호텔 직원들이 내 짐을 저쪽에 있는 근사한 방에 두었어요. 클로드 경의 방에 말이에요. 그분이", 그녀는 웃음을 지어 보였다. "근사한 방을 잡아두었으니 안심하세요!" 인접한 방의 문이 열려 있었다. 그녀는 문턱에 서서, 다시 윅스 선생님에게 말을 건네면서, 자신에게 어울리는 방식으로, 자신이 무얼 하려고 하는지에 대한 실마리를 제공하는 어조로 말을 시작했다. "저기요, 내 딸아이를 좀 씻겨주세요."

그녀는 너무도 완벽하게 태도의 변화를 꾀하려 하고 있었으므로, 그녀가 한 그 말은—딱히 천한 일이라고는 할 수 없겠지만, 여전히 영광스럽게 하급인 직무를 위해―일종의 절대적인 위압감을 나타냈다.74 그런 태도는 의도적으로 가혹하게 그 나이 든 부인에게 존경심을 요구하려는 속셈이었다. 메이지가 보기에, 나도 동시에 그렇게 말할 수 있지만, 그와 같은 존경심이 반사적으로 불쑥 나오게 된 데는 어떤 반응이 있었다. 그 반응 자체가 윅스 선생님이 보인 여러 번의 급변하는 행동 중 하나인, 방금 언급된 반사적인 행동을 감당할 수 있었다. 그와 같은 반사적인 행동으로 그 가정교사는 자신이 임무로 떠맡은 메이지를, 자신과 그 애가 묵고 있는 복도 끝에 위치한 곳으로, 곧장 데리고 떠났다. 그러는 동안 비일 부인은 클로드 경의 방으로 급히 들어갔다. 그 점에 관해 말하자면, 일사천리로 전개된 그 모든 일 중에서 가장 두드러진 것은 그 어린 학생이 순식간에, 또 다른 관계 속에서, 딸로 바뀌어 버렸다는 것이다. 그 둘이 황급히 들어와서 방문이 꽝 하고 닫힌 다음, 비누나 수건에 대해 생각할 여유도 없이 서로 마주 보고 서 있게 되었을 때도, 메이지의 눈길은 여전히 앞서 일어난 상황을 쫓아가고 있었다. 그런 상황에서 숨을 헐떡이며, 윅스 선생님이 먼저 말을 꺼냈다. "그녀는 도대체 단 한 톨이라도 가지고 있는 걸까?"

메이지는 더욱 당황해했다. "단 한 톨이라니 뭘 말씀하세요?"

"뭐긴 뭐야, 도덕관념을 말하는 거지."

그들은 도덕관념이라는 것을 마치 두어 개쯤 가질 수 있는 것처럼 말했다. 하지만 윅스 선생님은 그것이 전적으로 행복한 생각은 아닌 것처럼 보였다. 메이지는 자신의 입술에서 나오는 긍정의 말조차도 대부분 수수께끼가 되어버린 상황을 어떻게 해결해 줄 것인지 이해할 수 없었다. 그 애는 더욱 거대해진 그 당혹스러운 문제에 매우 단도직입적으로 반응했다. "이제 그녀가 제 엄마가 되었나요?"

그것은, 어떤 견해를 갖는 데 따르는 책임감을 두렵지만 어렴풋이 인지하게 함으로써, 윅스 선생님에게 복부를 한 대 얻어맞은 것 같은 효과를 가져다주는 듯한 요점을 담고 있는 질문이었다. 그녀는 단연코 그런 생각을 해본 적이 없었다. 그러나 그녀는 생각해 보고 대답할 수 있었다. "만약 그녀가 네 엄마라면 마찬가지로 클로드 경은 네 아빠가 되는 거지."

그러나 메이지는 그 이상을 생각해 보았다. "그럼 제 아빠와 엄마가…!"

하지만 그 애는 이미 말을 더듬었고, 윅스 선생님은 이미 강렬한 눈빛으로 응시하고 있었다. "그들이 함께 살아야 한단 말이니? 그런 말은 '다시는' 입 밖에 꺼내지도 마!" 그녀는 신음소리를 내며 돌아서 세면대로 다가갔다. 그리고 메이지는 그런 식으로 해서 사람이 참으로 제정신을 잃게 된다는 것을75 이제 어느 정도 쉽게 이해할 수 있었다. 윅스 선생님은 엉망으로 물을 튀겨댔다. 그러나 다음 순간 뒤돌아서 얼굴을 보였다. "그녀가 새로운 노선을 취했어."

"그녀가 선생님에게 상냥하게 대했어요." 메이지가 동의했다.

"그녀가 그렇게 생각하는 건… '가서 저 어린 숙녀에게 옷을 입히세요!' 라고 명령하다니. 하지만 거기에는 뭔가 의도가 있어!" 그녀가 숨을 헐떡이며 말했다. 이어서 그녀는 나머지 생각도 표현했다. "그가 그녀를 차지하려 하지 않는다면, 왜 그녀가 너를 차지하려 하겠니. 그녀는 그렇게 하려 들 거야."

"저를 외국에 붙잡아 두려고 할 거라는 말씀이세요?"

"너에게 가정을 마련해 주려 할 거란 말이지." 윅스 선생님은 그 이상을 그려보았고, 온갖 불길한 생각들에 익숙해졌다. "오, 그녀는 지독하게 영리하구나. 그리고 그건 도덕관념이 아니야." 그녀는 자신의 생각의 정점에 도달했다. "그건 하나의 게임이야!"

"게임이라고요?"

"그를 놓치지 않으려는 게임이야. 그녀가 자신의 의무감을 위해서 그를 희생시킨 거야."

"그럼 그분은 오시지 않을까요?" 메이지가 간청하듯 물었다.

웍스 선생님은 대답이 없었다. 그녀의 시선은 그 애를 집어삼킬 듯했다. "그가 대항해서 싸웠지만, 그녀가 이긴 거야."

"그럼 그분은 오시지 않을까요?" 그 아이가 또다시 물었다.

웍스 선생님은 그 질문에 분명하게 대답했다. "올 거야. 망할 자식!" 그녀는 지금까지 그처럼 상스러운 말을 한 적이 없었다.

메이지의 생각이 미치는 한계라고는! "금방, 내일이라도요?"

"너무도 곧, 그것이 언제가 되었든. 상스러울 정도로 곧 올 거야."

"하지만 그렇게 되면 우리가 정말 함께 지낼 수 있겠네요!" 그 아이가 계속 말했다. 그 말에 웍스 선생님이 격분한 듯 그 애를 바라보았다. 하지만 무슨 일이 일어날 시간적 여유도 없이 그녀는 곧바로 정신적 붕괴 상태에 빠졌다. "선생님이랑 함께 말이에요!" 비난의 기류가 계속되었지만, 그 애의 동료는 그 애에게 혼자서 씻고 오라고 명령하는 말을 했을 뿐이었다. 고요 속에서 그들에게는 몸 씻는 소리만 들렸다. 이윽고 그 고요는 메이지의 갑작스러운 화제 전환으로 깨졌다. "정말, 그녀는 멋지지 않아요?"

웍스 선생님은 준비를 마치고 기다리고 있었다. "그녀가 관심을 끌겠지." 그들은 서둘렀고, 그 미인이 그들에게 가져다주었던 충격이, 부조리하게도, 그녀와 다시 만나려고 그들이 준비하는 데 적극적인 자극제로 작용하고 있다는 사실이 눈에 띄었을 수도 있었다. 그렇지만 그들이 객실로 되돌아갔을 때, 그녀는 이미 나가고 없었다. 그녀 방의 열린 문이 그 방이 비어 있다는 것을 보여주었고, 객실 담당 메이드가 그렇게 설명해 주었다. 여기에서 그들은 웍스 선생님의 또 하나의 예리한 생각으로 지체되었다. "하지만 그녀는 그동안 어떻게 생계를 유지하려는 거지?"

메이지가 갑자기 멈춰 서며 물었다. "클로드 경이 올 때까지요?"

그 애의 친구가 빠져든 격한 감정 상태에 비하면 그 질문은 아무것도 아니었다. "누가 요금을 지불할까?"

메이지는 생각했다. "그녀가 지불할 수는 없나요?"

"그녀가? 그녀는 빈털터리야."

그 아이는 궁금해졌다. "하지만 아빠가…?"

"그녀에게 재산을 남겨주지 않았냐고?" 그녀가 곧바로 다음과 같이 이어서 말하지 않았다면, 윅스 선생님이 아빠를 마치 죽은 사람이라도 된 것처럼 말하는 것으로 보였을지도 모른다. "그가 다른 여자들 돈으로 살아가는데 무슨 수로!"

오, 그렇죠 메이지는 그렇다는 것을 기억했다. "그럼 아빠는 돈을 보내줄 수 없겠네요." 그 애는 다시 머뭇거렸다. 그 말이 자신에게도 이상하게 들렸다.

"다른 여자들 돈의 일부를 그의 아내에게?" 윅스 선생님은 그 기이한 생각보다도 더욱 이상한 웃음을 지어 보였다. "아마도 그녀는 그런 돈도 받을 거야!"

그들은 다시 서둘러 걸었다. 그러나 계단에서 메이지가 다시 한번 그 화제를 끄집어냈다. "음, 만약 그녀가 영국에서 멈췄더라면…!" 그 애가 넌지시 말했다.

윅스 선생님은 생각에 잠겼다. "그리고 대신에 그가 여기에 왔더라면?"

"그래요, 우리가 기대했던 대로 말이에요." 메이지가 추측하기 시작했다. "그렇다면 그녀는 무슨 돈으로 생활했을까요?"

윅스 선생님은 아주 잠시 뜸을 들였다. "다른 남자들 돈으로 생활했겠지!" 그렇게 말하면서 그녀는 급히 계단을 내려갔다.

## XXVIII

비일 부인은 식탁에서 그 두 사람 사이에 앉아 웍스 선생님이 예견했던 것처럼 분명히 자신의 외모로 이목을 끌었다. 그곳에 있는 다른 어떤 부인도 그렇게 멋진 사람은 없었다. 그리고 다른 어떤 부인의 아름다움도 그것이 불러일으키는 경의에 그처럼 조화롭게 부응하지는 못했다. 그녀는 주로 이웃 식탁에 앉은 사람들과 대화를 나누었다. 그래서 메이지는 사람들이 시선을 고정하거나 팔꿈치로 찌르며 주의를 교환하는 모습에 주목할 수 있었으며, 동시에 자신이, 아직은 희미하고 어수선하지만 불안한 느낌이 들 만큼 생생하게, 의붓엄마의 활달한 움직임에서 읽어내기 시작할 수 있었던 의미들에 몰두할 수 있는 여유도 갖게 되었다. 웍스 선생님이 게임에 관해서 언급했던 것이 그 애에게 도움이 되었다. 그것은 일종의 연결 동작이었는데, 그 동작 안에서 그녀의 움직임은 전략적인 분위기를 띨 수 있었다. 처세술에 대한 그 애의 관념은 빈약했지만, 비일 부인의 머리가 옆으로 숙여진 기울기에 의해서 적어도 일시적으로 그 애에게 비친 것은, 보통 정도를 넘어서는, 일종의 냉정하게 처세적인 어깨와 팔꿈치 동작이었다. 메이지에게 귀에 익은 관용구가 하나 있었는데, 그것은 사람들이 어떤 태도를 취함으로써 자신이 원하는 것을 얻어낸다는 생각을 표현하기 위해 그 귀부인이 아주 자주 사용한 것이었다. 사람들은 '아양을 떨어서'[76] 원하는 것을 얻어냈다. 비일 부인은 자기가 그처럼 아양을 떨어서 어떠한 경우라도 자기가 원하는 것을 얻어냈거나 얻어낼 작정이라고 항상 말했었다. 그녀는, 좀 이상해 보일 지도 모르겠지만, 지금도 윅스 선생님에게 아양을 떨고 있는 중이었고, 그 녀의 어린 친구의 마음은 그녀가 무엇을 얻고 싶어 하는지에 관한 의문에 직면했다는 것을 스스로 알게 되었을 때만큼, 그처럼 마구 동요된 적이 없 었다. 양 염통으로 요리된 오믈렛과 치킨 스튜를 먹는 도중에―그동안 메이 지의, 효력이 살아 있는 유일한 어버이이자 그 애에게는 네 번째가 되는 어 버이가, 자기의 가정교사와 그렇고 그런 잡담을 나누고 있었는데―그 애는 자기 가정교사가 손을 내밀어 비일 부인의 손을 잡아줄 것인지 몹시 궁금했 다. 그런 궁금증이 드는 것이 이상했지만, 윅스 선생님이 그 애의 도덕관념 에 관심을 갖고 있는 것에 못지않게 그 애도 윅스 선생님의 도덕관념에 관 심을 갖게 되었다. 그 상황이 윅스 선생님이 저항해야 할 어떤 새로운 대상 이라는 생각이 그 애에게 너무도 절실하게 들었다. 비일 부인에게 저항한다 는 것은 그녀에 대한 클로드 경의 관점에 저항한다는 것과는 매우 다른 문 제가 될 가능성이 그만큼이나 컸다. 이미 일어난 일들로부터 메이지가 예상 할 수 있었던 것보다, 그게 무엇이든지 간에, 더 많은 일들이 생겨날 수도 있는 상황이었다. 그 애는 그 경우를, 금화 한 닢을 거스름돈으로 받게 되었 는데 자신이 산수를 할 줄 몰라서 거스름돈을 잘못 받았을 경우의 기분과 유사할 것이라는 막연한 느낌 속에서, 이리저리 헤아려보았다. 그런 추정을 하다 보니 그 애는 자기가 폭력적인 어떤 일을 대행하는 경우에 처해, 아마 도 수동적인 역할을 하고 있는 중이라는 생각을 하게 되었다. 만약에 그 애 의 의붓부모들 사이의 문제가 비일 부인이 말하는 대로 결정된다면 자신은 희생자가 될 수밖에 없을 것이다. 비일 부인은 "그런데, 만일 그 애가 우리 중 한 사람하고만 함께 살 수 있다면, 그 사람이 나 말고 도대체 어떤 사람 일 수 있죠?"라고 말했었다. 그에 대한 대답은 그 애가 여러 날 동안 마음속에 품고 있었던 것과는 거리가 멀었다. 그 문제에 대해 메이지가 느끼는 좌절감은, 그 대답을 승리로 받아들일 필요가 없다는 어떤 반응도 클로드 경으로부터 기대할 수 없다는 사실로 더욱 깊어졌다. 비일 부인이, 이층에서, 그녀가 그곳에 나타난 것이 그녀가 사실상 그를 희생시켰다는 것을 보여주는 결과로 어떤 다툼이 있고 난 후에, 자신이 갑작스럽게 긴장한 상태에서 그를 포기했다고, 그를 떠나버렸다고, 런던에 남겨두었다고 말하지 않았던가? 메이지는 레전트 파크에서 일어났음직한 상황에 자신이 있었다고 상상해 보았는데, 그 결과 클로드 경이 공정한 게임을 하지 않았다는 생각에 거의 공포에 가까운 느낌이 들었다. 거기에 앉아서 그들은 심지어 비일 부인처럼 아름다운 사람과 관계를 맺을 수 있다는 자부심에서 머릿속에 어떤 그림을 그려보았다. 그리고 그 아이는, 비록 비일 부인을 희생시키는 것이 자신이 생각해 낸 해결책은 아니었지만, 아마도 클로드 경이 직접적인 한마디 충고 없이 그 일에 착수하는 것을 보았을지도 모른다는 것을 완전히 잊어버렸다.

그 애의 의붓엄마가 지금 웍스 선생님으로부터 알겨내려고 분명하게 스스로 다짐하고 있었던 것은 요술쟁이의 눈속임만큼이나 영리한, 대단한 태도 변경 혹은 그런 변화였다. 그리고 그 변화에서 비일 부인이 새로운 이득을 챙기는 것보다 더 중요시되는 것은 아무것도 없었다. 메이지는 방어 능력이 거의 없는 자신의 갈비뼈에 그녀의 팔꿈치가 자극을 가하는 것 같은 교훈을 능동적으로 이해할 수 있었다. 그 교훈이란 의붓부모 두 사람 중 누가 보호자가 되어도 조금도 상관없다는 것이었다. 그 문제의 본질은 소녀는 소년이 아니라는 점이었다. 만약 메이지가 거친 바지를 입는—아마도 기껏해야 개구쟁이로 자라날—녀석이었다면, 클로드 경을 보호자로 삼아도 좋았을 것이다. 상황이 그렇게 되었다면 그는 그저 그러한 문제로부터 굴러 떨어져 나가 버렸을 것이고, 그리고 그 후로는 윅스 선생님이 올바른 대상을 맡아 취직했다는 것을 알게 될 것이었다. 우리의 어린 친구는, 비일 부인이 자신의 새로운 신분을 선언하는 어조의 기미를 듣게 되는 것만으로도, 그러한 논쟁들이 정말로 잘 이해되었다. 자신의 진짜 엄마와 아빠가 어느 모로 보나 죽은 거나 다름없게 된 이후에도 그 애는, 그처럼 많은 부모를 두게 된 결과, 여전히 누군가의 딸이었다. 만약 그 애 아빠의 아내와 그 애 엄마의 남편이 자연적인 규칙에 의해서든, 그 애가 아는 한, 법적인 규정에 의해서든 그들의 소멸한 배우자들의 입장에 서 있다면, 비일 부인의 배우자는 정확하게 클로드 경의 배우자만큼 권한이 소멸한 상태였으며, 그녀의 입장은 '패런지 대 패런지 및 다른 사람들에 대한 판결문'에서 이혼 법정이 우선권을 주었던 바로 그 처지에 처해 있었다. 그 유명한 판결의 대상이었던 메이지는 그날 자신의 나머지 시간이 실로 비일 부인이 취하는 허세에 찬 태도로 모두 채워져 있다는 것을 알게 되었다. 그녀의 그런 태도가 그녀에게 비위를 맞춰주는 사람들 사이에서 맴돌고 있었고, 그것은 그들의 깊이를 알 수 없는 활동 영역에서, 간신히 그들을 눈빛으로 자유로이 신호나 교환하는 한 쌍의 눈으로 남겨두는 방식으로 맹활약하고 있었다. 메이지의 눈에는 심지어, 어느 정도, 윅스 선생님이 할 수만 있다면 밧줄 한두 가닥을 내던지기라도 하거나 그럴 수만 있다면 불꽃 한두 개를 쏘아 올릴 것 같은 상황으로 보이는 지경이었다. 여하튼 그들은 정신적 교감이나 은밀한 신호를 주고받는 일 없이 그처럼 오랜 시간 함께 있어본 적이 없었다. 그들의 동료가 단지 그들과 함께 있다는 것만으로도 그 두 사람을 갈라놓았기 때문이었다. 이러한 상황으로부터 그들은 마치 끊임없이 이어지는 행렬처럼 그녀가 헤집고 돌아다니는 데서 그들의 더욱 굳건해진 관계가 얼마나 대단한 것인지 알게 되었다. 그날은, 비일 부인 쪽에서는, 음악과 깃발만큼 찬란하고도 생기가 넘쳐흐르는 움직임과 대화로 가득한 날이었다. 그녀는 자기와 함께 산책하거나 드라이브하는 데 그들을 데리고 다녔고, 심지어 밤이 되어서는 그들을 이떼비스망77에 데리고 가려는 계획에 대해 설명해 주었는데, 그곳에서 그들은 한 사람당 단 1프랑에 유명인들의 연주를 감상할 수 있었다. 음악회에 데리고 갈 계획도 그려주었는데, 그 계획은 메이지에게 얼스코트에서의 촌극을 상기시켰다.78 그리고 '프랑'에 대한 언급은 당시에는 돈이 없어서 관람하지 못했던 '실링'보다 더 기분 좋게 들렸다. 하지만 이번 경우도 지난번처럼 좌절된 희망으로 돌아가고 말았다. 프랑도 실링처럼 실패로 돌아갔으며, 촌극은 음악 연주회의 전례가 되어버리고 말았다. 간단히 말하면 이떼비스망은 녹아서 사라져버렸고, 도착한 순간부터 그처럼 당당하게 불화를 일켰던 그 부인이, 계획이 결국은 무산되어 버렸다고 스스로 고백한 것은 그다지 놀랄 일도 아니었다. 메이지는 그녀의 피로를 감사히 여길 수 있었다. 그날 하루를 보내면서 그처럼 예민한 관찰자는 비일 부인이 들떠있는 상태에 있다는 것을 알 수 있었으며, 그래서 그 애는 자신이 그녀의 정신적 상태를 폭풍이 몰아친 후에 부서지는 파도의 모습에 비유하고 있다는 것을 알아차리게 되었다. 그 폭풍은 런던에서 거세게 불었었다. 그래서 그녀는 감정을 가라앉힐 시간을 가져야 했다. 결코 가라앉은 적이 없었던 그녀의 강한 어조와 그녀의 기분, 그녀의 변덕이 그때 그런 인상을 풍기게 된 상황은, 그 아이가 보고를 듣고 알게 된 바에 따르면, 그녀가 계속해서 말을 하면서 시간 끌기를 하려는 심사라는 것이었다.79

비일 부인 역시 외국의 풍속에 즐거워했다. 하지만 그녀의 딸이 그녀에게 그 풍속에 관해 설명해 주려는 기회는, 그녀가 그것에 매우 익숙하다는 어조를 드러내면서 뜻밖에도 미리 차단되고 말았다. 그녀의 능변에 대한 모든 반응을 초기에 저지해 버린 것 중 하나는, 그녀가 거의 대륙의 생활방식으로 양육되었다는 사실 앞에 메이지가 놀라서 물러나 버렸다는 것이었다.[80] 자기 친구들에게 대륙의 생활방식에 대해 설명해 주기 시작한 사람은, 당황스럽게도, 비일 부인이었다. 그들이 향해 간 곳이 어디였든지 간에 통역자가 되어주고, 역사가가 되어주고, 안내인이 되어준 사람은 바로 그녀였다. 그녀는 열여덟 살이라는 이른 나이에 했던 여행들에 관해 말할 내용이 충분히 많았다. 그녀는 당시에 어떤 저명한 네덜란드 가족과 함께 제네바 호숫가에서 지냈었다. 과거에 메이지는 그런 모험적인 생활에 관한 일화들을 듣고 만족했었다. 그러나 그 이야기들은 시간이 가면서 아리송해졌다. 그에 비해 지금 주인공 역을 하고 있는 비일 부인이 불로뉴에서 당황하지 않고 현란할 정도로 능숙한 태도를 취한 것이나, 메이지가 윅스 선생님에게 명민하게 설명해 주었던 주제들 중 일부에 관해 그녀가 혜안을 드러낸 것은, 그녀가 마차에서 내리면서 보여주었던 당당한 태도나 그녀가 했던 다양한 모험을 나타내주는 뚜렷한 표시였다. 그것은 모두 그녀가 펼친 돛에 부는 바람의 일부였고, 그녀의 딸이 잡고 있는 그녀의 손에서 느끼는 무게감의 일부이기도 했다. 그것이 메이지에게 미치는 효과는 자신이 클로드 경으로부터 떨어져 있다는 사실에다가 시간의 짐을 더해주고 있기도 했다. 그 애가 느끼기에, 그것은 아마도 여러 날 동안 지속되었을 수도 있었다. 그들에게 마음의 동요를 일으키는 주된 대상이 그처럼 프랑스로 옮겨진 상태에서, 그리고 그의 곁에는 엄마도 비일 부인도 심지어 윅스 선생님도 계시지 않은 상태에서, 그가 영국에 홀로 남아 지독한 외로움에 빠져 있을 것이 분명해 보였다. 한 시간, 한 시간이 지나가면서 그 애는 마치 무언가를 기다리고 있다는 느낌이 들었지만, 자신이 무엇을 기다리고 있는지 정확하게 말할 수는 없었다. 비일 부인의 계속되는 수다가 단지 방문을 노크하는 소리를 집어삼키는 덜거덕거리는 소리로 들리는 순간들이 있었다. 그러한 위기의 어떤 부분에서도, 그 덜거덕거리는 소리가, 저녁식사에 맞추어 준비하도록 윅스 선생님과 함께 메이지를 보내는 대신에, 그녀가 그 애를—아무런 정성도 담기지 않은 동작으로—클로드 경이 사용했던 방으로 곧장 밀어 넣었던 때만큼, 그처럼 공공연한 목적을 가졌던 적은 없었다. 그녀는 자기가 맡게 된 어린아이를 거침없는 손길로 손수 몸치장을 시켜주면서 이렇게 말했다. "난 네 아빠와 이혼할 거야."

그 말은 메이지가 기대했던 것과는 너무도 거리가 멀어서 그 애의 마음에 와닿는 데는 시간이 좀 걸렸다. 그러는 동안 그 애는 자신이 다소 창백해 보일 거라는 생각이 들었다. "클로드 경과 결혼하기 위해서요?"

비일 부인은 그 애에게 키스로 답례했다. "네가 그렇게 말해주는 걸 들으니 기분이 좋구나."

그 말은 칭찬이었지만 메이지는 그 말에 이의를 말하려고 이리저리 가늠해 보아야 했다. "그분은 결혼한 상태인데 어떻게 선생님이 그분과 결혼하실 수 있는 거죠?"

"그는 실제로는 결혼한 상태가 아니야. 그는 자유로워. 너도 알잖니."

"결혼하는 데 아무런 문제가 없다고요?"

"우선 그는 자신의 마귀와 이혼할 수 있는 자유를 가졌단다."

그 애는 어떤 한 사람에게, 최근 며칠간, 신세를 지고 있다고 느꼈던 그 혜택 때문에, 잠시 그 소름 끼치는 표현의 대상을 인식할 마음의 준비가 되어 있지 않았다. 그래서 한참을 머뭇거리다가 기운을 내서 물었다. "엄마 말씀이세요?"

"그 여자는 더 이상 네 엄마가 아니야. 클로드 경이 그 여자가 더 이상 네 엄마가 아닐 수 있게 하는 돈을 지불했거든." 비일 부인이 대답했다. 그러고는 그 아이에게 마치 금전 거래가 얼마나 의미 없는 문제인지 기억났다는 듯이 말했다. "그 여자는 자신에 대한 그의 부양 의무를 면제해 줬어. 그가 너에 대한 그 여자의 부양 의무를 면제해 주는 조건으로 말이야."

그러나 비일 부인은 자기 딸이 재정을 이해하는 능력을 정확하게 평가하지는 못한 듯했다. "그럼 그분이 직접 저를 부양하게 되나요?" 메이지가 물었다.

"너에 대한 모든 책임과 짐을 그가 떠맡고, 그 여자에게 다시는 너의 소식을 전하지 않게 된다는 뜻이야. 그건 전적인 동의로 이루어진 계약이란다."

"그럼 그건 엄마에게 아주 잘된 일이네요!" 메이지가 목소리를 높여 말했다.

"얘야, 그가 이혼할 수 있게 되는 경우가 아니라면, 그게 그렇게 잘된 일은 아니란다."

메이지는 잠시 침묵을 지켰다. 그런 다음 "아니에요. 그분은 이혼하실수 없을 거예요."라고 말했다. 이어서 그 애는 더욱 대담하게 덧붙여서 말했다. "그리고 선생님도 이혼하실 수 없을 거예요."

비일 부인은 몸치장 거울 앞에 있다가 흥미롭다는 듯이, 그리고 놀랍다는 듯이 몸을 돌리며 말했다. "네가 그걸 어떻게 아니?"

"아, 전 알아요!" 메이지가 큰 소리로 말했다.

"윅스 선생님이 그렇게 말해주었니?"

메이지는 잠시 생각하더니, 비일 부인이 화를 내지 않는다는 사실에서 곧바로 단서를 얻었다. 화를 내지 않는다는 것 때문에 그 애는 자신이 얼마나 큰 용기를 내야 하는지에 대한 느낌이 더욱 분명해졌다. "윅스 선생님에게서 그렇게 들었어요." 그 애가 인정했다.

비일 부인은 다시 거울을 향해 앉아 분첩을 가지고 화장을 했다. "요 귀여운 녀석아, 그녀가 잘못 생각한 거야!" 그녀는 그렇게만 말했다.

그 말을 하는 상냥한 태도에는 어떤 힘이 들어 있었다. 그러나 우리의 어린 숙녀는 충분히 깊이 생각해 본 결과, 그 말이 클로드 경 자신이 한 대답은 아니라는 것을 기억하게 되었다. 그럼에도 불구하고 그 기억이 그 애가 다음과 같은 말을 하는 것을 막지는 못했다. "그렇다면 그분이 이혼 허가를 받을 때까지는 여기 오시지 않을 거라는 말씀이세요?"

비일 부인은 마지막 터치로 화장을 마쳤다. 그녀는 한껏 우아한 태도로 일어섰다. "얘야, 내 말은 그가 이혼 허가를 받지 못했기 때문에 내가 그를 거기 남겨두고 떠나왔다는 거야."

그 말은 메이지가 이해할 수 있는 범위를 넘어서 확장되는 견해를 갖게 해주었다. 그 애는 그 주제에서 관심을 다른 데로 돌렸다. 그러나 그들이 자리를 뜨기 전에 그 애가 다시 말했다. "선생님은 이제 웍스 선생님을 좋아하시나요?"

"이런, 요 녀석아, 나는 가엾고 못돼먹은 나를 웍스 선생님이 좋아하게 되었냐고 너에게 막 물어보려던 참이었어!"

메이지는 그 말이 암시하는 바를 잠시 생각해 봤다. 그러나 답을 얻을 수는 없었다. "그건 저도 전혀 모르겠어요. 제가 알아보도록 할게요."

"그렇게 하렴!" 비일 부인은 향수 냄새와 함께 메이지에게 자신의 옷자락을 와스스 스치며 마치 그렇게 하라고 명령한 것이 매우 특별한 호의라도 되는 것처럼 말했다.

그 아이는 그날 밤, 잠자리에 들어, 그들의 방문객이 자신을 보살펴주는 사람으로부터 자기를 떼어놓을지도 모른다는 두려움이 없어지자 재빨리 확인하려고 했다. "선생님께서는 제안에 응하셨어요?" 그 애는 복도 끝에 있는 두 개의 문이 다시 닫히는 소리를 듣자마자 웍스 선생님에게 그렇게 물었다.

워스 선생님은 촛불의 불꽃을 뚫어져라 응시했다. "응했냐니?"

"있잖아요. 그녀가 선생님께 환심을 사려고 아양을 떨었잖아요. 그녀가 선생님의 마음을 얻었나요?"

워스 선생님은 자신의 긴장한 마음을 자기 학생의 얼굴에 옮겨놓았다. "무엇에 대해 내 마음을 얻는다는 말이니?"

"대신에 '그녀'가 저를 데리고 살겠다는 제안에 대해서요."

"클로드 경 대신에 말이니?" 워스 선생님은 분명히 여유를 얻고 있었다.

"그렇죠. 그분 말고 누구겠어요? 선생님 대신은 아니니까요."

워스 선생님은 그처럼 직접적인 표현에 얼굴을 붉혔다. "맞아, 그녀가 의도하는 게 바로 그거야."

"그럼, 선생님은 그게 마음에 드세요?"

그 애는 사실상 기다려야만 했는데, 그 이유는, 오, 자기의 친구가 당황했기 때문이었다! "그렇게 되면 그 관계ㅡ그들의 관계 말이야ㅡ에 대한 나의 반대는 자연스럽게 어느 정도 실패하고 말 거야. 그녀는 오늘 나를 마치 내가 결국 그런 벌레 같은 존재는 아닌 것처럼 대했단다. 그녀가 그처럼 공손한 태도를 취하는 법을 누구로부터 얻었는지 내가 어느 정도는 알고 있는데도 말이야. 그러나 물론", 워스 선생님은 서둘러서 덧붙였다. "나는 그를 좋아하는 것에 버금갈 만큼 그녀를 좋아하지는 않을 거야."

"'버금갈 만큼이라고요!'" 메이지가 되받았다. "저는 선생님께서 정말로 좋아하시지 않기를 바랄게요." 그 애는 단호한 태도로 말했는데 그 단호함에 그 애 자신이 먼저 몸을 떨었다. "저는 선생님께서 그분을 열렬히 좋아하신다고 생각했었어요."

"난 당연히 그를 열렬히 좋아해." 워스 선생님이 단호하게 인정했다.

"그럼 선생님은 그녀도 갑자기 열렬히 좋아하시게 되었나요?"

윅스 선생님은 직접적인 대답 대신 그 애의 완강함을 옹호한다는 의미로 단지 눈을 깜박였다. "애야, 그런 말투로 묻다니! 너는 이제 다 드러내 놓고 말하는구나."

"제가 그렇게 하면 안 되는 이유라도 있나요? 비일 부인도 의도를 다 드러냈잖아요. 우리도 이제 그렇게 할 차례가 된 거죠!" 그렇게 말하면서 메이지는 자신의 어린 입술에 이제까지 떠오른 적 없는 가장 특이한 작은 미소를 지어 보였다.

그러자 다음 순간 실제로 윅스 선생님의 입술에서 그 애의 미소에 버금가는 것 이상의 말소리가 들려왔다. "넌 정말 놀라운 애구나!" 그녀는 말 울음소리 같은 목소리로 말했다.

그녀의 어린 학생은 건방지고 싶은 생각은 조금도 없었지만, 거의 머뭇거림 없이 말했다. "저는 선생님께서 저를 그처럼 대단하게 만들어주셨다고 생각해요."

"사실이고말고. 내가 그렇게 했지." 그녀는 마치 너무도 최근에 있었던 자기심판을 회상하기라도 하는 것처럼 갑자기 겸손한 태도를 취했다.

"그래서 선생님은 그녀의 제안을 받아들이실 건가요? 그게 제가 여쭤보는 거예요." 그 애가 말했다.

"하나의 대안으로 말이니?" 윅스 선생님은 그 말을 되새겨 보았다. 그녀는 다시 아이의 눈을 마주 보았다. "그 여자는 말 그대로 나에게 거의 아양을 부렸단다."

"그녀가 그분에게는 아양을 부리지 않았어요. 그녀는 그분에게 심지어 친절하지도 않았어요."

윅스 선생님은 마치 이제 우세한 입장에 있는 것처럼 보였다. "그럼 넌 그녀를 '죽이기라도 할' 작정이니?"

"선생님은 제 질문에 대답하지 않으셨어요." 메이지가 주장했다. "저는 선생님이 그녀를 받아들이실 건지 알고 싶어요."

윅스 선생님은 계속해서 즉답을 피했다. "나는 네가 그녀를 받아들일 건지 알고 싶구나."

그런 상황에서, 그 아이의 성품의 모든 면이 쉽게 알아채질 수 있다는 것이 여실히 드러났다. "단 한순간도 받아들이지 않을 거예요."

"이제 그 두 사람 모두를 받아들이지 않겠다는 거니?" 윅스 선생님은 이미 이해했고, 얼굴을 붉히면서 "단지 그분만 받아들이겠다는 거니?"라고 물었다.

"그분만 받아들이거나, 그게 아니라면 아무도 받아들이지 않을 거예요."

"'나'도 받아들이지 않을 거니?" 윅스 선생님이 목소리를 높여 물었다. 메이지는 잠시 그녀를 바라보더니 옷을 벗기 시작했다. "오, 선생님도 그 '아무도'에 속하죠."

## XXIX

그 애는 지치도록 잠을 잤다. 눈을 뜨자 그 어느 때보다도 더 완벽하게 옷을 차려입고 방 한가운데 똑바로 서서 자신을 바라보고 있는 윅스 선생님의 모습이 눈에 들어와서, 그 애는 자기가 늦잠을 잤다는 것을 즉시 알아차렸다. 그 애는 '외국에서' 보낼 수 있는 시간을 잃어버렸을지도 모른다는 두려움에, 곧바로 일어나 몸을 똑바로 일으켜 앉았다. 윅스 선생님은 마치 그날이 이미 그녀에게 존재감을 느끼게 해주기라도 한 것처럼 보였으며, 그 잃어버린 시간을 따라잡으려는 과정이, 메이지에게는, 그녀가 분명하게 다음과 같이 말하는 것을 듣는 데서부터 시작되었다. "이 한심한 녀석아, 그가 왔단다!"

"클로드 경이 오셨다고요?"라고 말하며 놀라 침대에서 팔짝 뛰어내리면서, 그 옆에 놓여 있는 작은 깔개가 치워지는 바람에 메이지는 자신의 맨발 아래로 반질반질한 마룻바닥이 닿는 것을 느꼈다.

"그가 간밤에 해협을 건너왔단다. 아침 일찍 도착했어." 윅스 선생님의 머리가 뻣뻣하게 뒤로 젖혀졌다. "그가 저기에 있어."

"그럼 선생님은 그분을 뵈었어요?"

"아니. 그는 저쪽에 있어. 저기 있다니까." 윅스 선생님은 되풀이했다. 그녀의 목소리가 뜻밖에 가라앉더니 이상하게 사그라들었다. 그녀의 목소리는 떨렸고, 그래서 두 사람의 공감의 폭이 커졌다. 눈에 띄게 창백해져서 두 사람이 서로 바라보았다.

"이건 너무나 '아름다운' 일 아닌가요?" 메이지가 숨을 헐떡이며 그녀에게 물었다. 그 질문은 그녀가 즉시 대답할 준비가 되어 있지 않은 하나의 도전이었다. 메이지가 사용한 그 용어는 섬광처럼 번쩍이는 듯한, 일종의 처세적인 표현이었는데, 아무튼 그것은 윅스 선생님이 또 다른 처세의 표현을 사용하는 것을 미리 차단하기 위한 것이었다. 그런 차원에서 그 표현은 성공적이었다. 그녀의 나이 든 창백한 얼굴에는 이상하고도 말문이 막힌, 호소하는 듯한 표정이 지어졌고, 그것은 결정을 내리지 못하고 있다는 효과를 만들어냈다. 그녀가 그처럼 난감해하는 모습은, 낙관주의라는 개념을 제아무리 확장해서 해석한다 해도, 이미 일어난 상황에 대해 그녀의 태도와 결부시켜 생각할 수 있는 것보다도 한참 더 심한 정도였다. 실제로 메이지 자신에게는 그때 일어난 상황이 이상하게도, 그 애가 느낄 수 있듯이, 바로 그 최고의 친구가 이전에 도착했거나 돌아왔던 순간에 느꼈던 단순한 황홀함에 미치지 못했다. 반가움이라는 기분 좋은 정서적 기능에 간밤에 무슨 일이 일어났던 것일까, 잠자는 동안에 무슨 일이 일어났던 것일까? 그 애는 말을 해보고, 기뻐해 보고, 달려가서 물로 씻어보고, 급히 옷을 입어보면서 그 반가운 기분을 더 활짝 일깨워 보려고 애썼다. 그리고 그 애는 시간이 벌써 열 시가 되었다는 것뿐만 아니라, 윅스 선생님이 아직 아침식사를 하지 않았다는 것도 알게 되었다. 어제 두 사람은 아침 아홉 시에 호텔 방 거실에서 간단한 유럽식 아침식사를 함께 했었다. 윅스 선생님 역시 자기 쪽에서 추구할 감정적 피난처를 분명 가지고 있었다. 그녀는 자기 학생이 지금 급박하게 돌아다니는 걸음걸이를 제어하는 데서 그 피난처를 찾았다. 엄격하다시피 한 모습을 하고, 그녀는 그 애가 그처럼 준비하는 데 꼼꼼하게 비누질을 해서 씻어야 한다고 그 애에게 환기시키는 데서 자기 마음을 진정시킬 핑곗거리를 찾고 있었고, 단순히 의붓아빠에 불과한 그 사람을 위해서 그렇게 급하게 옷을 입어야 한다는 그 애의 생각을 꾸짖으면서 마음을 진정시키려 하고 있었다. 그녀는 말없이 강요하면서 그 애를 손으로 붙잡았고, 모들이 돌봐주었던 시절부터 알고 있었던 그 어떤 경우보다도 더욱 분명하게 그 애가 하는 일련의 준비 과정을 제한했다. 클로드 경이 지금 그곳에 와 있다는 사실에—그 사실은 어떤 특성을 띠고 있었는데—속하기 시작한 속성이 무엇이든지 간에, 그것은 결국, 우리의 어린 숙녀에게는, 자신이 여전히 어수선할 정도로 서두르는 가운데 그를 만나기 위해 옷을 차려입는 본능과 조화되는 것이었다. 그러는 동안 다행히도 윅스 선생님은 아이의 행동을 억제하는 데 모든 신경을 쓰고 있지는 않았다. "그가 여기에 와 있어. 그가 왔단 말이야!" 그녀는 몇 차례 반복해서 그 말을 했다. 그 애가 잠자리에서 일어난 지 얼마나 되었느냐고 물어보았을 때도, 그녀는 대답 대신 그 말만 되풀이했다. 그것은 그녀가 자기 동료의 잠을 그처럼 엄격하게 존중하는 동기이기도 했다. 얼마 동안 그녀의 그 말은 그 애가 다른 사람들은 어디 있느냐고 묻는 말에 대한 유일한 설명이기도 했고, 그녀가 그들을 아직 만나보지 못한 이유이기도 했으며, 머지않아 그들이 살롱에서 발견될 가능성에 대한 유일한 설명이기도 했다.

"그가 와 있어. 그가 와 있다니까!" 그녀는 거의 기분이 상할 정도로 그 애를 거칠게 잡아당겨서 꽉 조여진 속옷의 양 끝을 매주면서 다시 한번 그 말을 반복했다.

"그분이 살롱에 와 계신단 말씀이세요?" 메이지가 다시 물었다.

"그는 그 여자와 함께 있어." 윅스 선생님이 침울하게 말했다. "그가 그 여자와 함께 있단 말이야." 그녀는 반복했다.

"그분이 그녀의 방에 있단 말씀이세요?" 메이지가 계속해서 물었다.

그녀는 잠시 기다리더니, "누가 알 수 있겠니!"라고 말했다.

메이지는 왜, 어떻게 아무도 알 수 없다는 말인지 약간 궁금했다. 그러나 그 애는 그다지 오래 머뭇거리지 않고 말을 이었다. "그럼, 그녀는 돌아가지 않나요?"

"돌아간다고? 결코!"

"어떻게 되든 그녀가 머무를 거란 말씀이세요?"

"더욱더 머무르려 할 거야."

"그렇다면 클로드 경이 가버리지 않을까요?" 메이지가 물었다.

"돌아간다고? 그 여자가 돌아가지 않는다면?" 윅스 선생님은 잠깐 생각할 시간을 벌기 위해 그 질문을 한 것 같았다. "무슨 이유로 그가 여기 왔겠니? 단지 되돌아가려고?"

메이지가 교묘한 해결책을 내놓았다. "그녀를 가게 하려고요. 그녀를 데리고 가려고요."

윅스 선생님은 그 생각에 동의하지 않았다. "그가 그녀를 그처럼 쉽사리 보낼 수 있다면, 뭐하러 그가 그녀를 여기 오게 했겠니?"

메이지는 잠시 생각하더니 "오, 단지 저를 보려고요. 그녀는 그럴 권리가 있으니까요."라고 대답했다.

"그래, 그 여자는 그럴 권리가 있지."

"그녀가 제 엄마니까요!" 메이지가 가볍게 킥킥거렸다.

"맞아, 그 여자는 네 엄마야."

"게다가, 그분이 그녀를 여기 오게끔 하지는 않았어요. 그분은 그녀가 여기 오는 걸 좋아하지 않았을 거예요. 그리고 그분이 그걸 원하지 않았다면…."

윅스 선생님은 그 애를 들어서 일으켜 세웠다. "그는 그 일을 일괄해서 처리해야 해. 그가 그렇게 해야만 한단 말이야! 그에 관해 네 엄마가 한 말이 맞았어. 네 진짜 엄마 말이야. 그는 아무 힘도 없어. 정말이지, 전혀 힘이 없어." 그녀는 더욱 깊은 생각에 잠긴 듯이 보였다. "그는 네 엄마에 대해서는 조금이나마 힘을 가졌던 것 같구나. 여사님에 대해서 말이야. 하지만 이제 그는 단지 끝장난 노예에 불과해." 그녀는 갑작스럽게 힘이 넘치는 목소리로 주장했다.

메이지는 다시 궁금해졌다. "노예라고요?"

"스스로 열정의 노예가 되고 말았어."

그 애는 계속해서 궁금했고 심지어 감명을 받기까지 했다. 그러고는 그 애가 말을 이었다. "하지만 선생님은 그분이 머무를 거라는 걸 어떻게 알 수 있어요?"

"그건 그가 우리를 좋아하기 때문이지!" 그렇게 힘주어 말하더니 윅스 선생님이 아이의 등쪽 후크를 채워주려고 그 애를 한 바퀴 휙 돌렸다. 그녀는 그 애를 단연코 그렇게 흔든 적이 없었다.

그녀는 마치 자기 자신으로부터 무언가를 흔들어 떨쳐내 버리려는 것처럼 보였다. "하지만 만약 우리가 머무르지 않는다면, 그분이 우리를 좋아한다 해도, 그게 무슨 소용이죠?"

"넌 우리가 떠나고 그를 그 여자와 함께 여기 남겨둔다는 말이니?" 윅스 선생님이 그 애의 머리 뒤쪽에다 대고 질문했다. "그건 그에게 아무 도움이 안 되겠지. 그에겐 그게 파멸일 거야. 그는 아무것도 얻을 수 없게 될 테니까. 그건 그의 완전한 파멸일 거야. 왜냐면 시간이 조금 지나면 그가 틀림없이 그 여자를 혐오하게 될 거거든."

"그럼 그분이 그녀를 혐오하게 될 때", 그 애가 그런 생각을 어떻게 이해하게 되었는지는 참으로 놀라운 일이었다. "그분은 곧바로 우리를 찾아오겠네요!" 메이지가 선언하듯 말했다.

"그럴 일은 절대로 없을 거야."

"절대로 그렇게 되지 않을 거라고요?"

"그 여자가 그를 붙잡아 둘 거야. 그 여자가 그를 영원히 붙잡아 둘 거야."

메이지는 궁금했다. "그분이 그녀를 '혐오하는' 데도요?"

"그런 건 문제 되지 않아. 그 여자가 '그'를 혐오하게 되지는 않을 거야. 사람들은 그를 싫어하지 않거든!" 윅스 선생님이 내뱉듯이 말했다.

"어떤 사람들은 그분을 싫어하기도 해요. 엄마도 그러시잖아요." 메이지가 주장했다.

"네 엄마는 그를 싫어하지 '않아'!" 그 말에 메이지는 깜짝 놀랐다. 그 애의 친구가 자기 말을 정면으로 반박했기 때문이었다. "그녀는 그를 사랑해. 열렬히 사랑해. 여자라면 누구라도 그걸 알 수 있단다." 윅스 선생님의 그 말은 마치 메이지가 여자가 아니라는 것처럼 들렸을 뿐만 아니라, 그 애가 결코 여자일 리 없다는 것처럼 들리기도 했다. "'나'는 그걸 알 수 있어!" 그녀가 목소리를 높여 말했다.

"그렇다면 대체 왜 엄마는 그분에게서 떠나버리신 거죠?"

윅스 선생님은 망설였다. "그가 '네 엄마'를 싫어한 거야. 그렇게 몸을 수그리지 말고 머리를 좀 들어봐. 너는 내가 그에게 어떤 마음을 갖고 있는지 알고 있잖아." 그렇게 말하면서 그녀는 "하지만 너는 내가 분명히 파악하고 있다는 사실도 역시 알아야만 해."라고 위엄 있게 덧붙였다.

그러는 동안 내내 메이지도 마찬가지로 진지한 태도를 가지려 무척 애쓰고 있었다. "그럼 엄마가 그런 이유로 그분을 떠나셨다면 비일 선생님도 그분을 떠나게 되지 않을까요?"

"그 여자는 그렇게 행동할 만큼 어리석지 않아!"

"엄마처럼 어리석게 처신하지 않을 거라는 말씀이세요?"

"바로 그거야. 너는 그걸 '알게' 될 거야. 그 여자가 그를 버릴 것 같니?" 윅스 선생님이 물었다. 그녀는 다시 생각에 잠기더니 이윽고 더욱 강한 어조로 말을 이었다. "넌 그 이유가 뭔지 정말 진정으로 알고 싶니? 그건 그녀가 그를 불행하게 만들기 위해서고, 그에게 벌을 주기 위해서야."

"그분에게 벌을 준다고요?" 그 말은 아직은 메이지가 수긍할 수 있는 범위를 벗어나는 말이었다. "무엇 때문에 벌을 준다는 거예요?"

"모든 이유에서지. 앞으로 일이 그렇게 전개될 거야. 그는 그 여자에게 영원히 묶이게 될 거야. 그 여자는 그가 자기를 미워한다는 것쯤은 신경도 쓰지 않을 걸. 그가 자기를 미워한다 해도 그 여자는 그를 미워하지도 않을 거야. 그 여자는 단지 '우리'를 미워하게 될 거야."

"우리를 미워한다고요?" 그 아이가 희미한 목소리로 되물었다.

"그녀는 '너'를 미워하게 될 거야."

"저를요? 왜요? 제가 그 두 분을 결합시켜 줬잖아요!" 메이지가 분해하며 소리쳤다.

"네가 그들을 연결해 준 건 사실이야." 윅스 선생님의 동의에는 뭔가 완결하려는 듯한 기미가 담겨 있었다. "그래. 그건 멋진 일이라고 할 수 있지. 앉아 봐라." 그녀는 자기 어린 학생의 머리를 빗겨주기 시작했다. 그러고는 손에 힘을 주어 머리채를 움켜쥐고 재빨리 그 주제로 되돌아가 말을 계속했다. "네 엄마가 그에게 먼저 빠졌었단다. 그 관계가 계속되었을 수도 있었지. 하지만 그가 너무도 일찍 비일 부인과 관계를 시작했어. 네가 말했듯이", 그녀는 활기 있게 빗질하면서 말을 이어갔다. "네가 그들을 연결해 준 거야."

"제가 그분들을 연결해 주었어요." 메이지는 그 말을 재확인할 태세가 되어 있었다. 그럼에도 불구하고 그 애는 궁지에 몰린 듯한 느낌이 들었다. 그러고 나서 그 애는 출구를 발견한 것 같았다. "그렇지만 저는 엄마를 연결해 주지는 않았어요." 그 애는 단지 더듬거렸다.

"그 모든 신사분들에게 네 엄마를 연결해 주지는 않았다는 말이니?" 윅스 선생님은 그 애를 일으켜 세웠다. "아냐. 상황이 그렇게 최악은 아니야."

"저는 대위분께 단지", 메이지가 재빨리 기억을 되살렸다. "그분이 적어도 엄마를 사랑해 주시기를, 엄마 곁에 계셔주시기를 바란다고 말했을 뿐이에요. 그분은 정말 훌륭한 분이셨어요!"

"그래, 그것조차도 그다지 나쁜 일은 아니었어." 윅스 선생님이 끼어들었다.

"그게 그다지 잘한 일도 아니었어요." 메이지는 인정해야만 했다. "엄마가 그를 견딜 수 없어 하셨거든요. 끔찍이 싫어하셨어요. 엄마가 포크스톤에서 저에게 그렇게 말씀하셨어요."

윅스 선생님은 차오르는 숨을 억눌렀다. 그녀는 잠시 새치름해 있었는데, 그동안 그녀는 아이다의 과실에 대한 자신의 특이한 생각을 어렵사리회피하는 것처럼 보였을 수도 있었다. "그 대위분은 네 엄마가 너에게 그분에 관해 얘기해 줄 만큼 좋은 사람이었어."

"오, 저는 그분이 '좋아요'!" 메이지가 곧바로 대답했다. 그 말에 그 애의 동료는, 불분명한 소리와 한층 더 두드러진 어색한 태도로, 머리를 숙여키스하려는 분명한 의도가 담긴 재빠른 동작으로 그 애의 뺨에 입을 맞추었다.

"그런데, 만약 여사님이 너와 견해가 다르다면, 그게 딱히 무얼 증명해주겠니?" 윅스 선생님은 요구하듯 결론을 내렸다. "그건 그녀가 클로드 경을 좋아한다는 걸 증명하는 거지."

메이지는 머리 손질이 끝날 때까지 그 증거가 될만한 어떤 것에 비추어그 말을 생각해 보았다. 그러나 드디어 출발하게 되었을 때, 그 애는 그에대한 매우 밀접한 증거를 포착했다고 할만한 어떤 표시도 보여주지 않았다. 그 순간 그 애는 윅스 선생님의 팔을 붙잡았다. "그분이 이혼 허가를 받아온 게 틀림없어요!"

"그제 이후로 말이냐? 말도 안 되는 소리 그만해."

그 말이 성마른 어조로 내뱉어져서, 그 아이는 아무런 대답도 하지 못했다. 그래서 그 애는 완전히 다른 견지에서 그 사실에 대한 방어를 시도했다. "아, 저는 그분이 오실 거라는 걸 알고 있었어요!"

"나도 알고 있었어. 하지만 24시간 안에 오리라고는 생각하지 않았단다.

내가 그에게 며칠간 여유를 줬거든!" 윅스 선생님은 비탄에 잠긴 목소리로 말했다.

메이지는 이제 윅스 선생님에게서 풀려나 그녀를 흥미롭게 바라보았다. "그녀가 그분에게 며칠간이나 말미를 주었을까요?"

윅스 선생님은 잠시 그 애를 바라보더니, 당황스럽다는 듯이 콧방귀를 뀌며 말했다. "네가 그녀에게 직접 물어보렴!" 그러나 그녀는 그 말을 하자마자 곧바로 이어서 말했다. "오, 세상에나, 우리가 지금 무슨 말을 하고 있는 거야!"

메이지는 그들이 무슨 말을 하든지 간에 자신이 그분을 만나야만 한다고 느꼈다. 하지만 그 애는 얼마 동안, 사실상 옷 입기를 끝마칠 때까지, 더이상 아무 말도 하지 않았다. 그동안 윅스 선생님도 말이 없었다. 두 사람은 각자 생각할 것이 너무 많아 보였다. 심지어 그 애는 마치 자기 친구가 자기를 바라보면서 그 애도 그녀를 바라보는지 알아보려 하고 있다는 느낌이 들기까지 했다. 마침내 윅스 선생님이 창문을 향해 몸을 돌리고—멍한 표정으로, 메이지는 그렇게 짐작할 수 있었다—먼 곳을 바라보며 서 있었다. 그런 다음 우리의 어린 숙녀가 거울 앞에서 절정의 동작을 취하며 몸을 흔들었다. "아, 이제 저는 준비가 되었어요. 그분을 만날 준비가요!"

윅스 선생님은 마치 그 애가 한 말을 듣지 못했다는 듯한 태도로 돌아섰다. "너무나 심각한 상황이구나." 그녀의 교정 안경 뒤에서 느리고도 조용히 눈물이 흘러내리고 있었다.

"그래요, 맞아요." 메이지는 이제 그 사태를 맞이할 옷차림을 갖추었다는 듯이, 그리고 마치 옷차림의 마지막 단계로 판단이라는 모자를 쓴 것처럼 말했다. "저는 그분을 당장 만나야만 해요."

"그가 너를 부르러 사람을 보내지 않았는데 어떻게 네가 그를 만날 수 있겠니?"

"제가 그분을 찾아가면 안 될 이유라도 있나요?"

"넌 그가 어디 있는지 모르잖아."

"제가 응접실에 가서 들여다보면 안 되나요?" 메이지에게는 그것이 간단한 일처럼 보였다.

그러나 윅스 선생님이 즉시 그 말을 가로막았다. "나는 무슨 일이 있어도 네가 그 응접실을 들여다보도록 내버려 두지 않을 거야!" 그녀는 이어서 약간의 설명을 덧붙였다. "그 응접실은 우리 공간이 아니야."

"우리요?"

"너와 나의 공간이 아니란 말이지. 그건 그들의 공간이야."

"그들의 것이라고요?" 메이지는 뚫어지게 바라보며 계속해서 메아리치듯 말했다. "선생님은 그들이 우리를 따돌리고 싶어 한다는 말씀이세요?"

윅스 선생님은 비틀거리더니 의자에 주저앉았다. 그리고 그녀는 메이지가 이전에도 자주 보았던 것처럼 양손으로 얼굴을 감쌌다. "그들은 적어도 그렇게 해야만 할 거야. 너무도 끔찍한 상황이야!"

메이지는 잠시 그 자리에 서서 방 안을 둘러보았다. "제가 그분에게 가겠어요. 가서 찾아낼 거예요."

"난 가지 않겠어! 나는 그들 가까이에 가지 않을 거야!" 윅스 선생님이 소리치듯 말했다.

"그럼 제가 혼자 가서 그분을 만나보겠어요." 그 아이는 자신이 찾고 있던 것을 발견했다. 그 애는 자기 모자를 집어 들었다. "아마도 제가 그분을 모시고 나올 거예요!" 그렇게 결심하고 그 애는 방을 떠났다.

그 애가 응접실에 들어갔을 때 그곳은 비어 있었다. 그러나 문이 열리는 소리를 듣고 발코니에서 누군가가 몸을 움직였다. 그러고는 클로드 경이 곧바로 걸어 들어와서 그 애 앞에 섰다. 그는 생기 넘치는 가벼운 옷을 입고 있었고, 화사한 리본이 달린 밀짚모자를 쓰고 있었다. 그런 모습은 그 자체로 그 애에게 성대하고도 성대한 여행에 대한 확실한 약속으로 비쳤을 뿐만 아니라, 그에게 어떤 광휘를 발하게 했으며, 말하자면 일종의 열대지방의 안락함 같은 분위기를 만들어주고 있었다. 그러나 그 효과는 오히려 그가 갑자기 멈춰 섰다는 인상만 더해주었고, 그런 경우에 흘러갔던 예전의 어떤 순간보다도 더 오래 그 애를 향해 팔을 벌리지 않았다는 느낌을 주었다. 그가 멈춰 선 것이 그 애를 멈춰 서게 만들었고, 그가 한참 동안 서 있었던 것이 틀림없다는 생각이 들게 했다. 거기에는 아침식사의 흔적이 없었기 때문이었다. 그리고 그 애는, 그처럼 늦었는데도 불구하고 오히려 그가 자신을 부르러 사람을 보내지 않았다는 생각도 들었다. 응접실에 대한 권리를 완전히 몰수당했다는 윅스 선생님의 말이 옳았을까? 그 응접실은 이제 완전히 그의 공간, 전적으로 그와 비일 부인만의 공간이 된 걸까? 그런 생각은, 그 애의 조그만 사고 작용이 고동칠 수 있는 속도로, 그때까지 자기 것이었던 것이 정확하게 대부분 비일 부인과 그의 것이 되어버린 방식을 그 애에게 상기시켜 주었을 뿐이었다. 그곳에 서서 저쪽에 저만치 떨어져 있는 그에게 인사하는 것이 이상하게 느껴졌다. 그것은 그가 그때 인사말을 건네고 미소 지으며 "나의 사랑스러운 녀석아! 나의 사랑스러운 녀석아!"라고 말하면서도, 정작 조금도 더 가까이 다가오지는 않았기 때문이었다. 순간적으로 그 애는 그가 달라졌다는 것을 알게 되었다. 그는 자신이 알 수 있거나 의도했던 것보다도 더 달라진 모습이었다. 다음 순간 그는 그 애의 얼굴을 보고 어떤 인상을 받은 것처럼 보였다. 그 때문에 그는 손을 내밀었다. 그리고 그들은 만났고 그는 그 애에게 키스했고, 그는 웃었고, 그 애는 그가 심지어 얼굴을 붉히기까지 했다고 생각했다. 그의 애정 어린 어떤 모습이 평소처럼 표현되었다. "내가 다시 돌아왔단다. 그렇지? 너에게 약속했던 대로 말이야."

그러나 그 상황은 그가 그들에게 약속했던 대로는 아니었다. 그가 그들에게 비일 부인을 오게 하겠다고 약속하지는 않았었다. 하지만 메이지는 그런 사실을 전혀 언급하지 않았다. 그 애는 단지 "아저씨가 왔다는 걸 알고 있었어요. 윅스 선생님이 말해주셨어요"라고만 말했다.

"아, 그렇구나. 그런데 그녀는 어디 계시니?"

"그분의 방에 계세요. 그분이 저를 잠에서 깨워 옷을 입혀주셨어요."

클로드 경은 그 애를 위아래로 훑어보았다. 그가 그럴 때마다 언제나 그의 얼굴에는, 그 애가 특별히 좋아했던, 상냥하게 놀리는 듯한 표정이 떠올랐다. 그리고 지금도 그 표정이 그의 얼굴에 떠올랐다. 그가 감탄의 의도를 나타내려고 자신의 눈썹을 치켜올리며 팔을 들어 올렸다. 분명코 그는 유쾌하고 싶은 심정이었다. "너를 깨워주셨다고? 그랬겠구나! 그녀가 너에게 최고로 예쁘게 옷을 입혀주셨구나. 그녀는 이곳으로 건너오지 않으신다니?"

메이지는 다음과 같이 말하는 게 잘하는 것인지 의문이 들었다. "그분은 오지 않겠다고 말씀하셨어요."

"이 가엾은 악마를 만나러 오시지 않겠다던?"

그 애는 그가 자신을 악마라고 부르며 마음에 동요가 이는 상황에서 주변을 둘러보았다. 그리고 그 애의 눈길이 그가 방금 전에 머물렀던 방의 문에 가 닿았다. "비일 부인은 저 방 안에 계시나요?"

클로드 경은 같은 곳을 멍하게 바라보았다. "나는 아는 게 아무것도 없단다!"

"아저씨는 그녀를 만나지 않으셨어요?"

"그녀 코빼기도 보지 못했는걸."

메이지는 생각했다. 그의 미소 짓는 아름다운 눈동자에 비추어 보고는, 그가 진실을 말하지 않고 있다는 가장 어렴풋하면서 가장 순수하고 가장 차가운 확신이 그 애에게 들었다. "그녀가 아저씨를 환영하며 맞이하지 않았나요?"

"그런 기미조차 없었어."

"그럼 그녀는 어디 있는 거죠?"

클로드 경이 웃었다. 그는 흥미로워하면서도 그 애가 그런 주장을 하는 데 놀라는 눈치였다. "그걸 내가 어떻게 알겠니!"

"그녀는 아저씨가 오신 걸 모르시나요?"

그는 다시 웃었다. "아마도 그녀는 그런 문제를 신경 쓰지 않는 것 같구나!"

메이지는 새로운 생각이 떠올라, 그의 팔에 달려들어 안기며 "그녀가 떠나셨나요?"라고 물었다.

그는 그 애의 눈동자를 바라보았고, 그 애는 그의 눈동자가 그의 태도보다도 훨씬 더 심각하다는 것을 알 수 있었다. "떠나갔다고?" 그 애가 날 듯이 방문으로 다가갔지만, 그 애가 노크하려고 손을 들기도 전에 그가 다가와서 그 애의 손을 붙잡았다. "그녀를 가만 두렴. 난 그녀를 신경 쓰지 않는단다. 난 '네'가 보고 싶은 거야."

"그럼 그녀가 떠나지 '않으신' 거예요?"

메이지가 그와 함께 물러섰다. 그는 여전히 그 상황을 장난스럽게 대하는 것처럼 보였다. 그러나 그 애가 그를 바라보면 볼수록, 그가 괴로워하고 있다는 것을 알 수 있었다. "그녀는 그럴 것 같지 않구나!"

그 애는 그를 의심스러운 시선으로 바라보며 서 있었다. "아저씨께서 그녀가 이곳에 오는 걸 원하신 거 아닌가요?"

"넌 무슨 상상을 하는 거니?" 그는 그 애에게 솔직하게 말했다. "우리는 그 문제를 두고 심하게 다투었단다."

"싸웠다는 말씀이세요?"

클로드 경은 당황했다. "그녀가 너에게 뭐라고 말했니?"

"제가 아저씨의 것인 만큼, 그에 못지않게 그녀의 것이라고요. 그녀가 아빠를 대리하는 입장이라고 말씀하셨어요."

그의 시선이 열린 창문을 통해 하늘 멀리로 향했다. 그 애는 그의 바지 주머니 속에서 돈인지 열쇠인지가 달그락거리는 소리를 들을 수 있었다. "맞아. 그녀가 계속해서 그렇게 주장하고 있어." 그 말을 하면서 그는 잠시 거의 어찌할 수 없다는 듯한 태도를 보였다.

"아저씨는 그녀가 어떻게 나오든 상관하지 않는다고 말씀하셨잖아요. 두 분이 싸우셨다는 말씀이세요?" 메이지가 계속해서 말했다.

"우리는 인생에 싸우는 것 말고는 할 일이 없단다."

그 말을 하면서 그가 그 애 앞에 서 있는 모습은, 친밀감을 회복한 상태로, 그 어떤 근심에 빠져 있다 해도, 너무도 온화하고 너무도 멋졌으며 너무도 훌륭해 보였으므로, 그것이 그가 하는 말—그렇지 않다면 명백한 약속이 되었을 수도 있는 그의 말—의 의미를 뿌옇고 눈부시게 만들어버렸다.

"아, 아저씨가 싸우셨다니!" 그 애는 낙담해서 소리쳤다.

"나는 그녀의 싸움이 정말 무시무시하다는 걸 너에게 확실히 말해줄 수 있어."

"저는 그녀의 싸움에 대해 말하는 게 아니라 아저씨의 싸움에 관해 말하는 거예요."

"이런! 내가 커피를 다 마실 때까지는 그 말을 하지 말아다오! 넌 총명하게 성장했구나."라고 그는 말하더니, "내 생각으로는 네가 아침식사를 했을 것 같은데?"라고 덧붙였다.

"아, 아니에요. 전 아무것도 먹지 않았어요."

"네 방에서 아무것도 먹지 않았다고?" 그는 몹시 마음 아파했다. "이런 늙다리 녀석아! 그럼 우리 함께 아침식사를 하자." 그는 자신의 여러 가지 행복한 생각들 중 하나를 말했다. "자, 식사하러 나가자."

"그게 바로 제가 바라는 바였어요. 저는 제 모자도 가져온 걸요."

"넌 참 똑똑하구나! 자, 카페로 가자." 메이지는 문 앞에서 준비를 한 채 있었다. 그는 방을 한 번 둘러보았다. "잠깐만, 내 지팡이가 어디 있더라." 하지만 그곳에 지팡이는 없는 것 같았다. "상관없어. 아, 내가 그것을 거기 두었었지!" 그는 기억난 내용에 관해 말꼬리를 흐리며 밖으로 나갔다.

"그걸 런던에 두고 오셨나요?" 그 애가 함께 계단을 내려가며 물었다.

"맞다, 런던에. 기가 막혀!"

"그렇게도 서둘러서 오셨나 봐요." 메이지가 설명했다.

그는 팔로 그 애의 허리를 감쌌다. "그래서 놓고 온 게 틀림없구나."

계단을 반쯤 내려왔을 때, 그가 갑자기 멈춰 서더니 자신의 다리를 탁 치면서 물었다. "그런데 가엾은 웍스 선생님은?"

메이지의 얼굴에 그림자가 드리워졌다. "아저씨는 그분과 함께 식사하기를 원하세요?"

"아냐, 애야. 난 너하고 단둘이 있고 싶구나."

"저도 아저씨랑 단둘이 있고 싶어요!" 그 애가 대답했다. "예전처럼요."

"예전처럼!" 그가 유쾌하게 반복했다. "하지만 그분이 커피라도 마셨는지 궁금하구나."

"아녜요. 아무것도 드시지 않았어요."

"그렇다면 커피를 그분 방으로 올려 보내야겠구나. 마담!" 그는 이미 계단의 맨 아래층까지 내려갔고, 키가 작달막한 카페 여주인을 불렀다. 부산하고 활기찬 홀에서 그 여주인이, 아침 일찍 분을 바른 생기 넘치는 얼굴과 벽난로의 벨벳 선반만큼 커다란 가슴을 그를 향해 돌렸다. 그 가슴 위로 드러나는, 금발의 곱슬머리로 윤곽이 잡힌 그녀의 둥글고 하얀 얼굴은 마치 현란한 벽시계와 같은 모습이었다. 그는 특별한 추천을 받아서 윅스 선생님의 식사를 주문했다. 그가 편안하고도 유창하게 프랑스어를 말하는 것을 듣는 것은 기분 좋은 일이었다. 그의 친구는 프랑스어를 전혀 몰랐지만, 그의 프랑스어가 완벽하다는 것을 짐작할 수는 있었다. 그 여주인은 양손을 비비면서 화려한 이중창에 고음의 빠른 어조를 끼워 넣으며, 그와 함께 거리로 나갔다. 그리고 그들이 잠시 이야기를 더 나누는 동안, 메이지는 윅스 선생님이 모두가 그를 좋아한다는 것에 관해 무슨 말을 했는지 기억했다. 그 여주인이 그를 좋아하는 것이 그녀의 아침 화장을 통해서 충분히 드러났고, 그녀의 들썩이는 가슴에서도 충분히 드러났다. 그는 윅스 선생님을 위해 뭔가 분명히 멋진 음식을 주문했다. "그럼 산뜻하게 준비해 주시겠지요, 그렇죠?"

"염려 마세요." 여주인은 그에게 밝게 미소 지었다. "그리고 선생님의 부인을 위해서는 뭘 준비할까요?"[81]

"부인이요?" 그가 반복해서 말했다. 그 말이 그를 약간 멈칫하게 만들었다.

"그밖에 더 필요하신 건 없나요?"

"그거면 됐습니다. 메이지야, 가자." 그 애는 서둘러서 그를 따라갔다. 그러나 카페로 가는 도중에 그는 아무 말이 없었다.

# XXX

그들이 그곳에서 자리에 앉게 되자 상황이 달라졌다. 그 카페는 호텔 아래층이 아닌, 부두를 따라서 조금 더 나아간 곳에 있었다. 그곳은 널찍하고 깨끗한 창문들이 있었고 마룻바닥에는 왕겨가 뿌려져 있어서 메이지에게는 서커스장의 분위기와 같은 매력을 느끼게 해주었다. 그들은 페인트가 칠해진 공간과 붉은 벨벳의 긴 의자를 거의 자신들만 차지하고 있었다. 그 공간은 여기저기 떨어져 앉아서 조그만 빈 테이블 뒤쪽에서 얼굴을 일그러뜨리며 이를 쑤시고 있는 몇 명의 신사들에 의해서 공유되고 있었다. 특히나 몹시 나이 든 어떤 한 사람이 있었는데, 그의 단추 구멍에는 붉은 리본이 달려 있었고, 그가 버터 바른 롤빵을 커피에 적시는 모습이나 그의 코와 턱 사이에 남겨진 좁은 틈으로 그 롤빵을 먹는 모습은, 좀 덜 긴장된 상황이었더라면, 메이지에게 거의 부러워할 만한 마법을 걸었을 수도 있었을 것이다. 두 사람도 역시 우유를 탄 커피와 버터 바른 롤빵을 먹었는데, 그 메뉴는 클로드 경이 그 애에게 그렇게 가볍게 먹고 점심때까지 기다릴 수 있겠냐고 물어본 다음에 결정한 것이었다. 그가 그 식사에 대해 언급하는 것을 듣고서, 그 애는 하얀 앞치마를 두른 웨이터가—자기 친구가 런던에서 자기를 뮤직홀에 데리고 갔을 때 보았던 마술사의 손놀림만큼이나 민첩한 동작으로—음식과 받침 접시를 다루는 것을 바라보는 동안 무언가에 관한 생각이 떠올랐다. 그 식당은 그늘이 드리워지고 왕겨가 흩뿌려져 있어서 서늘했으며, 그 애가 어렴풋이 느끼기에, 일종의 판에 박힌 듯한 모습의 방종을 보여주는, 너무 늦게 잠자리에 들었거나 너무 늦게 일어난 사람들—그 애처럼 불규칙한 일과를 가진 사람들—이 즐겨 찾는 곳이었다. 이윽고 클로드 경이 다시 말을 하기 시작했다. 그는 런던이 어떤 모습이었는지, 그리고 이쪽에서나 저쪽에서나 자신이 얼마나 오랫동안 부재했다고 스스로 느꼈는지 그 애에게 말했다. 수잔 애시에 관해서도 모든 것을 말해주었고, 그녀와 함께하면서 겪었던 어려움뿐만 아니라 느꼈던 즐거운 일들에 관해서도 말해주었다. 이어서 그의 돌아오던 여행길과 밤에 영국해협을 건넌 일, 건너오는데 사람들이 북적댔던 일, 아는 사람이 항상 너무 많았던 상황 등 모든 것에 관해서 말해주었다. 그는 그 밖에 다른 일들도 이야기했는데, 특히 자기가 떠나 있었던 동안 윅스 선생님과 그녀의 어린 학생이 무슨 일을 하며 시간을 보냈는지 자신에게 말해줘야 한다고 말했다. 그는 자기가 약속한 대로 두 사람이 즐거운 시간을 보냈는지 물어보았다. 그가 그들의 즐거움을 위해서 준비한 대책이 다소 지나치진 않았는지도 물었다. 메이지는—모든 것이 다 그런 건 아니었지만—그가 마련해 준 대책이 성공적이었다는 것과, 윅스 선생님과 자신이 그에 대해 감사해하고 있다는 것에 대해서도 말할 거리를 가지고 있었다. 그 애는 매 순간 커져만 가는 복잡한 생각을 하게 되었고, 이전에는 그가 다시 자기에게 돌아오게 된, 이와 같은 특별한 상황에서 그를 만나본 적이 없었다는 의식이 커져갔다.

전에 윅스 선생님이 그가 놀라울 정도로 다면적인 사람이라고 말한 적이 있었다. 그 말을 한 것이 한 번이든, 쉰 번이든 그건 상관없었다. 메이지에게는 한 번이면 충분했지만 그렇다고 여러 번이 너무 많은 것도 아니었다. 그렇다, 그는 지금 이 경우에 그 애에게 분명히 그렇게 느껴졌다. 그는 다른 어떤 것보다도 변화무쌍한 측면이 훨씬 더 두드러지는 사람이었다. 더욱이 그 두 사람이 어떤 가게에서, 런던에서 자주 그랬던 것처럼 멋지고 친밀감을 가져다주는 작은 테이블을 마주하고, 함께 앉아 있다는 사실이 그들에게 공통된 관심사의 차이점을 더욱 크게 할 따름이었다. 그 차이점이 그의 얼굴에, 그의 목소리에, 그의 모든 동작에 나타나 있었을 뿐만 아니라 그가 그 애를 바라보는 표정 하나하나에 나타나 있었다. 그것은 그가 진정으로 보여주고 싶은 표정이나 동작이 아니었다. 그리고 그 애 역시 그 표정과 동작이 자신이 원하는 것이 아니라는 것을 느낄 수 있었다. 그 애는 전에도 그가 불안해하는 모습을 본 적이 있었고, 자기가 만났던 모든 사람들이 불안해하는 모습을 본 적이 있었다. 그러나 그 애는 그가 이처럼 불안해하는 것을 본 적은 없었다. 그의 불안한 태도가 조금씩 그 애에게 뿌리 깊은 공포감을 심어주었고, 그 공포감은 조금 전 호텔에서 그가 비일 부인에 대해 대답했을 때 그 애가 그를 믿을 수 없다고 느끼면서 들었던 서늘한 기운을 띠었다. 그 애는 그가 몇 번 두렵다고 인정했을 때 그것이 무엇을 의미했는지 지금 알게 되었고, 마치 마주 앉은 테이블에 손을 얹어놓는 행위를 통해서 그 두려움이 만져지는 것 같았다. 그런 사람은 왜 그처럼 자주 두려워하는 걸까? 바로 그런 사람이 무엇보다 두려워할 수 있는 한 가지가 있다는 생각이, 지금 그 애에게 분명히 떠오르기 시작했다. 그는 자신을 두려워할 가능성이 컸다. 그의 두려움은 어쨌든 거기에 있었다. 그의 그런 두려움이 그 애에게는 달콤하게 느껴졌고, 아름답고 부드럽게 느껴지기도 했다. 그런 두려움 속에서 그는 커피를 마시며 버터 바른 빵을 먹었고, 담소를 나누며 웃고 있었지만, 그런 담소와 웃음이 그 애에게는 전혀 담소도 웃음도 아니었다. 농담하거나 뜸 들이거나 비꼬아 말하는 그의 목소리에는 두려움이 스며들어 있었다. 그 두려움은 그가 예전에 런던에서의 즐거웠던 시간을 모방하려고, 이제는 완전히 변해버린 어떤 관계를 실제로 흉내 내려고 그 애를 데리고 나온, 바로 가식적인 그 태도에 배어 있었다. 그 애는 그제 응접실에서 비일 부인이 자기 앞에서 갑자기 일어섰을 때, 그 관계의 변화 과정을 두 눈으로 직접 보았다. 마치 비일 부인이 그 문제로 그 애 앞에서 지금 일어서는 것처럼 느껴졌다. 그리고 다과가 나오기를 기다리고 있는 동안이었는데도, 메이지는 카페에 들어오면서 했던 그의 첫마디가 물어볼 기회를 준 직접적인 질문을 하게 되었다. "우리가 비일 부인과 함께 점심식사를 할 건가요?"

그의 대답은 결코 직접적이지 않았다. "너랑 나랑 말이니?"

메이지는 의자에 기대앉으며, "윅스 선생님과 저랑 말이에요."라고 대답했다.

클로드 경은 또다시 둘러댔다. "요 귀여운 녀석, 그건 비일 부인이 직접 대답해야 하는 질문이겠지." 그렇다, 그는 둘러대고 있었다. 갑자기 그들 사이의 허공에 뭔가가 떠 있는 것 같았고, 그것이 육중하게 흔들리며 그 움직임이 그들 사이의 공기를 부채질해 주는 것처럼 보이는 잠깐의 시간이 흐른 후에, 그 애는 모든 것이 그들에게 달려 있다고 느꼈다. 그가 말문을 열었다. "윅스 선생님이 너에게 뭐라고 말하셨는지 물어봐도 되겠니?"

"저에게 무슨 말씀을 하셨는지 물어보시는 거예요?"

"내가 떠나 있었던 지난 하루 이틀 동안에 말이다."

"아저씨와 비일 부인에 관해서 말이에요?"

클로드 경은 팔꿈치를 괴고 잠시 눈길을 그들 밑에 있는 대리석 무늬에 고정했다. "아니. 나는 내가 너를 남겨두고 떠나기 전에 우리가 그런 기회를 충분히 가졌었다고 생각해. 그렇지 않니? 내가 보기에 우리는 그 문제를 충분히 얘기했던 것 같구나. 내가 궁금한 건 너에 대해 그녀가 무슨 말을 했는지야. 우리와 관련된 너의 입장에 관해서, 말하자면, 네가 우리와 함께 지내는 문제에 관해서 말이야. 무슨 말인지 알겠니? 네가 우리의 친구와 단둘이 있는 동안에 그녀가 무슨 말을 했니?"

메이지는 그 질문의 무게를 느꼈다. 그래서 그 애는 아직도 눈길을 아래로 떨구고 있는 클로드 경을 바라보는 동안 침묵을 지키게 되었다. "아무 말씀도 하지 않으셨어요." 그 애가 마침내 대답했다.

그는 믿을 수 없다는 눈치였다. "아무 말도 하지 않았다고?"

"아무런 말씀도 하지 않으셨어요." 메이지가 대답했다. 그 순간 쟁반에 날라진 그들의 아침식사가 테이블에 놓이며 차려지는 바람에 대화가 중단되었다. 음식이 차려지는 모습은 다른 어떤 것에 못지않게 유쾌했다. 웨이터가 주전자와 같은 용기에서 커피를 따라주었고, 그런 다음 그 위에 치켜든 그의 팔의 높이에서 떨어지는 뜨거운 우유를 곡선 모양으로 부었다. 하지만 두 사람은 이제 더 이상 감출 수 없는 진지한 표정을 지으며, 그 프랑스 웨이터가 펼치는 유쾌한 놀이 과정 내내 맞은편에 있는 서로를 응시했다. 클로드 경이 뭔가를 더 요구하며 웨이터를 떠나보냈고, 그 애가 대답했던 말에 대해 되물었다. "그녀가 너에게 영향을 주려고 하진 않았단 말이니?"

그와 그처럼 얼굴을 마주 보고 있는 상태에서 메이지는 그녀가 시도한 게 거의 없었기 때문에 별로 대답할 만한 것도 없는 것처럼 보였다. 그래서 그 애는 한순간 다시 아무 말도 하지 않았다. 이윽고 그 애는 중도적인 입장을 찾아냈다. "비일 부인이 이제 그녀를 좋아하게 되었어요. 그리고 제가 발견한 사실이 하나 있어요. 대단한 발견이죠. 웍스 선생님도 비일 부인이 그처럼 친절해지신 걸 즐거워하고 계시죠. 비일 부인이 어제 하루 종일 엄청나게 친절했거든요."

"그렇구나. 그럼 그녀는 어제 무슨 일을 했니?" 클로드 경이 물었다.

메이지는 이제 아침식사를 하느라 분주했고, 그 애의 동료도 식사를 하기 시작했다. 그래서 적어도 형식적으로는 그들의 과거 다정했던 어느 때보다도 더 분위기가 좋았다. "그녀는 생각할 수 있는 모든 걸 했어요. 아저씨가 그녀에게 친절한 것 못지않게 그녀가 윅스 선생님께 친절했어요. 그녀는 하루 종일 윅스 선생님과 이야기했어요." 그 애가 말했다.

"그럼 윅스 선생님은 비일 부인에게 뭐라고 말하셨니?"

"음, 잘 모르겠어요." 그가 뭔가를 알아내기 위해 그 애를 압박하자 메이지는 다소 당황했다. 그의 그런 압박은 윅스 선생님이 그처럼 심하게 비난했던, 그리고 그 부인에 따르면 지금 그를 속박된 상태로 되돌아오게 만든 비일 부인과의 친밀함의 정도에 부합하지 않았다. 그가 자신이 예속된 그 사람에 의해 무슨 일이 행해졌는지를 자기 의붓딸보다 더 많이 알고 있는 것은 아닐까? 그러나 곧이어 그 애는 "비일 부인이 윅스 선생님께 아양을 떨었어요."라고 말했다.

클로드 경은 그 애를 더 강렬하게 바라보았다. 분명히 그 애 말투의 어떤 점이 그로 하여금 재빨리 다음과 같이 말하게 만들었다. "내가 너에게 뭔가 물어봐도 괜찮겠지, 그렇지?"라고 물었다.

"괜찮고말고요. 다만 저는 아저씨가 저보다 더 잘 알고 계신다고 생각하는데요."

"비일 부인은 어제 무슨 일을 했니?"

그 애는 그의 얼굴이 약간 붉어졌다고 생각했다. 그러나 그런 느낌을 받는 동시에, 그 애는 "그래요. 만약 아저씨가 그녀를 만나보았다면요."라고 말하고 있었다.

그는 그 어느 때보다도 더 큰 소리로 웃음을 터뜨렸다. "이런, 이 녀석아. 그녀를 결코 만나지 못했다고 방금 전에 말했잖니. 내 말을 못 믿는 거야?"

그 애는 이미 두려워하는 어떤 것이 있어서 다른 두려움들은 그것에 덮여버렸다. "아저씨는 그녀를 만나려고 오시지 않았나요?" 그 애가 곧 물었다. "아저씨는 그녀가 너무 보고 싶어서 돌아오신 거 아니에요?"

그는 그 애의 의심을 받아들였듯이, 놀랍게도 전혀 분노하는 기색 없이 그 애의 질문을 받아들였다. "물론 나는 네가 왜 그렇게 생각하는지 이해할 수 있단다. 하지만 그게 내가 한 행동을 설명해 주고 있지는 않아. 아까 호텔에서 말했듯이 내가 정말 진심으로 보고 싶었던 사람은 바로 너란다."

그 애는 엄마 집 뒤뜰에서 그가 자기를 즐겁게 해주려고 거기에 설치했던 그네에 태워 높이, 높이, 높이 밀어주다가 가장 높이 밀어주었을 때 경험했던 것 같은 아찔한 황홀함을 순간적으로 느꼈다. 그런데 그 그네는 요리사의 몸무게와 그의 지나친 애용 때문에 마침내 망가지고 말았었다. "아, 그건 참 아름다운 말이네요. 하지만 저를 보고는 다시 떠나실 거라는 말씀이잖아요?"

"내가 다시 떠나는 게 바로 문제의 요지로군. 그런데 아직은 말할 수 없어. 그건 모두 누군가에게 달려 있으니까."

"비일 부인에게 달려 있다는 말씀이세요?" 메이지가 물었다. "그녀는 결코 떠나지 않을 거예요." 그가 커피를 다 마시며 잔을 비웠다. 그런 다음 커피잔을 내려놓고 의자에 몸을 기대앉았다. 그 애는 그가 그런 자세로 자기를 보며 미소 짓고 있다는 것을 알 수 있었다. 그런 인식은 그가 괴로워하고 있다는 그 애의 생각에, 그가 자신의 고통을 어떻게든 떨쳐내 버리려고 뭔가 다른 것을 시도하고 있다는 인상을 더해주었을 뿐이었다. 그는 계속해서 미소 짓고 있었고, 그 애는 말을 이었다. "아저씨는 그걸 모르시나요?"

"알고 있어. 내가 그걸 정말로 알고 있다는 정도까지는 너에게 말할 수 있을 것 같구나. 그녀는 떠나지 않을 거야. 그녀는 여기 머무를 거야."

"그녀는 머무를 거예요. 여기 머무를 거라고요." 메이지가 반복했다.

"그렇고말고. 커피 좀 더 마시겠니?"

"예, 조금 더 마실게요."

"버터 바른 롤빵도 하나 더 먹겠니?"

"예, 그럴게요."

그가 주변에서 맴돌고 있는 웨이터에게 손짓하자, 그 웨이터는 양손에 주둥이가 빛나는 가득 찬 주전자를 들고 아가씨에게 더없이 친절한 관심을 보이며 다가왔다. "버터 바른 빵은 저쪽에 있습니다." 그들의 잔이 다시 채워졌고, 클로드 경은 거의 명상하듯이 향기로운 커피 우유에 거품이 이는 것을 바라보며 "바로 그거야, 바로 그래."라고 거듭해서 말했다. "그건 지독하게 거북스러운 일이야!" 웨이터가 물러가자 그가 목소리를 높여 말했다.

"그녀가 가지 않으려 하는 것 말씀이세요?"

"뭐, 모든 상황이 그렇다는 거지! 이런, 이런, 이런 참!" 그러나 그는 감정을 가라앉히고 다시 음식을 먹기 시작했다. "나는 너에게 물어보고 싶은 게 있어서 돌아왔단다. 그 이유 때문에 돌아온 거야."

"저는 아저씨가 무얼 물어보시려는지 알아요." 메이지가 말했다.

"정말?"

"저는 거의 확실히 알고 있어요."

"좋아, 그럼 한 번 말해보렴. 네가 나에게 모든 걸 다 책임지게 해서는 안 되니까."

그 애는 그가 한 그 말의 위력에 충격을 받았다. "아저씨는 제가 그들과 함께 행복하게 지낼 수 있을지 알고 싶어 하시잖아요."

"그 두 부인들하고만? 아니다, 아니야, 이 녀석아. 네 짐작이 틀렸어.82 이제 와서, 이런 참!" 클로드 경이 웃었다.

"그렇다면 아저씨가 제게 물어보려던 건 뭔데요?"

다음 순간 그는 그 말에 대답하는 대신, 자기 손을 테이블 맞은편에 있는 그 애의 손 위에 얹고 마치 무슨 생각이 떠오르기라도 한 것처럼 그 애를 붙잡았다. "웍스 선생님이 그녀와 함께 지내려고 하실까?"

"아저씨 없이요? 아, 그래요. 지금은."

"네가 아까 말한 대로 비일 부인의 달라진 태도 때문에 그럴 거라는 거니?"

메이지는 책임의식을 느끼며 비일 부인의 달라진 태도뿐만 아니라 웍스 선생님의 인간적인 약점에 대해서도 가늠해 보았다. "저는 비일 부인이 웍스 선생님께 에둘러 말하셨다고 생각해요."

클로드 경은 잠시 생각에 잠겼다. "아, 가엾은 사람!"

"비일 부인 말씀이세요?"

"아, 아니야. 웍스 선생님 말이야."

"그분도 다른 사람들과 마찬가지로 공손하게 대접받는 걸 좋아하시죠. 오, 그분은 한껏 정중히 대접받는 걸 좋아하세요." 메이지는 부연해서 말했다. "그렇게 하는 게 그분에게 매우 큰 영향을 주죠."

놀랍게도, 클로드 경은 그 말에 다소 이의를 제기했다. "매우 큰 영향을 주긴 주지. 어느 정도까지는."

"아, 무한히 영향을 준다니까요!" 메이지가 힘주어 대꾸했다.

"그럼, 내가 그분에게 공손하지 않았단 말이니?"

"너무도 공손하게 대해드렸죠. 그래서 그분이 아저씨를 공경하는 거예요."

"그렇다면, 애야, 그분은 왜 나를 놓아주지 않는 거지?" 그렇게 말하며 클로드 경은 확실히 얼굴을 붉혔다. 그러나 메이지가 그의 질문에 대답하기 전에, 사실 그 대답을 하는 데 시간이 좀 오래 걸리기도 했고, 그가 어조를 바꾸어 말을 계속했다. "비일 부인은 윅스 선생님이 아마도 자기를 완전히 무너뜨려 버렸다고 생각하는 것 같구나. 그녀가 그렇게 한 게 아닌 데도 말이야."

비록 그가 확신하는 것처럼 말했지만, 메이지는 자기가 방금 전에 말했고, 그리고 지금 다시 생겨난 인상을 강렬하게 유지했다. "비일 부인이 윅스 선생님께 에둘러 말씀하셨어요."

"아, 그랬겠지. 그녀 자신에게 에둘러 말했겠지. 하지만 나에게는 에둘러 말하지 않았어."

아, 그 애는 그가 그렇게 말하는 것을 듣는 게 너무도 괴로웠다! "아저씨한테요? 아저씨는 윅스 선생님이 아저씨를 얼마나 좋아하는지 정말 모르세요?"

클로드 경은 자신의 믿음을 검토해 보았다. "물론 나는 그녀가 훌륭한 분이라는 걸 알고 있지."

"제가 아저씨를 좋아하는 만큼, 꼭 그만큼이나 그분도 아저씨를 좋아하신다니까요. 그분이 어제 저한테 그렇게 말하셨어요." 메이지가 말했다.

"아, 그렇다면, 그녀가 너에게 영향을 주려고 시도했었구나!" 그가 재빨리 소리 높여 말했다. "난 그녀를 좋아하지 않아. 알겠니? 나는 그녀를 철저히 공정하게 대하는 거야." 그가 말을 이어갔다. "하지만 내가 너를 사랑하는 만큼, 그녀를 그 정도로 사랑하지는 않는다는 거지. 나는 네가 정말로 그렇게 기대하진 않을 거라고 확신해. 그녀가 내 딸인 것도 아니잖니, 이 녀석아! 그녀가 내 어머니도 아니고 말이야. 그녀가 내 어머니라면 그게 나한테는 더 좋은 일일 거라는 생각이 감히 들기는 한다마는. 나는 내 어머니를 위해서 할 수 있는 만큼만 그녀를 대할 거다. 하지만 그 이상은 하지 않을 거야!" 그는 자신의 입장을 설명하고 정당화하려는 과정에서 자신의 격앙된 감정을 드러내고 말았다. 비록 그가 웃음이나 복잡한 표현, 그리고 또 다른 허물 없는 듯한 언행으로 그런 감정을 바로잡거나 숨기려고 계속 시도했는데도, 그렇게 되고 말았다. 그는 갑자기 말을 멈추더니 재빨리 콧수염을 쓸어내리고는, 비일 부인에 관한 말을 다시 끄집어냈다. "그녀가 너를 설득하려고 했니?"

"아니에요. 그녀는 저에게 거의 말을 하지 않았어요. 거의 말을 하지 않았단 말이에요." 메이지가 말을 이었다.

클로드 경은 그 말을 듣고 놀라는 기색이었다. "그녀가 윅스 선생님에게만 상냥했다는 말이니?"

"설탕처럼 달콤하게요!" 메이지가 목소리를 높여 말했다.

그는 그 애가 사용한 비유를 흥미로워하는 것처럼 보였지만, 그에 대해 이의를 제기하지는 않았다. 오히려 그는 동의하는 태도를 취하며 다소 애매한 어투로 말했다. "나는 그녀가 어떻게 처신할 수 있는지 알고 있단다. 하지만 그게 그녀에게 큰 도움이 되면 좋겠구나! 윅스 선생님은 입장을 '바꿀' 분이 아니야. 그것 때문에 상황이 끔찍할 정도로 어색하게 되어버렸단다."

메이지는 상황이 지독하게 꼬였다는 것을 알고 있었다. 그 애는 얼마 전부터 그것을 알고 있었다는 생각이, 지금 들었다. 그리고 그러한 상황을 알게 되는 것에 그 애가 더욱 관심을 갖게 만드는 무언가가 있었다. "아저씨가 저한테 물어보려고 돌아오셨다는 건 뭐예요?"

"음, 나도 막 그 말을 하려던 참이었어. 내가 그 말을 해도 너무 놀라지 마렴." 클로드 경이 말했다. 그 애는 이제 아침식사를 끝마쳤고 다시 의자에 기대앉았다. 그 애는 그의 말을 듣기 위해 말없이 기다렸다. 그는 자기 앞에 있는 물건들을 조금 밀치고는 테이블에 팔꿈치를 괴었다. 이번에 그 애는 무슨 말을 듣게 될지 알고 있다는 확신이 들었고, 최근에 자기 방에서 윅스 선생님과의 사이에서 그랬던 것처럼 충격을 받을 것에 대비해서 다시 한번 숨을 고르고 눈을 찡그리듯 꼭 감았다. 그는 그 애가 그를 포기해야만 한다고 말하려던 참이었다. 그는 그 애를 다시 한번 뚫어져라 바라보았다. 그런 다음 말을 시작했다. "넌 그녀를 떠나보낼 방법을 알 수 있겠니?"

그 애는 당황했다. "누구를 떠나보낸다는 말씀이세요?"

"당연히 윅스 선생님이지. 최악의 경우를 대비해서 말하는 거야. 넌 그녀를 희생시킬 방법을 알겠니? 물론 나는 내가 지금 뭘 묻고 있는지 알고 있어."

메이지의 눈이 다시 휘둥그레졌다. 그 말은 그 애의 예상과 전혀 달랐다. "그래서 아저씨와 단둘이 지내게요?"

그는 자신의 커피잔을 다시 한번 밀었다. "나랑 비일 부인이랑 함께 지내는 거지. 물론 그게 다소 이상해 보이기는 하다마는. 하지만 우리와 관련된 모든 일이 다 좀 이상하지 않니, 너도 알다시피. 너처럼 자기 부모에게 버림받는 일보다 더 이례적인 일이 어디 있겠니?"

"아, 그보다 더 이례적인 일은 없죠!" 메이지는 명쾌하게 동의할 수 있는 하나의 제안을 접하자 안도하며 동의했다.

"물론 그건 관행에서 매우 벗어나는 일이지. 내 말은 우리 세 사람이 함께 만들려는 작은 가정이라는 것 말이야. 하지만 상황이 그 범위를 벗어났어, 알겠니? 이미 오래전에 그 범위를 벗어났단 말이야. 어쨌든 우리는 외국에서 지내야만 해. 외국에서 사는 게 그 어느 때보다 더 용이해졌단다. 그리고 그건 다른 누구의 일이 아니라 우리 자신의 일이야. 이 축복받은 세상에서 그건 우리를 제외한 그 누구의 관심사도 아니란다. 가엾은 윅스 선생님을 두고 하는 말이 아니야. 나는 그녀를 더할 나위 없이 정당하게 대했어. 나는 그녀를 존경한단다. 나는 그녀가 어떤 의도를 갖고 있는지 알고 있어.

그녀도 여러 가지로 나에게 잘해주셨고. 하지만 그건 그거고, 현실은 현실이야. 간단히 말해서 현실이라는 게 있어. 내가 여기에 있지. 그리고 너도 여기에 있고. 게다가 웍스 선생님은 생각을 바꾸지 않으실 거야. 그녀의 관점에서 보면 그녀가 옳다고 할 수 있어. 나는 아주 특별한 방식으로 너에게 말하고 있단다. 나는 늘 너에게 매우 특별한 방식으로 말해 왔고, 그렇잖니? 누가 지금 우리를 보면 네가 마치 60살은 되었다고 생각할 것 같구나. 그리고 나는, 난 다른 사람들이 나를 어떻게 생각할지는 모르겠어. 짐승 같은 놈이라고 생각하진 않았으면 좋겠다만!" 그가 넌지시 말했다. "난 너무나 걱정해 왔어. 상황이 그래. 넌 우리에게 더할 나위 없는 즐거움을 줬단다. 넌 앞으로도 늘 그렇게 해줄 거야, 그렇지? 우리는 널 포기할 수 없구나. 넌 우리에게 모든 것이기 때문이지. 이미 말한 대로 현실적인 조건들이 있어. 이미 벌어진 상황을 놓고 보면, 그녀가 이제 너의 엄마야, 비일 부인 말이야. 그리고 마찬가지로 내가 네 아빠고, 누구도 그 사실을 부인할 수 없고, 우리가 그 조건에서 벗어날 수도 없단다. 내가 갖고 있는 구상은, 남쪽 지방 어딘가에 멋지고 조그만 집을 하나 마련해서 거기서 비일 부인과 네가 함께 살고, 그녀와 네가 그 누구보다 더 행복해지는 거란다. 그렇게 된다면 그게 나에게도 제일일 거야. 알겠니? 왜냐면 말이야, 내가 너와 함께 살아서는 안 되지만, 네 가까이에 머물 수는 있으니까. 아주 가까운 곳에 말이야. 그렇게 되면 함께 사는 거나 다름없을 테니까. 내 생각은 그런 일들이 철저히 개방적으로 솔직하게 진행되어야 한다는 거야. 그런 생각을 좋지 않게 말하는 사람이 있다면, 그가 수치스러워해야 해.[83] 알겠니? 너는 우리 두 사람이 아는 최고의 존재야. 너라는 아이와 우리가 너를 위해 해줄 수 있는 일을 말하는 거야." 그는 다시 그 문제로 돌아갔다. "내가 그녀에게 '그 애를 포기하세요, 어서.'라고 말했더니, 그녀는 '당신이 그 애를 포기하세요!'라고 내 면전에서 말했단다. 그게 고질적인 악순환이 되어버린 거야. 내가 악순환이라고 말한 건, 흔히들 하는 식으로, 말장난으로 하는 말이 아니야. 윅스 선생님이 장애물이 되어버렸어. 내 말은, 만약에 그녀가 네게 어떤 영향을 끼쳤다면 말이지, 알겠니? 그녀는 나에게 영향력을 행사했어. 그래서 내가 여기에 와 있는 거고. 난 이렇게 난감한 처지에 몰린 적이 없었단다. 내가 너한테 지금처럼 말하게 만든 게 바로 그 이유라는 걸 제발 믿어다오. 사랑하는 내 딸아, 그렇게 보면 지금의 곤경을 벗어나는 방법은 그 길밖에 없잖니? 나는 런던에서 비일 부인이 떠나고 난 후, 어제 그런 생각을 하게 되었단다. 어제는 나에게 지옥처럼 고통스러운 날이었지. '당장 그 애에게 가서 이렇게 말하라. 그 애가 스스로 자유롭게 결정할 수 있게 해주어라.'라는 명령을 듣는 것 같았어. 그래서 나는 그렇게 했단다, 요 녀석아. 나는 너에게 그걸 말하고 있는 거야. 너 스스로 자유롭게 선택하겠니?"

천천히 띄엄띄엄 이어진 그의 이 긴 이야기는 너무도 아늑한 공간에서 그 아이에게 들려졌는데, 그러는 동안 그는 초조해져서 더듬거리기도 했고, 목소리가 낮아졌다가 다시 회복되기도 했으며, 얼굴빛이 얼룩지기도 했고, 눈빛이 당황하다가 간청하는 듯한 기색을 띠기도 했다. 그래서 그 아이는 처음의 날카로운 충격 이후로 그의 이야기가 어느 방향으로 흘러가는지 진지하게 이해할 수 있었고, 그 말을 낱낱이 알아들을 수 있었다. 더욱이 그의 이야기가 시작점으로 다시 돌아가서 더욱더 잘 이해할 수 있었다. 그동안 내내 그 애의 머릿속을 맴도는 단어가 하나 있었다. "아저씨는 그걸 '희생'이라고 부르세요?"

"윅스 선생님의 희생이라는 말이니? 네가 그걸 뭐라고 부르든지, 나는 네가 부르는 대로 부를게. 나는 겁먹지 않을 거야. 나는 겁을 낸 적이 없어. 그렇지? 나는 상황의 비열함을 그대로 직면하려 해. 내가 너를 그녀로부터 충분히 멀리 떨어지게 하려는 게 비열한 짓이라고 생각하니? 내가 너를 이 구석진 곳에 몰래 데려와서 궤변과 버터 바른 롤빵을 뇌물로 그녀를 배신하라고 매수하는 게 비열한 짓이니?"

"그분을 배신하라고요?"

"글쎄다, 말하자면 그녀와 헤어지라는 거지."

메이지는 그 문제에 대답하지 않았다. 그것이 제시하는 구체적인 이미지가 그 문제의 가장 생생한 측면이었다. "만약 제가 그분과 헤어지게 된다면 그분은 어디로 가시죠?"

"런던으로 돌아가는 거지."

"하지만 제 말은 그분이 무얼 하시게 되느냐는 말이에요."

"아, 그 문제에 대해서는 아는 체하지 않을게. 나도 모르겠구나. 우리 모두는 다 어려움을 가지고 있단다."

그 순간 메이지에게는 그 말이 그 어느 때보다도 더 충격적으로 느껴졌다. "그렇다면 누가 저를 가르치실 거죠?"

클로드 경이 웃음을 터뜨렸다. "윅스 선생님이 무얼 가르치는데?"

그 애는 희미한 미소를 지었다. 그 애는 그가 무슨 뜻으로 그 말을 했는지 알고 있었다. "그게 뭐 그다지 대단한 가르침은 아니죠."

"뭘 가르치신다고 말하기도 어려워. 그래서 그게 바로 우리가 긍정적으로 고려해야 하는 한 가지가 되는 거야. 아마도 우리가 너에게 다른 가정교사를 붙여주지는 못할지도 몰라. 무엇보다 우리는 가정교사를 들일 돈이 없단다. 자격을 갖춘 가정교사를 들일만한 형편은 못 된다는 뜻이야. 능력 있는 분을 모실만한 형편이 되지 못한다는 거지." 그는 이상하다 싶을 정도로 충분히 설명했다. "내 말은 가정교사를 들인다 해도 그들이 머무르려 하지 않을 거라는 거야. 아아, 참! 우리가 직접 네 가정교사 역할도 하게 될 거야.

특히 내가 그 역할을 해야겠지. 내가 그럴 수 있다는 건 너도 알잖니. 내가 그걸 거리껴할 이유가 없단다. 전에는 그랬지만 말이야. 전에는 그랬지만 이젠 피하지 않을 거야. 그녀가 나와 더불어 충분히 잘할 수 있을 거다. 우리는 모든 면에서 더욱 정상적인 관계가 되었어."

그의 표현으로는, 그들의 관계가 놀라울 만큼 정상적인 것으로 보였다. 그 애가 그 상황을 자신이 할 수 있는 한 최대로 명민하게 바라보고 있는 동안, 그것이 그려내는 그림은 어쩐지 하나의 매우 분명한 조합으로 집요하게 떠올랐다. 그 이미지는 나이 든 한 여자와 어린 소녀가 타운의 높다란 곳에 자리한 성벽 옆에 놓여 있는 낡은 벤치에 앉아서 깊은 침묵에 잠겨 있는 모습이었으며, 그것은 어제 바로 그 시간에 있었던 일이었다. 그들은 서로 손을 잡았고, 그들은 함께 융합되었다. "저는 아저씨가 그분이 아저씨한테 얼마나 매달리고 있는지 이해하지 못하신다는 생각이 들어요." 메이지가 마침내 말했다.

"나는 이해하고 있어. 이해하고말고. 하지만 그럼에도 불구하고…!" 그렇게 말하면서 억제되었지만 조바심 난 한숨을 두드러지게 내쉬었다. 심지어 그의 상대방조차도 알아챌 수 있듯이, 그 한숨은 그런 논쟁에 자연스러울 만큼 익숙해진 남자의 한숨이었다. 그것은 철저히 합리적인 태도를 취하고 싶어 하는 남자의 한숨이었지만, 동시에, 그가 만약 정말로 그처럼 많은 일들을 신경 써야만 했다면, 항상 헤어 나올 수 없을 정도로 방해를 받곤 했던 남자의 한숨이기도 했다. 그가 그 상황을 너무도 완벽하게 이해하고 있었다는 것은 사실에 부합했다. 윅스 선생님이 매달리려 든다면, 그렇기 때문에 더욱 윅스 선생님을 떨쳐내 버리려는 것일 것이다.

그 애가 그런 상황에 대해 머릿속으로 그림을 그려보느라 몰두해 있는 동안, 그는 식사비를 계산하기 위해 웨이터를 불렀고 금화 하나를 테이블에 내려놓았으며, 웨이터가 거스름돈을 가져오기 위해 그것을 들고 물러갔다. 클로드 경은 그 웨이터를 바라보다가 이윽고 말했다. "어떻게 한 여자가 한 남자에 대해, 그가 그 여자를 비난할 수 있는 것보다 비난할 거릴 더 적게 가지고 있을 수 있겠니? 그녀에 관해 하는 말이야."

메이지는 그 문제에 대해 곰곰이 생각해 보았다. "그렇죠. 그분이 어떻게 더 적게 가지고 있을 수 있겠어요? 그래서 말인데요, 아저씨는 왜 그분이 떠날 거라고 확신하시죠?"

"틀림없이 넌 그 이유에 대해 들었을 거야. 넌 그녀가 3일 전에 심중을 드러낸 말을 들었을 텐데? 그녀가 떠나는 것 말고 무슨 다른 수가 있을 수 있겠니? 그녀가 그렇게 말해버린 마당에 말이야. 나는 그녀가 내게 하지 말라고 경고한 일을 했단다. 그녀가 완벽하게 옳았어. 그래서 우리가 여기 이렇게 있는 거고. 그녀가 비일 부인을 좋아하는 건―네가 방금 그렇게 말했듯이―다른 여러 가지 일과 더불어, 그녀가 나를 제외해 버리고, 너를 위해, 계속해서 머물게 할만한 충분한 동기가 되지. 하지만 그게 그녀로 하여금, 심지어 너를 위해서라고 하더라도, 나와 함께 계속 머물게 할 동기는 되지 못해. 그녀가 삼킬 수 없는 것을 삼킬 수는 없단 말이다. 알겠니? 네가 너 못지않게 그녀도 나를 좋아한다고 말했을 때 나는, 그런 경우라면, 너의 그 생각에 이의를 조금 제기할 수 있어. 넌 나 없이 그 두 여자들하고만 계속 함께 지낼 거니?" 웨이터가 거스름돈을 가지고 돌아왔고, 그래서 그 애는 간청하는 듯한 그 질문에 대답해야 하는 데 다소 유예 시간을 벌었다. 하지만 클로드 경이 집게손가락을 미묘하게 움직여서 '팁'으로 밀어내 준 돈을 웨이터가 공손하게 고마움을 표시하며 챙겨서 물러가자, 그는 나머지 돈을 주머니에 넣으며 그 간청을 다시 이어갔다. "너는 웍스 선생님이 네가 비일 부인과 함께 살게 하도록 만들 거니?"

"아저씨 없이요? 절대 그럴 수 없어요. 절대로 안 되죠." 메이지가 대답했다. "말도 안 돼요." 메이지가 다시 말했다.

그 말을 듣고 그는 상당히 의기양양해졌다. 그 애는 그 말을 듣기만 해도 정말이지 몸서리쳐졌다. "그래서 넌 그녀와는 달리, 그처럼 기꺼이 나를 저버릴 준비가 되어 있지 않다는 말이구나!" 그가 목소리를 높여 말했다. 그렇게 말한 다음 그는 자신의 본래 질문으로 돌아갔다. "넌 선택할 수 있니? 너 자신의 말로 스스로 결정을 내릴 수 있는지 묻는 거야. 넌 그녀 없이 우리와만 함께 지낼 의향이 있니?" 이제 그 애는 사실 공포감에 가까운 냉기를 느꼈다. 그 애는 갑자기 자신이 무엇을 두려워하고 있었는지―클로드 경이 무엇을 두려워하는지 알게 되었던 것처럼―알게 된 것처럼 보였다. 그 애는 자신을 두려워하고 있었다. 그 애는 그의 얼굴에 불안의 기색을 띠게 만드는 자신의, 그 애는 그것을 알 수 있었고, 그런 시선으로 그를 바라보았다. 그러나 그 불안한 기색은 그 애를 공정하게 대하려는 그의 솔직한 암묵적 요구로 억제되었다. 그것은 자신의 우월한 처지를 이용하지 않겠다는, 그 애를 재촉하거나 무리하게 밀어붙이지 않겠다는 그 스스로의 암묵적 요구였다. 그는 단지 그 애 앞에 분명하고도 자유롭게 선택의 기회를 주려는 참이었다. "제가 생각을 좀 해봐도 될까요?"

"그럼, 그럼. 하지만 얼마나 오래 걸리겠니?"

"아, 잠깐만 생각해 볼게요." 그 애가 힘없이 대답했다.

그는 그 애의 생각이 세상에서 가장 유쾌한 전망이라도 되는 양, 그것을 바라보고 싶다는 표정을 잠시 지었다. "그런데 네가 생각해 보는 동안 우리는 무얼 하고 있어야 할까?" 그는 마치 생각이라는 것이 제아무리 산만한 가운데서라도 조화롭게 행해질 수 있다는 듯이 말했다.

메이지가 원하는 것은 딱 한 가지뿐이었고, 잠시 후 그 애는 그것을 표현했다. "우리 호텔로 돌아가야만 하나요?"

"돌아가고 싶니?"

"아, 아니에요."

"그럴 필요가 조금도 없단다." 그는 시선을 자기 손목시계로 옮겼다. 이제 그의 얼굴이 몹시 어두워졌다. "우리는 그것 말고 세상 어떤 일이라도 할 수 있어." 그는 예를 들면 마치 그들이 파리를 향해 떠날 수도 있다고 말하려는 참이었다는 표정으로 다시 그 애를 바라보았다. 그 애가 그런 일은 일어나지 않을 거라고 의아해하는 동안에도 그는 갑자기 한 가지 생각이 들었다. "우리가 산책을 하면 되겠구나."

그 애는 이미 산책하러 나갈 준비를 갖추고 있었지만, 그는 아직도 할 말이 더 있는 것처럼 보였다. 그러나 말을 할 듯하면서 꺼내지는 않았다. 그래서 그 애가 말했다. "저는 우선 웍스 선생님을 만나봐야겠어요."

"결정을 내리기 전에 말이니? 그래, 그게 좋겠다." 그는 모자를 썼지만 담배에 불을 붙여야 했다. 그는 머리를 뒤고 젖히고 천장을 바라보며 잠시 담배를 피웠다. 그러고는 말했다. "한 가지 명심해야 할 게 있단다. 나는 너에게 그 말을 들려줄 권리를 가지고 있어. 우리는 너의 부모를 절대적으로 대리하는 입장에 있단다. 우리가 그런 책임을 갖게 된 건 그들의 결함 때문이고, 그들의 특이한 생활 때문이야. 어떤 어린 사람도 너보다 더 직접적으로 위임되고 위탁된 경우는 없었어." 그는 천장을 향해 담배 연기를 내뿜으며 자신을 약간 해명하려고 그 말을 하고 있는 것처럼 보였다. 잠시 뜸을 들였다가 그는 조금 더 말을 이어갔다. "비록 그처럼 위탁받게 된 게 우리 두 사람 각자에게 따로따로 주어진 것이기는 하다만."

그가 그 순간에 그런 태도로, 말하자면, 그 애 편에 서고 싶다는—어느 모로 보나 그 애를 위해 가장 옳고 현명하고 매력적인 쪽에 있고 싶어 한다는—느낌을 너무도 강하게 그 애에게 주었으므로, 그 애는 갑자기 자기도 못지않게 민감하고 아량이 넓다는 것을, 그리고 그에게 이익이 되고픈, 못지않게 간절한 열망을 가지고 있다는 것을 입증해 보이려는 욕구를 느꼈다. 이런 감정들이 그가 방금 전에 말한 '정상적인 일'에 대한 열망이 아니고 무엇이란 말인가? 그래서 그 애는 더없이 진지한 태도로 말했다. "그게 두 분에게 각각 따로 주어진 것이긴 하죠. 하지만 아저씨는 제가 두 분을 결합시켜 드렸다는 걸 잊지는 않으셨죠?"

그는 명랑하게 웃으며 자리에서 일어섰다. "기억하냐고? 아무렴! 네가 우리를 결합시켜 주었지. 네가 우리를 결합시켜 주었고말고. 자, 가자!"


## XXXI


그 애는 그 시간이 하나의 간격이나 막연하고도 넘어설 수 없는 어떤 장벽이 되었으면 하고 바랐던 데 비해서는 너무 짧다는 생각이 드는 것 말고는, 그것이 어떻게 흘러갔는지 가늠할 수 없는 시간 동안 그와 함께 바깥에 머물렀다. 그들은 여기저기 걸어 다녔고, 한가하게 배회했고, 가게 진열창을 들여다보며 지나다녔다. 그들은 마치 예전의 안전을 모두 되찾으려는 듯이, 또는 그들이 예전에 그것들로부터 항상 얻었던 어떤 것을 얻어내려는 듯이, 모든 옛일들을 정확하게 재현했다. 전에는 그것이, 그게 무엇이든지 간에, 굳이 노력하지 않아도 생겨났었다. 그런데 지금은 그들이 추구하고 있다거나 그들이 핑계를 대고 있다는 것을 더욱 강렬하게 의식하지 않고서는 그들에게 아무것도 생기지 않았다. 무엇보다 이상한 것은 예전의 안전 상태에 실제로 무슨 일이 일어났는지였다. 실제로 일어난 상황은 클로드 경이 '자유로워졌고' 비일 부인이 '자유로워졌다'는 것이었다. 그리고 어찌 된 일인지 그 새로운 환경 조건이 과거보다 훨씬 더 압박감을 준다는 것이었다. 그 애는 숙소에서 압박감이 가장 심했을 것이라고 의식하는 점에서, 클로드 경이 자기와 심정이 일치한다는 것을 느낄 수 있었다. 숙소에서 그들은 무엇인가가 결정되기까지 무언가 결핍되었다고 느꼈던 것 같았다. 그들이 그 결핍을 일종의 발판이 아니라면 뭐라고 부를 수 있겠는가? 결정해야 하는 문제가 이제 그 애에게 더욱 크게 떠올랐다. 그 애는 그것이 완전히 전적으로 자신에게 달려 있다는 것을 알게 되었다. 그 선택이, 자기 친구가 말했듯이, 마치 예정하는 것이 불가능한 하나의 소계처럼 그 애 앞에 주어져 있었다. 그 소계는, 비록 그 애가 생각할 시간을 좀 달라는 핑계를 대긴 했지만, 그 애가 그와 함께 산책을 하는 동안 단순히 실행을 미뤄 놓았던 문제였다. 그 애는 그 결정을 내리기 전에 웍스 선생님을 만나봐야만 했다. 그러므로 그 애가 그녀를 만나보기 전의 시간이 더 길어지면 길어질수록, 그 애의 시련이 그만큼 더 멀어지고 있었을 것이다. 그 애는 자신의 의무가 무엇이든 간에 지금은 그 요구에 직면하지 않았다. 그 애는 그 의무를 회피하려고 클로드 경과 함께하는 데 더욱 몰두했다. 그 애는 이전에 보았던 것을 아무것도 보지 못했다. 애초에 그 애는 자기 눈앞에 항상 펼쳐졌던 이국적인 풍경에서 아무것도 느낄 수 없었다. 유일한 감촉은 클로드 경의 손이 닿은 느낌뿐이었고, 그의 손에 쥐어진 자신의 손을 느끼는 것이 시간에 대한 그 애의 무언의 저항이었다. 그 애는 마치 그가 눈가리개를 한 자신을 이끌고 다니기라도 하는 것처럼, 아무것도 보이지 않는 상태로 여기저기 걸어 다녔다. 만약 그들이 스스로를 두려워하고 있다면, 그것은 그들이 숙소에서 발견하게 될 자신들이었다. 그 애는 이제 숙소에서 그들을 기다리고 있는 것이 비일 부인과 함께 점심을 먹는 일이라고 확신했다. 그 애의 모든 본능이 그 일을 피하려 했고, 그들의 산책을 오래 끌려고 했으며, 뭔가 구실을 찾으려 했고, 그를 백사장으로 데리고 내려가려고 했으며, 부두의 끝까지 그를 데리고 가려고 했다. 그는 아침식사 자리에서 그들이 나누었던 대화에 관해서는 그 애에게 아무런 언급도 하지 않았다. 그리고 그 애는, 그가 그 애로부터 분명히 무언가를 기다리고 있다는 것을 그 애가 알 수 없게 하려는 방편으로, 그것을 알아야 하는 어떤 사람에게, 예컨대 윅스 선생님과 같은 사람에게, 얼마나 그 자신을 그 어느 때보다도 더 신사다운 사람으로 보이고 싶어 하는지 어렴풋이 짐작할 수 있었다. 그가 방파제 위에서, 그리고 백사장에서 그 애에게 자기와 함께 당장 파리로 떠나자고 제안하는 듯한 눈빛으로 두어 번 잠시 그 애를 바라본 것은 사실이었다. 그러나 그것은 그 애에게 그 애 자신의 책임에 대해 주의를 환기시키려는 행동은 아니었다. 그 애 못지않게 그 역시 확실히 그 상황을 지연시키고 싶어 했다. 그는 다른 사람들에게 서둘러 돌아가고 싶은 생각이 전혀 없었다. 메이지는 그 순간 윅스 선생님에게 남몰래 무정할 수도 있었다. 여하튼 그 애가 사라진 시간이 지속되어 그 부인이 그 애에게 무슨 일이 일어났는지 걱정하기 시작하고, 심지어 그 두 무단결석자들이 자신들의 문제에 대한 해결책을 찾아냈는지 궁금해하리라는 사실을 신경 쓰지 않는 정도까지는, 그 애가 무정할 수도 있었다. 사실 그 애는 비일 부인에 대해서도 못지않게 무정한 태도를 유지했다. 왜냐하면 비일 부인의 걱정과 궁금증은 그것들이 기울여졌던 대상만큼이나 컸기 때문이었다. 마침내 바닷가의 가장 먼 끝 쪽—다양한 색채의 군중 속에 섞여서 이전에 이미 가보았던—에 이르러서 클로드 경이 갑자기 자기 시계를 보더니, 지금은 호텔 식사시간에 맞춰 돌아갈 때가 아니라, 기차역으로 가서 파리 신문들을 사야 할 시간이라고 말했다. 그가 그 말을 했을 때, 그 애는 비일 부인과 웍스 선생님이 뭐라고 말할지를 집중해서 생각하고 있는 자신을 의식했다. 기차역으로 가는 동안 그 애는 의붓아빠와 어린 학생이 남부의 어느 조그만 마을에 정착해서 살고 있는 모습을 머릿속에 그려보기까지 했다. 그 애는 한편 가정교사와 의붓엄마가 북부의 조그만 마을에서 공허함이라는 공통점으로, 그리고 그런 상태에서 생겨나는 끝없는 소회의 표현으로 서로 결합되어 있는 모습도 상상해 보았다. 파리 신문들은 이미 와 있었고 그 애의 동료는, 이상하게 무절제한 구매로, 신문을 무려 열한 가지나 구입했다. 부산한 플랫폼에 있는 잡지 매점에서 그들이 머무적거리는 동안 시간이 꽤 흘렀다. 그 잡지 매점에는 조그만 잡지들이 줄지어 진열되어 있었는데, 모두 노란색이나 분홍색이었고 그 애가 좋아하는 종류의 낡은 모자를 쓰고 있는 나이 든 부인들 중 한 명이 그를 감언이설로 꼬드겨 잡지를 세 권이나 사게 만들었다. 그 잡지들을 보니, 프랑스를 관통해서 멋진 여행을 할 준비를 그처럼 갖추고서, 출발하려고 조금 더 기다리고 있는 기차를 간신히 '잡아타고', 그 애가 스스로 그런 표현을 써가며 상상해 보았듯이, 객차의 칸막이 좌석 안으로 급히 들어가 버리는 게 더 간단한 일인 것 같다는 생각이, 그 애에게 아주 절실히 떠올랐다. 그 애는 클로드 경에게 그 기차가 어디로 가는 기차인지 물었다.

"파리행이야. 저런, 놀랍구나!"

그 애는 충분히 상상할 수 있었다. 그들은 미소 지으며 거기에 서 있었다. 그는 모든 신문을 겨드랑이에 끼고 있었고, 그 애는 세 권의 잡지를 들고 있었는데 그중 하나는 노란색이고 나머지 둘은 분홍색이었다. 분홍색 잡지는 그 애를 위한 것이고, 노란색 잡지는 비일 부인을 위한 것이라고 그가 그 애에게 말했다. 그의 그 말은 마치 프랑스에서는 젊은이와 나이 든 사람을 위한 문학이 그처럼 자연스럽게 구분되어 있다는 것처럼 들렸다. 그 애는 그들이 기차에 올라탈 준비가 얼마나 잘 되어 있는지 알고 있었다. 그 애는 이윽고 자기 동료에게 말했다. "저는 우리가 떠나길 바라요. 아저씨, 저를 데리고 떠나주지 않으실래요?"

그는 계속해서 미소 지었다. "넌, 정말 떠나고 싶니?"

"오, 그럼요, 오, 그래요. 그렇게 해요."

"넌 내가 기차표를 끊어 왔으면 좋겠니?"

"예, 기차표 끊어 오세요."

"여행 짐도 싸오지 않았는데도?"

그 애는 그가 자기를 보며 미소 짓자 그를 향해 미소 지으며, 그들이 팔에 껴안아 들고 있는 신문과 잡지로 시선을 이끌었다. 그러나 그 애는 자신이 이제껏 그 어느 때보다도 더 두려워하고 있다는 사실을 너무나 의식하고 있어서, 마치 거울 속에서 창백해진 자신의 모습을 보는 듯했다. 그런 다음 그 애는 자신이 본 것이 클로드 경의 창백함이라는 것을 알게 되었다. 그도 그 애만큼이나 두려움에 사로잡혀 있었다. "우리는 여행을 떠날 만큼 짐이 충분하지 않나요?" 그 애가 물었다. "기차표를 끊어 오세요. 시간이 없지 않나요? 기차는 언제 출발하죠?"

클로드 경이 짐꾼에게 "기차가 몇 시에 떠납니까?"라고 물었다.

그 남자는 기차역의 벽시계를 올려다보았다. "2분 내에 출발합니다. 기차에 이미 좌석을 갖고 계십니까, 선생님?"

"아직 없습니다."

"그럼 두 분의 기차표는요? 표를 사려면 시간이 촉박합니다." 그렇게 말한 다음 메이지를 바라보고 나서 "제가 대신 표를 사다 드릴까요, 선생님?"이라고 그 남자가 말했다.

클로드 경이 다시 그 애를 향해 "넌 정말 저분이 기차표를 사 오기를

원하니?"라고 물었다.84

그것은 세상에서 가장 특이한 일이었다. 메이지는 몹시 흥분한 상태에서 단지 어떤 직관으로 그 두 사람이 말하고 있는 프랑스어를 모두 알아들었을 뿐만 아니라, 적극적이고도 완벽하게 그 대화에 끼어들었다. 그 애는 그 짐꾼에게 직접 프랑스어로 말했다. "표를 끊어다 주세요, 사다 주시라고요, 오, 어서 사다 주세요!"85

"아, 젊은 숙녀분이 그렇게 원하신다면 제가…!" 그는 거기에서 차표 값을 받으려고 기다리고 있었다.

그러나 클로드 경은 단지 바라보고만 있을 뿐이었다. 하얗게 질린 얼굴로 그 애를 바라보고만 있었다. "그럼 넌 결심한 거니? 넌 윅스 선생님을 떠나보내기로 마음먹은 거니?"

메이지는 기차를 향해 염원하는 듯한 눈길을 보냈다. 거기에는 "모두 승차하세요."라고 외치는 소리와 함께 승객들의 머리가 창문 밖으로 나와 있었고 문 닫히는 소리가 요란했다. 짐꾼들이 급하게 움직이고 있었다. "아, 이제 더 이상 시간이 없어요!"

"출발하려 하고 있어요, 기차가 출발하려고 하고 있어요!" 메이지가 큰 소리로 외쳤다.

그들은 기차가 움직이는 것을 바라보았다. 그들은 기차가 떠나가는 것을 바라보았다. 그리고 그 남자가 어깨를 으쓱 올리며 떠났다. "떠났구나!" 클로드 경이 말했다.

메이지는 플랫폼을 따라 천천히 몇 발짝 걸어갔다. 그 애는 자기 동료에게 등을 돌린 채 거기에서 기차가 떠나가는 것을 바라보면서, 분홍색과 노란색의 잡지책을 안은 채 눈물을 억누르며 서 있었다. 그 애는 정말로 두려웠지만 다시 땅바닥으로 떨어진 느낌이었다. 이상한 것은 그 애가 떨어질 때 그 애의 두려움 역시 떨어져 부서졌다는 점이었다. 두려움은 사라졌다. 그 애는 자기가 멈춰 서 있는 자리에서 마침내 돌아다보았다. 그러고는 그의 두려움은 아직 사라지지 않았다는 것을 알게 되었다. 그는 기차역의 벽에 붙어 설치된 벤치에 물러나서 기대앉아 있었고, 그의 두려움도 여전히 그와 함께 남아 있었다. 그 애가 생각하기에 다소 이상한 모습으로, 그는 여전히 기다리고 있었다. 그 애가 그에게 다가갔고, 그는 의례적으로 하는 유쾌한 듯한 말을 어색하게 계속했다. "맞아요, 저는 선택했어요. 저는 그분을 떠나보내겠어요, 만약 아저씨가, 만약 아저씨가…"

그 애는 말을 더듬었다. 그가 재빨리 말을 받았다. "만약 내가, 만약 내가…"

"만약 아저씨가 비일 부인을 포기하신다면요."

"오오." 그가 소리쳤다. 그 소리를 듣고 그 애는 그가 얼마만큼, 얼마나 절망적으로 두려워하고 있는지 알 수 있었다. 그 애는 카페에서 그가 자신의 마음속 반란을 두려워하고 있고, 자신의 동기가 점점 커지는 것을 두려워하고 있다고 생각했었다. 그러나 그가 느끼는 유혹이, 예를 들면 그가 그들이 지금 막 놓쳐버린 기차를 보고 마음이 흔들린 게 결국 그처럼 빈약한 것이었다면, 그의 두려움이 어떻게 그의 마음속 반란에 대한 것이라고 볼 수 있단 말인가? 윅스 선생님이 옳았다. 그는 자신의 나약함을 두려워했다. 그것은 자신의 나약함에 대한 두려움이었다.

그 애는 이후 그들이 어떻게 다시 숙소로 돌아오게 되었는지 독자 여러분에게 말해줄 수 없었다. 다만 그 후로도 그들은 곧장 숙소로 되돌아가지는 않았고, 다시 한번 배회했으며, 느긋하게 거닐었고, 그러는 도중에 부두의 가장자리에 이르렀는데, 그곳에는—아직 출발하려면 분명히 30분은 남아 있는데도—포크스톤으로 떠날 배가 정박해 있었다. 그곳에서 그들은 기차역에서 그랬던 것처럼 망설였다. 그곳에서 그들은 침묵을 주고받았다. 단지 침묵을 주고받았을 뿐이었다. 시간관념이 철저한 사람들이 이미 갑판 위에 올라 있었고, 자리를 골라서 가장 좋은 자리를 잡았다. 어떤 사람들은 자리를 잡고 앉아서 숄을 걸친 채 이미 영국을 향해서 느긋한 표정을 지었다. 그들은 또한 날씨가 그처럼 좋은 날에는 특별히 할 일이 없는 배의 사환에게 숙녀들의 발을 끌어올려 주거나 뻥 하고 음료의 병을 따주는 서비스를 받고 있었다. 두 사람은 아무 말 없이 그런 모습을 내려다보았다. 그들은 심지어 어떤 구명정의 바람의지에 생겨난, 자기들 두 사람을 위한 적당한 장소를 찾아내기도 했다. 그리고 그들이 배에 오르지도 않고 그렇다고 그 자리를 떠나지도 않은 채, 다소 어리석게, 머뭇거리고 있었다면, 그것은 그 애 못지않게 클로드 경도 움직이려 들지 않았기 때문이었다. 극단적인 정적을 주도한 사람은 클로드 경이었다. 그 애는 그 정적이 무엇을 의미하는지 알고 있었다. 그의 의중은 단지 그 애가 무슨 의도를 갖고 있는지 그가 모두 알고 있다는 것이었다. 그러나 이제 그는 장난스러운 태도를 취하지 않았다. 그들의 얼굴은 침울했고 지쳐 보였다. 마침내 그들이 천천히 그곳을 빠져나와서 항구를 따라 걷는 동안 그의 두려움이, 자신의 나약함에 대한 그의 두려움이 그 애에게 심하게 의지하고 있는 것처럼 보였다. 호텔 홀에 들어서서 지나가려는 순간 그 애는 익히 알아볼 수 있는 형편없이 낡은 상자 하나를 보았는데, 그것은 그 애에게 익숙한 꼬리표가 달려 있고 최근에 쓰인 다분히 개인적인 커다란 W라는 글자가 새겨져 있는 매우 낡은 상자였다. 그 상자는 그 애를 응시하고 있는 것처럼 보였고, 심지어 그 자체가 의혹의 눈길을 보내고 있는 것처럼 보이기도 했다. 클로드 경도 그것을 보았고, 그 물건이 옮겨지는 것을 보고는 두 사람 모두 마음에 동요가 일었다. 웍스 선생님이 떠나는 것일까? 그 어린 학생이 그녀를 단념해야 한다는 책임감에서 일거에 벗어나게 된 것일까? 그녀의 어린 학생과 그 어린 학생의 동료는 그 자리에 한참 동안 꽂힌 듯이 서 있었다. 그들은, 불길한 징조를 느끼며, 파리행 기차 옆이나 영국해협을 건널 선박 옆에서보다도 더욱 강렬한 정서적 소통을 주고받았다. 그런 다음 그들은 여전히 한마디 말도 없이 계단을 올라 위층으로 향했다. 그러나 그곳 층계참 위에서, 아래층에 있는 사람들의 눈에 띄지 않는 상태로, 그들은 무너지듯 주저앉았고 자세를 유지하려고 함께 몸을 낮춰야만 했다. 그들은 맨 위층 계단에 그저 주저앉았다. 그런 상태에서 클로드 경이 자기 의붓딸의 손을 몹시 세게 움켜쥐었는데, 다른 때였더라면 그 애는 비명을 질렀을 것이다. 그들의 잡지와 신문이 사방으로 흩어졌다. "그녀가 네가 자기를 버렸다고 생각하는구나!"

"그렇다면 저는 그분을 꼭 만나야 해요. 그분을 만나봐야만 되겠어요."

"작별인사를 하려고 말이니?"

"그분을 꼭 만나야 한다고요. 그분을 만나봐야만 해요." 그 아이가 되풀이해서 말했다.

그들은 잠시 더 앉아 있었다. 그동안 클로드 경은 그 애의 손을 꼭 쥐고 그 애에게서 눈길을 돌려 계단 아래쪽을 똑바로 응시했는데, 거기에는 모퉁이를 돌아가는 곳에서 전동 벨이 울리고 있었고 상쾌한 바닷바람이 불었다. 마침내 그가 잡은 손을 풀어 놓아주며 천천히 일어섰고, 그 애도 따라 일어섰다. 그들은 로비를 따라 함께 걸어갔는데, 그들의 응접실에 이르기 전에 그가 다시 멈춰 섰다. "만약 내가 비일 부인을 단념한다면…?"

"저는 다시 아저씨와 함께 곧장 밖으로 나가서 그분이 떠나기 전까지는 돌아오지 않겠어요."

그는 뭔가 궁금해하는 것 같았다. "비일 부인이 떠날 때까지?" 그는 그 말을 어색한 농담을 하는 것처럼 말했다.

"제 말은 워스 선생님이, 저 배를 타고, 떠나실 때까지라는 말이에요."

클로드 경은 거의 바보 같은 표정을 지었다. "그녀가 저 배를 타고 가실 거니?"

"저는 그럴 거라고 봐요. 저는 그분에게 작별인사조차도 하지 않을 거예요. 저는 그 배가 떠날 때까지 밖에 머무를 거예요. 저는 그 고성의 성벽에 오를 거예요."

"그 옛 성벽에?"

"저는 황금빛 마리아 상을 볼 수 있는 낡은 벤치에 앉아 있을 거예요."

"황금빛 마리아 상?" 그가 희미하게 반복했다. 그러나 그 말을 하면서 그는 마치 잠시 후에 자신이 그 장소와 그 애가 말한 그 사물을 볼 수 있기라도 한 것처럼, 그 애에게 다시 눈길을 돌렸다. 마치 거기에 홀로 앉아 있는 그 애를 볼 수 있기라도 한 것처럼. "내가 비일 부인과 작별하는 동안에 말이니?"

"아저씨가 비일 부인을 떠나보내는 동안에요."

그는 길고 깊은 억눌린 한숨을 내쉬었다. "나는 우선 그녀를 만나봐야만 되겠구나."

"아저씨도 저처럼 하지 않으실래요? 밖에 나가서 기다리는 것 말이에요."

"기다린다고?" 다시 한번 그는 당황한 듯 보였다.

"그 두 분이 함께 떠나버릴 때까지요." 메이지가 말했다.

"우리 둘을 포기하고 말이니?"

"우리를 포기하고요."

오, 그가 그런 일이 일어날 수 있을까 하고 의아해하면서 잠깐 짓는 얼굴 표정이라니! 그러나 잠시 그처럼 의아해하더니 그는 단지 문에 다가가서 손잡이에 손을 얹은 채, 방 안에서 들려오는 목소리를 들으려는 듯이 서 있었다. 메이지도 귀를 기울였지만 아무 소리도 들려오지 않았다. 이윽고 그 애가 듣게 된 것은 생각에 잠겨 완전히 틀어막힌 듯한 목소리로, 응접실에는 자기 말소리가 들리지 않게 하려는, 그의 말이었다. "비일 부인은 결코 떠나지 않을 거다." 그렇게 말하며 그는 문을 밀어 열었고, 그 애는 그를 따라서 들어갔다. 그 응접실에는 아무도 없었지만, 그들이 들어오는 소리를 듣고 그가 방금 전에 언급한 그 부인이 침실 문을 열고 나왔다. 그러자 그가 "그녀가 떠났나요?"라고 물었다.

비일 부인은 앞으로 나오면서 침실의 문을 닫았다. "난 그녀에게 정말 어이없는 일을 당했어요. 어제 그녀는 나에게 머무르겠다고 말했어요."

"그런데 내가 여기 도착하자 마음이 바뀌었다는 건가요?"

"오, 우리는 그 점도 고려해 보았죠!" 비일 부인은 얼굴이 상기되어 있었는데, 그것은 결코 그녀에게 어울리지 않는 모습이었다. 그녀의 얼굴이 자기가 언급했던 만남을 시각적으로 증언하고 있었다. 그러나 분명히 그녀가 패배하지는 않은 것 같았다. 그리고 그녀는 고개를 들어 올리면서 미소를 지었고, 마치 갑자기 카페 여주인을 흉내 내기라도 하듯 양손을 비볐다. "그녀는 당신이 온다고 해도 머무르겠다고 약속했죠."

"그런데 그녀가 왜 마음을 바꾼 거죠?"

"그녀가 개처럼 비열한 사람이기 때문이죠. 그녀가 말하는 이유라는 게 당신이 너무나 오랫동안 떠나 있었기 때문이랍니다."

클로드 경이 바라보았다. "그게 무슨 상관이죠?"

"당신이 떠나 있었던 시간이 거의 한 시대처럼 느껴졌어요." 비일 부인이 말을 이었다. "나 자신도 당신에게 무슨 일이 일어났는지 알 수가 없었어요. 오전 내내." 그녀가 목소리를 높였다. "그리고 점심시간 이후로도 한

참 동안!"

클로드 경은 그 말에 관심이 없는 것처럼 보였다. 그는 단지 "웍스 선생님이 당신과 함께 아침식사를 하러 내려갔었나요?"라고만 물었다.

"그럴 사람이 아니죠. 그녀는 꼼짝도 하지 않았어요!" 메이지는 그 말을 하는 비일 부인의 얼굴에서 홍조가 짙어지는 것을 알아차릴 수 있었다. "그녀는 그 자리에 우울하게 머물러 있으면서, 심지어 나를 만나러 나오지도 않았어요. 그래서 내가 그녀를 부르러 사람을 보냈더니, 그녀는 나를 만나기를 단숨에 거절해 버렸어요. 그녀는 아무것도 원하지 않는다고 말했죠. 그래서 나는 혼자 내려갔고요. 하지만 내가 다행히도 약간 마음의 준비를 하고 올라왔을 때", 비일 부인은 전투에 임하는 옅은 미소를 지어 보였다. "그녀는 전투태세를 갖추고 있더군요!"

"그래서 두 사람이 크게 싸웠나요?"

"우리는 대판 싸웠어요." 그녀는 대담할 정도로 솔직하게 인정했다. "그런데 나를 그런 소동에 빠뜨려 놓고, 당신은 어디에 있었는지 궁금하군요!" 그녀는 대답을 듣기 위해 잠시 말을 멈췄다. 그러나 클로드 경은 단지 메이지만 바라보고 있었다. 그 순간 그녀의 도전이 더욱 날카로워졌다. "도대체 어디 갔다 온 거죠?"

"당신은 내가 오래 자리를 비운 걸 웍스 선생님 못지않게 험악하게 받아들이는군요." 클로드 경이 대꾸했다.

"나는 내가 하고 싶은 대로 그 문제를 받아들이죠. 그런데 당신은 내가 묻는 말에 대답하지 않으시네요."

그는 마치 자기를 좀 도와달라는 듯이 다시 메이지를 바라보았다. 그러자 그 애가 자기 의붓엄마를 향해 미소 지으며 대답했다. "우린 여기저기 다 돌아다녔어요."

그러나 비일 부인은 그 애에게 아무 대답도 하지 않았다. 그래서 그 애는 이미 느끼고 있었던 두려운 마음이 약간 더 가중되었다. 그 애는 인사도, 눈길도 받지 못했다. 그러나 그것이, 클로드 경과 관련해서, 그들이 이틀 전에 런던에서 작별했다가 다시 재회했다는 느낌을 완전히 지워버렸다는 사실보다 더 놀랄만한 일은 아니었다. 무엇보다도 더 놀라운 것은 윅스 선생님이 언질을 주었으나 이제까지 그녀의 어린 학생에게는 알려지지 않았던 말을 비일 부인이 공표했다는 사실이었다.[86] 그러한 증언에 주의를 기울이는 대신, 그녀는 신랄하게 말을 이어갔다. "무슨 일이 일어날 거라는 생각이 너한테는 틀림없이 떠올랐던 것 같구나."

클로드 경은 자기 손목시계를 보았다. "나는 지금이 그렇게 늦은 시간이라고 생각하지 않아요. 그리고 우리가 그렇게 오랜 시간 밖에 나가 있었던 것도 아니고요. 우리는 배고프지 않았어요. 시간이 순식간에 지나갔고요. 무슨 일이라도 생긴 겁니까?"

"아, 그녀는 분개했답니다." 비일 부인이 말했다.

"누구에게 분개했단 말이죠?"

"메이지에게요." 그렇게 말하면서 그녀는 그 애를 바라보지도 않았다. 그 애는 관련되어 있으면서도 단절된 상태로 거기에 서 있었다. "도덕관념을 갖고 있지 않다고 분개했답니다."

"그 애가 어떻게 도덕관념을 갖는단 말입니까?" 클로드 경이 자신과 함께 산책했던 동료에게 다시 약간 밝은 표정을 지어 보이려고 했다. "나와 밖에 나간 게 어떻게 그 애가 도덕관념이 없다는 걸 입증한단 말이죠?"

"나한테 묻지 말고 그 여자에게 물어보세요. 그 여자는 격분해 있지 않을 때는 헛소리를 하니까요." 비일 부인이 선언하듯 말했다.

"그래서 그녀가 이 아이를 떠난다는 겁니까?"

"그 여자가 이 애를 떠난답니다." 비일 부인이 한껏 강조하면서, 그 어느 때보다도 메이지의 머리 위를 바라보면서 말했다.

그런 자세에서 메이지가 클로드 경을 바로 뒤따라 들어오면서 열어두었던 문간에 윅스 선생님이 나타나면서, 비일 부인의 얼굴 표정에 갑자기 변화가 생겨났다. 다른 두 사람은 그녀의 표정이 변하는 것을 보고 윅스 선생님이 들어오고 있다는 것을 알게 되었다. "나는 그 아이를 '떠나지 않을' 겁니다. 떠나지 않을 거라고요, 절대로!" 그녀는 문지방을 넘어서 마주 보고 있는 세 사람을 향해 다가오면서, 그리고 메이지를 향해 직접 말을 걸면서 천둥소리처럼 외쳤다. 그녀는 출발하기 위한 채비를 갖추고 있었다. 그녀는 그곳에 출현했을 때의 모습으로 차려입고 확실히 채비를 하고 있었는데, 작고 볼록한 빛바랜 손가방으로 무장을 하고서, 그것을 마치 전쟁 도끼를 휘두르듯이 내두르며 자기가 외치는 말에 힘을 보태고 있었다. 그녀는 자신이 사용하던 방에서 곧장 온 게 분명했다. 메이지는 그녀가 자기의 사소한 물건들을 그 방에서 치우라고 지시했었다는 것을 곧바로 짐작할 수 있었다. "다시 한번 너에게 선택할 기회를 주기 전까지는, 나는 너를 떠나지 않을 거야. 너, 나와 '함께' 가지 않을래?"

메이지가 클로드 경을 향해 돌아섰는데, 그는 그 애에게서 1마일가량이나 떨어진 곳으로 옮겨져 버린 듯한 인상을 주었다. 비일 부인에게는, 그녀가 그 애를 향해 몸을 돌리지 않는 것만큼이나, 그 애도 그녀를 향하지 않았다. 그 애는 마치 이미 그들의 차이가 드러나 버린 것처럼 느껴졌다. 두 여자 사이에 있었던 사건에는 그것과 관련해서 무슨 상황이 벌어졌던 것일까? 어쨌든 이제 충분히 많은 것이 밝혀졌으므로, 그 애는 자기 의붓아빠에게 실질적으로 표현하게 되었다. "'아저씨'는 가실 거죠? 그렇죠?" 그 애는 마치 자신이 그를 포기해야 한다는 것을 아직 모르는 것처럼 물었다. 그것은 그 애가 가진 꿈의 마지막 불꽃이었다. 이제 그 애는 아무것도 두렵지 않았다.

"나는 네가 자존심이 너무 강해 그렇게 물을 수 없을 거라고 생각했는데!" 윅스 선생님이 끼어들었다. 윅스 선생님은 너무나 두드러지게 자존심이 강했다.

하지만 그 아이가 그렇게 말하자 비일 부인의 가슴이 심하게 뛰었다. "'나'를 떠나겠다고? 메이지야?" 그것은 낙담과 비난의 울부짖음이었다. 그 말을 듣고 그녀의 의붓딸은 그녀가 적대감을 갖고 있지 않았다는 점과, 그녀가 그처럼 적극적으로 당당하다면 그것은 의심 때문이 아니라 이상하게 뒤얽힌 겸양 때문이라는 것을 알아차리고 무척 놀랐다.

클로드 경은 비일 부인에게 몹시 창백한 표정을 지어 보였다. "그 애에게 '그런' 식으로 말하지 마세요!" 비일 부인의 어조에는 분명 뭔가가 깃들어 있었고, 잠시 동안 우리의 젊은 숙녀는 그렇게 많은 그녀의 친구들이 '무안을 당했던' 지난날을 되새겨 보게 되었다.

비일 부인이 얼굴을 붉혔다. 그녀는 윅스 선생님 앞에 서 있었다. 그리고 그녀는 비록 새치름한 모습이었지만, 상황을 알아차렸다. "안 돼, 이런 식으로는 안 돼." 이어서 그녀는 자신이 방법을 알고 있다는 것을 보여주었다. "얘야, 그런 바보짓 하지 마라. 곧장 네 방으로 가서 내가 너한테 갈 때까지 거기에서 기다리고 있으렴."

메이지가 복종할 기미를 보이지 않았지만, 윅스 선생님은 손을 들어 올려 그 어떤 빠져나갈 구석도 사전에 차단했다. "내 말을 다 듣기까지는 꼼짝 말고 있거라. 나는 떠날 거야. 하지만 그전에 확인해야 할 게 있어. 넌 그걸 다시 잃어버린 거니?"

메이지는 형언할 수 없는 상실감을 표현할 개념을 찾아내려고 거대한 공간을 둘러보았다. 그런 다음 그 애는 매우 어색하게 대답했다. "저는 마치 모든 걸 잃어버린 듯한 느낌이 들어요."

윅스 선생님의 낯빛이 어두워졌다. "넌 이틀 전에 우리가 함께 그렇게 어렵게 찾아낸 그걸 잃어버렸단 말이니?" 그녀의 어린 학생이 대답을 하지 못하자 그녀가 말을 계속했다. "넌 우리가 함께 찾아낸 그걸 벌써 잊어버렸단 말이야?"

메이지가 희미하게 기억해 냈다. "제 도덕관념 말씀이세요?"

"네 도덕관념 말이야. 결국 내가 그걸 명백하게 각인시켜 주지 않았었니?" 그녀는 공부방에서 한 손에 책을 들고 그 애를 가르쳤을 때조차도 그런 식으로 말한 적이 없었던 방식으로 말했다.

그녀의 그런 태도가 어떻게 그 애가 수요일에는 유창하게 말할 수 있었던 문장을 때때로 금요일에는 반복할 수 없었는지에 대한 기억을 되살려 주었다. 그래서 그 애는 지금 그 어려운 구문에 힘없이 애처롭게 대처했다. 클로드 경과 비일 부인은 어떤 '시험'을 치르는 데 구경하러 온 사람들처럼 그곳에 서 있었다. 그 애는 정말로, 윅스 선생님이 꺾어다가 지금 그처럼 단호한 손놀림으로 자신의 코앞에 내미는 희미한 꽃향기가 한순간 혹 풍겨오는 것처럼 느껴졌다. 그러고는 그 꽃향기가 그 애를 떠나버렸고, 마치 발판에서 미끄러져 주저앉는 것처럼 그 애의 두 팔이 짧고도 급격하게 움직였다. 그처럼 급격한 움직임이 나타냈던 것은, 그 애의 마음속에서 일어나는 어떤 도덕관념보다도 더 깊은 경련이었다. 그 애는 자기의 시험관examiner을 바라보았다. 그 애는 그 방문자들도 바라보았다. 그 애는 기차역에서 참았던 눈물이 솟구치는 것을 느꼈다. 그 눈물은 자신의 도덕관념과는 상관없었다. 명백히 아무런 상관도 없었다. 확실히 느껴지는 유일한 것은 과거 공부방에서의 창피스러웠던 애원뿐이었다. "저는 모르겠어요. 저는 모르겠어요."

"그렇다면 넌 그걸 잃어버린 거구나." 윅스 선생님이 클로드 경을 향해 교정 안경을 고쳐 쓰면서 책을 닫는 것처럼 보였다. "당신이 막 싹이 돋아나려는 그걸 떼버렸군요. 당신이 막 살아나려는 그걸 죽여 없애버렸단 말이에요."

윅스 선생님은 그 어느 때보다도 더 새로운 사람으로 변모했다. 그녀는 고고하고 위대한 윅스 선생님이었다. 하지만 클로드 경이 결국 수업을 빼먹은 어린 소년처럼 취급당할 리가 없었다. "나는 아무것도 죽이지 않았어요." 그가 말했다. "오히려 내가 생명을 심어주었다고 생각해요. 난 그걸 뭐라고 불러야 할지 모르겠군요. 난 그걸 다루는 방법도 알지 못했고, 그것에 접근하는 방법도 알지 못했어요. 그러나 그게 무엇이든, 그건 내가 만나본 것 중 가장 아름다웠고, 절묘하고 신성하기까지 했습니다." 그는 양손을 바지 주머니에 찔러 넣고 있었고, 비록 방금 전에 나타났던 창백함의 흔적이 아마도 그의 얼굴에 아직 남아 있었지만, 지극히 신사다운 태도로, 그가 잃어버릴 운명인 자신의 두 친구를 향해 얼굴을 돌렸다. "당신은 내가 무엇 때문에 여기 돌아왔는지 아십니까?" 그가 윅스 선생님에게 물었다.

"알 수 있다고 말할 수 있죠." 윅스 선생님은 놀랍게도 감정이 조금도 누그러지지 않은 채, 그리고 얼마 전에 비일 부인과 일전을 치른 열기를 얼굴에 간직한 채 큰 소리로 대답했다. 비일 부인은, 마치 조류의 방향이 그렇게 바뀌어 약간 정신이 산란해진 듯한 모습으로, 뭔가 불분명한 항의의 말을 큰 소리로 내뱉으며 창가에 잠시 서 있었다.

"나는 한 가지 제안을 가지고 돌아왔습니다." 클로드 경이 말했다.

"나한테 제안하려는 건가요?" 윅스 선생님이 물었다.

"메이지에게 제안하는 겁니다. 그 애더러 당신을 포기하라고요."

"그래서 그 애가 그러겠다고 했나요?"

클로드 경이 망설였다. 그런 다음 그는 "그녀에게 말해보렴!"이라고 마치 기회를 주기라도 하려는 듯이 돌아서며 그 아이에게 외쳤다. 그러나 윅스 선생님과 그녀의 어린 학생은 말없이 마주 보며 서 있었다. 그러는 동안 메이지는 그 어느 때보다도 창백한 얼굴로, 그 어느 때보다도 어색한 모습으로, 그 어느 때보다도 굳게 입을 다물고 있었고, 그들은 서로 빤히 바라보았다. 그 두 사람에게서 아무런 대답도 듣지 못하자 클로드 경은 다시 그들을 향해 돌아섰다. "넌 그녀에게 말하지 않을 참이니? 말을 할 수가 없니?" 그 애는 여전히 말이 없었다. 그 때문에 그는 윅스 선생님에게 말을 건네면서 일종의 혼미한 의식 상태에 빠져들었다. "그 애가 당신을 포기하라는 내 제안을 거절했어요. 그 애가 거절했단 말입니다!"

그 말을 듣고 메이지가 제 목소리를 찾았다. "저는 거절하지 않았어요. 거절하지 않았단 말이에요!" 그 애가 되풀이했다.

그 말에 비일 부인이 곧장 그 애를 향해 돌아섰다. "넌 그 제안을 받아들였구나, 착하기도 하지. 네가 받아들였어!" 그녀는 메이지가 미처 저항할 새도 없이 그 애를 덥석 끌어안고 소파 위에 함께 앉았다. 그녀는 그 애를 소유했고, 그 애를 감싸 안은 것이다. "넌 그녀를 이미 포기했고, 그녀를 영원히 포기했으며, 그래서 넌 이제 우리의 것이 되었고 오로지 우리의 것이 된 거야. 그러니 저 여자가 빨리 떠날수록 그만큼 더 좋은 일이지!"

메이지는 눈을 꼭 감았다. 하지만 클로드 경이 말을 시작하자 다시 눈을 떴다. "그 애를 놓아주세요!" 그가 비일 부인을 향해 말했다.

"안 돼요, 안 됩니다, 그렇게 할 순 없어요!" 비일 부인이 외쳤다. 메이지는 더욱 답답함을 느꼈다.

"그 애를 놓아줘요!" 클로드 경이 더욱 강한 어조로 반복했다. 그는 비일 부인을 바라보고 있었고, 그의 목소리에는 어떤 의지가 담겨 있었다. 메이지는 감싸 안은 팔이 느슨해지는 것에서, 자신이 그의 목소리에 담긴 의지가 무엇인지 의식하게 되었다는 것을 알았다. 그 애는 소파에서 천천히 일어섰다. 그러고는 다시 의기소침하고 혼란스러운 마음으로 그 자리에 서 있었다. "넌 자유야. 넌 자유로워." 클로드 경이 말을 계속했다. 그 말과 함께 메이지는 자신의 등이 분개의 감정이 담긴 손길로 밀쳐지는 것을 느꼈고, 그래서 그 애는 다시 방 한가운데 세워졌다. 그 애는 거기 있는 모든 눈의 주목의 대상이 되어 있었지만, 어느 쪽으로 몸을 향해야 할지 알 수 없었다.87

메이지는 가까스로 웍스 선생님을 향해 돌아섰다. "저는 선생님을 포기하는 걸 거절하지 않았어요. 만약 '그분'이 포기한다면 저도 포기하겠다고 말했어요…."

"비일 부인을 포기하라고?" 웍스 선생님의 목소리가 터져 나왔다.

"비일 부인을 포기하라고요. 당신들이 그 요구를 절묘하다는 표현 말고 달리 어떻게 표현할 수 있겠습니까?" 클로드 경은 그처럼 언급된 부인을 포함한 거기에 있는 모두에게 따져 물었다. 그는 마치 지금 예술이나 자연의 어떤 아름다운 작용이 갑자기 그들 사이에 내려앉기라도 한 것 같은 강렬한 흥미를 갖고 말했다. 그는 그처럼 섬세한 평가를 바탕으로 빠르게 자신을 추스르고 있었다. "그 애가 조건을 제시했어요. 그것이 무엇이어야 하는지를 이해하고서 말입니다! 그 애가 유일한 옳은 조건을 제시했습니다."

"유일하게 옳은 조건이라고요?" 비일 부인이 그 도발적인 선언에 대꾸했다. 그녀는 윽박지르는 듯한 그의 주장을 접하고는 잠시 시간이 필요했다. 그러나 그녀는 그런 일로 기가 꺾일 사람이 아니었다. "당신은 어떻게 그런 잡소리를 할 수 있는 거죠? 그리고 그 애가 그런 뻔뻔한 주장을 하는데, 당신이 어떻게 그 애를 옹호할 수 있다는 말입니까? 도대체 당신은 그 애가 그런 생각을 하게 만들려고 무슨 짓을 한 거죠?" 그녀는 독선적인 분노를 드러내며 그 자리에 서서, 눈빛을 번득이며 사람들을 둘러보았다. 메이지는 자신의 눈으로 그녀의 눈빛을 온전히 받아들였다. 그러면서 그 애는 마침내 자신이 대처해야 할 가장 중요한 순간이 다가왔음을 알았다. 그러나 비일 부인은 자기 의붓딸과 관련해서 자신의 감정을 억제하면서, 온화하고도 심각한 질문을 했다. "사랑스러운 내 딸아, 네가 그런 조건을 제시했단 말이니?"

어쨌든, 그 대단한 순간도 막상 맞닥뜨리고 보니 그렇게 끔찍하지는 않았다. 그 애에게 도움이 되었던 것은 그 애 자신이 무엇을 원하는지 알았다는 것이었다. 그 애가 배우고 배워 온 모든 것이 마침내 그 애가 그것을 알게 해주었다. 그래서 그 애가 대답을 하기 위해 잠깐의 시간을 원했다면, 그것은 단지 상냥하게 행동하려는 욕구에서 비롯된 것이었다. 당혹스러움은 이미 그저 사라졌거나 아니면 적어도 급속히 사라지고 있었다. 마침내 그 애가 대답했다. "선생님은 그를 포기하실 건가요? 그렇게 하실 건가요?"

"아, 그 애를 가만히 두세요. 그 애를 가만히 두시라고요. 제발 그 애를 내버려 두세요!" 클로드 경이 갑자기 애원하듯이 비일 부인에게 중얼거렸다.

그와 동시에 윅스 선생님이 갑작스러운 말로 또 한 번 비일 부인의 주의를 환기시켰다. "부인, 당신들의 관계에 대한 토론으로 그 애를 끌어들이려고 그 정도 했으면 충분하지 않습니까?"

비일 부인은 클로드 경을 신경 쓰고 있지 않았지만, 윅스 선생님이 그녀의 감정에 불을 붙였다. "내 관계라고? 이 못돼먹은 인간아, 당신이 내 관계에 대해서 뭘 안다고 그래? 그리고 도대체 당신이 무슨 상관이 있다고 내 관계에 대해 떠벌이난 말이야? 당장 이 방에서 꺼져버려, 이 끔찍한 할망구야!"

"내 생각엔 당신이 떠나는 게 좋겠어요. 정말이지 다음 배편을 놓치지 말고 떠나시라는 말이에요." 클로드 경이 윅스 선생님에게 비참한 심정으로 말했다. 그는 이제 그 문제에서 벗어난 모습이었다. 혹은 그러고 싶었다. 그는 최악의 상태를 알게 되었고, 그것을 받아들였다. 지금 그가 신경 쓰는 것은 야비한 상황이 연출되지 않도록 하는 것이고, 이미 그렇게 된 상황을 일소하는 것이었다. "떠나주시겠습니까? 부디 어서 떠나주세요."

"당신이 바라는 대로 저 아이를 데리고 떠날게요. 그 애를 데리고 갈 수 없다면 떠나지 않을 겁니다." 윅스 선생님의 태도는 철석같았다.

"그렇다면 당신은 나한테 왜 거짓말을 한 거야? 마귀할멈 같으니라고." 비일 부인이 고함을 질렀다. "한 시간 전에는 왜 나한테 그 애를 포기했다고 말했냔 말이야?"

"그때는 내가 메이지에 대해 자포자기했기 때문이에요. 그 애가 나를 버렸다고 생각했거든요." 윅스 선생님은 메이지를 향해 몸을 돌렸다. "넌 저들의 관계 속에 휘말려 들었단다. 그러나 이제는 네 눈이 뜨였어. 그래서 내가 너를 데리고 가려는 거야!"

"아니오, 그렇게는 못합니다!" 그렇게 말하면서 비일 부인은 맹렬히 달려들어 자기 의붓딸을 난폭하게 낚아챘다. 그녀는 그 애의 팔을 붙잡더니 본능적인 동작으로 그 애를 돌려세워 문 쪽으로 급하게 몰아붙였다. 그들의 언성이 높아지기 시작하자 클로드 경은 그 문을 바로 닫았는데, 그녀는 그 문에 기대고 주저앉았다. 그녀는 윅스 선생님에게 비난과 공격의 표정을 지으며 손을 저어대면서, 부조리하게 격앙된 상태로 닫힌 문을 지키고 있었다. "당신은 이 애를 데리고 갈 수 없어, 당신 짐이나 싸라고. 이 애는 자기 사람들과 함께 지내게 될 거야. 이 애는 당신 손아귀에서 벗어났단 말이야!
나는 이렇게 소름 끼치는 소리를 들어본 적이 없어!" 클로드 경은 그녀의
손아귀에서 메이지를 구해내서 그 애를 붙들고 있었다. 그는 그 애를 자기
앞에 세워두고 손을 아이 어깨 위에 가볍게 올려놓은 채, 요란한 그 두 적
을 마주하고 있었다. 비일 부인의 홍분이 가라앉았다. 그녀의 얼굴은 꼴사
나운 분노의 빛을 띠며 창백해졌다. 그녀는 윅스 선생님에게 항의하며 그녀
를 해고한다는 말을 계속해 댔다. 그녀는 메이지가 나가는 것을 막기 위해
문에 등을 굳게 붙이고 있었다. 그녀는 윅스 선생님을 창문이나 굴뚝을 통
해 몰아내려는 듯한 태도였다. "당신은 '관계에 대해 지껄이면서', 우리의
'결합'이니 뭐니 떠들어대면서, 그리고 모욕적인 말을 해대면서 마치 그럴
듯한 사람이나 된 것처럼 구는군! 우리의 결합이라는 게 우리가 맡았고, 우
리의 삶이 되었으며, 애초에 우리를 긴밀하게 결합시켜 준 것처럼 지금도
우리를 결속시켜 주고 있는 그 아이에 대한 사랑이 아니고 대체 무어란 말
이냐고?"

"저도 알아요, 저도 안다고요!" 갑자기 메이지가 열망이 담긴 목소리로
말했다. "제가 두 분을 결합시켜 드렸어요."

너무나 기묘한 웃음소리가 클로드 경의 입에서 새어 나왔다. "네가 우
리를 연결해 주었지. 결합시켜 주었어!" 그의 손이 그 애의 어깨를 따라 부
드럽게 오르내렸다.

윅스 선생님이 그 상황을 너무 압도해서, 그녀는 모두가 뭔가 예리한 분
위기를 느끼게 했다. "이제 네가 뭔가 알게 되었구나, 그렇구나!" 그녀는 자
기의 어린 학생에게 의미심장하게 말했다.

"선생님은 그를 포기하실 건가요?" 메이지가 비일 부인에게 다그쳤다.

"너에게 그를 넘겨달란 말이니, 너 이 쪼그만 고약한 것아?" 그 부인이

물었다. "그리고 너의 그 조그만 고약한 마음속에 자기의 사악한 기운을 가득 불어넣은 저 헛소리하는 늙은 악마에게 그를 넘겨달란 말이냐? 네가 나를 사랑하게 하려고 내가 노예처럼 일했던, 그리고, 내가 속아 넘어가서, 네가 나를 사랑하게 되었다고 믿었던 그 모든 세월 동안 내내 넌 끔찍한 작은 위선자였단 말이냐?"

"전 클로드 경을 사랑해요. 전 그분을 사랑한다고요." 메이지는 자기가 뭔가 잘될 거라는 의미로 그 말을 했다는 어색한 느낌을 가지고 대답했다. 클로드 경은 계속해서 그 애를 쓰다듬었다. 그리고 메이지의 대답은, 정말로 그가 다독여 주는 데 대한 일종의 응답인 셈이었다.

"그 애는 당신을 미워해요. 그 애가 당신을 미워한다고요." 그는 몹시 이상하게 조용한 어조로 비일 부인에게 말했다.

그의 조용한 어조가 그녀의 감정에 불을 붙였다. "그리고 당신이 그 애더러 그렇게 하라고, 나를 포기하라고 치욕스럽게도 그 애를 부추겼군요?"

"아닙니다. 나는 그 애가 자유롭다고, 그 애가 자유로운 상태라고 주장했을 뿐입니다."

비일 부인은 응시했다. 비일 부인은 노려보았다. "저 거지 같은 미치광이와 함께 굶주릴 자유가 있다는 건가요?"

"당신이 그 애에게 해준 것보다 내가 더 잘해줄 겁니다!" 윅스 선생님이 대꾸했다. "나는 뼈가 으스러지도록 일할 거예요."

메이지는, 클로드 경의 손이 여전히 자기 어깨 위에 올려진 상태에서, 그의 섬세한 손길에 자신을 내맡기고 있다는 것을 느끼는 것과 마찬가지로, 자기 머리 위로 그가 어떤 식으로든 윅스 선생님을 바라보고 있다는 것을 느꼈다. "당신은 그렇게 고생할 필요가 없어요." 그 애는 그가 말하는 것을 들었다. "그 애에게는 재산이 있답니다."

"재산이라고요? 메이지가요?" 비일 부인이 비명을 질렀다. "그 애의 비열한 아버지가 도둑질한 재산 말이에요?"

"나는 그 재산을 돌려줄 겁니다. 나는 그것을 돌려줄 거요. 내가 그 재산을 살펴볼 겁니다." 그는 미소 지으며 윅스 선생님에게 고개를 끄덕였다.

그의 그 말이 그의 또 다른 친구에게 엄청난 충격을 주었다. "내가 그걸 조사하지 않았던가요? 난 알고 싶군요. 그때 내가 비일 패런지에게 단 한 푼의 재산도 없다는 절망적인 사실을 알게 되지 않았던가요? 그건 말도 안 돼요. 당신은 나에게 너무도 잔인하군요!" 그녀는 미친 듯이 소리쳤다. 그녀의 눈에는 뜨거운 눈물이 고여 있었다.

그는 그녀에게 아주 친절하게, 거의 달래듯이 말했다. "우리는 그 문제를 다시 검토해 볼 겁니다. 우린 그 문제를 함께 조사해 볼 거예요. 그 문제는 일종의 깊은 구렁텅이입니다. 그가 재산을 갖게 될 수 있었거나, 아니면 아이다가 재산을 갖게 되었을 수도 있어요. 그 두 사람의 지금 수입을 생각해 보세요!" 그는 웃었다. "괜찮아요. 괜찮다고요." 그가 말을 계속했다. "그렇지 않을지도 모르죠. 그렇지 않을지도 몰라요. 우리가 그 애를 우리 마음대로 재단할 수는 없단 말입니다. 그 애가 독특한 아이라는 건 너무도 명백한 사실이에요. 우리가 그다지 좋은 사람들도 아니고요. 아, 그렇지 못합니다!" 그렇게 말하고 그는 매우 활기차게 다시 웃었다.

"그다지 선량하지는 않죠. 그런데 저 짐승 같은 여자는요?" 비일 부인이 소리쳤다.

그 말에 방 안에는 잠시 침묵이 흘렀다. 그런 침묵 속에서 클로드 경이 메이지와 함께 윅스 선생님에게 다가가면서 그 질문에 대답을 표현했다. 그 애가 인식한 다음 상황은 자신이 한쪽 팔이 단단히 붙들린 채 그 부인 곁에 서 있다는 것이었다. 비일 부인이 여전히 방문을 가로막고 있었다. "그들이

나가게 해주세요." 마침내 클로드 경이 말했다.

그러나 그녀는 계속해서 문 앞에 서 있었다. 메이지는 그 두 사람이 서로를 쳐다보고 있는 것을 알았다. 그런 다음 그 애는 비일 부인이 자기를 향해 돌아서는 것을 보았다. "나는 지금 네 엄마야, 메이지야. 그리고 저분이 네 아빠야."

"바로 그런 식으로 나오는군!" 웍스 선생님이 몹시 초연하고도 냉정한 아이러니의 인상을 주는 한숨을 지으며 말했다.

비일 부인은 자기 어린 친구에게 계속해서 말했는데, 합리적이고 온화하려는 그녀의 노력은 나름대로 괄목할 만했다. "우리가 패런지 씨와 그의 전 부인을 대리하고 있단다, 너도 알다시피. 이 사람은 무식하고 뻔뻔함을 대변할 뿐이야. 우리는 법에 의거해서 너에 대한 권리를 갖고 있단다."

"아, 법이라, 법률, 그거 좋죠!" 웍스 선생님이 멋들어지게 비웃었다. "당신은 정말로 당신 처지에 대해서나 법적 판단을 받아보는 게 더 좋을 거예요!"

"그들을 나가게 해주세요. 그들을 가게 해주라고요!" 클로드 경이 자기 친구를 다그쳤다. 그는 간청했다.

그러나 그녀는 여전히 메이지에게 들러붙어 있었다. "내가 싫으니, 얘야?"

메이지는 새로운 시선으로 그녀를 바라보았다. 그러나 그 애는 조금 전에 대답했던 말을 반복했다. "선생님은 그를 포기하실 건가요?"

비일 부인은 대답하는 데 뜸을 들였다. 하지만 대답하게 되었을 때, 그것은 고상한 대답이었다. "네가 나한테 그런 식으로 말해서는 안 돼!" 그녀는 충격을 받았고 분해서 눈물이 났다.

그러나 웍스 선생님에게는, 비일 부인이 그런 차이를 보이는 것이 오히려 상스럽게 보였다. "당신은 스스로 부끄러운 줄이나 아세요!" 윅스 선생님이 기운차게 소리쳤다.

클로드 경이 마음을 다해 호소했다. "당신은 제발 마음을 가라앉히고, 이 끔찍한 상황이 끝나게 해주겠소?"

비일 부인이 그에게 눈길을 고정했다. 그리고 메이지가 다시 그들을 바라보았다. "당신은 그분을 정당하게 대해야 해요." 윅스 선생님이 비일 부인에게 말을 이었다. "우리는 항상 그분을 헌신적인 태도로 대했어요. 메이지와 내가 말이에요. 그리고 그분은 자신이 우리를 얼마나 좋아하는지 우리에게 보여줬어요. 그분은 저 애를 기쁘게 하고 싶어 합니다. 내 생각에, 그분은 나도 기쁘게 해주고 싶어 하십니다. 하지만 그분이 당신을 포기하지는 않았어요."

그 애의 의붓부모는 서로 마주 보고 서 있었고, 메이지는 여전히 그들을 바라보고 있었다. 그 애의 관찰력이 지금 이 특별한 순간만큼 깊숙이 들여다본 적은 없었다. "그래요, 그대여. 난 당신을 포기하지 않았어요." 클로드 경이 비일 부인에게 말했다. "그리고 만약 당신이 내가 여기 있는 우리의 친구들을 엄숙한 증인으로 삼기를 바란다면, 그렇게 해서 내가 당신을 결코 포기하지 않을 거라는 것을 기꺼이 당신에게 약속하겠소. 진심이에요!" 그는 담대하게 목소리를 높여 말했다.

"그는 그렇게 할 수 없을 겁니다!" 윅스 선생님이 비참한 어조로 말했다.

비일 부인은, 꼿꼿이 서서 생생하게 패배를 의식하며, 급하게 자신의 아름다운 얼굴을 가로저었다. "그는 그렇게 할 수 없어요!" 그녀는 말 그대로 흉내를 냈다.

"그는 그렇게 할 수 없어요, 그렇게 할 수 없다고요, 그렇게 할 수 없단 말이에요!” 클로드 경이 유쾌하게 강조하면서 그 말을 낚아챘다.

비일 부인은 그 말을 고스란히 받아들였다. 그러나 그녀는 입장을 굽히지 않았다. 그 말을 듣고 메이지가 윅스 선생님에게 말했다. “우리가 배편을 놓치진 않겠죠?”

“그래요, 까딱하다간 우리가 배를 놓치게 될 수도 있어요.” 윅스 선생님이 클로드 경에게 말했다.

그러는 동안 비일 부인이 정면으로 메이지를 향해 돌아섰다. “내가 너를 어떻게 해야 할지 모르겠구나!” 그녀가 쏘아붙였다.

“안녕히 계세요.” 메이지가 클로드 경에게 말했다.

“잘 가라, 메이지야.” 클로드 경이 대답했다.

비일 부인이 방문에서 물러났다. “잘 가라!” 그녀는 메이지에게 내던지듯 말했다. 그런 다음 방을 곧장 가로질러 바로 옆 방으로 사라졌다.

클로드 경은 다른 쪽 문으로 가서 그 문을 열었다. 윅스 선생님은 이미 밖으로 나가 있었다. 문지방에서 메이지는 멈춰 섰다. 그 애는 자기 의붓아빠에게 손을 내밀었다. 그는 그 애의 손을 잡더니 잠시 그대로 있었다. 그들의 눈이 각자 서로에게 할 수 있는 일을 다한 사람의 눈빛으로 서로 마주쳤다. “잘 가거라.” 그가 반복했다.

“안녕히 계세요.” 그렇게 말하고 메이지는 윅스 선생님을 따라갔다.

그들은 막 출항하려던 여객선을 잡아탔다. 그 배는 만을 가로질러 거칠게 나아갔다. 갑판 위에서 두 사람은 너무나 마음 졸이고 너무도 겁에 질려서, 자신들의 감정을 가라앉히느라 항해의 절반 정도는 의식하지 못했다. 그들의 감정이 천천히, 그리고 불완전하게 가라앉고 있었다. 그러나 고요한 바다로 둘러싸인 수로의 한가운데 이르렀을 때, 마침내 윅스 선생님이 그들의 상황을 다시 끄집어내서 말할 용기를 냈다. “나는 뒤를 돌아보지 않았다.

넌 어쨌니?"

"전 돌아봤어요. 그분은 보이지 않았어요." 메이지가 말했다.

"발코니에도 계시지 않더냐?"

메이지는 잠시 기다렸다가 "거기에도 보이지 않았어요."라고 다시 간단히 대답했다.

웍스 선생님도 한동안 말이 없었다. "그분이 그녀에게 갔나 보구나." 마침내 그녀가 말했다.

"아, 저도 알아요." 그 아이가 대답했다.

웍스 선생님이 곁눈질로 메이지를 바라봤다. 그녀는 여전히 메이지가 무엇을 알았을지 궁금해할 여지를 가지고 있었다.

# 주석

1 아이다(Ida)는 패런지 부인(Mrs. Farrange)으로 불리기도 하며, 나중에는 여사님(Your Ladyship)으로 칭해지기도 한다.

2 "일곱 중 하나"(One of seven)는 알파벳 게임(a crossword puzzle)에서의 힌트를 말한다.

3 셔레이드(charade)는 제스처 게임으로, 몸짓으로 판단하여 말을 한 자씩 알아맞히는 놀이이다.

4 켄설 그린(Kensal Green)은 런던 북서부의 한 지역이다.

5 말라바(Malabar)는 인도 서남부의 한 지역이다.

6 윅스 선생님의 눈이 사시이기 때문에 시선이 서로 마주치지 않는다.

7 브로엄(brougham)은 마부석이 차체의 바깥쪽에 있는 유개마차이다.

8 핸섬(hansom)은 한층 높은 마부석이 뒤에 있고 말 한 필이 끄는 2인승 이륜마차이다.

9 리세트(Lisette)는 인형의 이름이다.

10 브라이튼(Brighton)은 영국 남부 해안에 위치한 도시이다.

11 비일과 아이다가 이혼하면서 작성한, 메이지 양육에 관한 계약서이다.

12 오버모어 양이 가정교사직을 구실로 비일과 붙어 있는 것처럼, 엄마가 사귀게 된 그 남자도 개인교사를 핑계로 아이다와 붙어 있을 수 있을 것이라고 메이지는 느꼈다.

13 "Isn't he sympathetic?"이라는 표현에는 영어의 '동정심 있는'이라는 뜻 이외에도 프랑스어의 'sympathique' 즉 '호감이 가는'(likeable)이라는 의미가 내포되어 있다.

14 'sympathetic'

15 보통은 패런지 부인이라고 불러야 하지만, 아이다가 패런지 부인이라고 불리므로 비일 부인이라고 한 듯하다.

16 이 부분은 화자가 직접 개입한 언급이다.

17 메이지는 돌봄을 받거나 간섭받는 일이 없이 거의 방치된 상태였다.

18 아이다 패런지는 종종 여사님(her ladyship)으로 칭해진다.

19 클로드 경이 사용한 속담 "what's sauce for the goose is sauce for the gander"는 어떤 한 가지 경우에 적절한 것은 관련된 다른 상황에도 적절하다는 의미이다.

20 그러한 행동은 사실 신사가 여성에게 베푸는 극히 사소한 일반적인 매너이다.

21 윅스 선생님과 메이지, 그 두 사람을 '학생들'이라고 칭한 것은, 그들의 처지가 별로 구별되지 않기 때문일 것이다.

22 당시 '시내'(the City)는 런던의 약 1평방 마일 정도의 면적에 위치했던 은행업이나 무역과 관련된 업무 지역을 말한다.

23 마태복음 6:28 들판의 백합을 보라. 그것들은 먹을 것을 얻기 위해 고생하지도 않고 입을 것을 얻기 위해서 옷을 짓지도 않는다.

24 수잔 애시는 종종 발음이 부정확하며, 이 경우도 위선자(hipocrite)라는 표현을 위슨자 (ipocrite)라고 잘못 발음한다.

25 그러나 여기에서 클로드 경의 혼잣말은 자신이 윅스 선생님과 메이지와 함께 하나의 가정을 꾸릴 수 있다는 윅스 선생님의 생각을 미신으로 여기고 있다는 것을 나타낸다.

26 그는 메이지가 그 그림에 감탄하는 것을, 그 애가 새로운 가정에 대한 환상을 품고 있는 '어리석은 미신'이라고 표현했다.

27 여기에서 '나'는 화자이다.

28 You are throughly "game." 여기서 게임(game)은 어떤 도전적이거나 흥미로운 행위를 할 의향이 있다는 의미로, 클로드 경이 메이지가 모든 두려움을 마음에 품고 있다고 주장하는 데 이의를 제기하며, "넌 아무것도 모른다." 정도의 뉘앙스를 담고 있다.

29 아이다를 뜻하는 듯하다.

30 미카버 부인(Mrs. Micawber)은 디킨스(Charles Dickens)의 소설 『데이비드 코퍼필드』 (David Copperfield)에 등장하는 인물로, 윌키스 미카버의 아내이며 다섯 자녀를 두었다. 그녀는 자신이 "결코, 결코 미카버를 떠나지 않을 거예요!"라며 끊임없이 항의한다.

31 조금 전에 클로드 경이 웍스 선생님을 늙은 고양이 같다고 표현했었다.

32 오버모어 양은 비일과 결혼해서 호칭이 비일 부인으로 바뀌었다. 물론 비일 패런지의 부인이므로 패런지 부인으로 불려야 하지만, 아이다가 이미 그 호칭으로 불리고 있으므로, 오버모어 양은 비일 부인으로 불리게 되었다. 그러나 이 경우처럼 메이지가 그녀를 'you'라고 칭하는 경우에는 우리말로 마땅한 표현을 찾기 어려워 어쩔 수 없이 '선생님'이라고 표현하였다.

33 메이지의 머릿속에 떠오른 한 쌍의 단어는 "저열한 인간"(low sneak)이라는 표현이다.

34 수잔은 발음을 부정확하게 하는 버릇을 가지고 있어서 "집에 아예 오시지 않잖아"를 'never came 'ome at all'이라고 발음한다.

35 그 하얀 것(that white thing)은 악보를 말하는 듯하다.

36 '서펀타인'(the Serpentine)은 하이드 파크에 있는 호수이다.

37 무언가를 얻어낸다는 생각 못지않게 무언가를 잃어버리고 있다는 생각도 들지 못하게 만들었다.

38 아든의 숲(the Forest of Arden)은 잉글랜드 중동부 삼림지대이며, 클로드 경의 언급은 셰익스피어의 『뜻대로 하세요』(*As You Like It*)에 대한 가벼운 터치로서, 일종의 판타지의 분위기를 표현하고 있다.

39 메이지가 b까지만 표현해서 그것이 brute인지 bitch인지 확인할 수는 없으나, 나중에 그 애는 대위에게 그것이 brute였다고 전한다.

40 보보링크(Bobolink)는 아마도 경주마의 이름인 것 같다.

41 1863년에 런던 지하철이 개통되었다.

42 메이지가 '글로우어가'(Glower Street)라고 잘못 발음한 '고우어가'(Gower Street)에는 '런던 유니버시티 칼리지'(University College London)가 있다. 그리고 고우어가에 면하여 거대한 현관에 높다란 기둥들이 줄지어 있다.

43 카우즈(Cowes)는 영국 남부 와이트섬(Wight Isle)에 위치한 한 항구도시이다.

44 "열려라 참깨"(Open Sesame)는 『아라비안 나이트』의 「알리바바와 40인의 도둑」이라는 이야기에서 도적들이 훔친 보물을 저장해 두었던 동굴 문을 여는 주문이다.

45 20세기가 시작되었던 당시에 대부분의 집에서는 아직 가스나 석유 등불을 사용하고 있었다. 여기에서는 여백작이 전기를 사용하고 있는 것으로 보이며 그것은 그녀가 부유하다는 것을 나타낸다.

46 Maisie knew all about bolting. 'bolt'라는 표현은 당시에 배우자를 버리고 도망간다는 의미로 사용되었다.

47 1980년대에는 남성들의 바짓단이 발 안쪽과 발뒤꿈치를 덮는 것이 일반적이었다. 비일의 멋진 구두는 그가 멋쟁이라는 것을 나타낸다.

48 벨기에의 리에즈(Liège)로부터 23마일 떨어진 곳에 위치한 스파(Spa)는, 세계의 모든 온천지대를 스파라고 부르게 만든 원인이 된 온천 지역이다. 19세기에 그곳은 유명한 휴양지였으며, 그곳의 광천수와 게임장을 유럽 왕족들이 즐겨 찾았다. 헨리 제임스는 건강을 위해 스파를 포함한 유럽 대부분의 온천 지역을 여행했었다.

49 세브르 세트(Sèvres sets)는 프랑스 도자기 세트를 말하며, 세브르(Sèvres)는 파리 남부 교외에 위치한 지역이다.

50 포크스톤(Folkestone)은 영국 동남부에 위치한 영국해협(English Channel) 상의 항구 도시로, 19세기와 20세기에 걸쳐 영국과 프랑스 사이를 이어주는 주된 항구였다.

51 베어서즈(Berceuse)는 쇼팽(Frédéric Chopin)의 피아노 연주 자장가 곡(Op. 57)이다.

52 수잔은 메이지에게 클로드 경의 방문을 알릴 때 그 애가 마치 공작부인이라도 되는 것처럼 언급하곤 한다. 제15장 참조.

53 채링 크로스(Charing Cross)는 런던에 있는, 6개의 거리가 서로 만나는 교차로이다.

54 윅스 선생님이 내세우는 도덕적 영향에도 흠이 있는 것이다.

55 apollinaris는 독일의 Apollinaris 지방 샘물로 1870년경 영국에 처음 수입되었으며, 그곳은 매장된 철광석으로 유명하고, 그 성분이 그 지역 샘물에 함유되었다.

56 불로뉴(Boulogne)는 프랑스 북부의 해안 도시이다.

57 메이지는 그 상황을 현실이라기보다는 다분히 낭만적인 이야기 차원에서 즐기고 있다.

58 메이지는 엄마의 손아귀에서 벗어난 느낌이 들었다.

59 도버(Dover)는 포크스톤에서 북쪽으로 7.9마일 떨어진 항구도시이다.

60 1소버린(sovereign)은 1파운드(pound)짜리 금화이고, 1실링(shilling)은 12페니(pennies)짜리 은화이며, 1파운드는 100페니이다.

61 메이지가 실제로 담배를 피운 것인지, 그렇게 하고 있다고 상상했을 뿐인지 분명하지 않다. 그 이유는 이후에도 그 두 사람이 함께 담배를 피웠다는 표현이 두 번 더 나오기 때문이다.

62 엣지웨어가(the Edgware Road)는 런던 시내의 중심도로 중 하나이다.

63 윅스 선생님은 비일 부인과의 관계에서 메이지가 새롭게 처하게 된 난처한 입장보다는 자기 자신의 안전에 더 관심이 있었다.

64 첫 번째는 수잔 애시에게 프랑스 요리 이름을 소개해 주었던 경우였다.

65   운명의 인질(a hostage to fortune), 언제 잃을지 모르는 처자나 재산 등을 의미한다.

66   타락한 양보(depraved concession)는 신성한 양보(divine concession)라는 종교적 개념에 대응해서 이해할 수 있다.

67   윅스 선생님은 클로드 경에게 비일 부인과 결합하려거든 메이지를 포기하라고 다그치고 있다.

68   메이지가 그려보았던 것이 클로드 경과 비일 부인, 윅스 선생님, 그리고 메이지 자신이 함께 가정을 꾸리고 사는 것, 그것을 가정이라고 부르는 것임이 나중에 암시된다. 즉 그것은 가정 혹은 가족이라는 표현이다.

69   클로드 경이 메이지의 의지에 반해서 비일 부인에게서 그 애를 빼내왔다는 윅스 선생님의 말에 동의해 주는 메이지의 태도이다.

70   윅스 선생님은 자신이 메이지를 차지하려는 과정에서 클로드 경과 비일 부인의 불륜관계를 알게 된 것이나 그녀가 아이다나 클로드 경 사이에 떳떳하지 못한, 부도덕한 거래 행위를 한 것을 깨닫고 스스로 고백하는 것이다.

71   비일 부인을 말한다.

72   비밀스럽거나 떳떳하지 못한 사랑이라는 뜻의 프랑스어 단어 'amour'를 사용하고 있다.

73   비일 부인은 이미 그 전날 그곳에 와서 하룻밤을 보낸 듯 말쑥한 모습이다.

74   비일 부인이 이제 안주인 행세를 하면서 윅스 선생님을 하녀 취급하며 메이지를 돌보라고 명령하는 듯한 태도를 취하는 상황이다.

75   "그런 식으로 해서 사람이 참으로 제정신을 잃게 된다"(that way verily madness did lie)는 표현은 셰익스피어의 『리어 왕』(King Lear)에 나오는 표현으로 리어 왕이 자기 딸들의 이기적이고 잔인한 행위에 대한 자신의 슬픔을 표현하기 위해 켄트(Kent)에게 그 대사를 말한다. 그는 "너희들의 늙고 상냥한 아비는 솔직한 심정으로 가진 모든 것을 주어버렸고, 오, 그런 식으로 해서 사람이 미치게 되는구나(O, that way madness lies). 그것만은 피하게 하라. 더 이상 그렇게 되지 않도록 해다오."라고 말한다. 여기서 리어 왕은 만약 자신이 계속해서 그런 방식으로 생각하게 된다면 자신이 틀림없이 제 정신을 잃게 될 것이라고 말한다(King Lear, Act-III, Scene-IV, Lines-17-22).

76   by 'making love'에서 make love라는 표현은 원래 '요염한 태도로 관심을 보이다', 혹은 '구애하다'의 의미로 사용되었으나, 20세기에 들어 '성관계를 갖다'라는 의미로 바뀌었다. 여기서는 '애교를 떨다'나 '아양을 떨다'의 의미에 가깝다.

77   이뼤비스망(Etablissement)은 불로뉴에 있는 특정 구역으로 거기에는 목욕탕과 아쿠아리움, 스케이트장 등의 시설이 있었다.

78  17장에서 묘사되었다.

79  계속해서 말을 하면서 시간 끌기를 하는 것(talking against time)은 의회와 같은 곳에서 단지 시간을 보내려고 발언을 계속하는 행위를 말한다.

80  헨리 제임스의 소설에서 어떤 인물이 대륙에서 양육되었다는 사실은 종종 그가 경계해야 할 성격을 가졌다는 것을 의미한다.

81  여주인은 "Soyez tranquille"(Don't worry)이라고 프랑스어로 말하고 있으며, 그녀가 한 "Et pour Madame?"("And for Madam?")이라는 질문은 메이지를 두고 한 말로, 그 표현 자체는 중립적이어서 다른 의도가 개입될 여지가 없지만, 클로드 경을 순간 멈칫하게 만든 이유는 그것이 맥락상 "당신의 아내분"(your wife)이라고 받아들여질 수 있기 때문이다. 물론 메이지는 그 말 자체를 알아듣지 못한다.

82  클로드 경은 이 말을 "vous n'y êtes pas."(You haven't guessed.)라고 프랑스어로 했다.

83  "Honi soit qui mal y pense"(Shame on him who thinks evil of it.). 클로드 경은 이 말을 프랑스어로 했고, 메이지는 그 말을 알아듣지 못한다.

84  클로드 경은 그 짐꾼과 프랑스어로 줄곧 말하고 있으며, 메이지에게도 지금 "Veux-tu lieu qu'il en prenne?"라고 프랑스어로 물어보고 있다.

85  메이지는 "Prenny, prenny, Oh prenny!"라고 프랑스어로 말하고 있다.

86  비일 부인이 더 일찍 불로뉴에 왔었고, 이미 클로드 경과 함께 시간을 보냈을 것이라고 윅스 선생님은 확신했던 것 같다.

87  메이지의 자유의지가 시험당하는 상황이다.

# 『메이지가 알았던 것』 해설[*]

 

 

 

헨리 제임스의 예술이 아니라면—그의 섬세함과 우아함, 능숙한 완곡어법이 아니라면—목적 없이 살아가는 사람들이 펼치는 얽히고설킨 결혼생활에 관한 다분히 현대적인 이야기를 이처럼 실질적인 문학작품으로 표현할 방법이 없었을 것이다. 제임스의 이러한 문학적 성취에도 불구하고, 『메이지가 알았던 것』의 이곳저곳에서 접하게 되는 뜻밖의 유머에도 불구하고, 이 이야기는 가슴 아픈 이야기이고 애처로운 이야기이기도 하다.

이 소설은 원한으로 얼룩진 이혼의 후폭풍을 그린다. 이기심과 그로 인한 싸움, 그리고 탐욕이 대부분 인물들의 행동의 동기를 이룬다. 그래서 남녀가 한 쌍으로 결합하거나, 서로 싸움을 벌이거나, 다시 헤어지는 등의 상황이 자주 발생한다. 그런 상황에서 어린 메이지는 어른들이 생활하는 아래층으로부터 계단을 타고 위층으로 올라오는, 뭔가 불분명한 소음을 듣게 된다. 그 아이는 어른들이 벌이는 복잡 미묘한 애정행각의 바스락거리는 소리

---

[*] 이 해설은 *What Maisie Knew*(Penguin Classics, 1985)에 폴 서루(Paul Theroux)가 쓴 서문을 참고해서 역자가 보완하여 작성했다.

를 혼자 듣게 되는 것이다. 처음 등장할 때 메이지는 6세 정도의 어린아이이지만, 결말 단계에서는 대략 13세의 사춘기 소녀로 성장한다. 그 기간 동안 아이는 실체를 파악할 수 없을 정도로 복잡하게 얽힌 어른들의 애정 관계의 내막을 조금씩 알아가고 대응해 간다.

제1장이 시작되기 전에 마치 머리말처럼 붙여진 4쪽 정도의 서술에서 메이지의 부모는 이혼소송 중이며 양측은, 오로지 악의에서 비롯된 조정절차에서, 각각 한 차례에 6개월씩 그 아이를 데리고 지낸 다음 상대방에게 내던지듯 보내버리는 데 합의한다. 그들은 아이를 데리고 사는 것이 아닌, 아이를 상대방에게 보내버리는 데서 만족감을 찾는다. 메이지는 자기 부모가 심하게 싸우고 이혼하며, 곧이어 각자 새로운 애인을 사귀게 되고, 각자 재혼하는 것을 목격한다. 아이의 의붓부모는 그 아이에게 관심을 갖게 되며, 이어서 그들은 각각 상대방에게 관심을 갖게 된다. 그런 다음 매우 특이하다고 할 수 있는 성적인 관계에 휘말려 들고, 그 의붓부모들은 각자 자신의 배우자와 결별하고 서로 연인이 된다. 한편 아이의 생부와 생모도 또다시 각자 새로운 애인을 갖게 된다. 그동안 메이지는 그러한 사건들이 진행되는 모든 과정을 주의 깊게 관찰한다. 작가는 그런 상황을 "그 아이의 조그만 세계는 주마등처럼 변하는 환영 같은 광경이었다"라고 표현한다.

순수한 앵무새 같은 메이지는 자신을 둘러싸고 벌어지는 사건들이 어떤 실제적인 의미를 갖는지 전혀 알지 못한 채 부모 양측의 말을 그대로 옮긴다. 그러나 플롯이 진행되면서 아이는 성장하며, 자신의 그런 행위가 자신의 생존에 위험을 초래하다는 것을 깨닫게 된다. 그리고 소설의 결말 부분에 이르러서 그 아이는 나이에 있어서나 인식에 있어서나 막 꽃이 피어나는 상태가 된다. 메이지는 어리광이나 부리는 어린아이가 아니다. 그 아이는 주변 환경이 성숙한 여인처럼 행동하도록 만들어버린 소녀이다. 그래서 소설 끝부분쯤에서 클로드 경은 "누가 보면 … 네가 마치 60살은 되었다고 생각할 것 같구나'라고 말한다.

제임스는 이 작품에서 구체적인 시간의 흐름뿐만 아니라 시대적·공간적 배경도 의도적으로 모호하게 처리하고 있다. 그는 작품 속의 드라마에서 "그 아이가 가진 애교 있고 사랑스러운 특성을 둘러싸고 벌어지는 이상하고도, 운명적이며, 복잡하게 얽힌 행위"가 그 핵심을 이룬다고 언급했다. 그래서 그는 작품 속의 모든 것이, 모든 중요한 행위나 말이, 아이의 면전에서 일어나도록 만들고 있다. 작가는 "바로 그런 부분이 사태의 본질이다"라고 말한다.

작품 속에서 느껴지는 사랑이나 다정함, 산뜻함, 인간미는 모두 다 메이지라는 존재로부터 생겨난다. 그런데도 그 아이를 독자의 마음을 따스하게 만들어주는 귀엽고 사랑스럽기만 한 어린아이로 볼 수만은 없다. 모든 측면에서 그 아이는 주변에 있는 어른들보다 더 영민하고 더 예리한 통찰력을 가졌다. 아이의 성격과 관련해서 가장 흥미로운 점은 그 아이가 천사 같은 성품을 가졌다는 것이다. 그리고 그것은 부모들의 지저분한 행실과 완벽한 대비를 이룬다.

이 작품에서는 플롯의 구성상 대응을 이루는 묘사가 여러 부분에서 나타난다. 한 장면과 다음 장면이 균형을 이루기도 하고, 서로 완벽한 반향을 일으키기도 한다. 우선 아이다 패런지와 비일 패런지는 놀라울 정도로 서로 닮았다. 다만 그녀가 자기 남편보다 애인이 더 많다는 점이 다르다면 다르다. 그녀는 메이지를 집어던지고, 아무렇게나 내던지고, 홱 낚아채고, 갑자기 밀어 넣어버리며, 드세게 달려들기도 하고 내쳐버리기도 한다. 무엇보다도 그 아이는 자기 엄마에게 시도 때도 없이 밀쳐내진다. 아이다는 밀쳐내는 데 익숙한 사람이다. 그녀는 당구 선수이며, 그것도 챔피언이다.

당구 경기는 작중 인물들의 전형적인 움직임을 묘사하는 데 딱 들어맞는 게임이다. 세 개의 공―하나는 붉은색이고 둘은 흰색―은 인물들과 행위 두 가지 측면 모두를 상징한다. 이 소설은 숫자 3의 소설이라 해도 과언이 아니다. 어느 시점에나 세 명의 인물들이 싸움을 벌이고 있고, 메이지는 늘 그 세 사람 중 한 사람이다. 배경으로는 세 개의 공원이 묘사되는데, 하이드 파크, 레전트 파크, 그리고 켄싱턴 가든이 바로 그것이다. 그곳들은 아이의 부모가 각자 부적절한 관계를 갖고 있는 것이 아이의 눈에 목격되는 배경이 된다.

　　그처럼 악화된 환경 속에서도 메이지는 누군가 의지할 만한 어른과 함께 살고 싶어 한다. 그 대상이 오버모어 양(나중에 비일 부인)이 되기도 하고 윅스 선생님이 되기도 하며, 클로드 경이 되기도 한다. 그중에서 비일 부인의 아름다움과 교양 있는 태도에 그 아이가 크게 매력을 느끼기는 하지만, 그것이 아이의 수수께끼 같은 삶에 그다지 중요한 역할을 하지는 않는다. 그녀는 고용된 가정교사였다가 비일 패런지에게 거칠게 다뤄지는 정부였다가 단지 짧은 기간 동안 메이지의 의붓엄마가 되고, 결국에는 그 아이의 연적이 된다.

　　이에 비해 메이지의 또 다른 가정교사인 윅스 선생님은 아이에게 엄마와 같은 역할을 한다. 메이지에게 그녀는 첫인상부터 엄마 같은 느낌이 들었고, 바로 그것이 그녀의 본질적 가치이다. 윅스 선생님은 외사시의 눈을 가졌고, 초라한 행색에 독선적인 태도에다 우울한 성격을 가진 인물이다. 그녀는 아마도 과부이며, 자신의 유일한 어린 딸마저도 마차 사고로 잃었다. 메이지에게 그녀는 안전감을 주는 유일한 사람이지만, 스스로는 걱정이 가득한 사람이기도 하다. 그녀의 빈약한 시각과 그녀가 교정 안경에 의존해서 생활한다는 사실에 대해서는 많은 비평적 언급이 있어 왔다. 아이다에게 당구 게임이 그러하듯이, 웍스 선생님의 교정 안경과 빈약한 시각이 훌륭한 은유로 작용하며 그녀의 성격에 관해 많은 것을 시사해 준다. 이 소설에서 웍스 선생님의 중요한 역할은, 그녀의 신체적 조건의 특이성에 있다기보다는 그녀가 가진 어머니다운 감성과 독단주의적 태도에 있다.

그럼에도 불구하고 웍스 선생님은 메이지가 전적으로 의지할 만한 인물이 되지 못한다. 그 이유는 그녀 자신도 어색하고 어울리지 않는 방식으로 클로드 경에게 사랑에 빠지게 되며, 그래서 그녀는 비일 부인에게는 끝까지 경쟁자로, 그리고 메이지에게는 연민의 대상으로 남게 된다. 이 소설의 한 가지 문제점은 웍스 선생님이 자신의 지독하게 열정적인 집착 혹은 그녀의 도덕적 편집증을 조금도 누그러뜨리지 않는다는 점이다. 그래서 초라한 고동색 옷을 입고 있는 심사가 사나운 그 나이 든 가정교사가 클로드 경에 대한 자신의 빗나간 애정을 스스로 억누르려고 하면 할수록, 그만큼 더 지독하게 메이지에게 도덕의식을 강조한다는 점은 아이러니컬하다.

클로드 경은 젊고 매력적이다. 메이지는 그가 자기 엄마보다도 더 젊은 세대에 속한다고 생각한다. 그는 아마도 아직 20대로 보인다. 그런 측면에서 아이다와의 관계는 세간에 소문을 불러일으킬 만한 스캔들거리가 된다. 여하튼 그는 작품 속에서 가장 모호한 성격의 인물이다. 독자는 메이지의 입장에서 클로드 경의 약점을 바라보게 된다. 그는 딱히 악당이라고 할 수는 없지만, 그의 행실에는 어딘지 바람둥이 기질 혹은 건달의 기미, 혹은 연애의 끼가 배어들어 있다. 그는 교회 예배에 참석해서도 보닛을 쓴 여성들의 뒷모습을 흥미를 갖고 바라보며, 포크스톤 호텔에서 애완견을 안고 지나가는 검은 머리의 여성에게 주의를 빼앗기고, 불로뉴에서는 바닷가에 앉아서 메이지와 이야기를 나누면서도 눈으로는 "새우를 가득 담은 바구니를 들고 바닷물에서 지금 막 걸어서 나오는 한 젊은 여자 생선장수의 멋진 걸음걸이와 눈부신 팔다리"를 응시한다. 그러한 감정적 불안정성에도 불구하고 클로드 경은 무척 너그러우며, 열린 마음을 가졌고 친절하다.

클로드 경과 관련해서 특히나 중요한 점은 그가 소심하고 겁이 많으며 우유부단한 측면이 있다는 것이다. 그래서 그는 아이다나 비일 부인과 같은 여성 인물들에게 두려움을 느낀다. 그러나 그의 두려움의 진정한 대상은 자기 자신이다. 그것이 여성에게 나약해지는 그의 태도를 설명해 주고, 메이지에 대한 그의 감상적인 마음을 설명해 준다. 요컨대 그는 항상 자신의 책임을 다하려고 하면서도 다른 한편으로 낭만적 일탈을 꿈꾼다.

클로드 경은 메이지를 포함하여 작품 속 거의 모든 여성에게 인기가 있다. 그는 모든 실수를 용서받으며, 그의 감정적 불성실도 좀체 비난받지 않는다. 심지어 어린아이이며 자신의 의붓딸인 메이지에게 이성적 끌림을 갖는 데도 불구하고 그는 유혹자로 묘사되지 않는다. 그러나 그는 무책임한 유혹자일 수밖에 없다. 메이지에 대한 그의 태도는 확연히 이성에 대한 감정의 성격을 띠며, 그 아이에게 말할 때 그의 어조는 연애하는 듯한 낌새를 풍긴다. 때로 그는 그 아이가 마치 자기 애인이라도 되는 것처럼 행동한다. 즉 그는 연애 감정으로 그 아이를 꾀려 한다. 그는 "나는 항상 너에게 가장 특별한 방식으로 말한단다"라고 퉁명스러운 듯 솔직하게 말한다.

이 소설은 남녀 간의 애정과 관련해서 옳고 그름의 문제에 대해서는 무척 관대한 입장을 보이지만, 선과 악의 문제에서는 그렇지 않다. "도덕관념"은 윅스 선생님이 외쳐대는 가치이다. 그러나 제임스는 도덕성이라는 것이 사랑과 같은 차원에서 다루어지는 문제가 아니라는 사실에 독자의 주의를 반복적으로 환기시킨다. 그 두 가지를 혼동하는 것이 사람들이 흔히 하는 착각이라고 주장하는 듯하다. 그런 시각에서 윅스 선생님은 결국 편견을 가진 인물이며, 그녀 자신도 연애 감정에 휘말린다. 우리는 아무도 그녀가 메이지에게 도덕관념을 일깨워 주었다고 믿지 않는다. 전통적인 시각에서의 사회적 도덕 '관념'은 제한되어 있고, 협소하고 가혹하며, 이 작품에서는 결국 아이러니의 원인이 된다.

메이지는 가장 자유로운 사고방식을 가지고 있으면서도 가장 의존적인 인물일 수밖에 없다. 영혼에 있어서는 자유롭지만, 실제 생존에 있어서는 누군가에게 묶여 있을 수밖에 없는 존재이다. 소설 종반부에 반복적으로 제시되는 자유라는 개념을 그러한 시각에서 비춰볼 때, 이 소설에서는 플롯 차원에서 작용하는 아이러니가 발견된다. 메이지의 의붓부모에 의해 빈번히 언급되는 "자유롭다"는 표현은 부도덕성의 뉘앙스를 담고 있고, 비일 부인이 마침내 "나는 자유로워졌어"라고 외칠 때 그 말은 실제로 사악한 색깔을 띤다. 그 경우 자유라는 것은, 자기가 원하는 대로 자신의 감정적 욕구를 충족할 수 있는 상태를 의미한다. 그와 같은 자유는 본성적으로 착한 메이지에게는 아무 문제가 없어 보일지 모르지만, 근본적으로는 어른들의 무분별한 탐욕에 뿌리박혀 있다. 반면에 기독교적 양심에 깊숙이 물든 윅스 선생님에게는 자유라는 것이 죄의 근원이 된다.

메이지의 생각은 그 아이가 가진 순수성과 고상함 때문에 자유에 대한 어른들의 모순된 개념과도 조화를 이룰 수 있다. 하지만 어른들은 자유뿐만 아니라 도덕에 대해서도 각자 자신의 욕구와 입장에 따라 각기 다른 해석을 한다. 메이지와 클로드 경이 마치 열렬한 연인 사이인 것처럼 어색한 밀고 당기기를 주고받을 때, 비일 부인은 그것을 도덕적으로나 사회적으로 용인될 수 없는 행위라고 생각한다. 게다가 그녀는 메이지를 성적인 라이벌로 느낀다. 그래서 그녀는 극도로 흥분해서 소리를 지르며 감정을 폭발한다. 그런 그녀에게 메이지는 "저는 클로드 경을 사랑해요. 저는 그분을 사랑한다고요."라고 대꾸한다. 그 아이는 클로드 경에 대해 그가 자기의 아빠이면서 동시에 애인이 될 것 같은 감정을 품고 있다. 물론 아이의 그러한 소망은 충족되지 않는다. 클로드 경이 메이지를 놓아주고 떠나보내며, 이제는 그 아이에게 그다지 설득력 없는 보호자의 처지가 된 웍스 선생님이 아이를 떠안게 된다. 메이지는 얽히고설킨 애정 관계의 모든 내막을 알게 되고, 삶에 대한 아이의 그러한 지식은 실질적으로 아이의 어린 시절의 종식을 의미한다.

그런 관점에서 이 작품은 일종의 성장소설로 구분될 수 있다. 그러나 이 작품은 보통의 다른 성장소설과는 달리, 철저히 메이지의 인식의 성장에 초점이 맞춰져 있다. 처음 등장할 때 아이는 불안정한 가정환경으로부터의 자극을 수동적으로 받아들이기만 하는 상태이지만, 나이가 들어가고 경험이 쌓이면서 주변 어른들의 관계에 대해서뿐만 아니라 자기 자신에 대해서도 점차 적극적으로 사유하고 판단하게 된다.

부부 갈등의 소용돌이 속에 내던져진 메이지가 갖게 되는 최초의 정서적 반응은, 자신이 위험에 처했다는 느낌이다. 그 아이는 불안과 긴장감을 느낄 뿐만 아니라 자기가 그것을 느낀다는 사실도 안다. 이어서 그 아이는 자신의 일차원적인 감각적 인식으로는 그처럼 복잡하게 얽히고 교묘하게 은폐된 어른들의 애정 관계를 파악할 수 없다는 데서 그런 위험이 비롯된다는 것을 깨닫게 된다. 어른들의 영역이 숨겨진 의도와 감춰진 욕망의 세계라는 것을 알게 되는 것이다. 그 아이는 자기 가정교사인 오버모어 양이 손에 스타킹을 씌우고 바늘로 그것을 깁는 동안, 기다란 바늘을 스타킹의 이쪽저쪽으로 능숙하게 드나들게 하면서도 손을 찌르지 않는 것을 신기해한다. 결국 메이지는 어른들이 그런 식으로 각기 다른 의도를 숨기고 있으며 능숙하게 거짓말을 한다는 것을 알게 된다.

따라서 그 아이는 자신의 생존에 대한 안전을 확보하려는 차원에서 자신의 생각과 감정을 직설적으로 표현하는 대신에 그것을 숨기거나 위장하는 법을 배운다. 말하자면 그 아이는 자신의 의도를 숨기거나 침묵하기 시작하고, 나아가서 멍청한 척하기도 하는 등 어른들이 하는 사회적 처신을 배우게 된다. 화자는 아이가 그처럼 속마음을 숨기기 시작하는 것을 "내면의 자아"가 형성되는 것으로 규정하며, 그것을 그 아이의 "도덕적 혁명"이라고 정의한다.

메이지의 인식이 성장하는 과정에서 다음 단계는 도덕관념과 관련된다. 아이의 가정교사인 웍스 선생님은 사회적으로 비난받을 만한, 의붓부모의 애정적 결합에 대해 도덕관념을 가져야 한다고 그 아이를 압박한다. 그녀는 자기착각에 빠진 경직된 도덕주의를 대변하는 인물로서, 아이의 의붓아버지인 클로드 경과 의붓어머니인 비일 부인이 결합하는 것이 사회적으로 도저히 용납될 수 없는 부도덕한 행위라는 생각을 그 아이에게 주입시키려고 집요하게 시도한다. 그러나 아이의 인식 능력이 아직 그런 문제에 대해 사회적·윤리적 판단을 할 수 없는 상태에 있기 때문에, 그리고 아이 자신이 클로드 경에게 갖게 된 연모의 감정 때문에 그 아이는 웍스 선생님의 도덕적 요구를 이해하지 못한다.

메이지는 클로드 경과 비일 부인의 관계를 주로 그 두 사람에 대한 자신의 정서적인 반응에 의존해서 판단할 따름이다. 한편 그 아이는 클로드 경에게 자신이 품게 되는 연모의 감정을 통해서 그를 인식하려 하고, 다른 한편으로는 자신이 비일 부인에게 느끼는 호감과 질투라는 이중 감정을 통해 그녀는 물론 그와 그녀와의 관계를 판단하려 한다. 불로뉴 바닷가 여름밤의 낭만적인 분위기에서 정서적으로 고무된 메이지는 창밖에서 들려오는 감미로운 노래 가락을 듣고 "연애amour의 의미를 알게 되었다"라고 스스로 생각한다.

메이지가 경험하여 얻게 되는 최종적인 도덕의식은 사회적·윤리적 관념이 아니라 두려움이라는 개인적인 느낌이다. 소설의 결말 부분에 이르러서도 그 아이는 클로드 경과 비일 부인 사이의 애정 관계가 왜 끔찍한 범죄인지 실질적으로 이해하지 못하며, 자신과 클로드 경 사이의 연정에 내재된 사회적·도덕적 의미에 대해서도 판단하지 못한다. 다만 그 아이는 클로드 경이 자신과의 관계에 대해 무언가를 두려워하고 있다는 것을 알게 되며, 그 두려움의 궁극적 대상이 클로드 경 자신이라는 것을 깨닫는다. 나아가서 그 아이는 클로드 경에 대한 자신의 연정이, 자기 자신에게도 어떤 두려움이 들게 한다는 자의식을 갖게 된다. 작품의 결말 부분에서 메이지와 클로드 경은 파리로의 사랑의 도피 행각을 꿈꾸지만, 기차 정거장에 이르러서 막상 그것을 실행하지는 못한다. 그때 아이는 불안해 보이는 클로드 경이 궁극적으로 "자기 자신을 두려워하고 있다"는 것을 알게 된다. 또한 자신이 비일 부인에게 "헤아릴 수 없는 질투"를 느끼고 있으며, 클로드 경과의 관계에서 "자기 자신을 두려워하고 있다"는 것을 의식한다.

도덕적 판단은 옳고 그름의 객관적·관념적 기준에 의해서가 아닌 개인적·감정적 작용, 즉 두려움이라는 감정에 의해서 이루어지는 것이다. 도덕적 판단의 맨 밑바닥에는 외부에서 주입되는 사회적 관념이 아니라 그 행위를 하려는 자신의 마음속에서 생겨나는 불안과 두려움, 혹은 거리껴지는 감정이 자리 잡고 있다. 메이지는 비록 도덕관념을 갖게 된 것은 아니지만 적어도 자신과 클로드 경이 정서적으로 원하는 것을 그들이 두려워하고 있다는 것을 스스로 알게 된다. "메이지가 알았던 것"이라는 소설 제목이 시사하고 "메이지가 무엇을 알았을까?"라고 작품의 마지막 문장에서 다시 한번 조명하는 질문에 대한 답, 즉 그 아이가 알게 된 것은 바로 그 두려움에 대한 자각 혹은 윤리적 자기 억제일 것이다.

**나희경**

전남대학교 영어영문학과 졸업

뉴욕대학교 대학원 영문학 석사

뉴욕대학교 대학원 영문학 박사

21세기영어영문학회 회장(2014년 3월 ~ 2016년 2월)

현재 전남대학교 영어영문학과 교수

# 메이지가 알았던 것

초판 1쇄 발행일 • 2021년 4월 30일

옮긴이 • 나희경 / 발행인 • 이성모 / 발행처 • 도서출판 동인

주소 • 서울시 종로구 혜화로3길 5 118호 / 등록 • 제1−1599호

Tel • (02) 765−7145~55 / Fax • (02) 765−7165

E−mail • dongin60@chol.com


ISBN  978−89−5506−847−4      정가 24,000원